中学 自由自在 数学 問題集

From Basic to Advanced

受験研究社

この本の特長と使い方

本書は，『中学 自由自在 数学』に準拠しています。中学3年間の学習内容からさまざまなレベルの重要かつ典型的な問題を精選し，それらを段階的に並べました。

STEP 1 まとめノート

『自由自在』の例題に準拠した“まとめノート”です。基本レベルの空所補充問題で，まずは各単元の学習内容を理解しましょう。

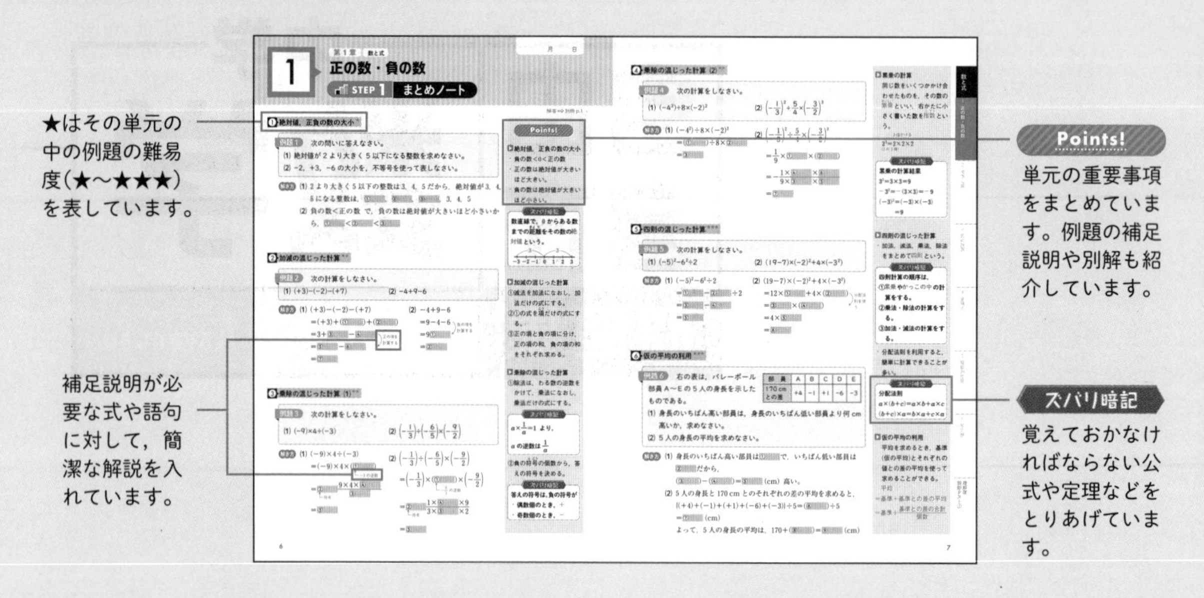

★はその単元の中の例題の難易度(★～★★★)を表しています。

補足説明が必要な式や語句に対して，簡潔な解説を入れています。

Points!
単元の重要事項をまとめています。例題の補足説明や別解も紹介しています。

ズバリ暗記
覚えておかなければならない公式や定理などをとりあげています。

STEP 2 実力問題

基本～標準レベルの入試問題を中心に構成しています。実際の入試問題を解いて実力をグッと高め，STEP3の発展問題を解くための応用力をつけましょう。

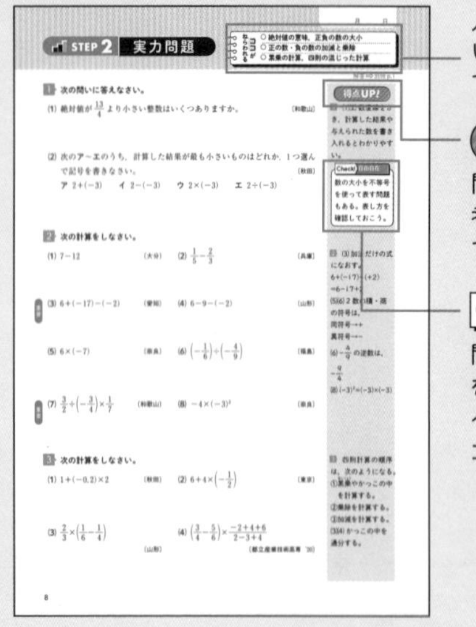

入試でねらわれやすいポイントを3つ示しています。

得点UP!
問題のヒントや参考事項・注意事項です。

Check! 自由自在
問題との関連事項を『自由自在』で調べる“調べ学習”のコーナーです。

STEP 3 発展問題

発展レベルの入試問題を中心に構成しています。その単元で学習したことの理解を深め，さらに力を伸ばしましょう。

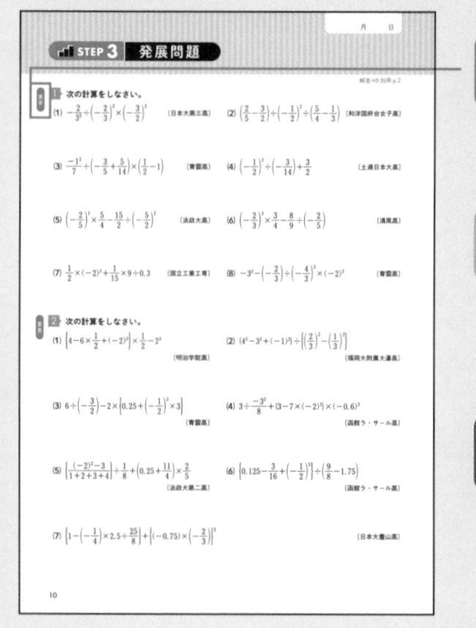

重要 特に重要な問題を示しています。

記述 理由や求める過程を書く問題を示しています。

難問 特に難易度が高い問題を示しています。

理解度診断テスト

その章の内容が身についたかどうかを確認するテストです。基本～標準レベルの問題で構成しています。

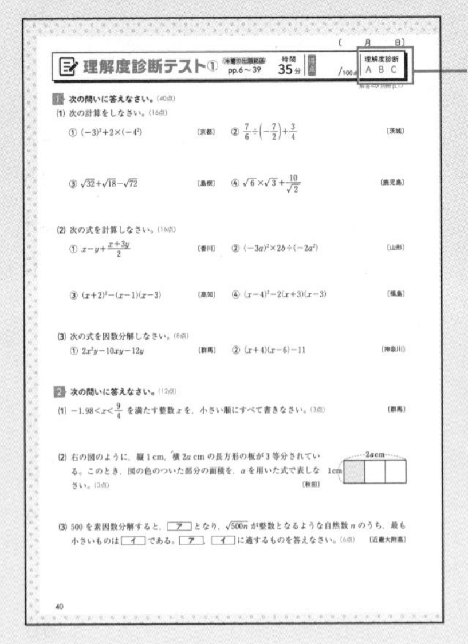

診断基準点は解答編に設けました。
A…よく理解できています
B…Aを目指して再チャレンジ
C…STEP1から見直しましょう

思考力・記述問題対策

公立高校入試で出題された条件文が長く，読解力や思考力を必要とする問題，理由や計算過程などを書く必要のある記述式の問題で構成しています

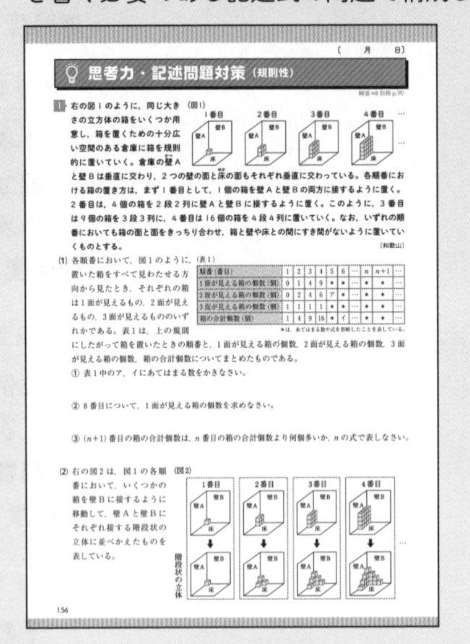

高校入試予想問題

実際の入試を想定して，各分野の内容を融合させた少しハイレベルな問題や出題率の高い問題を中心に構成しています。実際の入試と思って取り組みましょう。

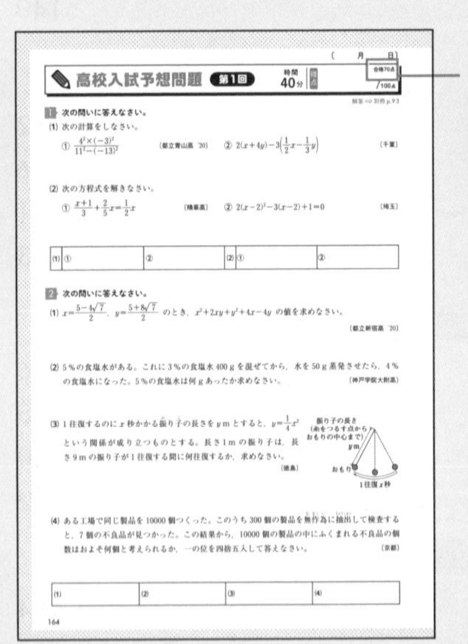

合格の基準となる合格点を示しています。（配点は解答編にあります。）

解答編

解説は，わかりやすく，むだな式や文がないようにシンプルにまとめました。別解も数多く紹介しています。

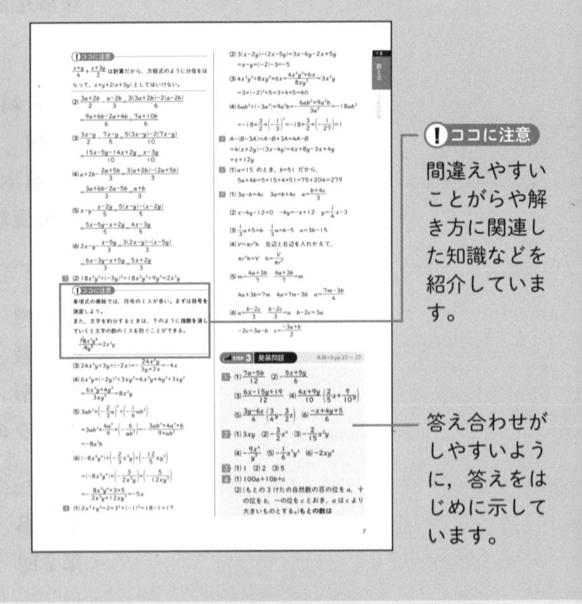

中　学
自由自在問題集
数　学

目次

Contents

本書に関する最新情報は，小社ホームページにある本書の「サポート情報」をご覧ください。（開設していない場合もございます。）
なお，この本の内容についての責任は小社にあり，内容に関するご質問は直接小社におよせください。

数と式・方程式・関数

月　日

第1章　数と式

1 正の数・負の数

STEP 1 まとめノート

解答 ⇨ 別冊 p.1

① 絶対値，正負の数の大小 ★

例題 1 次の問いに答えなさい。

(1) 絶対値が 2 より大きく 5 以下になる整数を求めなさい。

(2) −2，+3，−6 の大小を，不等号を使って表しなさい。

解き方 (1) 2 より大きく 5 以下の整数は 3，4，5 だから，絶対値が 3，4，5 になる整数は，①　，②　，③　，3，4，5

(2) 負の数＜正の数 で，負の数は絶対値が大きいほど小さいから，①　＜②　＜③

② 加減の混じった計算 ★★

例題 2 次の計算をしなさい。

(1) $(+3)-(-2)-(+7)$　　(2) $-4+9-6$

解き方 (1) $(+3)-(-2)-(+7)$

$=(+3)+($①$)+($②$)$

$=3+$③$-$④　（正の項を計算する）

$=$⑤$-$⑥

$=$⑦

(2) $-4+9-6$

$=9-4-6$　（負の項を計算する）

$=9$①

$=$②

③ 乗除の混じった計算 (1) ★★

例題 3 次の計算をしなさい。

(1) $(-9)\times4\div(-3)$　　(2) $\left(-\frac{1}{3}\right)\div\left(-\frac{6}{5}\right)\times\left(-\frac{9}{2}\right)$

解き方 (1) $(-9)\times4\div(-3)$

$=(-9)\times4\times($①$)$　（↑ −3 の逆数）

$=$②$\frac{9\times4\times④}{③}$　（↑ 符号）

$=$⑤

(2) $\left(-\frac{1}{3}\right)\div\left(-\frac{6}{5}\right)\times\left(-\frac{9}{2}\right)$

$=\left(-\frac{1}{3}\right)\times($①$)\times\left(-\frac{9}{2}\right)$　（↑ $-\frac{6}{5}$ の逆数）

$=$②$\frac{1\times④\times9}{3\times③\times2}$　（↑ 符号）

$=$⑤

Points!

▶絶対値，正負の数の大小

・負の数＜0＜正の数

・正の数は絶対値が大きいほど大きい。

・負の数は絶対値が大きいほど小さい。

ズバリ暗記

数直線で，0 からある数までの距離（きょり）をその数の絶対値という。

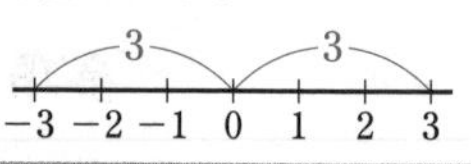

▶加減の混じった計算

①減法を加法になおし，加法だけの式にする。

②①の式を項（こう）だけの式にする。

③正の項と負の項に分け，正の項の和，負の項の和をそれぞれ求める。

▶乗除の混じった計算

①除法は，わる数の逆数をかけて，乗法になおし，乗法だけの式にする。

ズバリ暗記

$a\times\frac{1}{a}=1$ より，

a の逆数は $\frac{1}{a}$

②負の符号（ふごう）の個数から，答えの符号を決める。

ズバリ暗記

答えの符号は，負の符号が

・偶数個のとき，＋

・奇数個のとき，−

④ 乗除の混じった計算 (2) ★★

例題 4 次の計算をしなさい。

(1) $(-4^2)\div 8\times(-2)^2$　　(2) $\left(-\dfrac{1}{3}\right)^2\div\dfrac{5}{4}\times\left(-\dfrac{3}{2}\right)^3$

解き方 (1) $(-4^2)\div 8\times(-2)^2$

$=($①　　$)\div 8\times$②

$=$③

(2) $\left(-\dfrac{1}{3}\right)^2\div\dfrac{5}{4}\times\left(-\dfrac{3}{2}\right)^3$

$=\dfrac{1}{9}\times$①　　$\times($②　　$)$

$=-\dfrac{1\times ④\quad\times ⑥}{9\times ③\quad\times ⑤}$

$=$⑦

⑤ 四則の混じった計算 ★★★

例題 5 次の計算をしなさい。

(1) $(-5)^2-6^2\div 2$　　(2) $(19-7)\times(-2)^2+4\times(-3^2)$

解き方 (1) $(-5)^2-6^2\div 2$

$=$①　　$-$②　　$\div 2$

$=$③　　$-$④

$=$⑤

(2) $(19-7)\times(-2)^2+4\times(-3^2)$

$=12\times$①　　$+4\times($②　　$)$　← 分配法則を使う

$=$③　　$\times($④　　$)$

$=4\times$⑤

$=$⑥

⑥ 仮の平均の利用 ★★★

例題 6 右の表は，バレーボール部員A～Eの5人の身長を示したものである。

部　員	A	B	C	D	E
170 cm との差	+4	−1	+1	−6	−3

(1) 身長のいちばん高い部員は，身長のいちばん低い部員より何 cm 高いか，求めなさい。

(2) 5人の身長の平均を求めなさい。

解き方 (1) 身長のいちばん高い部員は①　　で，いちばん低い部員は②　　だから，

(③　　)−(④　　)=⑤　　(cm) 高い。

(2) 5人の身長と 170 cm とのそれぞれの差の平均を求めると，

$\{(+4)+(-1)+(+1)+(-6)+(-3)\}\div 5=($⑥　　$)\div 5$

$=$⑦　　(cm)

よって，5人の身長の平均は，170+(⑧　　)=⑨　　(cm)

▶累乗の計算

同じ数をいくつかかけ合わせたものを，その数の累乗（るいじょう）といい，右かたに小さく書いた数を指数（しすう）という。

$2^3=\overbrace{2\times2\times2}^{3\text{個かける}}$
(2の3乗)

ズバリ暗記

累乗の計算結果

$3^2=3\times3=9$

$-3^2=-(3\times3)=-9$

$(-3)^2=(-3)\times(-3)$
$=9$

▶四則の混じった計算

・加法，減法，乗法，除法をまとめて四則という。

ズバリ暗記

四則計算の順序は，
①累乗やかっこの中の計算をする。
②乗法・除法の計算をする。
③加法・減法の計算をする。

・分配法則を利用すると，簡単に計算できることが多い。

ズバリ暗記

分配法則

$a\times(b+c)=a\times b+a\times c$

$(b+c)\times a=b\times a+c\times a$

▶仮の平均の利用

平均を求めるとき，基準(仮の平均)とそれぞれの値との差の平均を使って求めることができる。

平均
=基準+基準との差の平均
=基準 $+\dfrac{\text{基準との差の合計}}{\text{個数}}$

月　日

STEP 2 実力問題

ねらわれるココが
- ○絶対値の意味，正負の数の大小
- ○正の数・負の数の加減と乗除
- ○累乗の計算，四則の混じった計算

解答 ⇨ 別冊 p.1

1 次の問いに答えなさい。

(1) 絶対値が $\frac{13}{4}$ より小さい整数はいくつありますか。〔和歌山〕

(2) 次のア～エのうち，計算した結果が最も小さいものはどれか，1つ選んで記号を書きなさい。〔秋田〕

ア $2+(-3)$　**イ** $2-(-3)$　**ウ** $2\times(-3)$　**エ** $2\div(-3)$

2 次の計算をしなさい。

(1) $7-12$〔大分〕　(2) $\frac{1}{5}-\frac{2}{3}$〔兵庫〕

重要 (3) $6+(-17)-(-2)$〔愛知〕　(4) $6-9-(-2)$〔山形〕

(5) $6\times(-7)$〔奈良〕　(6) $\left(-\frac{1}{6}\right)\div\left(-\frac{4}{9}\right)$〔福島〕

重要 (7) $\frac{3}{2}\div\left(-\frac{3}{4}\right)\times\frac{1}{7}$〔和歌山〕　(8) $-4\times(-3)^2$〔奈良〕

3 次の計算をしなさい。

(1) $1+(-0.2)\times2$〔秋田〕　(2) $6+4\times\left(-\frac{1}{2}\right)$〔東京〕

(3) $\frac{2}{3}\times\left(\frac{1}{6}-\frac{1}{4}\right)$〔山形〕　(4) $\left(\frac{3}{4}-\frac{5}{6}\right)\times\frac{-2+4+6}{2-3+4}$〔都立産業技術高専 '20〕

得点UP!

1 (1)(2) 数直線をかき，計算した結果や与えられた数を書き入れるとわかりやすい。

Check! 自由自在
数の大小を不等号を使って表す問題もある。表し方を確認しておこう。

2 (3) 加法だけの式になおす。
$6+(-17)+(+2)$
$=6-17+2$
(5)(6) 2数の積・商の符号は，
同符号→＋
異符号→−
(6) $-\frac{4}{9}$ の逆数は，$-\frac{9}{4}$
(8) $(-3)^2=(-3)\times(-3)$

3 四則計算の順序は，次のようになる。
①累乗（るいじょう）やかっこの中を計算する。
②乗除を計算する。
③加減を計算する。
(3)(4) かっこの中を通分する。

4 次の計算をしなさい。

(1) $(1-3^2)\div\frac{4}{3}$ 〔香川〕

(2) $8-(-5)^2\div\frac{5}{2}$ 〔千葉〕

重要

(3) $(-2)^2\times3+15\div(-5)$ 〔茨城〕

(4) $\frac{1}{6}\times\left(-\frac{3}{2}\right)^2-\frac{3}{4}$ 〔大阪〕

(5) $5\times(-2)^2-(-3)^3$ 〔和洋国府台女子高〕

(6) $32+(-4^2)\div8-(-5)^2$ 〔広島大附高〕

(7) $-2^4\div(-3)^2\div\frac{2}{3}-3\div(-2^2)$ 〔法政大高〕

(8) $\{-11^2-7\times(-2)^3\}\div(-5)$

5 次の問いに答えなさい。

(1) 3つの数 a, b, c について，$ab<0$, $abc>0$ のとき，a, b, c の符号の組み合わせとして，最も適当なものを右の**ア**～**エ**の中から1つ選び，記号で答えなさい。 〔鹿児島〕

	a	b	c
ア	＋	＋	−
イ	＋	−	＋
ウ	−	−	＋
エ	−	＋	−

(2) 右の図の○の中には，三角形の各辺の3つの数の和がすべて等しくなるように，それぞれ数がはいっている。ア，イにあてはまる数を求めなさい。 〔愛知〕

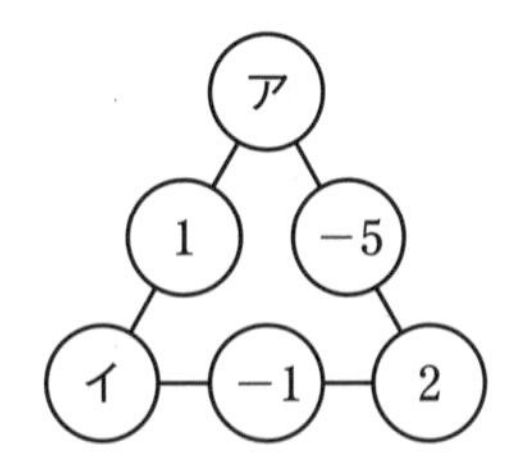

重要

6 右の表について，日曜日の気温が9.5℃であるとき，この1週間の平均気温は何℃か求めなさい。 〔日本大豊山高〕

曜　日	日	月	火	水	木	金	土
前日との気温の差(℃)	0	+4.2	+0.7	−2.1	+0.3	−1.5	−5.6

---

4 (1) $-3^2=-(3\times3)$
累乗(るいじょう)の計算の後かっこの中を計算する。
(2) $(-5)^2$
$=(-5)\times(-5)$
(8) かっこの中にかっこがある式は，( )→{ }の順に計算する。

Check! 自由自在
数の集合の中で四則を考えたとき，四則がいつでも計算できるとは限らないときは，どんな計算のときかを確認しよう。

5 (1) 積の符号のきまりを利用する。
(2) 各辺の和を式で表す。

6 9.5℃を基準として，月曜日から土曜日までの気温がそれぞれどれだけ高いかを正の数や負の数で表す。火曜日の気温は，9.5℃より
(+4.2)+0.7
=+4.9(℃) 高い。

STEP 3 発展問題

解答⇨別冊 p.2

重要

1 次の計算をしなさい。

(1) $-\frac{2}{3^3}\div\left(-\frac{2}{3}\right)^2\times\left(-\frac{3}{2}\right)^2$ 〔日本大第三高〕

(2) $\left(\frac{2}{5}-\frac{3}{2}\right)\div\left(-\frac{1}{2}\right)^2\div\left(\frac{5}{4}-\frac{1}{3}\right)$ 〔和洋国府台女子高〕

(3) $\frac{-1^2}{7}\div\left(-\frac{3}{5}+\frac{5}{14}\right)\times\left(\frac{1}{2}-1\right)$ 〔青雲高〕

(4) $\left(-\frac{1}{2}\right)^2\div\left(-\frac{3}{14}\right)+\frac{3}{2}$ 〔土浦日本大高〕

(5) $\left(-\frac{2}{5}\right)^2\times\frac{5}{4}-\frac{15}{2}\div\left(-\frac{5}{2}\right)^2$ 〔法政大高〕

(6) $\left(-\frac{2}{3}\right)^3\times\frac{3}{4}-\frac{8}{9}\div\left(-\frac{2}{5}\right)$ 〔清風高〕

(7) $\frac{1}{2}\times(-2)^3+\frac{1}{15}\times9\div0.3$ 〔国立工業工専〕

(8) $-3^2-\left(-\frac{2}{3}\right)\div\left(-\frac{4}{3}\right)^2\times(-2)^3$ 〔青雲高〕

重要

2 次の計算をしなさい。

(1) $\left\{4-6\times\frac{1}{2}+(-2)^2\right\}\times\frac{1}{2}-2^2$ 〔明治学院高〕

(2) $\{4^2-3^2+(-1)^2\}\div\left\{\left(\frac{2}{3}\right)^2-\left(\frac{1}{3}\right)^2\right\}$ 〔福岡大附属大濠高〕

(3) $6\div\left(-\frac{3}{2}\right)-2\times\left\{0.25+\left(-\frac{1}{2}\right)^3\times3\right\}$ 〔青雲高〕

(4) $3\div\frac{-3^2}{8}+\{3-7\times(-2)^2\}\times(-0.6)^3$ 〔函館ラ・サール高〕

(5) $\left\{\frac{(-2)^2-3}{1+2+3+4}\right\}\div\frac{1}{8}+\left(0.25+\frac{11}{4}\right)\times\frac{2}{5}$ 〔法政大第二高〕

(6) $\left\{0.125-\frac{3}{16}+\left(-\frac{1}{2}\right)^5\right\}\div\left(\frac{9}{8}-1.75\right)$ 〔函館ラ・サール高〕

(7) $\left\{1-\left(-\frac{1}{4}\right)\times2.5\div\frac{25}{8}\right\}+\left\{(-0.75)\times\left(-\frac{2}{3}\right)\right\}^2$ 〔日本大豊山高〕

3 **次の問いに答えなさい。**

(1) 次の**ア**～**エ**を，左から数の小さい順に記号で書きなさい。〔京都〕

ア $\left(-\frac{3}{5}\right)^2$　**イ** $\frac{3^2}{5}$　**ウ** $-\frac{3^2}{5}$　**エ** $\left(-\frac{5}{3}\right)^2$

(2) 2つの整数a，bがある。aは負の数で，絶対値が-5の絶対値より小さい。$a+b=1$となるようなa，bの組を1組書きなさい。〔鹿児島〕

(3) 2つの数a，bがあり，$a>0$，$b<0$である。このとき，次の**ア**～**オ**の中から，計算の結果が必ず正の数となるものを2つ選び，記号で答えなさい。〔山口〕

ア $a+b$　**イ** $a-b$　**ウ** ab　**エ** $\frac{a}{b}$　**オ** a^2+b^2

(4) $-4^2-\square\div(3-5)\times(-3)^2-5^2=4$ が成り立つとき，□にあてはまる数を求めなさい。〔明治学院高〕

4 E君が数学のテストを5回行ったところ，1回目は70点であった。右の表は2回目から5回目までの得点に関して，それぞれの1回前との得点差を表している。たとえば，5回目の「+2」は5回目の得点から4回目の得点をひいた差である。表のように3回目の得点差は不明であるが，1回目から5回目までの平均点が73点であることがわかっている。このとき，5回目のテストの得点を求めなさい。〔江戸川学園取手高〕

1回目	2回目	3回目	4回目	5回目
	+5		−8	+2

難問 **5** −3から5までのすべての整数を使って，縦，横，斜め(なな)それぞれの和が等しくなるような表をつくりたい。空欄(くうらん)をすべてうめたとき，ア，イに入る整数を答えなさい。〔和洋国府台女子高〕

0		イ
ア		3
4	−3	

月　日

第1章　数と式

2 文字と式

STEP 1 まとめノート

解答⇨別冊 p.3

① 文字式の表し方 ★

例題 1　次の式を，×や÷の記号を使わないで表しなさい。

(1) $b\times(-1)\times a$　(2) $(x-y)\times4\times(x-y)$

(3) $(x+y)\div(-3)$　(4) $-x-y\div(-6)$

解き方 (1) $b\times(-1)\times a$

$=(-1)\times a\times b$　（1 ははぶく）

$=$①______

(2) $(x-y)\times4\times(x-y)$

$=4\times(x-y)\times(x-y)$　（累乗の指数を使う）

$=$①______

(3) $(x+y)\div(-3)$

$=\dfrac{x+y}{-3}$

$=$①______

(4) $-x-y\div(-6)$

$=-x-($①______$)$

$=$②______

② 数量の表し方 ★

例題 2　次の数量を式で表しなさい。

(1) 時速 a km で 50 分進んだときの道のり

(2) 定価 1000 円の商品から a %引きして売った売値

解き方 (1) 50 分＝①______時間

道のり＝②______×時間 より，$a\times$③______＝④______(km)

(2) a %を分数で表すと，①______

よって，売値は，$1000\times($②______$)=$③______円

③ 1 次式の加減 ★

例題 3　次の計算をしなさい。

(1) $6a-4-3a+5$　(2) $(3x-7)+(2x+9)$

(3) $(-5y+3)-(-4y-1)$

解き方 (1) $6a-4-3a+5=6a-3a-4+5=$①______

（文字をふくむ項をまとめる）

(2) $(3x-7)+(2x+9)=3x-7+$①______＝②______

（そのまま(　)をはぶく）

(3) $(-5y+3)-(-4y-1)=-5y+3+$①______＝②______

（(　)の中の符号を変える）

Points!

▶積の表し方

・$b\times a=ab$　（×ははぶく／アルファベット順）

・$x\times(-5)=-5x$　（数は文字の前）

・$x\times x=x^2$　（同じ文字は累乗の形）

ズバリ暗記

$1\times a$ や $-1\times a$ は 1 をはぶいて a，$-a$ と書く。ただし，$0.1a$ の 1 ははぶけない。

▶商の表し方

・$a\div b=\dfrac{a}{b}$　（分数の形）

・$x\div(-2)=-\dfrac{x}{2}$　（－は分数の前）

・$(a+b)\div c=\dfrac{a+b}{c}$　（(　)ははぶく）

ズバリ暗記

$\dfrac{a}{3}$ は $\dfrac{1}{3}a$，$-\dfrac{x+y}{7}$ は $-\dfrac{1}{7}(x+y)$ のように表してもよい。

▶1 次式の計算

・1 次式の加減は，文字の部分が同じ項(こう)どうし，定数項どうしを計算する。

・1 次式と数の乗除は，分配法則を使って計算する。

$a(b+c)=ab+ac$

$(b+c)\div a=(b+c)\times\dfrac{1}{a}$

$=b\times\dfrac{1}{a}+c\times\dfrac{1}{a}$

④ 1次式と数の乗除 ★

例題 4 次の計算をしなさい。

(1) $(-7x)\times(-6)$　(2) $(-6x)\div\frac{2}{3}$　(3) $\frac{3}{4}(8x+12)$

解き方 (1) $(-7x)\times(-6)=(-7)\times(-6)\times x=$ ①

(2) $(-6x)\div\frac{2}{3}=(-6x)\times$ ① $=$ ②

(3) $\frac{3}{4}(8x+12)=\frac{3}{4}\times 8x+\frac{3}{4}\times$ ① $=$ ②

└分配法則を使う

⑤ いろいろな計算 ★★★

例題 5 次の計算をしなさい。

(1) $4(3x-5)+2(-5x+6)$　(2) $\frac{2x+1}{3}-\frac{x-3}{4}$

解き方 (1) $4(3x-5)+2(-5x+6)=12x-20-$ ① $x+$ ② $=$ ③

(2) $\frac{2x+1}{3}-\frac{x-3}{4}=\frac{①\ (2x+1)-②\ (x-3)}{12}$

$=\frac{8x+4-③}{12}=$ ④

⑥ 関係を表す式 ★

例題 6 次の数量の関係を，等式または不等式で表しなさい。

(1) 1枚 a 円の切手を7枚買うのに1000円札を出したら，おつりは b 円であった。

(2) 2つの数 a と b の和を3倍した数は10未満である。

解き方 (1) 切手7枚は ① 円だから，$1000-$ ② $=$ ③ ←等式

(2) a と b の和は ① だから，3(②) ③ 10 ←不等式

└不等号を入れる

⑦ 式の値 ★★

例題 7 次の式の値を求めなさい。

(1) $a=-2$ のとき，$-3a^2$　(2) $x=3$，$y=-4$ のとき，$\frac{x}{6}-\frac{2}{y^2}$

解き方 (1) $-3a^2=-3\times($ ① $)^2=-3\times$ ② $=$ ③

└負の数を代入するときは( )をつける

(2) $\frac{x}{6}-\frac{2}{y^2}=\frac{3}{6}-\frac{2}{①}=\frac{1}{2}-\frac{1}{②}=$ ③

▶分数をふくむ式の加減

分数をふくむ式の加減では，通分する。分母の最小公倍数をかけて，分母をはらってはいけない。

ズバリ暗記

計算結果が約分できるときは忘れずに約分する。

$\frac{\overset{2}{\cancel{10}}x+\overset{3}{\cancel{15}}}{\underset{1}{\cancel{5}}}=2x+3$

また，次のようにしないように注意する。

$\frac{\overset{2}{\cancel{10}}x+14}{\underset{1}{\cancel{5}}}=\cancel{2x+14}$

▶関係を表す式

等号や不等号を使って数量の関係を表した式をそれぞれ等式，不等式という。

$3x+4<10$ ←不等式（左辺 $3x+4$，右辺 10，両辺）

ズバリ暗記

- **a は b と等しい** ⇨ $a=b$
- **a は b 以上** ⇨ $a\geqq b$
- **a は b 以下** ⇨ $a\leqq b$
- **a は b より大きい** ⇨ $a>b$
- **a は b 未満** ⇨ $a<b$

▶式の値

式の中の文字に数をあてはめることを文字にその数を代入するといい，代入して求めた結果を式の値という。

例　$a=3$ のとき，$2a-5$ の値

$2a-5=2\times3-5=1$（代入，式の値）

月　日

STEP 2 実力問題

ねらわれるココが
○1次式の計算
○数量の関係を等式や不等式で表す問題
○規則性についての問題

解答⇨別冊 p.4

1 次の式を，×や÷の記号を使わないで表しなさい。

(1) $c\times a\times(-2)\times b$　　(2) $x\times y\div(-5)\times y$

重要 (3) $x\div y\div z$　　(4) $a\times4+7\div b$

2 次の式を，×や÷の記号を使って表しなさい。

(1) $\frac{b}{5}-6c$　　重要 (2) $\frac{a^2b}{x+y}$

3 次の問いに答えなさい。

(1) 100 g が a 円の肉を 300 g と，100 g が 500 円の肉を b g 買ったときの代金の合計を，a，b を使った式で表しなさい。〔福島〕

重要 (2) 定価 a 円の 25 %引きの値段のついた商品が，さらに 50 円引きで売られている。この商品を 1 個買ったときの代金を，a を用いた式で表しなさい。〔秋田〕

(3) ガソリン 1 L で 12 km の道のりを走る自動車に，ガソリン 50 L が入っている。この自動車が x km の道のりを走ると，ガソリンの残量は何 L となるか。x を用いて表しなさい。〔静岡〕

4 次の計算をしなさい。

(1) $7a+(-13a)$ 〔群馬〕　　(2) $9a-7-11a+4$

(3) $(24x-16)\div(-8)$　　重要 (4) $\frac{2x-5}{3}\times(-9)$

得点UP!

1 (3) すべて乗法になおす。
(4) 乗法と除法の部分を先に計算する。

2 (2) 分母の表し方に注意する。

3 (1) 100 g が a 円の肉は，1 g が $\frac{a}{100}$ 円である。
(2) 定価の 25 %引きは，定価×(1−0.25)
(3) 1 km 走るのに必要なガソリンの量を求める。

4 (4) $\frac{2x-5}{3}\times(-9)$
$=(2x-5)\times(-3)$

5 次の計算をしなさい。

重要 (1) $4(2a-1)-(5a-3)$ 〔福岡〕　(2) $3(a+2)-2(-a+4)$ 〔富山〕

(3) $\frac{1}{2}(4x+8)-(3x-1)$ 〔青森〕　(4) $\frac{1}{3}(x-6)-\frac{1}{4}(x-8)$ 〔愛知〕

重要 (5) $\frac{4x-1}{3}-\frac{x+3}{2}$ 〔京都〕　(6) $\frac{9a-5}{2}-(a-4)$ 〔熊本〕

6 次の数量の関係を，等式や不等式で表しなさい。

(1) 5人がa円ずつ出し合ったお金で，1個b円の品物を4個買ったときの残った金額は180円であった。 〔山梨〕

(2) 重さ1kgの箱に，1個2kgの品物をx個入れて全体の重さが10kgより軽くなるようにする。 〔島根〕

重要 (3) 1個3kgの荷物x個と1個5kgの荷物y個の重さの合計が，20kg未満となった。 〔山梨〕

7 次の式の値を求めなさい。

(1) $x=2$ のとき，$5x-3$ の値 〔大阪〕

重要 (2) $a=-3$ のとき，$a^2-\frac{1}{3}a$ の値 〔香川〕

8 重要 右の図のように，ある規則にしたがって，連続する自然数を，1から順に100まで並べるものとする。上から3段目で左から2列目の数は6である。上から6段目で左から9列目の数を求めなさい。 〔徳島〕

	1列目	2列目	3列目	4列目	…
1段目	1	4	9	16	
2段目	2	3	8	15	
3段目	5	6	7	14	
4段目	10	11	12	13	
⋮					

5 (1)〜(4) 分配法則を使ってかっこをはずす。
(5)(6) 通分して，分配法則を使う。
(5) $\frac{4x-1}{3}-\frac{x+3}{2}$
$=\frac{2(4x-1)-3(x+3)}{6}$

Check! 自由自在
$2x+5$ の5や，$2x$ の2にはそれぞれ名称(めいしょう)がある。どのような呼び方だったか確認しておこう。

6 (1) 出し合ったお金−品物の代金=残った金額
(3) 荷物の重さの合計<20

7 (2) 文字に負の数を代入するときは，(　)をつけて代入する。

8 上から1段目の数を横にみていくと，$1=1^2$, $4=2^2$, $9=3^2$, $16=4^2$, …となっている。

STEP 3 発展問題

解答⇨別冊 p.4

1 **次の式を，×や÷の記号を使わないで表しなさい。**

重要

(1) $a-(b+c)\times(-3)$

(2) $a\div(b\times c)-(a\times b)\div c$

(3) $m\div(a+b)\times5-n\times(-2)+1$

(4) $a\times2\div b\div c-\{b+c\times(-3)\}$

重要

2 **次の計算をしなさい。**

(1) $\frac{1}{2}(3x-4)-\frac{1}{6}(9x-7)$　〔神奈川〕

(2) $\frac{9(1+2x)}{2}-3\left(3x-\frac{1}{2}\right)$　〔愛知〕

(3) $x+\frac{2-x}{6}-\frac{x-3}{4}$　〔大阪教育大附高(池田)〕

(4) $1-\frac{x-3}{4}+\frac{2x-1}{3}$　〔神戸龍谷高〕

(5) $\frac{x+2}{2}+\frac{3x-1}{3}-\frac{4-3x}{6}$　〔清風高〕

(6) $x-\frac{2x-1}{2}-\frac{2-3x}{3}-\frac{3}{4}$　〔関西大第一高〕

(7) $\frac{1}{2}\{2(5x-3)-3(5x-3)+4(5x-3)-5(5x-3)+6(5x-3)\}+6$

3 **次の問いに答えなさい。**

(1) 家から学校まで a km の道のりを往復した。行きは毎時 5 km で進み，15 分休んでから，帰りは毎時 4 km で進んだ。家を出発してから帰宅するまでに何時間かかったか。a を用いて表しなさい。　〔日本大豊山高〕

(2) あるクラスは生徒数 a 人で，そのうち女子は b 人である。身長を調べたところ，平均身長はクラス全体では c センチメートルであり，女子だけでは d センチメートルであった。男子だけの平均身長は何センチメートルか。a，b，c，d で表しなさい。ただし，$a>b$ とする。　〔白陵高〕

記述

4 **a 個のチョコレートを b 人の生徒に 8 個ずつ分けたとき，不等式 $a-8b>3$ はどんなことを表しているのか，「チョコレート」と「生徒」の 2 つの言葉を使って説明しなさい。**　〔福井〕

5 a Lのペンキがあり，次の４回の作業を行う。４回目の作業を行った後に残っているペンキの量を，a を使った式で表しなさい。〔岐阜〕

１回目の作業：a Lのペンキの $\frac{1}{2}$ を使う。

２回目の作業：１回目の作業で残ったペンキの $\frac{1}{3}$ を使う。

３回目の作業：２回目の作業で残ったペンキの $\frac{1}{4}$ を使う。

４回目の作業：３回目の作業で残ったペンキの $\frac{1}{5}$ を使う。

6 次の式の値を求めなさい。

(1) $a=-3,\ b=\frac{2}{3}$ のとき，a^2-3ab の値〔大阪学芸高〕

(2) $x=\frac{3}{2}$ のとき，$\frac{4}{x-1}$ の値

(3) $x=-\frac{1}{2}$ のとき，$2(x+2)-3\left(\frac{2}{3}-2x\right)$ の値

7 青色と白色のタイルを青白白の順をくり返し，重ならないように左から右に並べていきます。ただし，右の図のように，１行に４枚のタイルを並べたら，次の行に前の行の４枚目に続く色のタイルを左から順に並べていきます。〔プール学院高〕

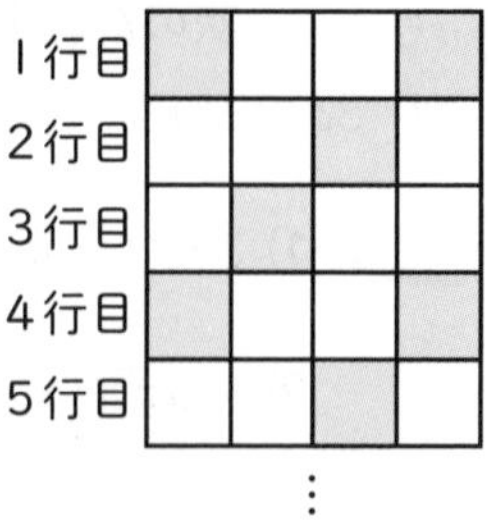

１行目	青	白	白	青
２行目	白	白	青	白
３行目	白	青	白	白
４行目	青	白	白	青
５行目	白	白	青	白

⋮

(1) 1行目から9行目までタイルを並べ終えたとき，必要となる青色のタイルの枚数を求めなさい。

(2) n 行目は左から3枚目が青色のタイルとなります。1行目から n 行目までタイルを並べるとき，必要となる青色のタイルの枚数を n を用いて表しなさい。

難問 8 ある商品の値段を１０％値上げすると，売り上げ個数が２％減る。このとき，総売り上げの金額は何％増えますか，それとも減りますか。〔帝塚山高〕

月　日

3 式の計算

STEP 1 まとめノート

解答⇨別冊 p.6

① 多項式の計算 ★★

例題 1 次の計算をしなさい。

(1) $(3a-7b)+(-2a+4b)$　(2) $(7x-35y)\div(-7)$

(3) $4(2a-3b)-2(3a-5b)$　(4) $\dfrac{3x-2y}{4}-\dfrac{2x-y}{6}$

解き方 (1) $(3a-7b)+(-2a+4b)$

$=3a-7b$ ① ＿＿ $+4b$

$=(3-2)a+(-7+$ ② ＿＿ $)b$

（同類項をまとめる）

$=$ ③ ＿＿

(2) $(7x-35y)\div(-7)$

$=$ ① ＿＿ $\dfrac{7x}{7}$ ② ＿＿ $\dfrac{35y}{7}$

（符号）

$=$ ③ ＿＿

(3) $4(2a-3b)-2(3a-5b)$

$=8a-12b-6a$ ① ＿＿ b

$=$ ② ＿＿

(4) $\dfrac{3x-2y}{4}-\dfrac{2x-y}{6}$

$=\dfrac{3(3x-2y)-\text{①＿＿}(2x-y)}{12}$

$=$ ② ＿＿

② 単項式の乗法と除法 ★

例題 2 次の計算をしなさい。

(1) $3a\times(-5b)$　(2) $-5x\times(-4x^2)$　(3) $(-8ab)\div4a$

解き方 (1) $3a\times(-5b)=3\times($ ① ＿＿ $)\times a\times b=$ ② ＿＿

（係数の積）（文字の積）

(2) $-5x\times(-4x^2)=-5\times($ ① ＿＿ $)\times x\times x^2=$ ② ＿＿

（係数の積）（累乗で表す）

(3) $(-8ab)\div4a=-\dfrac{\text{①＿＿}}{4a}=$ ② ＿＿

（約分する）

③ 乗除の混じった計算 ★★

例題 3 次の計算をしなさい。

(1) $xy\times y\div(-x^2y)$　(2) $8a^3\div(-2a)^2\div a$

解き方 (1) $xy\times y\div(-x^2y)=-\dfrac{xy\times\text{②＿＿}}{\text{①＿＿}}=$ ③ ＿＿

(2) $8a^3\div(-2a)^2\div a=8a^3\div$ ① ＿＿ $a^2\div a=\dfrac{8a^3}{\text{②＿＿}a^2\times a}=$ ③ ＿＿

（約分する）

Points!

▶多項式の加法・減法

かっこがあれば，はずして，同類項（どうるいこう）をまとめる。分数をふくむ式は通分する。

ズバリ暗記

文字の部分が同じ項を同類項という。同類項は1つにまとめることができる。

$ax+bx=(a+b)x$（xの係数）

▶単項式の乗法

$2a\times(-6b)=-12ab$（係数の積・文字の積）

▶単項式の除法

・分数の形にして約分する。

$8ab\div2a=\dfrac{8ab}{2a}=4b$（分子・分母）

・除法を乗法になおす。

$8ab\div2a=8ab\times\dfrac{1}{2a}=4b$（逆数にする）

▶乗除の混じった計算

ズバリ暗記

乗法だけの式にして，左から順に計算する。このとき，

①符号（ふごう）の決定（－の個数に注意する）

②係数の計算

③文字の計算

の順にしていくとよい。

④ 式の値 ★★

例題 4 次の式の値を求めなさい。

(1) $a=5$, $b=-3$ のとき，$6a+5b-4(2a+b)$ の値

(2) $x=-\frac{1}{2}$, $y=4$ のとき，$-12x^3y^2\times(-2y)^2\div8xy^3$ の値

解き方 (1) $6a+5b-4(2a+b)=6a+5b-$ ① ＿＿ $=-2a+$ ② ＿＿

式を簡単にする

$-2a+$ ③ ＿＿ に，$a=5$, $b=-3$ を代入して，

-2×5 ④ ＿＿ ＝ ⑤ ＿＿

(2) $-12x^3y^2\times(-2y)^2\div8xy^3=-12x^3y^2\times$ ① ＿＿ $\div8xy^3$

$=-\frac{12x^3y^2\times ②\ ＿＿}{8xy^3}=$ ③ ＿＿

④ ＿＿ に $x=-\frac{1}{2}$, $y=4$ を代入して，

$-6\times$ ⑤ ＿＿ $\times4=$ ⑥ ＿＿

⑤ 式による説明 ★★

例題 5 2 けたの整数 A がある。その一の位の数字と十の位の数字を入れかえた整数を B とするとき，$A-B$ は 9 の倍数になる。このわけを，文字を使って説明しなさい。

解き方 A の十の位を x，一の位を y とすると，$A=10x+y$，$B=$ ① ＿＿

2 けたの整数

よって，

$A-B=10x+y-($ ② ＿＿ $)=$ ③ ＿＿ $x-$ ④ ＿＿ $y=9($ ⑤ ＿＿ $)$

⑥ ＿＿ は ⑦ ＿＿ だから，$A-B$ は 9 の倍数である。

⑥ 等式の変形 ★★

例題 6 次の等式を〔　〕の中の文字について解きなさい。

(1) $2a+3b=5$ 〔b〕　　(2) $S=\frac{3(a+b)}{2}$ 〔a〕

解き方 (1) $2a$ を移項(いこう)して，

$3b=5-$ ① ＿＿

両辺を ② ＿＿ でわると，

$b=\frac{④}{③}$

(2) 左辺と右辺を入れかえて，両辺に ① ＿＿ をかけると，

$3(a+b)=$ ② ＿＿

両辺を 3 でわる

$a+b=$ ③ ＿＿

b を移項する

$a=$ ④ ＿＿

▶**指数法則**

ズバリ暗記

累乗(るいじょう)の計算は指数法則を用いる。

- $a^m\times a^n=a^{m+n}$
- $(a^m)^n=a^{mn}$
- $(ab)^n=a^nb^n$

(m，n は自然数)

▶**式の値**

- 式が簡単にできるときは，簡単にしてから数を代入する。
- 負の数や分数を代入するときは，(　)をつける。

▶**式による説明**

ズバリ暗記

- **m，n を整数とすると，偶数(ぐうすう)は $2m$，奇数(きすう)は $2n+1$**
- **最も小さい数を n とすると，連続する 3 つの整数は，n，$n+1$，$n+2$**
- **十の位の数を x，一の位の数を y とする 2 けたの整数は，$10x+y$**

▶**等式の変形**

指定された文字について解くとき，その文字をふくむ項を左辺に移項して変形しやすくする。等式の性質を用いる。

例題 6 (2)で，

$3(a+b)=2S$

$3a+3b=2S$

$3a=2S-3b$

$a=\frac{2S-3b}{3}$

としてもよい。

月　日

STEP 2 実力問題

ココがねらわれる
- ○多項式の計算
- ○単項式の乗除，指数法則
- ○式の値，等式の変形

解答⇨別冊 p.6

1 次の計算をしなさい。

(1) $(2x-6y)-(x-2y)$ 〔和歌山〕

(2) $(25x^2-5x+30)\div(-5)$

(3) $a+6b-2(a-b)$ 〔東京〕

(4) $-2(3x-y)+5(2x-y)$ 〔茨城〕

重要 (5) $2(x-3y-1)+3(x+y-2)$ 〔愛媛〕

(6) $2(a^2+2a-1)+2a^2-a-5$ 〔北海道〕

2 次の計算をしなさい。

(1) $\dfrac{x+y}{4}+\dfrac{x+3y}{2}$ 〔高知〕

(2) $\dfrac{3a+2b}{2}-\dfrac{a-2b}{3}$ 〔佐賀〕

重要 (3) $\dfrac{3x-y}{2}-\dfrac{7x-y}{5}$ 〔熊本〕

(4) $a+2b-\dfrac{2a+5b}{3}$ 〔群馬〕

重要 (5) $x-y-\dfrac{x-2y}{5}$ 〔長野〕

(6) $2x-y-\dfrac{x-5y}{3}$ 〔京都〕

3 次の計算をしなさい。

(1) $\dfrac{3}{2}x^2y\times\dfrac{4}{3}x$ 〔長崎〕

重要 (2) $18x^2y^3\div(-3y)^2$ 〔大阪〕

(3) $24x^2y\div3y\div(-2x)$ 〔愛媛〕

(4) $6x^3y\times(-2y)^2\div3xy^2$ 〔鹿児島〕

重要 (5) $3ab^3\times\left(-\dfrac{2}{3}a\right)^2\div\left(-\dfrac{1}{6}ab^2\right)$

(6) $(-8x^5y^4)\div\left(-\dfrac{2}{3}x^3y\right)\div\left(-\dfrac{12}{5}xy^3\right)$

得点UP!

1 (1) 多項式(たこうしき)の減法は，ひくほうの多項式の各項の符号(ふごう)を変えて加える。
(2) 多項式と数の除法は，乗法になおして計算する。
(3) 多項式と数の乗法は，分配法則を使って計算する。

2 分数をふくむ式の加減は，通分して計算する。分母の最小公倍数をかけて，分母をはらってはいけない。
(4) $a+2b-\dfrac{2a+5b}{3}$
$=\dfrac{3(a+2b)-(2a+5b)}{3}$

3 乗除の混じった計算は，先に累乗(るいじょう)やかっこの中を計算し，除法を乗法になおして計算する。
累乗の計算は，指数法則を用いる。

Check! 自由自在
除法にも指数法則が使える。どのような法則だったか確認しておこう。

4 **次の式の値を求めなさい。**

(1) $x=3$, $y=-1$ のとき，$2x^2+y^3$ の値 〔長崎〕

重要 (2) $x=-2$, $y=3$ のとき，$3(x-2y)-(2x-5y)$ の値 〔沖縄〕

(3) $x=-2$, $y=5$ のとき，$4x^2y^3\div 8xy^2\times 6x$ の値 〔青森〕

重要 (4) $a=\frac{3}{2}$, $b=-\frac{1}{3}$ のとき，$6ab^2\div(-3a^2)\times 9a^2b$ の値 〔佐賀〕

5 **$A=x+2y$，$B=3x-4y$ として，$A-(B-3A)$ を計算しなさい。**

6 **a を一の位の数字が 0 でない 2 けたの自然数とし，b を a の十の位の数字と一の位の数字を入れかえた 2 けたの自然数とする。** 〔宮城－改〕

(1) $a=15$ のとき，$5a+4b$ の値を求めなさい。

重要 (2) a の十の位の数字を x，一の位の数字を y とする。ただし，x と y は 1 から 9 までの整数とする。このとき，$5a+4b$ は 9 の倍数になる。そのわけを文字を使って説明しなさい。

7 **次の等式を〔　〕の中の文字について解きなさい。**

(1) $3a-b=4c$ 〔a〕 〔栃木〕

(2) $x-4y-12=0$ 〔y〕 〔岩手〕

(3) $\frac{1}{3}a+5=b$ 〔a〕 〔高知〕

重要 (4) $V=\pi r^2h$ 〔h〕 〔徳島〕

重要 (5) $m=\frac{4a+3b}{7}$ 〔a〕 〔秋田〕

(6) $a=\frac{b-2c}{3}$ 〔c〕 〔大分〕

---

4 式の値を求めるとき，次の 2 点に注意しよう。
㋐与えられた式が簡単にできるときは，式を簡単にしてから代入する。
㋑文字に負の数や分数を代入するときは，(　)をつける。

5 与えられた式を先に整理して簡単にしておく。

6 (1) b は a の十の位と一の位を入れかえた数であるから，$a=15$ のとき $b=51$ である。
(2) $a=10x+y$ であり，b を x と y を用いて表す。

7 (1) $-b$ を右辺に移項(いこう)する。
(4) 左辺と右辺を入れかえると，$\pi r^2h=V$
両辺を πr^2 でわる。
(5) 左辺と右辺を入れかえ，両辺を 7 倍すると，$4a+3b=7m$

月　日

STEP 3 発展問題

解答⇨別冊 p.7

重要

1 次の計算をしなさい。

(1) $\dfrac{3a-2b}{2}-\dfrac{2a-b}{3}+\dfrac{b-a}{4}$ 〔日本大第三高〕

(2) $\dfrac{5x-y}{2}-\dfrac{x-2y}{3}-3x-y$ 〔市川高〕

(3) $\dfrac{2x-y+1}{3}-\dfrac{2x+3y-5}{4}+\dfrac{2x-y}{6}$ 〔法政大国際高〕

(4) $\dfrac{4x-7y}{3}-3\times\dfrac{x-4y}{5}-\dfrac{2x-5y}{6}$ 〔ラ・サール高〕

(5) $\dfrac{x+3y-3z}{3}-\dfrac{2x-3y}{6}-\dfrac{3y+2z}{4}$ 〔青山学院高〕

(6) $\dfrac{x}{12}+1-\dfrac{y-4}{3}-\dfrac{x-4y+6}{4}$ 〔成城高〕

2 次の計算をしなさい。

(1) $\dfrac{3}{4}x^2y\times(-2xy)^2\div x^3y^2$

(2) $12x^3y^4\div(-2xy^2)^3\times(-x^2y)^2$

(3) $\left(\dfrac{6}{5}x^2y\right)^2\div(-3xy)^3\times\dfrac{5}{2}xy^2$ 〔法政大高〕

(4) $\left(-\dfrac{y}{x^2}\right)^3\times\left(\dfrac{x^4}{y^2}\right)^2\div\left(-\dfrac{y^2}{3x}\right)^2$ 〔明治大付属中野高〕

(5) $\left(-\dfrac{3}{2}x^5y^2\right)^2\div\left(\dfrac{3}{4}xy^2\right)^3\times\left(-\dfrac{y}{2}\right)^5$ 〔日本大習志野高〕

(6) $(-2xy^2)^3\div\left(-\dfrac{1}{2}x^3y\div\dfrac{1}{4}x^2y\right)^2$ 〔立命館高〕

3 次の式の値を求めなさい。

(1) $a=0.4$, $b=\dfrac{1}{3}$ のとき，$4(2a-b)-(3a-b)$ の値 〔日本大第三高〕

(2) $x=5$, $y=-\dfrac{1}{2}$ のとき，$\dfrac{3x+4y}{2}-\dfrac{2x-7y}{3}$ の値 〔広島大附高〕

(3) $a=\dfrac{1}{2}$, $b=-5$ のとき，$(-3a)^2\div(3a^2b)^3\times(-6a^5b^4)$ の値 〔法政大第二高〕

4 **次の問いに答えなさい。** 〔長崎−改〕

(1) 3けたの自然数723は，$100\times7+10\times2+1\times3$ と表せる。このように，百の位が a，十の位が b，一の位が c である3けたの自然数を，a，b，c を用いて表しなさい。

(2)「百の位の数が一の位の数より大きい3けたの自然数から，その数の百の位の数字と一の位の数字を入れかえてできる数をひくと，その差は99の倍数になる」ことを文字を使って説明しなさい。ただし，説明は「もとの3けたの自然数の百の位を a，十の位を b，一の位を c とおき，a は c より大きいものとする。」に続けて完成させなさい。

5 **男子21人，女子14人のクラスでハンドボール投げを行い，投げた距離（きょり）を測ったところ，このクラス35人全体の平均は20 mであった。男子21人の投げた距離の平均を a m，女子14人の投げた距離の平均を b m とするとき，a と b の関係を等式で表しなさい。また，その等式を b について解きなさい。** 〔新潟〕

6 **次の問いに答えなさい。**

(1) $A=x^2-1$，$B=x-1$，$C=-2x^2$ のとき，$4B-3C+2\{A-2(B-C)\}$ を計算しなさい。 〔日本大豊山高〕

(2) $(-2ab^2)^2\times A\div\left(\frac{2}{3}a^3b^3\right)^3=\frac{6}{a^3b^3}$ のとき，A にあてはまる式を求めなさい。 〔日本大豊山高〕

(3) $x:y=3:2$ のとき，$\frac{4x-9y}{6x+3y}$ の値を求めなさい。 〔巣鴨高〕

(4) $7x+2y=-x-5y$ のとき，$\frac{5x-8y}{4x+9y}$ の値を求めなさい。 〔江戸川学園取手高〕

(5) $\frac{1}{a}+\frac{1}{b}=\frac{1}{c}$ を b について解きなさい。 〔青雲高〕

月　日

多項式

STEP 1 まとめノート

解答⇨別冊 p.9

① 多項式と単項式の乗除 ★

例題 1 次の計算をしなさい。

(1) $(3a^2b+8a)\div a$　　(2) $2x(x-5)-3x(4x-6)$

解き方 (1) $(3a^2b+8a)\div a=\dfrac{3a^2b}{a}+\dfrac{①\quad}{a}=②\quad$

(2) $2x(x-5)-3x(4x-6)=2x^2-①\quad-12x^2+②\quad$ ←分配法則を使う

$=③\quad$

② 式の展開・乗法公式 ★

例題 2 次の式を展開しなさい。

(1) $(a+5)(b-3)$　　(2) $(x+4)(x-6)$

(3) $(a-7)^2$　　(4) $(2x+1)(2x-1)$

解き方 (1) $(a+5)(b-3)=ab-①\quad a+5b-②\quad$

(2) $(x+4)(x-6)=x^2+\{4+(①\quad)\}x+4\times(②\quad)=③\quad$

└乗法公式 $(x+a)(x+b)=x^2+(a+b)x+ab$ を用いる

(3) $(a-7)^2=a^2-2\times①\quad\times a+②\quad^2=③\quad$

└乗法公式 $(x-a)^2=x^2-2ax+a^2$ を用いる

(4) $(2x+1)(2x-1)=(①\quad)^2-1^2=②\quad$

└乗法公式 $(x+a)(x-a)=x^2-a^2$ を用いる

③ いろいろな式の展開 ★★★

例題 3 次の問いに答えなさい。

(1) $(x+4)(x-2)-(x-3)^2$ を計算しなさい。

(2) $(a+b-5)(a+b+5)$ を展開しなさい。

解き方 (1) $(x+4)(x-2)-(x-3)^2=①\quad-(②\quad)$

└乗法公式を用いる　└( )をつける

$=③\quad-x^2+6x-9=④\quad$

(2) $a+b=A$ とおくと，

$(a+b-5)(a+b+5)=(A-5)(A+5)$

$=①\quad^2-25=(②\quad)^2-25=③\quad$

└A をもとにもどす

Points!

▶多項式と単項式の乗除

分配法則を使って，かっこをはずす。

$a(b+c)=ab+ac$

$(b+c)\div a=\dfrac{b}{a}+\dfrac{c}{a}$

▶多項式の乗法

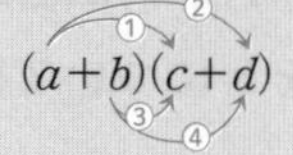

$(a+b)(c+d)$

$=\overset{①}{ac}+\overset{②}{ad}+\overset{③}{bc}+\overset{④}{bd}$

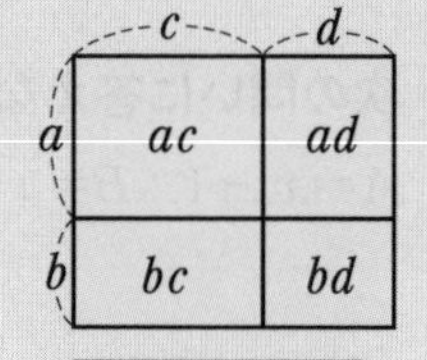

ズバリ暗記

乗法公式

- $(x+a)(x+b)=x^2+(a+b)x+ab$
- $(x+a)^2=x^2+2ax+a^2$
- $(x-a)^2=x^2-2ax+a^2$
- $(x+a)(x-a)=x^2-a^2$

▶いろいろな式の展開

- 乗法公式を用いて展開し，同類項（どうるいこう）はまとめる。
- $a+b=A$ のような共通な部分を，1つの文字におきかえると，乗法公式を使える形になることが多い。公式を使って展開したあとは，もとの式にもどす。

④ 因数分解 ★

例題 4 次の式を因数分解しなさい。

(1) $3a^2b-6ab^2+12ab$　(2) x^2-x-30

(3) $x^2+10x+25$　(4) $4a^2-9b^2$

解き方 (1) ①＿＿が共通因数だから，

$3a^2b-6ab^2+12ab=$ ②＿＿(③＿＿)

(2) 2つの数の積が −30 になる組のうち，和が①＿＿になるのは −6 と②＿＿だから，

$x^2-x-30=(x-$ ③＿＿$)(x+$ ④＿＿$)$

(3) $x^2+10x+25=x^2+2\times$ ①＿＿ $\times x+$ ②＿＿$^2=($③＿＿$)^2$

(4) $4a^2-9b^2=(2a)^2-($①＿＿$)^2=(2a+$ ②＿＿$)($③＿＿$)$

⑤ いろいろな因数分解 ★★★

例題 5 次の式を因数分解しなさい。

(1) $x^2y+4xy-21y$　(2) $(x+3)(x-4)-8$

(3) $(x+y)^2-10(x+y)-24$　(4) $(2a+5)^2-(a-4)^2$

解き方 (1) $x^2y+4xy-21y=y($①＿＿$)=y(x+$ ②＿＿$)(x-$ ③＿＿$)$

(2) $(x+3)(x-4)-8=x^2-x-$ ①＿＿ $-8=x^2-x-$ ②＿＿
（展開する）

$=(x+$ ③＿＿$)(x-$ ④＿＿$)$

(3) $x+y=A$ とおくと，

$(x+y)^2-10(x+y)-24=A^2-10A-24$

$=(A+$ ①＿＿$)(A-$ ②＿＿$)=($③＿＿$)($④＿＿$)$

(4) $(2a+5)^2-(a-4)^2=\{(2a+5)+($①＿＿$)\}\{(2a+5)-($②＿＿$)\}$

$=($③＿＿$)($④＿＿$)$

⑥ 式の計算の利用 ★★★

例題 6 次の式の値を求めなさい。

(1) $x=57$，$y=43$ のとき，$x^2+2xy+y^2$ の値

(2) $x+y=4$，$xy=-1$ のとき，x^2+y^2 の値

解き方 (1) $x^2+2xy+y^2=($①＿＿$)^2=(57+43)^2=$ ②＿＿
（因数分解する）

(2) $x^2+y^2=(x+y)^2-$ ①＿＿ $=4^2-2\times$ ②＿＿ $=$ ③＿＿
（$x+y$ と xy を使って表す）

▶因数分解

- 共通因数があるとき，それをかっこの外にくくり出す。

$ma+mb=m(a+b)$（m：共通因数）

- 因数分解の公式は乗法公式の逆である。

ズバリ暗記

因数分解の公式

- $x^2+(a+b)x+ab=(x+a)(x+b)$
- $x^2+2ax+a^2=(x+a)^2$
- $x^2-2ax+a^2=(x-a)^2$
- $x^2-a^2=(x+a)(x-a)$

▶いろいろな因数分解

- 因数分解の手順
  ①まず，共通因数がないか調べる。あれば，共通因数をくくり出す。
  ②因数分解の公式を利用する。
- 共通な部分を，1つの文字におきかえて，上記の①や②に導く。
- 因数分解は，それ以上できないところまでする。

▶式の計算の利用

- 式の値を求めるとき，与えられた式を展開や因数分解してから数を代入する。
- 展開や因数分解を利用して，数の計算をくふうする。
- 式の計算を利用して，数や図形の性質を調べる。

月　日

STEP 2 実力問題

ねらわれる ココが
- ○乗法公式・因数分解の公式
- ○複雑な因数分解
- ○式の計算を利用した問題

解答 ⇨ 別冊 p.9

1 次の計算をしなさい。

(1) $3x(x+4y)$ 〔山口〕　(2) $2x(3x-1)-(6x^2+5x-9)$ 〔山梨〕

重要 (3) $(12a^2-8ab)\div 4a$ 〔熊本〕　(4) $(6x^3-9x^2+3x)\div 3x$ 〔奈良〕

2 次の式を展開しなさい。

重要 (1) $(3a+4)(3a-7)$　(2) $(3x+1)^2$ 〔沖縄〕

(3) $(2x-5y)^2$ 〔広島〕　(4) $(4x+7y)(4x-7y)$

3 次の計算をしなさい。

(1) $(x-2)(x+4)+(x-3)^2$ 〔愛媛〕　(2) $(x+3)(x+5)-x(x+9)$ 〔滋賀〕

重要 (3) $(2x+1)^2+3(x-1)(x+1)$ 〔福島〕　(4) $(a+2b)^2-(a-2b)^2$ 〔和歌山〕

4 次の式を展開しなさい。

(1) $(a+b+3)(a+b-2)$　重要 (2) $(x+y-4)(x-y+4)$

5 次の式を因数分解しなさい。

重要 (1) $x^2-13x+40$ 〔広島〕　(2) $a^2+8a-48$ 〔青森〕

(3) $x^2-6x-16$ 〔京都〕　(4) t^2+5t-6 〔鳥取〕

(5) $x^2+14x+49$ 〔福岡〕　重要 (6) $16x^2-9$ 〔佐賀〕

得点UP!

1 (1) $3x(x+4y)$
$=3x\times x+3x\times 4y$
(3) $(12a^2-8ab)\div 4a$
$=\frac{12a^2}{4a}-\frac{8ab}{4a}$

2 乗法公式を用いて展開する。
(1) $(3a+4)(3a-7)$
$=(3a)^2+(4-7)\times 3a+4\times(-7)$

3 (4) ひくほうの式は，展開した式にかっこをつける。
$-(a-2b)^2$
$=-(a^2-4ab+4b^2)$
$=-a^2+4ab-4b^2$

4 (1) $a+b$ を文字 A などにおきかえて乗法公式を使う。

5 因数分解の公式を用いる。
(1) 和が -13，積が 40 の 2 数を見つける。
$(-5)+(-8)=-13$
$(-5)\times(-8)=40$
(6) $16x^2-9$
$=(4x)^2-3^2$ と変形する。

6 次の式を因数分解しなさい。

(1) $2x^2+6x-20$ 〔熊本〕

重要 (2) $2x^2-16xy+32y^2$ 〔香川〕

(3) $(x-6)(x+3)-4x$ 〔神奈川〕

(4) $(x+4y)(x-4y)+6xy$ 〔愛知〕

重要 (5) $(x+2)^2-9$ 〔都立産業技術高専〕

(6) $2xy^2-8xy-64x$ 〔都立青山高〕

7 次の式の値を求めなさい。

(1) $a=3$ のとき，$(a+1)(a+23)-a(a+22)$ の値 〔山口〕

重要 (2) $x=16$ のとき，$x^2-3x-28$ の値 〔埼玉〕

(3) $a=3.42$，$b=2.32$ のとき，$a^2-2ab+b^2$ の値

8 次の問いに答えなさい。

(1) 次の等式が成り立つように，[①]，[②] に適当な数を入れなさい。

$x^2-6x+10=(x-$ [①] $)^2+$ [②] 〔都立産業技術高専〕

重要 (2) $\dfrac{208^2}{105^2-103^2}$ を計算しなさい。

重要 **9** 2 つの続いた偶数(ぐうすう) 4，6 について，6^2-4^2 を計算すると 20 となり，4 と 6 の和 10 の 2 倍に等しくなる。このように，「2 つの続いた偶数では，大きい偶数の平方から小さい偶数の平方をひいた差は，はじめの 2 つの偶数の和の 2 倍に等しくなる。」ことを，文字 n を使って証明しなさい。ただし，証明は「n を整数とし，小さい偶数を $2n$ とする。」に続けて完成させなさい。 〔長崎〕

---

6 (1) $2x^2+6x-20$
$=2(x^2+3x-10)$
↑ さらに因数分解できる

(3) $(x-6)(x+3)-4x$
↑ 展開する
$=x^2-3x-18-4x$

Check! 自由自在
複雑な因数分解にはいろいろなパターンがある。どのようなものがあるか調べてみよう。

7 与えられた式を展開や因数分解してから代入する。
(2) $x^2-3x-28$
$=(x-7)(x+4)$

8 (1) $x^2-2ax+a^2$
$=(x-a)^2$ を利用する。
(2) 因数分解の公式を利用すると，分母は
105^2-103^2
$=(105+103)\times(105-103)$

9 2 つの続いた偶数では，小さい偶数を $2n$ とすると，大きい偶数は，$2n+2$ と表される。

月　日

STEP 3 発展問題

解答⇨別冊 p.10

1 次の式を計算しなさい。

(1) $(6x^2y-4xy^2)\div\left(-\dfrac{2}{5}xy\right)$

(2) $(a+1)(a-2)-\dfrac{(2a-1)^2}{4}$

(3) $(2x-3y)(2x+3y)-(3x-2y)^2$ 〔大阪〕

(4) $(a+b+c)(a-b+c)-(a+b-c)(a-b-c)$ 〔早稲田実業学校高〕

重要 **2** 次の式を因数分解しなさい。

(1) a^2b-bc^2 〔東京電機大高〕

(2) $3x^2y-18xy+27y$ 〔東京工業大附属科学技術高〕

(3) $(2x+3)(2x-3)-(x-1)(3x+1)$ 〔都立西高〕

(4) $(2x-3)(x+4)-(x-3)^2-6x-3$ 〔筑波大附高〕

重要 **3** 次の式を因数分解しなさい。

(1) $(x-6)^2-5(x-6)+6$ 〔中央大附高〕

(2) $(a-b)^2-2a+2b+1$ 〔青雲高〕

(3) $a^2+2ab+b^2-4c^2$ 〔法政大高〕

(4) $x^2y+12-4y-3x^2$ 〔ラ・サール高〕

(5) $9a^2+4b^2-25c^2+12ab+30c-9$ 〔法政大国際高〕

(6) $a(a-2b-2c)+b(b+2c)$ 〔久留米大附高〕

4 次の式を因数分解しなさい。

(1) $x^2-(2y-1)x+y(y-1)$ 〔成城高〕

(2) $(x^2+4x+2)(x-2)(x+6)+2x^2+8x-24$ 〔明治大付属中野高〕

5 $(x^2+5x)^2+10(x^2+5x)+24$ を因数分解すると，$(x+a)(x+b)(x+c)(x+d)$ となる。このとき，$a+b+c+d$ の値を求めなさい。 〔函館ラ・サール高〕

6 次の計算をしなさい。

(1) $0.65^2+(-0.25)^2-0.65\times0.25\times2$ 〔中央大杉並高〕

(2) $\{(2\times4\times6\times8\times10)^2-(1\times2\times3\times4\times5)^2\}\div31$ 〔大阪教育大附高(池田)〕

重要 **7** 次の式の値を求めなさい。

(1) $a=2$, $b=\frac{1}{2}$ のとき，$a+b+a^2-4b^2-3ab$ の値 〔清風高〕

(2) $x+y=6$, $xy=-3$ のとき，$\frac{y}{x}+\frac{x}{y}$ の値

(3) $x-\frac{2}{x}=3$ のとき，$x^2+\frac{4}{x^2}$ の値

8 $x+y=-2$, $x^2y+xy^2+xy+3x+3y-9=0$ のとき，x^2+y^2 の値を求めなさい。〔江戸川学園取手高〕

9 右の図は，AB，AC，CB をそれぞれ直径として半円をかいたものである。色のついた部分のまわりの長さと面積を a，b を使った式で表しなさい。

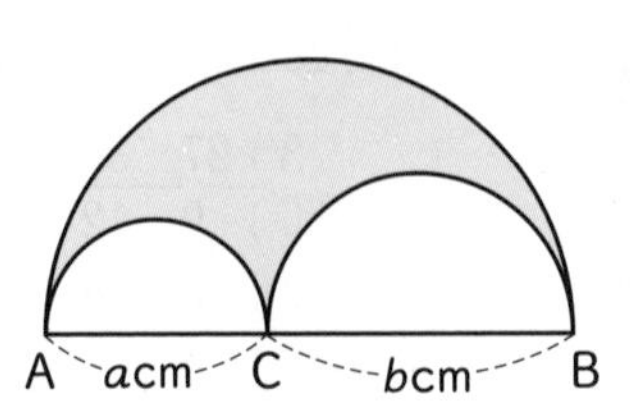

10 2，3，4 や 5，6，7 のような，中央の数が 3 の倍数である連続する 3 つの整数では，最も大きい数の 2 乗から最も小さい数の 2 乗をひいた差は，12 の倍数になる。このことを証明しなさい。〔栃木〕

11 $4p^2-q^2-51=0$ を満たす自然数 p，q の値をすべて求めなさい。〔都立日比谷高〕

難問 **12** 次の □ に適する式を求めなさい。〔灘高〕

$(a^2+b^2-c^2)^2$ を展開すると [①] であるから，$a^4+b^4+c^4-2a^2b^2-2b^2c^2-2c^2a^2$ を因数分解すると [②] となる。

月　日

5 第1章 数と式 整数の性質

STEP 1 まとめノート

解答⇨別冊 p.12

① 素数と素因数分解，平方数 ★★

例題 1 次の問いに答えなさい。

(1) 90 を素因数分解しなさい。

(2) 60 にできるだけ小さい自然数 n をかけて，その積がある自然数の 2 乗になるようにしたい。このときの n を求めなさい。

解き方 (1) 右の計算より，$90=2\times$ ① $^2\times$ ②

(2) 60 を素因数分解すると，$60=$ ①

これをある自然数の 2 乗にするための n は，

$n=3\times$ ② $=$ ③

```
2) 90
3) 45
3) 15
    5
```

↑ 小さい素数でわっていく

② 最大公約数と最小公倍数 ★★

例題 2 27，36，54 の最大公約数と最小公倍数を求めなさい。

解き方 公約数でわっていくと，

```
3 ) 27  36  54   ←3つの数をその公約数3でわる
① )  9  12  18   ←3つの数をその公約数 ③ でわる
2 )  3   4   6   ←4と6をその公約数2でわる
② )  3   2   3   ← ④ でわる
     1   2   1
```

最大公約数は，（点線）で囲まれた数の積だから，

$3\times$ ⑤ $=$ ⑥

最小公倍数は，（実線）で囲まれた数の積だから，

$3\times$ ⑦ $\times2\times$ ⑧ $\times1\times2\times1=$ ⑨

③ 商と余り ★★★

例題 3 33 をわると 5 余り，45 をわると 3 余る整数を求めなさい。

解き方 整数＝わる数×商＋余り　だから，

整数－余り＝わる数×商　となる。

よって，$33-5=28$，$45-$ ① $=$ ②

28 と 42 の最大公約数は，右の計算から，③

14 の約数のうちで，④ より大きい数が求める数だから，

⑤ と ⑥

```
2 ) 28  42
7 ) 14  21
     2   3
```

Points!

▶素数と素因数分解

・2，3，5，7，…のように，1 とその数のほかに約数がない数を素数という。

・自然数を素因数の積の形に表すことを素因数分解するという。

▶約数と倍数

整数 a が整数 b でわり切れるとき，b を a の約数，a を b の倍数という。

▶約数の個数

整数 N の素因数分解が $N=p^aq^br^c$ であれば，整数 N の約数の個数は，$(a+1)(b+1)(c+1)$ 個

▶数と最大公約数・最小公倍数との関係

ズバリ暗記

2 数 a，b の最大公約数が G，最小公倍数が L のとき，

・$a=Ga'$，$b=Gb'$

（a'，b' は互いに素）

・$L=Ga'b'$，$ab=GL$

例　6，9 の最大公約数は 3，最小公倍数は 18 より，

・$6=3\times2$，$9=3\times3$

（2，3 は互いに素）

・$18=3\times2\times3$，

$6\times9=3\times18$

STEP 2 実力問題

ココがねらわれる
- ○素数と素因数分解
- ○最大公約数と最小公倍数
- ○整数の性質

解答 ⇨ 別冊 p.13

1 次の問いに答えなさい。

重要 **(1)** 84にできるだけ小さい自然数nをかけて，その積がある自然数の2乗になるようにしたい。このときのnを求めなさい。〔鹿児島〕

(2) $504\times n$が，ある整数の3乗になるような最小の正の整数nの値を求めなさい。〔中央大附高〕

(3) 次の条件を満たす自然数nの値をすべて求めなさい。〔大阪〕
「n^2-9nの値が2つの素数の積で表される。」

2 次の問いに答えなさい。

(1) 45，90，105の最大公約数と最小公倍数を求めなさい。

(2) 2020の正の約数は全部で12個ある。2020の正の約数すべての和を求めなさい。〔巣鴨高〕

重要 **(3)** 100以下の自然数のうち，次の数の個数を求めなさい。
① 4の倍数　　② 4の倍数でも6の倍数でもない数

(4) 4でわると2余り，7でわると5余る自然数のうち，100以下の数をすべて求めなさい。

(5) 和が60で，最小公倍数が72である2つの自然数を求めなさい。

重要 **(6)** $\frac{128}{35}x$，$\frac{100}{21}x$，$\frac{56}{15}x$がすべて正の整数となる分数xのうち，最小のものを求めなさい。〔滝高〕

得点UP!

1 (1)(2) それぞれの数を素因数分解する。
(3) $n^2-9n=n(n-9)>0$ より，nは10以上の自然数である。

2 (3) ② 4の倍数でも6の倍数でもある数を求める。

Check! 自由自在
倍数にはそれぞれ見分け方がある。どのようなものがあるか，確認しておこう。

(4) 4でわると2余る数は，4の倍数-2である。
(5) $72=2^3\times3^2$
2つの自然数は2^3の倍数と3^2の倍数である。
(6) 正の整数となるには，xの分子は35と21と15の公倍数であればよい。

3 次の問いに答えなさい。

(1) 899 (＝900−1) は素数であるか。素数である場合は素数と書き，素数でない場合は素因数分解した式を書きなさい。〔白陵高〕

(2) n を自然数とするとき，$(n-1)^2+8(n-1)-180$ の値が素数となるような n の値を求めなさい。〔城北高〕

> **3** (1) 900−1 を因数分解の公式を用いて変形する。
> (2) $n-1=A$ とおいて因数分解をし，素数という条件から考える。

重要

4 次の □ に適する数を求めなさい。

(1) 200 より大きい自然数を 17 でわった。このとき，商と余りが等しくなる自然数は全部で □ 個ある。〔日本大習志野高〕

(2) 最小公倍数が 420 で，最大公約数が 5 である 2 つの自然数がある。この 2 つの自然数の積は [ア] で，2 つの自然数の組は [イ] 組ある。〔成城高〕

(3) 2 つの正の整数 A，B $(A>B)$ があり，$AB=1920$，A，B の最小公倍数が 240 である。このとき，A と B の和が最小となるのは $A=$ □ のときである。〔明治大付属明治高〕

> **4** (1) 商と余りの関係を用いて，式をつくる。
> (2)(3) 数と最大公約数・最小公倍数との関係を用いる。

5 右の図のような 2 月のカレンダーがある。カレンダー上の縦 2 つ横 2 つの 4 つの日を □ で囲い，左上の数を a とする。〔比叡山高〕

2月

日	月	火	水	木	金	土
					1	2
3	4	5	6	7	8	9
10	11	12	13	14	15	16
17	18	19	20	21	22	23
24	25	26	27	28		

(1) 囲んだ右下の数を a の式で表しなさい。

(2) 囲んだ 4 つの数の和を a の式で表しなさい。

(3) 囲んだ 4 つの数の和が 4 の倍数であることを示しなさい。

> **5** (1)(2) 囲んだ 4 つの数の関係を見つける。

6 次の①〜③の条件をすべて満たす 3 けたの自然数のうち，3 番目に大きいものを求めなさい。〔法政大第二高〕

① 百の位は 8 である　② 5 の倍数である　③ 3 でわり切れる

> **6** 3 けたの自然数の十の位を x，一の位を y として考える。

STEP 3 発展問題

解答⇨別冊 p.14

1 **次の問いに答えなさい。**

(1) s, t を正の奇数(きすう)とするとき，$s^2-t^2=400$ を満たす s, t の値の組をすべて求めなさい。〔大阪〕

(2) 1 から 100 までの自然数の積 $1\times2\times\cdots\times100$ を計算すると，末尾(まつび)には 0 が連続して何個並ぶか答えなさい。〔法政大高〕

(3) 1 以上 20 以下のどの整数 n についても，分数 $\dfrac{a}{n}$ を約分すると正の整数となる最小の a を求める。a は 1 以上 20 以下の素数すべての積の何倍になるかを答えなさい。〔大阪教育大附高(池田)〕

(4) x が 3 でわり切れない正の整数であるとき，x^2 は 3 でわると 1 余る整数である。その理由を説明しなさい。〔渋谷教育学園幕張高〕

2 **3 けたの正の整数 N がある。N を 100 でわった余りは百の位の数を 12 倍した数に 1 加えた数に等しい。また，N の一の位の数を十の位に，N の十の位の数を百の位に，N の百の位の数を一の位にそれぞれおきかえてできる数はもとの整数 N より 63 大きい。このとき，正の整数 N を求めなさい。**〔西大和学園高〕

難問

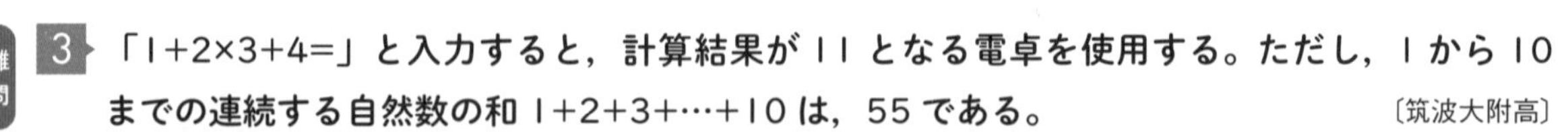
3 **「1+2×3+4=」と入力すると，計算結果が 11 となる電卓を使用する。ただし，1 から 10 までの連続する自然数の和 1+2+3+…+10 は，55 である。**〔筑波大附高〕

(1) 11 から 20 までの連続する 10 個の自然数を小さいほうから順に入力して和を計算しようとしたところ，自然数 n の次の「＋」を「×」と押し間違(まちが)えてしまい，計算結果が 364 となった。このとき，自然数 n を求めなさい。

記述 (2) 自然数 m から $m+9$ までの連続する 10 個の自然数を小さいほうから順に入力して和を計算しようとしたところ，自然数 n の次の「＋」を「×」と押し間違えてしまい，計算結果が 94 となった。このような自然数の組 (m, n) をすべて求めなさい。なお，答えを求めるまでの過程や考え方も書きなさい。

6 第1章 数と式 平方根

STEP 1 まとめノート

解答⇨別冊 p.16

① 平方根 ★★

例題 1 次の問いに答えなさい。

(1) $-\sqrt{(-9)^2}$ を根号を使わずに表しなさい。

(2) 3, $\sqrt{7}$, $2\sqrt{2}$ のうち，最も小さい数を求めなさい。

(3) $\sqrt{10}$ の値に最も近い自然数を求めなさい。

解き方 (1) $-\sqrt{(-9)^2}=-\sqrt{①\ \ ^2}=②$

(2) $3^2=9$, $(\sqrt{7})^2=①$, $(2\sqrt{2})^2=②$ より，最も小さい数は③

(3) $3^2=9$, $3.2^2=①$ より，$3<\sqrt{10}<②$ だから，③

② 根号をふくむ式の乗除，分母の有理化 ★★

例題 2 次の計算をしなさい。

(1) $\sqrt{14}\times\sqrt{5}\div\sqrt{35}$　　(2) $\dfrac{\sqrt{2}}{\sqrt{5}}$

解き方 (1) $\dfrac{\sqrt{14}\times\sqrt{5}}{\sqrt{35}}=\sqrt{\dfrac{14\times①}{35}}=②$

1つの$\sqrt{\ }$にして約分する

(2) $\dfrac{\sqrt{2}}{\sqrt{5}}=\dfrac{\sqrt{2}\times②}{\sqrt{5}\times①}=③$

分母の有理化

③ 根号をふくむ式の変形 ★

例題 3 次の問いに答えなさい。

(1) $3\sqrt{3}$ を変形して，$\sqrt{a}$ の形にしなさい。

(2) $\sqrt{12}$ を変形して，$\sqrt{\ }$ の中をできるだけ簡単な数にしなさい。

解き方 (1) $3\sqrt{3}=\sqrt{①\ \ ^2\times3}=\sqrt{②}$

(2) $\sqrt{12}=\sqrt{①\ \ ^2\times3}=②$

Points!

▶平方根

・$x^2=a$ であるとき，x を a の平方根という。

$\sqrt{a}$, $-\sqrt{a}$ $\overset{2乗(平方)}{\underset{平方根}{\rightleftarrows}}$ a

・$\sqrt{a^2}=a$, $\sqrt{(-a)^2}=a$, $(\sqrt{a})^2=a$, $(-\sqrt{a})^2=a$

▶平方根の大小

ズバリ暗記

$a>0$, $b>0$ のとき，

$a<b$ ⇨ $\sqrt{a}<\sqrt{b}$

$\sqrt{a}<\sqrt{b}$ ⇨ $a<b$

▶根号をふくむ式の乗除

ズバリ暗記

$a>0$, $b>0$ のとき，

・$\sqrt{a}\times\sqrt{b}=\sqrt{ab}$

・$\sqrt{a}\div\sqrt{b}=\dfrac{\sqrt{a}}{\sqrt{b}}=\sqrt{\dfrac{a}{b}}$

▶分母の有理化

分母に根号をふくむ数を，分母と分子に同じ数をかけて分母に根号をふくまない形に変形することを分母の有理化という。

$a>0$ のとき，

$\dfrac{b}{\sqrt{a}}=\dfrac{b\times\sqrt{a}}{\sqrt{a}\times\sqrt{a}}=\dfrac{b\sqrt{a}}{a}$

▶根号をふくむ式の加減

$\sqrt{\ }$ の部分が同じときは，文字式の同類項(どうるいこう)と同じようにまとめることができる。

ズバリ暗記

$m\sqrt{a}\pm n\sqrt{a}=(m\pm n)\sqrt{a}$

④ 根号をふくむ式の加減 ★★

例題 4 次の計算をしなさい。

(1) $\sqrt{45}-\sqrt{20}$　　(2) $\sqrt{75}-\sqrt{27}+3\sqrt{12}$

解き方 (1) $\sqrt{45}-\sqrt{20}=$ ① $\sqrt{5}-$ ② $\sqrt{5}=$ ③

（$\sqrt{\ }$ の中の数を小さくする）

(2) $\sqrt{75}-\sqrt{27}+3\sqrt{12}$

$=$ ① $\sqrt{3}-$ ② $\sqrt{3}+3\times$ ③ $\sqrt{3}$

$=($ ④ $-$ ⑤ $+$ ⑥ $)\times\sqrt{3}=$ ⑦

⑤ 根号をふくむ式の四則計算 ★★★

例題 5 次の計算をしなさい。

(1) $\sqrt{24}-\sqrt{2}\times\sqrt{3}$　　(2) $\sqrt{6}\times\sqrt{8}+\dfrac{6}{\sqrt{3}}$　　(3) $(\sqrt{6}-\sqrt{2})^2$

解き方 (1) $\sqrt{24}-\sqrt{2}\times\sqrt{3}=$ ① $\sqrt{6}-$ ② $=$ ③

(2) $\sqrt{6}\times$ ① $\sqrt{2}+\dfrac{6\times ②}{\sqrt{3}\times\sqrt{3}}$

$=$ ③ $\sqrt{3}+$ ④ $\sqrt{3}=$ ⑤

(3) $(\sqrt{6}-\sqrt{2})^2=(\sqrt{6})^2-2\times$ ① $\times\sqrt{6}+($ ② $)^2$

$=$ ③ $-$ ④ $\sqrt{3}+$ ⑤ $=$ ⑥

⑥ 式の値 ★★★

例題 6 次の式の値を求めなさい。

(1) $x=\sqrt{6}-3$ のとき，x^2+6x の値

(2) $x=\sqrt{5}+2$，$y=\sqrt{5}-2$ のとき，x^2-y^2 の値

解き方 (1) $x^2+6x=x(x+6)=(\sqrt{6}-3)(\sqrt{6}+$ ① $)$

（因数分解する）

$=($ ② $)^2-$ ③ $^2=$ ④

(2) $x^2-y^2=(x+y)($ ① $)=$ ② $\times 4=$ ③

（因数分解する）

⑦ 整数部分と小数部分 ★★★

例題 7 $\sqrt{17}$ の整数部分 a と小数部分 b を求めなさい。

解き方 ① $<17<$ ② より，③ $<\sqrt{17}<$ ④

よって，$a=$ ⑤，$b=\sqrt{17}-$ ⑥

▶根号をふくむ式の計算

・$a>0$，$b>0$ のとき，

$\sqrt{a^2b}=a\sqrt{b}$

（$\sqrt{\ }$ の中の数を小さくする）

・分配法則の利用

$\sqrt{a}(\sqrt{b}+\sqrt{c})$

$=\sqrt{a}\sqrt{b}+\sqrt{a}\sqrt{c}$

・式の展開の利用

$(a+b)(c+d)$

$=ac+ad+bc+bd$

・乗法公式の利用

例 $(\sqrt{3}+\sqrt{2})^2$

$=(\sqrt{3})^2+2\times\sqrt{2}\times\sqrt{3}+(\sqrt{2})^2$

$=3+2\sqrt{6}+2$

$=5+2\sqrt{6}$

・分母に根号をふくむときは，分母の有理化をする。

▶式の値

・与えられた式を展開や因数分解してから数を代入する。

・文字の値の方を変形する。

例題 6 (1)では次のようにくふうして求めることができる。

$x=\sqrt{6}-3$ より，

$x+3=\sqrt{6}$

両辺を 2 乗して，

$x^2+6x+9=6$

$x^2+6x=6-9$

$x^2+6x=-3$

▶整数部分と小数部分

ズバリ暗記

$\sqrt{n}$ の整数部分が a，小数部分が b のとき，

$\sqrt{n}=a+b$ $(a\leqq\sqrt{n}<a+1,\ 0\leqq b<1)$ より，

$b=\sqrt{n}-a$

月　　日

STEP 2 実力問題

ねらわれる ココが
- ○根号をふくむ式の計算
- ○平方根と式の値
- ○平方根と数の性質

解答 ⇨ 別冊 p.16

1 次の問いに答えなさい。

(1) 次の各組の数の大小を，不等号を使って表しなさい。

① $\sqrt{5}$，2，$-\sqrt{5}$　　重要 ② $\dfrac{7}{2}$，$\sqrt{11}$，$2\sqrt{3}$　〔宮城〕

(2) 次の**ア**から**エ**までの 4 つの数の中で，最も大きい数と最も小さい数をそれぞれ選んで，その記号を答えなさい。〔愛知〕

ア $\sqrt{26}$　**イ** $\sqrt{(-5)^2}$　**ウ** $2\sqrt{6}$　**エ** $\dfrac{7}{\sqrt{2}}$

2 次の問いに答えなさい。

(1) n を自然数とする。$3<\sqrt{2n}<4$ を満たす n の個数を求めなさい。〔長崎〕

重要 **(2)** 
$-\sqrt{5}<n<\sqrt{17}$ を満たす整数 n は何個あるかを求めなさい。

3 次の計算をしなさい。

(1) $\sqrt{18}-3\sqrt{8}-\sqrt{50}$　〔島根〕　**(2)** $\dfrac{9}{\sqrt{6}}+\dfrac{\sqrt{6}}{2}$　〔宮城〕

重要 **(3)** $\sqrt{24}+\sqrt{\dfrac{3}{2}}-\dfrac{12}{\sqrt{6}}$　〔京都〕　**(4)** $\dfrac{\sqrt{48}-\sqrt{8}}{3}-\dfrac{\sqrt{27}-\sqrt{18}}{4}$　〔大阪〕

4 次の計算をしなさい。

(1) $5\sqrt{6}\div\sqrt{3}-\sqrt{18}$　〔茨城〕　**(2)** $(\sqrt{75}-\sqrt{27})\div\sqrt{3}$　〔宮崎〕

重要 **(3)** $\sqrt{6}\left(\sqrt{8}-\dfrac{1}{\sqrt{2}}\right)$　〔青森〕　**(4)** $\sqrt{27}-\sqrt{2}(\sqrt{6}-1)$　〔山形〕

得点UP!

1 (1)① 2 つの正の数 $\sqrt{5}$，2 をそれぞれ 2 乗すると，$(\sqrt{5})^2=5$，$2^2=4$
(2) **ア**～**エ**の 4 つの数をそれぞれ 2 乗して比べる。

2 (1) 各辺を 2 乗すると，$3^2<2n<4^2$

Check! 自由自在
おもな平方根（$\sqrt{2}$，$\sqrt{3}$，$\sqrt{5}$ など）のおよその値を調べて，覚えておこう。

3 (1) それぞれの数を $a\sqrt{b}$ の形に直し，同類項（どうるいこう）をまとめる。
(2) $\dfrac{9}{\sqrt{6}}=\dfrac{9\times\sqrt{6}}{\sqrt{6}\times\sqrt{6}}$
(3) $\sqrt{\dfrac{3}{2}}=\dfrac{\sqrt{3}}{\sqrt{2}}$

4 (2) 分配法則を使う。
$(\sqrt{75}-\sqrt{27})\div\sqrt{3}$
$=\dfrac{\sqrt{75}}{\sqrt{3}}-\dfrac{\sqrt{27}}{\sqrt{3}}$

5 次の計算をしなさい。

(1) $(\sqrt{5}-\sqrt{3})(\sqrt{15}+4)$ 〔愛知〕

(2) $(\sqrt{2}+1)^2-\dfrac{\sqrt{6}}{\sqrt{3}}$ 〔熊本〕

重要 (3) $(3+\sqrt{2})(3-\sqrt{2})+(\sqrt{2}-1)^2$ 〔鹿児島－改〕

(4) $(\sqrt{5}-2)^2+\sqrt{5}(\sqrt{20}+4)$ 〔愛知〕

(5) $(\sqrt{3}-\sqrt{2})^2+(\sqrt{6}-2)^2+6\sqrt{6}$ 〔都立青山高〕

重要 (6) $(\sqrt{3}-1)(\sqrt{6}+\sqrt{2})+(\sqrt{2}-1)^2$ 〔都立国立高〕

6 次の式の値を求めなさい。

重要 (1) $x=\sqrt{3}+1$ のとき，x^2-2x+1 の値 〔山口〕

(2) $x=5\sqrt{2}+4\sqrt{3}$，$y=2\sqrt{2}$ のとき，$x^2-5xy+4y^2$ の値 〔大阪〕

7 次の問いに答えなさい。

重要 (1) $\sqrt{8.14}=2.853$，$\sqrt{81.4}=9.022$ として，$\sqrt{0.0814}$ の近似値を四捨五入して小数第 2 位まで求めなさい。 〔奈良〕

(2) 2 地点間の距離(きょり)を測定し，10 m 未満を四捨五入して測定値 1800 m を得た。真の値を a m として，a の範囲(はんい)を不等号を使って表しなさい。

(3) $\sqrt{3}=1.732$ として，$6\div\sqrt{3}$ の値を求めるために，学さんは $a\times1.732$ と計算した。この計算が正しくなるような a の値を求めなさい。 〔秋田〕

重要 (4) $\sqrt{\dfrac{540}{n}}$ の値が整数になるような自然数 n のうち，最も小さいものを求めなさい。 〔長崎〕

(5) $\sqrt{\dfrac{48}{5}n}$ が自然数となるような，最も小さい自然数 n の値を求めなさい。 〔神奈川〕

---

5 (1)
$(\sqrt{5}-\sqrt{3})(\sqrt{15}+4)$
$=\sqrt{5}\times\sqrt{15}+\sqrt{5}\times4$
$-\sqrt{3}\times\sqrt{15}-\sqrt{3}\times4$
(2) 乗法公式を使う。
$(\sqrt{2}+1)^2=(\sqrt{2})^2+2\times1\times\sqrt{2}+1^2$
(6) $\sqrt{6}+\sqrt{2}=\sqrt{2}(\sqrt{3}+1)$
として，乗法公式を使う。

6 与えられた式を因数分解してから数を代入する。
(2) $x^2-5xy+4y^2=(x-4y)(x-y)$

7 (1) $0.0814=\dfrac{8.14}{100}$

Check! 自由自在
近似値と有効数字について調べて，覚えておこう。

Check! 自由自在
数の分類(整数，無理数など)を調べて覚えておこう。

(2) 10 m 未満を四捨五入して 1800 m になる最小値は 1795 m
(3) $6\div\sqrt{3}=\dfrac{6}{\sqrt{3}}$
分母を有理化する。
(4) 540 を素因数分解する。
(5) 48 を素因数分解し，$n=5\times$○ とする。

月　　日

STEP 3 発展問題

解答⇨別冊 p.17

重要

1 次の式を計算しなさい。

(1) $\dfrac{6}{\sqrt{18}}-3\sqrt{2}-\dfrac{2\sqrt{7}}{\sqrt{14}}+\dfrac{6\sqrt{10}}{\sqrt{5}}$ 〔都立国分寺高〕

(2) $\dfrac{\sqrt{27}}{2}-3\sqrt{48}-\dfrac{\sqrt{735}}{\sqrt{20}}+2\sqrt{147}$ 〔中央大杉並高〕

(3) $\dfrac{(2\sqrt{3}-3\sqrt{2})^2}{2}-\dfrac{\sqrt{6}-4}{\sqrt{2}}\times\sqrt{27}$ 〔都立西高〕

(4) $\dfrac{(2\sqrt{3}+1)^2-(2\sqrt{3}-1)^2}{\sqrt{32}}$ 〔関西学院高〕

(5) $\left(\dfrac{3}{\sqrt{3}}+2\right)(2-\sqrt{3})+\sqrt{3}\left(\sqrt{12}-\dfrac{1}{\sqrt{3}}\right)$ 〔日本大第三高〕

(6) $\dfrac{24-2\sqrt{3}}{\sqrt{3}}-(\sqrt{6}+\sqrt{2})^2+\dfrac{3\sqrt{5}-2\sqrt{15}}{\sqrt{15}}+(2\sqrt{3})^2$ 〔愛光高〕

重要

2 次の計算をしなさい。

(1) $(1+\sqrt{2}+\sqrt{3})(1+\sqrt{2}-\sqrt{3})$ 〔東邦大付属東邦高〕

(2) $(\sqrt{3}-1)(\sqrt{7}-2)(\sqrt{3}+1)(\sqrt{7}+2)$ 〔岡山県立朝日高〕

(3) $\dfrac{(\sqrt{2}+1)(2+\sqrt{2})(4-3\sqrt{2})}{\sqrt{2}}$ 〔國學院大久我山高〕

(4) $(\sqrt{2}+\sqrt{3})^3(\sqrt{2}-\sqrt{3})^5$ 〔久留米大附高〕

(5) $\left(\dfrac{\sqrt{7}+\sqrt{11}}{\sqrt{2}}\right)^2-(\sqrt{7}+\sqrt{11})(\sqrt{7}-\sqrt{11})+\left(\dfrac{\sqrt{7}-\sqrt{11}}{\sqrt{2}}\right)^2$ 〔市川高〕

3 $(-\sqrt{8}x^3y^2)\div\left(-\dfrac{\sqrt{72}}{5}xy\right)\times(\sqrt{3}y)^2$ を計算しなさい。

4 次の問いに答えなさい。

(1) $\sqrt{6n}$ と $\dfrac{n}{15}$ がともに整数となるような最も小さい自然数 n の値を求めなさい。

(2) $\dfrac{\sqrt{50-2n}}{3}$ が自然数になるとき，自然数 n の値を求めなさい。 〔千葉〕

5 a，b は整数で，$(a-2\sqrt{2})(4+3\sqrt{2})=\sqrt{2}b$ となるとき，a，b の値を求めなさい。〔法政大高〕

6 a，b，c は連続する 3 つの奇数（きすう）で，$0<a<b<c<100$ である。$\sqrt{a+b+c}$ が正の整数となる a のうち，最も大きなものを求めなさい。〔秋田〕

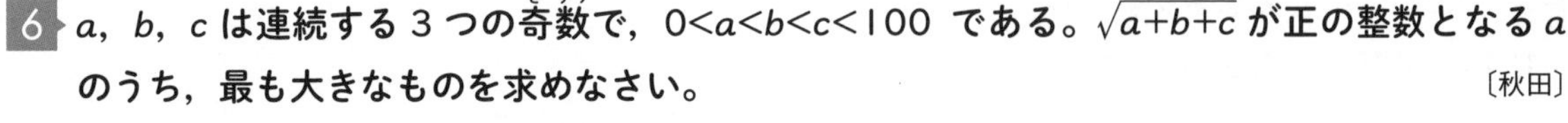

重要 **7** 次の式の値を求めなさい。

(1) $x=\sqrt{14}+\sqrt{13}$，$y=\sqrt{14}-\sqrt{13}$ のとき，$\dfrac{1}{x^2}+\dfrac{1}{y^2}$ の値〔関西学院高〕

(2) $(1+\sqrt{3})x=2$，$(1-\sqrt{3})y=-2$ のとき，$(2+\sqrt{3})x^2+(2-\sqrt{3})y^2$ の値〔久留米大附高〕

(3) $x=\sqrt{3}y-1$，$y=\sqrt{3}x$ のとき，$(\sqrt{3}-y)^2-\dfrac{2}{\sqrt{3}}(\sqrt{3}-y)-(1-x)^2$ の値〔巣鴨高〕

(4) $x=\sqrt{3}+\sqrt{2}$，$y=\sqrt{3}-\sqrt{2}$ のとき，$(x^2+2xy+y^2)^3+\left(\dfrac{1}{x}+\dfrac{1}{y}\right)^2$ の値〔函館ラ・サール高〕

重要 **8** 次の式の値を求めなさい。

(1) $\sqrt{29}$ の整数部分を a，小数部分を b（ただし，$0<b<1$）とするとき，$a^2+b(b+10)$ の値〔福岡大附属大濠高〕

(2) $5-\sqrt{3}$ の整数部分を a，小数部分を b とするとき，$\dfrac{7a-3b^2}{2a-3b}$ の値〔早稲田実業学校高〕

難問 **(3)** $\dfrac{2}{2-\sqrt{2}}$ の整数部分を a，小数部分を b とするとき，$a+\dfrac{2}{b}$ の値〔慶應義塾志木高一改〕

〔　　月　　日〕

理解度診断テスト①

本書の出題範囲 pp.6～39　時間 35分　得点 /100点　理解度診断 A B C

解答⇨別冊 p.19

1 次の問いに答えなさい。(40点)

(1) 次の計算をしなさい。

① $(-3)^2+2\times(-4^2)$ 〔京都〕

② $\frac{7}{6}\div\left(-\frac{7}{2}\right)+\frac{3}{4}$ 〔茨城〕

③ $\sqrt{32}+\sqrt{18}-\sqrt{72}$ 〔島根〕

④ $\sqrt{6}\times\sqrt{3}+\frac{10}{\sqrt{2}}$ 〔鹿児島〕

(2) 次の式を計算しなさい。

① $x-y+\frac{x+3y}{2}$ 〔香川〕

② $(-3a)^2\times2b\div(-2a^2)$ 〔山形〕

③ $(x+2)^2-(x-1)(x-3)$ 〔高知〕

④ $(x-4)^2-2(x+3)(x-3)$ 〔福島〕

(3) 次の式を因数分解しなさい。

① $2x^2y-10xy-12y$ 〔群馬〕

② $(x+4)(x-6)-11$ 〔神奈川〕

2 次の問いに答えなさい。(12点)

(1) $-1.98<x<\frac{9}{4}$ を満たす整数 x を，小さい順にすべて書きなさい。(3点) 〔群馬〕

(2) 右の図のように，縦 1 cm，横 $2a$ cm の長方形の板が 3 等分されている。このとき，図の色のついた部分の面積を，a を用いた式で表しなさい。(3点) 〔秋田〕

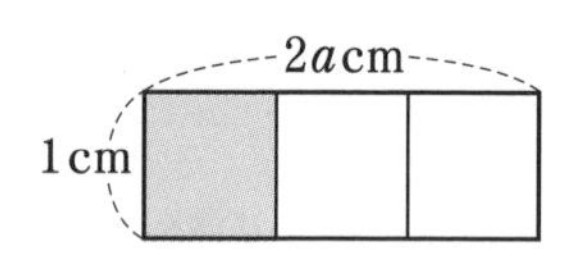

(3) 500 を素因数分解すると，［ア］となり，$\sqrt{500n}$ が整数となるような自然数 n のうち，最も小さいものは［イ］である。［ア］，［イ］に適するものを答えなさい。(6点) 〔近畿大附高〕

3 次の問いに答えなさい。(12点)

(1) 1個 a kgの荷物2個と1個3 kgの荷物6個がある。この8個の荷物の平均の重さは b kgである。a を b の式で表しなさい。〔愛知〕

(2) 次の等式を〔　〕の中の文字について解きなさい。

① $3a-2b=6$ 〔b〕〔岩手〕　② $m=\dfrac{2a+b+c}{4}$ 〔c〕〔青森〕

4 次の式の値を求めなさい。(16点)

(1) $x=4$, $y=-2$ のとき，$x-7y$ の値〔栃木〕

(2) $a=27$, $b=13$ のとき，a^2-4b^2 の値〔静岡〕

(3) $x=18$のとき，$x^2-6x-16$ の値〔埼玉〕

(4) $a=\sqrt{2}+1$ のとき，$a(a-2)$ の値〔宮城〕

5 連続する3つの整数の性質について，次のように説明するとき，［ア］～［ウ］にあてはまる式を，［エ］にあてはまる数をそれぞれ書きなさい。(12点)〔北海道〕

連続する3つの整数のうち，真ん中の整数を n とすると，最も大きい整数は［ア］，最も小さい整数は［イ］と表すことができる。
最も大きい整数の2乗から最も小さい整数の2乗をひくと，
$($［ア］$)^2-($［イ］$)^2=$［ウ］となる。
よって，連続する3つの整数には，最も大きい整数の2乗から最も小さい整数の2乗をひいた値が，真ん中の整数の［エ］倍となる性質がある。

6 次の問いに答えなさい。(8点)

(1) a, b は自然数で，$2<\sqrt{a}<3$ であり，$ab-a=28$ である。このとき，a, b の値を求めなさい。〔熊本〕

(2) 300を2けたの自然数 N でわったところ，商が余りの2倍になった。このような N を求めなさい。〔秋田〕

月　日

第2章　方程式

1　1次方程式

STEP 1　まとめノート

解答⇨別冊 p.21

① 1次方程式の解き方 ★

例題 1　次の方程式を解きなさい。

(1) $7x+3=4x-21$　　(2) $9x+2=8(x+1)$

解き方 (1)

$7x+3=4x-21$

$7x$ ① ＿ $=-21$ ② ＿　（3，$4x$ を移項する）

③ ＿ $x=$ ④ ＿　（$ax=b$ の形にする）

$x=$ ⑤ ＿　（両辺を a でわる）

(2)

$9x+2=8(x+1)$

$9x+2=$ ① ＿ $+8$　（かっこをはずす）

$9x$ ② ＿ $=8$ ③ ＿

$x=$ ④ ＿

② いろいろな1次方程式 ★★

例題 2　次の方程式を解きなさい。

(1) $0.75x-1=0.5x$　　(2) $\frac{1}{2}x-1=\frac{x-2}{5}$

解き方 (1)

$0.75x-1=0.5x$

両辺に ① ＿ をかけると，

② ＿ $x-100=$ ③ ＿ x

④ ＿ $x-$ ⑤ ＿ $x=$ ⑥ ＿

⑦ ＿ $x=$ ⑧ ＿　（$ax=b$ の形にする）

$x=$ ⑨ ＿　（両辺を a でわる）

(2)

$\frac{1}{2}x-1=\frac{x-2}{5}$

両辺に ① ＿ をかけると，

$\left(\frac{1}{2}x-1\right)\times$ ② ＿ $=\frac{x-2}{5}\times$ ③ ＿

$5x-$ ④ ＿ $=(x-2)\times$ ⑤ ＿

$5x-$ ⑥ ＿ $=$ ⑦ ＿ x ⑧ ＿

$5x-$ ⑨ ＿ $x=-4+$ ⑩ ＿

⑪ ＿ $x=$ ⑫ ＿

$x=$ ⑬ ＿

Points!

▶方程式

式の中の文字に特定の値を代入すると成り立つ式を方程式といい，成り立たせる特定の値を，その方程式の解という。

▶等式の性質

$A=B$ ならば，

㋐ $A+C=B+C$

㋑ $A-C=B-C$

㋒ $AC=BC$

㋓ $\frac{A}{C}=\frac{B}{C}$ $(C\neq0)$

が成り立つ。

▶1次方程式の解き方

等式では，一方の辺の項を，符号を変えて他方の辺に移すことができる。このことを，移項するという。

例　$6x=4+2x$

$6x-2x=4$

▶いろいろな1次方程式

ズバリ暗記

係数に小数や分数をふくむ方程式で，係数を整数にするために両辺を何倍かするときは，すべての項にかけること。

- 小数の場合は10倍，100倍，…する。
- 分数の場合は分母の最小公倍数をかける。これを分母をはらうという。

③ 比例式 ★★

例題 3 次の比例式を解きなさい。

(1) 6：x=3：2　　(2) $(3x-1)$：4=2：1

解き方 (1)　6：x=3：2

比例式の性質より，

x×①＿＿＝6×②＿＿
（内項の積）（外項の積）

③＿＿x=④＿＿

x=⑤＿＿

(2)　$(3x-1)$：4=2：1

比例式の性質より，

$(3x-1)$×①＿＿＝②＿＿×2
（外項の積）（内項の積）

$3x-1$=③＿＿

$3x$=④＿＿

x=⑤＿＿

④ 代金と個数についての問題 ★★

例題 4 Aさんと Bさんの 2 人の所持金を合計すると 5000 円であった。2 人とも 400 円の買い物をしたところ，Aさんの所持金は Bさんの所持金の 2 倍となった。Aさんの買い物をする前の所持金は何円か，求めなさい。

解き方 Aさんの買い物をする前の所持金を x 円とすると，Bさんの所持金は (①＿＿) 円である。2 人とも 400 円の買い物をしたところ，②＿＿さんの所持金＝2×(③＿＿さんの所持金) となったから，方程式をつくると，x－④＿＿＝2(⑤＿＿－400)

$x-400$＝⑥＿＿－800　⑦＿＿x=⑧＿＿　x=⑨＿＿

よって，Aさんの買い物をする前の所持金は，⑩＿＿円

⑤ 過不足についての問題 ★★

例題 5 鉛筆(えんぴつ)を何人かの生徒に配るのに，1 人に 6 本ずつ配ると 5 本余り，7 本ずつ配ると 3 本たりない。鉛筆は何本か，求めなさい。

解き方 生徒の人数を x 人とする。鉛筆の本数の表し方を 2 通り考えて，方程式をつくると，

①＿＿x＋5＝7x－②＿＿　③＿＿x=④＿＿　x=⑤＿＿
（5 本余る）（3 本たりない）（生徒の人数）

鉛筆の本数は，⑥＿＿×⑦＿＿＋5＝⑧＿＿（本）

▶比例式

比例式 $a:b=c:d$ で，a と d を外項(がいこう)，b と c を内項という。

ズバリ暗記

比例式では，外項の積と内項の積は等しい。

$a:b=c:d$
⇕
$ad=bc$

▶1 次方程式の利用

①問題の意味をよく考え，何を x で表すか決める。
②問題の中にある数量を，x を使って表す。
③等しい数量の関係を見つけて，方程式をつくる。
④方程式を解く。
⑤方程式の解が問題に適していることを確かめて，答えとする。

▶速さについての問題

ズバリ暗記

・速さ＝$\frac{道のり}{時間}$
・道のり＝速さ×時間
・時間＝$\frac{道のり}{速さ}$

速さについての方程式は，
㋐道のりを x として時間を表す。
㋑時間を x として道のりを表す。
ことが多い。

▶売買についての問題

ズバリ暗記

・定価
＝原価×(1＋利益の割合)
・売価
＝定価×(1－割引の割合)
・利益＝売価－原価

月　日

STEP 2 実力問題

ねらわれる ココが
- ○ 1 次方程式の解き方
- ○ いろいろな 1 次方程式
- ○ 1 次方程式の利用

解答⇨別冊 p.21

1 次の方程式を解きなさい。

(1) $5-6x=2x-11$ 〔長崎〕

(2) $x+11=-5x+16$ 〔栃木〕

重要 (3) $3x-8=7(x+4)$ 〔東京〕

(4) $4x+3(2x-3)=18x$ 〔鹿児島〕

重要 (5) $\dfrac{2x+1}{3}=\dfrac{x}{2}$ 〔駿台甲府高〕

(6) $\dfrac{3x+2}{5}=\dfrac{2x-1}{3}$ 〔大阪〕

2 次の問いに答えなさい。

(1) x についての 1 次方程式 $ax-3(a-2)x=8-4x$ の解が -2 のとき，a の値を求めなさい。 〔大分〕

重要 (2) x についての 1 次方程式 $\dfrac{x+a}{3}=2a+1$ の解が -7 であるとき，a の値を求めなさい。 〔茨城〕

3 次の問いに答えなさい。

(1) 面積 x m^2 の公園で，その 15 % は池である。この公園の池の面積が 135 m^2 であるとき，x の値を求めなさい。 〔三重〕

重要 (2) 縦の長さと横の長さの比が 3：4 の長方形がある。縦の長さが 45 cm のとき，横の長さを答えなさい。 〔新潟〕

得点UP!

1 (1)(2) x をふくむ項(こう)は左辺に，定数項は右辺に移項する。
(3)(4) まず，分配法則を使ってかっこをはずす。
(5)(6) 分母の最小公倍数を両辺にかける。

2 与えられた方程式に解を代入し，a についての 1 次方程式とみて解く。

3 (1) 全体の面積×割合＝一部の面積を用いて方程式をつくる。
(2) 横の長さを x cm として，比例式をつくる。

4 ある工事場に，9 m^3 の砂と 4 m^3 の砂利（じゃり）がある。そこへトラックで毎回同じ量ずつ，砂を 4 回，砂利を 5 回運び，砂の量が砂利の量の 1.2 倍になるようにしたい。1 回に運ぶ量をいくらにすればよいですか。〔山形〕

5 重さの異なる 4 個のおもり A，B，C，D があり，このうち，最も軽いのは A で，B，C，D の順に 30 g ずつ重くなっている。この 4 個のおもりの重さの合計が 500 g であるとき，A の重さを求めなさい。〔宮城〕

重要

6 あめを何人かの子どもに分けるのに，1 人に 6 個ずつ分けると 26 個余り，1 人に 7 個ずつ分けると 4 個たりない。次の □ は，子どもの人数とあめの個数を，1 次方程式を使って求める方法を示したものである。□①～□⑤ に，それぞれあてはまる適切なことがらを書きなさい。〔三重－改〕

> 子どもの人数を x 人として，1 次方程式をつくると，□①
> これを解くと，x=□②
> このことから，子どもの人数は □③ 人，あめの個数は □④ 個
> また，次の 1 次方程式を使って求めることもできる。
> あめの個数を y 個として，1 次方程式をつくると，□⑤

重要

7 花子さんの家から学校までの道のりは 1200 m である。ある朝，花子さんは，学校の始業時刻の 17 分前に家を出て，途中（とちゅう）の A 地点までは分速 100 m で走り，A 地点から学校までは分速 60 m で歩いたところ，始業時刻の 2 分前に学校に到着（とうちゃく）した。花子さんの家から A 地点までの道のりは何 m か，求めなさい。〔愛知〕

8 ある店で，1 枚の定価が等しい白色と青色の 2 種類の T シャツを，右の図のように販売（はんばい）している。白色の T シャツを 2 枚買ったときの代金と，青色の T シャツを 3 枚買ったときの代金が等しくなった。このとき，T シャツ 1 枚の定価を求めなさい。〔茨城〕

【白色のTシャツ】
・2枚買うと，2枚目は定価から980円引き

【青色のTシャツ】
・2枚買うと，2枚とも定価の30%引き
・3枚買うと，3枚とも定価の45%引き

4 1 回に運ぶ量を x m^3 とすると，砂の量は，$(9+4x)$ m^3 となる。

5 A の重さを x g とすると，B の重さは，$(x+30)$ g になる。

6 ①あめの個数を 2 通りの式で表す。x 人の子どもに，1 人 6 個ずつあめを分けると，あめは $6x$ 個必要になる。

Check! 自由自在
過不足の問題では，人数を x とするか，個数を x とするかで式が異なる。どちらの式のほうが簡単になるか確認しておこう。

7 線分図をかいて考えるとよい。家から A 地点までの道のりを x m とする。

1200m
家　xm　A　$(1200-x)$m　学校
分速 100m　分速 60m
かかった時間

8 青色の T シャツは 3 枚買うから，「3 枚買うと，3 枚とも定価の 45 % 引き」の条件が適用される。

STEP 3 発展問題

解答⇨別冊 p.22

重要

1 次の方程式を解きなさい。

(1) $\frac{3x-9}{5}+7=\frac{x+10}{3}$ 〔大阪〕

(2) $\frac{7}{600}x+\frac{1}{3000}=0$

(3) $\frac{2-2x}{3}+\frac{x+5}{6}=\frac{5}{2}$ 〔東京学芸大附高〕

(4) $\frac{7x-2}{3}-\frac{3x-1}{4}=-\frac{x-5}{12}$ 〔早稲田大高〕

2 次の比例式を解きなさい。

(1) $(x+3):5=(x-2):2$ 〔東京工業大附属科学技術高〕

(2) $0.4:1.2=(2x+1):(6-x)$ 〔関西学院高〕

3 x の 1 次方程式 $\frac{x-a}{2}+\frac{x+2a}{3}=1$ の解が $x=4$ であるとき，a の値を求めなさい。 〔明治学院高〕

重要

4 次の ☐ にあてはまる数を書きなさい。

(1) 野外活動の宿舎で，生徒を 1 部屋に 4 人ずつ入れると 5 人余って全員は入れず，5 人ずつ入れると 4 人の部屋が 1 部屋でき，さらに 2 部屋が余る。生徒の人数は ☐ 人である。 〔愛知〕

(2) M 高校の生徒数は 405 人である。そのうち，男子の 10 % と女子の 8 % の生徒が自転車で通学しており，自転車で通学している男子と女子の人数は等しい。このとき，自転車で通学している生徒は全部で ☐ 人である。 〔明治大付属明治高〕

(3) ある商品を仕入れて 3 日間販売(はんばい)したところ，1 日目と 2 日目は仕入れた個数の $\frac{1}{5}$ ずつ売れ，3 日目は仕入れた個数の $\frac{1}{4}$ 売れ，420 個残った。仕入れた商品は ☐ 個である。

〔福岡大附属大濠高〕

重要 **5 次の問いに答えなさい。**

(1) 1周 400 m のランニングコースにおいて，A さんと B さんが同じところから同時に出発し，A さんは毎分 250 m，B さんは毎分 200 m の速さで走る。A さんが B さんをはじめて追い抜くのは出発してから何分後かを求めなさい。〔東京工業大附属科学技術高〕

(2) A さんは毎時 4 km の速さで学校から駅までの道を歩く。A さんが出発してから 15 分後に B さんは毎時 6 km の速さで学校を出発して，同じ道を歩いて駅まで向かう。A さんと B さんが同時に駅に到着するとき，A さんは学校から駅まで何分かかりましたか。〔都立産業技術高専〕

(3) A 君は毎朝同じ時刻に家を出て学校に向かう。A 君はある日，毎分 70 m の速さで歩いたら 5 分遅刻したので，翌日は毎分 100 m の速さで歩いたところ，7 分前に着いたという。このとき，家から学校までの距離は $\frac{\boxed{ア}\boxed{イ}}{\boxed{ウ}}$ km である。□ をうめなさい。〔土浦日本大高〕

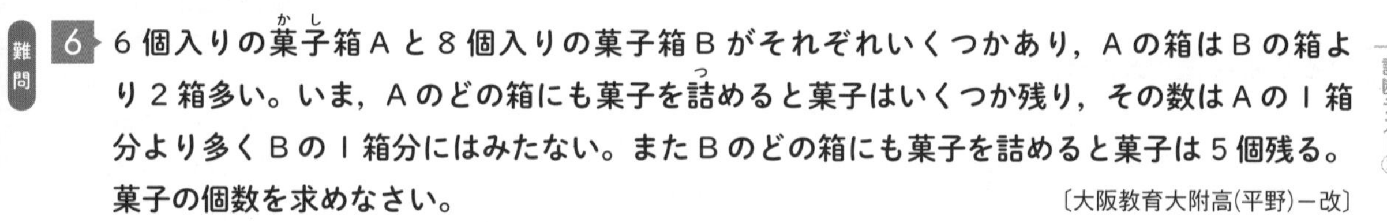

難問 **6 6個入りの菓子箱 A と 8 個入りの菓子箱 B がそれぞれいくつかあり，A の箱は B の箱より 2 箱多い。いま，A のどの箱にも菓子を詰めると菓子はいくつか残り，その数は A の 1 箱分より多く B の 1 箱分にはみたない。また B のどの箱にも菓子を詰めると菓子は 5 個残る。菓子の個数を求めなさい。** 〔大阪教育大附高(平野)－改〕

難問 **7 食塩水 A と食塩水 B がある。** 〔國學院大久我山高〕

(1) 濃度 6 %の食塩水 200 g と水 400 g を混ぜ合わせて食塩水 A をつくった。食塩水 A の濃度(%)を答えなさい。

(2) 濃度 6 %の食塩水 400 g と，800 g の食塩水 B を混ぜ合わせると濃度 4 %の食塩水 C ができた。食塩水 B の濃度(%)を答えなさい。

(3) 食塩水 A と食塩水 B を混ぜ合わせて 500 g の食塩水をつくった。つくった食塩水から水 200 g を蒸発させたところ，濃度が 3.5 %になった。混ぜ合わせた食塩水 A は何 g でしたか。

第2章 方程式

連立方程式

STEP 1 まとめノート

　　　　月　　日

解答⇨別冊 p.23

① 連立方程式の解き方 ★

例題 1 次の連立方程式を解きなさい。

(1) $\begin{cases} x-4y=17 & \cdots㋐ \\ 3x+2y=9 & \cdots㋑ \end{cases}$　(2) $\begin{cases} x=3y-2 & \cdots㋐ \\ 4x-7y=2 & \cdots㋑ \end{cases}$

解き方 (1) ㋐＋㋑×①［　］ ←y を消去する

$x-4y=\ 17$　　y の係数の絶対値をそろえる

＋) ②［　］$x+4y=$③［　］

④［　］x ＝⑤［　］ ←加減法による解き方

$x=$⑥［　］

$x=$⑦［　］ を㋐に代入して，

⑧［　］$-4y=17$

$y=$⑨［　］

(2) ㋐を㋑に ①［　］ すると，

$4($②［　］$)-7y=2$ ←代入法による解き方

$12y-$③［　］$-7y=2$

$5y=$④［　］

$y=$⑤［　］

$y=$⑥［　］ を㋐に代入して，

$x=$⑦［　］

② いろいろな連立方程式 ★★

例題 2 連立方程式 $\begin{cases} \frac{1}{3}(x-5)=\frac{1}{4}(7-y) & \cdots㋐ \\ 0.3x+0.4y=3.6 & \cdots㋑ \end{cases}$ を解きなさい。

解き方 ㋐×①［　］　$4(x-5)=$②［　］$(7-y)$　$4x+3y=$③［　］ …㋒

㋑×④［　］　$3x+$⑤［　］$=36$ …㋓

㋒×3－㋓×⑥［　］ ←x の係数をそろえる

$12x+\quad 9y=$⑦［　］

－) $12x+$⑧［　］$y=\ 144$

⑨［　］$y=$⑩［　］

$y=$⑪［　］

$y=$⑫［　］ を㋓に代入して，$x=$⑬［　］

③ $A=B=C$ の形の連立方程式 ★★

例題 3 連立方程式 $4x+3y=3x+y=5$ を解きなさい。

解き方 数だけの ①［　］ を2回使って組み合わせて，

$\begin{cases} 4x+3y=② \\ ③ \end{cases}$ ←$A=B=C$ のとき，$\begin{cases} A=C \\ B=C \end{cases}$

これを解いて，$x=$④［　］，$y=$⑤［　］

Points!

▶**加減法による解き方**
どちらかの文字の係数の絶対値をそろえて，2つの式をたしたりひいたりして，その文字を消去する。

▶**代入法による解き方**
一方の式を他方の式に代入して，文字を消去する。

▶**いろいろな連立方程式**

ズバリ暗記
- かっこをふくむ連立方程式は，かっこをはずし，整理してから解く。
- 係数に小数をふくむ連立方程式は，両辺に10や100などをかけて係数をすべて整数にしてから解く。
- 係数に分数をふくむ連立方程式は，両辺に分母の最小公倍数をかけて係数をすべて整数にしてから解く。

▶**$A=B=C$ の連立方程式**
$A=B=C$ のうちの数だけのものや，いちばん簡単な式を2回使って組み合わせる。

例　$5x-3y=x-y=1$

⇩

$\begin{cases} 5x-3y=1 \\ x-y=1 \end{cases}$

4 文字の値についての問題 ★★

例題 4 $\begin{cases} 2ax-by=5 \\ ax-4by=-1 \end{cases}$ の解が，$(x,\ y)=(3,\ -1)$ であるとき，a，b の値を求めなさい。

解き方 連立方程式に，$x=3,\ y=-1$ を代入すると，
（↑連立方程式の解）

$\begin{cases} 6a+b=5 \\ ① \quad =-1 \end{cases}$ ←a と b の連立方程式

これを解いて，$a=$② ，$b=$③

5 速さについての問題 ★★

例題 5 A さんは，家から 2400 m 離(はな)れた学校に通学している。最初は分速 60 m で歩いていたが，途中(とちゅう)から分速 150 m で走ったところ，全体で 31 分かかって学校に着いた。歩いた時間と走った時間をそれぞれ求めなさい。

解き方 歩いた時間を x 分，走った時間を y 分とすると，

$\begin{cases} x+y= ① & \cdots ㋐ \\ 60x+ ② =2400 & \cdots ㋑ \end{cases}$ ←時間についての式 ←道のりについての式

㋐×2−㋑÷30 より，$y=$③

$y=$④ を㋐に代入して，$x=$⑤

よって，歩いた時間は ⑥ 分，走った時間は ⑦ 分

6 割合についての問題 ★★

例題 6 小学生と中学生を対象にした音楽鑑賞(かんしょう)会が毎年開催(かいさい)されており，今年の参加者は，小学生と中学生を合わせて 135 人である。今年は，昨年と比べて，小学生が 10 %減り，中学生が 20 %増え，全体では 5 人増えている。今年の小学生と中学生の参加者は，それぞれ何人ですか。

解き方 昨年の，小学生の参加者を x 人，中学生の参加者を y 人とすると，

$\begin{cases} x+y= ① - ② \\ 0.9x+ ③ =135 \end{cases}$ ←昨年の人数についての式 ←今年の人数についての式

これを解いて，$x=$④ ，$y=$⑤

よって，今年の小学生は ⑥ ×0.9= ⑦ (人)，

中学生は，⑧ × ⑨ = ⑩ (人)

▶文字の値についての問題
解を連立方程式に代入して，a と b についての連立方程式をつくる。これを解いて，a と b の値を求める。

▶連立方程式の利用
①どの数量を文字 x，y を使って表すか決める。
②問題文から数量の等しい関係を 2 つ見つけ，x，y を使って連立方程式をつくる。
③連立方程式を解く。
④連立方程式の解が問題に適していることを確かめて，答えとする。

▶速さについての問題
例題 5 のような速さについての問題では，下のような図に示してから考えるとよい。
（p. 43 Points! 参照）

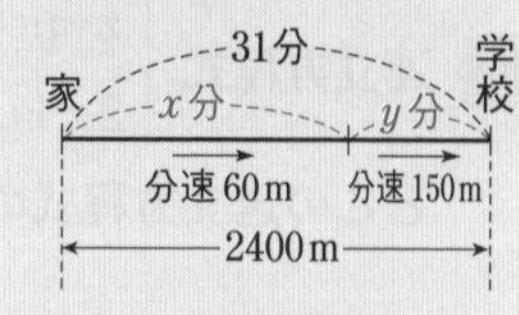

▶割合についての問題

ズバリ暗記
例題 6 のように，増減の問題では，もとにする量(この場合は昨年の人数)を x，y とすることに注意する。

今年の人数についての式のかわりに，今年の増減分についての式
$-0.1x+0.2y=5$
を用いてもよい。

月　　日

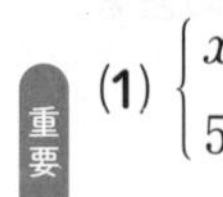

STEP 2 実力問題

ねらわれるココが
○連立方程式の解き方
○いろいろな連立方程式
○連立方程式の利用

解答⇨別冊 p.23

1 次の連立方程式を解きなさい。

重要 (1) $\begin{cases} x+2y=1 \\ 5x+9y=6 \end{cases}$ 〔東京〕

(2) $\begin{cases} 5x-y=11 \\ x+3y=15 \end{cases}$ 〔三重〕

重要 (3) $\begin{cases} x=3y-1 \\ 2x-y=3 \end{cases}$ 〔山梨〕

(4) $\begin{cases} x+2y=4 \\ y=3x-5 \end{cases}$ 〔佐賀〕

(5) $\begin{cases} x-2(x-y)=-4 \\ 3(x+y+1)+y=10 \end{cases}$ 〔三田学園高〕

重要 (6) $\begin{cases} 0.5x-0.3y=1.9 \\ \dfrac{2}{3}x+y=10 \end{cases}$ 〔法政大第二高〕

(7) $\begin{cases} \dfrac{x+y}{2}-\dfrac{x}{3}=1 \\ x+2y=2 \end{cases}$ 〔長崎〕

(8) $\dfrac{x-y}{2}=\dfrac{x+y}{4}=1$ 〔西南学院高〕

2 連立方程式 $\begin{cases} x-y=6 \\ 2x+y=3a \end{cases}$ の解 x，y が $x:y=3:1$ であるとき，a の値とこの連立方程式の解を求めなさい。 〔栃木〕

3 次の問いに答えなさい。

(1) 80 円切手と 90 円切手をそれぞれ何枚か買ったところ，合計金額は 2000 円であった。80 円切手の枚数が 90 円切手の枚数の 2 倍であったとき，80 円切手の枚数は何枚か，求めなさい。 〔愛知〕

重要 (2) ある植物園の入園料は，大人 2 人と子ども 3 人では 1900 円であり，大人 3 人と子ども 4 人では 2720 円である。文字 x，y を使った連立方程式を用いて，この植物園の大人 1 人の入園料と子ども 1 人の入園料を，それぞれ求めなさい。 〔愛媛〕

得点UP!

1 (1)～(7)上の式を①，下の式を②とする。
(1) ①×5－② より，x を消す。
(3) ①を②に代入して，y を求める。
(5) 分配法則を使って(　)をはずす。
(6)(7) 係数に小数や分数があるときは，両辺を何倍かして，係数を整数になおす。
(8) 1 を 2 回使って，式を 2 つつくる。

Check! 自由自在
連立方程式によっては，解が無数にあるものや解がないものもある。どのようなときにそうなるのか，確認しておこう。

2 $x:y=3:1$ より，$x=3y$ である。

3 (1) 80 円切手を x 枚，90 円切手を y 枚として，連立方程式をつくる。
(2) 大人 1 人の入園料を x 円，子ども 1 人の入園料を y 円として，連立方程式をつくる。

重要

4 ある中学校の昨年度の生徒数は230人であった。今年度の生徒数は，昨年度と比べ，男子が10％増え，女子が5％減り，全体で5人増えた。昨年度の男子，女子それぞれの生徒数を求めなさい。〔秋田〕

記述

5 ある店ではボールペンとノートを販売(はんばい)している。先月の販売数はボールペンが60本，ノートが120冊で，ノートの売り上げ金額はボールペンの売り上げ金額より12600円多かった。今月は，先月と比べて，ボールペンの販売数が40％増え，ノートの販売数が25％減ったので，ボールペンとノートの売り上げ金額の合計は10％減った。このとき，ボールペン1本とノート1冊の値段はそれぞれいくらか，求めなさい。求める過程も書きなさい。〔福島〕

記述

6 太一さんの家から真二さんの家までの道のりは2kmで，その途中(とちゅう)にある図書館で2人は一緒に勉強することにした。太一さんは午前10時に自分の家を出て時速12kmで走り，真二さんは午前10時5分に自分の家を出て時速4kmで歩くと，同時に図書館に着いた。太一さんの家から図書館までの道のりと，真二さんの家から図書館までの道のりを，方程式をつくって求めなさい。なお，途中の計算も書くこと。〔石川〕

7 次の①～⑤は，ある果物屋で120個のりんごを用意し，それを3日間で販売したときのようすである。〔福井〕

> ①　1日目は1個150円で販売し，x個売れた。
> ②　2日目も1個150円で販売したが，午前中はy個しか売れなかったので，午後から150円の20％引きで販売したところ，午後だけで前日の2倍の個数が売れた。
> ③　3日目は，1個100円で販売し，すべてのりんごを売り切った。
> ④　2日目に売れたりんごの個数は，1日目に売れたりんごの個数より28個多かった。
> ⑤　3日間の売り上げ代金の合計は14000円であった。

(1) x，yについての連立方程式をつくりなさい。

(2) (1)の連立方程式を解いてx，yの値を求めなさい。

4 増えた男子の人数−減った女子の人数=5である。

5 今月のボールペンの販売数は，60×(1+0.4)本である。

6 太一さんの家から図書館までの道のりを$x$km，真二さんの家から図書館までの道のりを$y$kmとする。

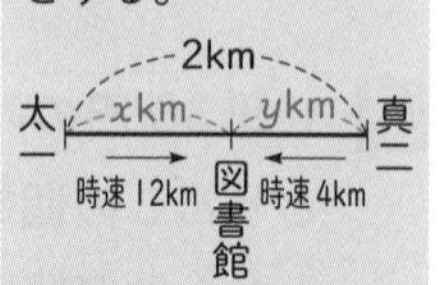

7 ①，②，④より，2日目に販売したりんごの個数で式をつくる。
また，①，②，③，⑤より，1日目，2日目，3日目の売り上げ代金で式をつくる。

月　日

STEP 3 発展問題

解答⇨別冊 p.25

重要 **1** **次の連立方程式を解きなさい。**

(1) $\begin{cases} 3x-\dfrac{y-1}{2}=0 \\ 6x+y+11=0 \end{cases}$

(2) $\begin{cases} 9x-8y-7=0 \\ 3x:5=(y+1):2 \end{cases}$ 〔法政大高〕

(3) $\begin{cases} x-\dfrac{4y+3}{8}=\dfrac{7(x+y)-1}{4} \\ 3x-2y-5=0 \end{cases}$ 〔都立日比谷高〕

(4) $\begin{cases} \dfrac{5x-2}{8}-\dfrac{y-4}{3}=2 \\ 2(3x-1)+3(4y-7)=1 \end{cases}$ 〔大阪教育大附高(池田)〕

(5) $\begin{cases} \dfrac{3x+2}{2}-\dfrac{8y+7}{6}=1 \\ 0.3x+0.2(y+1)=\dfrac{1}{4} \end{cases}$ 〔東海高〕

(6) $\dfrac{x+y-1}{4}=\dfrac{x-y-4}{6}=\dfrac{2x+y-7}{2}$ 〔芝浦工業大柏高〕

重要 **2** **1 個 30 円のみかんと 1 個 60 円のりんごと 1 個 80 円のかきを合計で 15 個買った。みかんとりんごの個数の合計はかきの個数の 2 倍となり，代金の合計は 790 円となった。このとき，みかんは何個買ったか，求めなさい。** 〔豊島岡女子学園高〕

3 **本屋と図書館の道の途中(とちゅう)に駅がある。A さんは，本屋から駅まで自転車で行き，駅から図書館まで歩いて行く。B さんは，同じ道を図書館から駅まで自転車で行き，駅から本屋まで歩いて行く。A さんが本屋を，B さんが図書館を同時に出発したところ，10 分後に出会った。そのとき，A さんは歩いており，B さんは自転車に乗っていた。また，B さんが本屋に到着(とうちゃく)した 8 分後に，A さんは図書館に到着した。ただし 2 人の自転車の速さは時速 12 km，歩く速さは時速 4 km とする。** 〔福井一改〕

(1) 図書館から 2 人が出会ったところまでの道のりを求めなさい。

(2) 本屋から駅までの道のりを x km，駅から 2 人が出会ったところまでの道のりを y km として，連立方程式をつくりなさい。また，この方程式を解いて，本屋から図書館までの道のりを求めなさい。

4 4％の食塩水 300 g と 9％の食塩水 400 g をすべて使いきって，6％の食塩水 a g，7％の食塩水 b g，8％の食塩水 $2b$ g をつくった。a，b の値を求めなさい。〔洛南高〕

重要 **5** A，B，C の 3 つの中学校の生徒が一緒に講演会に参加した。参加した人数は，男子が 60 人，女子が 72 人であった。また，それぞれの中学校の参加人数を調べると，B 中学校の人数は A 中学校の人数の $\frac{1}{2}$ 倍，C 中学校の人数は A 中学校の人数の $\frac{1}{3}$ 倍であった。講演会に参加した A 中学校の男子を x 人，B 中学校の男子を y 人とする。〔広島大附高〕

(1) 講演会に参加した A 中学校の人数を求めなさい。

(2) 講演会に参加した A 中学校の女子と C 中学校の男子の人数の和は，B 中学校の男子と C 中学校の女子の人数の和に等しかった。

① y を x の式で表しなさい。

② 講演会に参加した B 中学校の男子と A 中学校の女子の人数の比が 3：5 であるとき，x と y の値を求めなさい。

難問 **6** 次の連立方程式を解きなさい。

(1) $\begin{cases} 2\left(x+\frac{1}{6}\right)+3\left(y-\frac{1}{7}\right)=8 \\ 3\left(x+\frac{1}{6}\right)-2\left(y-\frac{1}{7}\right)=-1 \end{cases}$ 〔関西学院高〕

(2) $\begin{cases} \frac{2}{x+y}+\frac{3}{x-y}=-2 \\ \frac{2}{x+y}-\frac{1}{x-y}=2 \end{cases}$ 〔中央大杉並高〕

難問 **7** ある川に沿って 2 地点 A，B があり，AB 間を船が往復していて，通常は上りが 2 時間，下りが 1 時間半である。あるとき川が増水して川の流れが毎時 3 km 速くなったため，上りに 24 分余計に時間がかかった。船の静水に対する速さは一定であるとする。〔ラ・サール高〕

(1) 通常の川の流れの速さを毎時 x km，船の静水に対する速さを毎時 y km とするとき，y を x の式で表しなさい。

(2) AB 間の距離（きょり）を求めなさい。

(3) 増水したとき，下りは何分縮まりましたか。

月　日

3 第2章 方程式
2次方程式

STEP 1 まとめノート

解答⇨別冊 p.27

1 平方根の考えを使った解き方 ★★

例題 1 次の2次方程式を解きなさい。

(1) $(x+3)^2=6$　　(2) $4(x-1)^2-7=0$

解き方 (1) $(x+3)^2=6$

$x+3=\pm$ ①＿＿ （平方根の考えを使う）（↑6の平方根）

$x=-$ ②＿＿ $\pm$ ③＿＿

(2) $4(x-1)^2-7=0$

$4(x-1)^2=$ ①＿＿

$(x-1)^2=$ ②＿＿

$x-1=\pm$ ③＿＿ （平方根の考えを使う）

$x=$ ④＿＿ $\pm$ ⑤＿＿

2 2次方程式の解の公式 ★★

例題 2 2次方程式 $2x^2-7x+4=0$ を解きなさい。

解き方 $a=2$, $b=$ ①＿＿, $c=4$ を解の公式に ②＿＿ すると,

$$x=\frac{-(④\_\_)\pm\sqrt{(⑤\_\_)^2-4\times2\times⑥\_\_}}{2\times③\_\_}=\frac{⑦\_\_\pm\sqrt{⑧\_\_}}{4}$$

3 因数分解を使った解き方 ★★

例題 3 次の2次方程式を解きなさい。

(1) $x^2-x-42=0$　　(2) $x^2-7x=0$

(3) $x^2-6x+9=0$　　(4) $(x+3)(x-2)=2x$

解き方 (1) 左辺を因数分解すると, $(x-$ ①＿＿$)(x+$ ②＿＿$)=0$

$x-$ ③＿＿ $=0$, $x+$ ④＿＿ $=0$ より, $x=$ ⑤＿＿, $x=$ ⑥＿＿

(2) $x(x-$ ①＿＿$)=0$　$x=$ ②＿＿, $x=$ ③＿＿

(3) $($①＿＿$)^2=0$　②＿＿ $=0$　$x=$ ③＿＿

(4) 左辺を展開すると, ①＿＿ $=2x$

$2x$ を移項(いこう)して, ②＿＿ $=0$

左辺を因数分解すると, $(x-$ ③＿＿$)(x+$ ④＿＿$)=0$

$x=$ ⑤＿＿, $x=$ ⑥＿＿

Points!

▶平方根の考えを使った解き方

・$x^2=k$
⇨$x=\pm\sqrt{k}$

・$ax^2=b$
⇨$x=\pm\sqrt{\dfrac{b}{a}}$

・$(x+m)^2=n$
⇨$x+m=\pm\sqrt{n}$
⇨$x=-m\pm\sqrt{n}$

▶2次方程式の解の公式

$ax^2+bx+c=0$ を平方根の考えを使って解くと,

$x^2+\dfrac{b}{a}x+\dfrac{c}{a}=0$

⇨$x^2+\dfrac{b}{a}x=-\dfrac{c}{a}$

⇨$x^2+\dfrac{b}{a}x+\left(\dfrac{b}{2a}\right)^2=-\dfrac{c}{a}+\left(\dfrac{b}{2a}\right)^2$

⇨$\left(x+\dfrac{b}{2a}\right)^2=\dfrac{b^2-4ac}{4a^2}$

⇨$x+\dfrac{b}{2a}=\pm\sqrt{\dfrac{b^2-4ac}{4a^2}}$

⇨$x+\dfrac{b}{2a}=\pm\dfrac{\sqrt{b^2-4ac}}{2a}$

⇨$x=-\dfrac{b}{2a}\pm\dfrac{\sqrt{b^2-4ac}}{2a}$

⇨$x=\dfrac{-b\pm\sqrt{b^2-4ac}}{2a}$

ズバリ暗記

2次方程式 $ax^2+bx+c=0$ の解は,

$x=\dfrac{-b\pm\sqrt{b^2-4ac}}{2a}$

④ 文字の値についての問題 ★★

例題 4　x についての 2 次方程式 $x^2-ax-27=0$ の解の 1 つが -3 であるとき，a の値と，他の解を求めなさい。

解き方　方程式に $x=-3$ を代入すると，
（↑解の 1 つ）

$(①\quad)^2-a\times(②\quad)-27=0$

これより，$a=$③

このとき，もとの 2 次方程式は，④　$=0$

$(x+⑤\quad)(x-⑥\quad)=0$　$x=-3$，$x=$⑦

よって，他の解は $x=$⑧

⑤ 整数についての問題 ★★

例題 5　連続する 2 つの整数の積が 20 であるとき，この 2 数を求めなさい。

解き方　小さいほうの整数を x とすると，大きいほうの整数は①

よって，$x(②\quad)=20$　③　$=0$

$(x+④\quad)(x-⑤\quad)=0$　$x=-⑥$，$x=⑦$

$x=-⑧$　のとき，大きいほうの整数は⑨

$x=⑩$　のとき，大きいほうの整数は⑪

よって，求める 2 数は $-⑫$ と⑬，⑭ と⑮

⑥ 図形についての問題 ★★

例題 6　縦が横より 7 cm 長い長方形の紙がある。この紙の 4 すみから 1 辺が 4 cm の正方形を切り取り，直方体の容器をつくると，容積が 240 cm³ となった。もとの紙の横の長さを求めなさい。

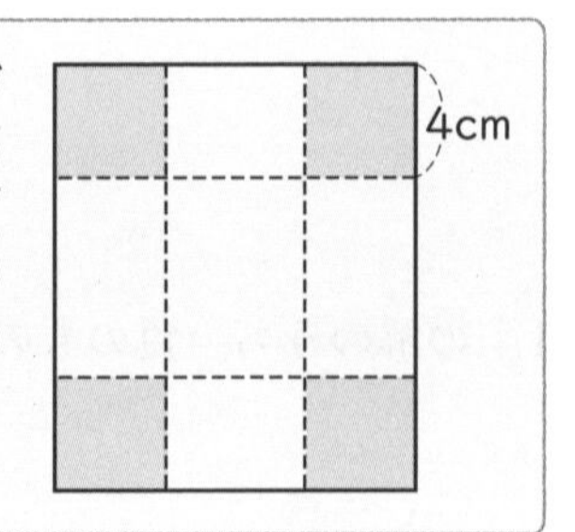

解き方　長方形の横の長さを x cm とすると，縦の長さは（①　）cm

容器の底面の横，縦の長さはそれぞれ $(x-8)$ cm，（②　）cm だから，
（↑縦の長さ－8）

$4(x-8)(③\quad)=240$　整理して，④　$=0$

$(x-⑤\quad)(x+⑥\quad)=0$　$x=⑦$，$x=-4$

$x>⑧$　だから，$x=-4$ は適さない。
（↑x は横の長さ）

よって，$x=⑨$ より，横の長さは⑩ cm

▶因数分解を使った解き方

$(x+a)(x+b)=0$

⇨$x+a=0$ または $x+b=0$

⇨$x=-a$，$x=-b$

ズバリ暗記

・$x^2+(a+b)x+ab=0$
　⇨$(x+a)(x+b)=0$
　⇨$x=-a$，$x=-b$

・$ax^2+bx=0$
　⇨$x(ax+b)=0$
　⇨$x=0$，$x=-\frac{b}{a}$

・$x^2\pm2ax+a^2=0$
　⇨$(x\pm a)^2=0$
　⇨$x=\mp a$（解は 1 つ）

▶いろいろな 2 次方程式

複雑な 2 次方程式は，$ax^2+bx+c=0$ の形に整理して，因数分解できればそれを利用して，できなければ解の公式を利用して解く。

▶2 次方程式の利用

① 問題の意味をよく考え，何を x で表すか決める。
② 等しい数量の関係を見つけ，2 次方程式をつくる。
③ 2 次方程式を解く。
④ 2 次方程式の解が問題に適していることを確かめて，答えとする。

ズバリ暗記

例題 5 で，もし求める 2 数が自然数ならば，答えは 4 と 5 だけである。
例題 6 で，x は長さだから正の数ではあるが，$x-8>0$ より，$x>8$ でなければいけない。
このように，方程式の解が答えとならないときもあるので，注意すること。

月　日

STEP 2 実力問題

ねらわれるココが
- ○解の公式を使った解き方
- ○因数分解を使った解き方
- ○2次方程式の利用

解答⇨別冊 p.27

1 次の方程式を解きなさい。

(1) $(x-1)^2=7$ 〔静岡〕　(2) $(x+6)^2+1=50$ 〔石川〕

重要 (3) $x^2+3x-5=0$ 〔兵庫〕　(4) $3x^2-3x-1=0$ 〔北海道〕

(5) $x^2+3x-10=0$ 〔山口〕　(6) $x^2-4x=0$ 〔栃木〕

2 次の方程式を解きなさい。

(1) $x(x+5)=2x-1$ 〔福井〕　(2) $x(x-3)=2(x+7)$ 〔福岡〕

重要 (3) $(x+1)(x-3)=x-4$ 〔山形〕　(4) $(x+1)(x-1)=5x-x^2$ 〔長崎〕

(5) $(x+2)^2=7x+4$ 〔奈良〕　重要 (6) $(x+2)(x-3)=2x(x+3)$ 〔愛知〕

3 次の問いに答えなさい。

(1) 2次方程式 $(2x+1)^2-3=0$ の解は2つある。そのうち大きいほうの解を求めなさい。

(2) 方程式 $2(x+3)=(x-1)^2$ の解のうち，負のものを求めなさい。 〔岡山〕

重要 (3) x についての2次方程式 $x(x+1)=a$ の解の1つは2である。 〔秋田〕

① a の値を求めなさい。

② もう1つの解を求めなさい。

得点UP!

1 (1)(2) 平方根の考えを使って解く。
(3)(4) 解の公式を使って解く。
(5)(6) 左辺を因数分解して解く。

Check! 自由自在
$ax^2+bx+c=0$ の形の2次方程式は，$(x+p)^2=q$ の形に変形して解くこともできる。どのような解き方だったか確認しておこう。

2 複雑な2次方程式は右辺を0にして，因数分解を利用するか，できなければ，解の公式を用いる。

3 (1) 平方根の考えを使って解を求める。
(2) 因数分解を利用して解を求める。
(3)① 2次方程式に $x=2$ を代入する。

4 2次方程式 $x^2+2x-2=0$ を解いたとき，1つの解は $0<x<1$ の範囲(はんい)にある。もう1つの解がふくまれる範囲を下のア～エの中から選び，その記号を書きなさい。〔山梨〕

ア $-4<x<-3$　イ $-3<x<-2$　ウ $-2<x<-1$
エ $-1<x<0$

重要 **5** 連続した3つの自然数があり，最も大きい数と2番目に大きい数の2つの数の積は，最も小さい数の6倍より20大きくなった。このとき，最も小さい自然数を x とする。〔佐賀〕

(1) 最も大きい数と2番目に大きい数を，それぞれ x を使って表しなさい。

記述 (2) 3つの自然数を求めなさい。ただし，x についての方程式をつくり，答えを求めるまでの過程も書きなさい。

6 まわりの長さが100 cmで，面積が600 cm^2 の長方形がある。この長方形の縦の長さを求めるため，縦の長さを x cmとして，方程式をつくりなさい。〔和歌山一改〕

重要 **7** 縦の長さと横の長さの和が6 mで，面積が6 m^2 の長方形がある。縦の長さが横の長さよりも短いとき，縦の長さを求めなさい。〔岩手〕

8 長さ13 cmの線分AB上に点Cがある。AC，CBをそれぞれ1辺とする2つの正方形の面積の和は，となり合う2辺の長さが線分AC，CBと等しい長方形の面積よりも49 cm^2 だけ大きい。ACの長さを求めなさい。ただし，AC>CBとする。〔石川〕

重要 **9** 大小2つの長方形の花だんがある。小さい花だんのまわりの長さは28 mで，縦は横よりも短い。大きい花だんの縦と横の長さは，小さい花だんの縦と横の長さよりそれぞれ2 mずつ長い。大きい花だんの面積は，小さい花だんの面積の2倍より13 m^2 小さい。小さい花だんの縦の長さを求めなさい。〔福島〕

4 2次方程式 $x^2+2x-2=0$ の解を解の公式を用いて求める。

5 連続する3つの自然数は，x，$x+1$，$x+2$ と表される。

6 長方形では，縦の長さ+横の長さ=周の長さ÷2

7 長方形の縦の長さを x mとすると，横の長さは $(6-x)$ mである。

8 AC=x cm として，図をかいて考える。

9 小さい花だんの縦の長さは横の長さよりも短いことに注意する。

STEP 3 発展問題

解答 ⇨ 別冊 p.28

重要

1 次の方程式を解きなさい。

(1) $(x+5)^2-2x-10=3x+15$

(2) $(2x-5)^2=2(3x-7)(x-3)$ 〔広島大附高〕

(3) $(x+1)^2-5(x+1)-6=0$ 〔福岡大附属大濠高〕

(4) $\left(3-\dfrac{1}{2}x\right)^2=(x-1)(x+4)+1$ 〔都立日比谷高〕

(5) $\dfrac{(x-2)(x+4)}{4}=\dfrac{(x-1)(x+6)}{6}$ 〔法政大高〕

(6) $\sqrt{2}x^2-10\sqrt{2}x=(6-\sqrt{6})(3\sqrt{2}+\sqrt{3})$ 〔青稜高〕

2 次の問いに答えなさい。

(1) 連続した 2 つの自然数のそれぞれの 2 乗の和は，その 2 つの自然数の和の 5 倍に 6 を加えた数に等しい。その 2 つの自然数を求めなさい。 〔法政大高〕

(2) ある正の数 x に 6 を加えて 2 乗するところを，誤って x に 2 を加えて 6 倍したため，正しい答えより 40 小さくなった。この正の数 x を求めなさい。 〔日本大豊山高〕

3 次の問いに答えなさい。

(1) 2 次方程式 $x^2-x-2=0$ の 2 つの解をそれぞれ 3 倍した数が，2 次方程式 $x^2+ax+b=0$ の解であるとき，定数 a，b の値を求めなさい。 〔都立新宿高〕

(2) $x^2-8x+2=0$ の解のうち，大きいほうの解の整数部分を a，小数部分を b とする。このとき，$ab+b^2$ の値を求めなさい。 〔ラ・サール高〕

4 4 つの自然数 a，b，c，d がある。ただし，$a>b$，$d>c$ とする。 〔京都市立堀川高〕

(1) 2 次方程式 $x^2+(a^2-b^2)x+2=0$ の解の 1 つが -1 であるとき，a，b の値を求めなさい。

(2) 2 次方程式 $2x^2+2c^3dx-cd^3=50$ の解の 1 つが 2 であるとき，もう 1 つの解を求めなさい。

5 2つのさいころA，Bを同時に投げて，Aの出た目をa，Bの出た目をbとして，2次方程式$x^2+ax-ab=0$をつくる。この2次方程式の1つの解が$x=-6$となるときのa，bの値ともう1つの解を，2組求めなさい。〔北海道〕

6 36 km離(はな)れている2地点A，Bがある。PさんはAを出発し，時速5 kmでBへ向かった。QさんはPさんと同時にBを出発し，一定の速さでAへ向かったところ，途中(とちゅう)でPさんとすれ違(ちが)い，その5時間後にAに到着(とうちゃく)した。2人がすれ違ったのは，同時に出発してから何時間後か求めなさい。〔筑波大附高〕

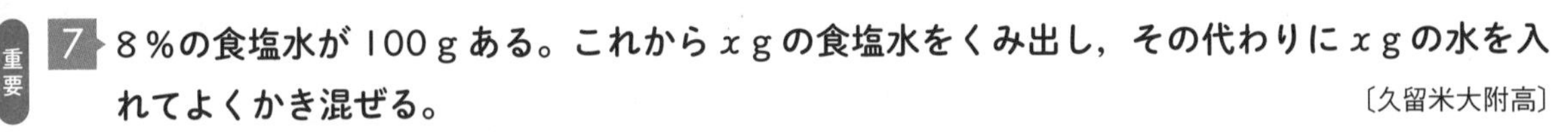

重要 **7** 8％の食塩水が100 gある。これからx gの食塩水をくみ出し，その代わりにx gの水を入れてよくかき混ぜる。〔久留米大附高〕

(1) この食塩水は何％か。xを用いて表しなさい。

記述 (2) さらに，この食塩水から$2x$ gの食塩水をくみ出し，その代わりに$2x$ gの水を入れてよくかき混ぜたところ，3％の食塩水になった。xの値を求めなさい。途中の式も書くこと。

難問 **8** 次の方程式を解きなさい。

(1) $\begin{cases}(x+y)^2-4(x+y)+4=0\\(3x-2y)^2+(3x-2y)=6\end{cases}$ 〔慶應義塾高〕

(2) $(x+\sqrt{2}+\sqrt{3})^2-3\sqrt{3}(x+\sqrt{2}-2\sqrt{3})-21=0$ 〔慶應義塾高〕

9 ある品物を1個375円でx個仕入れ，6割の利益を見込(みこ)んで定価をつけた。1日目は定価で売ったところ，仕入れた個数の2割だけ売れた。2日目は定価のy割引きの価格で売ったところ，売れ残っていた個数の$\frac{3}{8}$だけ売れた。3日目は2日目の売価のさらに$2y$割引きの価格で売ったところ，売れ残っていた75個がすべて売り切れた。〔愛光高〕

(1) xの値を求めなさい。

難問 (2) 3日間で得た利益は4950円であった。yの値を求めなさい。

〔　　月　　日〕

理解度診断テスト②

本書の出題範囲 pp.42～59　時間 40分　得点 /100点　理解度診断 A B C

解答⇨別冊 p.31

1 次の問いに答えなさい。(48点)

(1) 次の方程式を解きなさい。

① $2x+5=-4x+17$ 〔熊本〕

② $\dfrac{4x+3}{3}=-2x+6$ 〔大阪〕

(2) 次の連立方程式を解きなさい。

① $\begin{cases} x-2y=-5 \\ 3x+y=-1 \end{cases}$ 〔福島〕

② $\begin{cases} 3x-2y=-6 \\ y=3x+9 \end{cases}$ 〔宮崎〕

③ $\begin{cases} 3x-5=2(y+1) \\ 5(x-2)=3y+1 \end{cases}$ 〔都立青山高〕

④ $\begin{cases} x+0.2y=-1.6 \\ \dfrac{1}{2}x+\dfrac{1}{3}y=\dfrac{5}{6} \end{cases}$ 〔中央大附高〕

(3) 次の方程式を解きなさい。

① $(x-2)^2=5$ 〔国立工業高専〕

② $x^2-2x-1=0$ 〔大分〕

③ $5x^2+9x+3=0$ 〔愛媛〕

④ $(x-6)(x+3)=4x$ 〔三重〕

⑤ $(x+2)^2=-x+7$ 〔福井〕

⑥ $(x+1)(x-3)=x+2$ 〔長崎〕

2 次の問いに答えなさい。(15点)

(1) x についての方程式 $3x+a=8$ の解が $x=5$ となるとき，a の値を求めなさい。 〔新潟〕

(2) 連立方程式 $\begin{cases} ax-by=-12 \\ bx+ay=5 \end{cases}$ の解が $x=-2$，$y=3$ であるとき，a，b の値を求めなさい。

〔和洋国府台女子高〕

(3) 2次方程式 $x^2+ax+b=0$ の2つの解が2次方程式 $x^2-x-12=0$ の解よりそれぞれ2だけ大きいとき，定数 a，b の値を求めなさい。 〔豊島岡女子学園高〕

3 次の問いに答えなさい。(17点)

(1) 同じ値段のりんごを7個買うには，持っているお金では120円たりないが，6個買うと40円余る。りんご1個の値段を求めなさい。(5点)
〔北海道－改〕

記述 (2) ある中学校では，体育祭の入場門を飾(かざ)りつけるため，実行委員の生徒28人が，紙で花をつくった。1，2年生の実行委員は赤い花を1人につき3個ずつ，3年生の実行委員は白い花を1人につき5個ずつつくった。赤い花の数と白い花の数が同じになるように飾りつけたところ，白い花だけが4個余ったという。このとき，実行委員の生徒がつくった赤い花と白い花の個数はそれぞれ何個であったか。方程式をつくり，計算の過程を書き，答えを求めなさい。(7点)
〔静岡〕

(3) ある自然数を2倍するところ，誤って2乗したため，正しい答えより48だけ大きくなった。ある自然数を求めなさい。(5点)
〔近畿大附高〕

記述 **4 ある洋菓子(ようがし)店で，昨日シュークリームとショートケーキが合わせて250個売れた。今日売れた個数は昨日に比べて，シュークリームが10％増え，ショートケーキが10％減り，シュークリームとショートケーキの合計では1個減った。この店の昨日売れたシュークリームとショートケーキの個数をそれぞれ求めなさい。求める過程も，式と計算をふくめて書きなさい。**(7点)
〔香川〕

5 長方形と正方形が1つずつある。長方形の横の長さは，長方形の縦の長さの2倍である。また，正方形の1辺の長さは，長方形の縦の長さより5 cm長い。長方形の縦の長さを x cmとする。
(13点)　〔佐賀〕

(1) 次の①，②にあてはまる式を，x を用いて表しなさい。(6点)
長方形の横の長さは［　①　］cmであり，正方形の1辺の長さは［　②　］cmである。

記述 (2) 長方形の面積が，正方形の面積より1 cm² 小さいとき，長方形の縦の長さを求めなさい。ただし，x についての方程式をつくり，答えを求めるまでの過程も書きなさい。(7点)

月　日

第3章　関数

1 比例と反比例

STEP 1 まとめノート

解答 ⇨ 別冊 p.33

① 比例の式とグラフ ★★

例題 1　y は x に比例し，$x=2$ のとき $y=-8$ である。
(1) $x=-3$ のときの y の値を求めなさい。
(2) この比例のグラフのかき方を答えなさい。

解き方 (1) $y=ax$（a を①＿＿という）に，$x=2$，
（↑比例の式）
$y=$②＿＿ を代入して，
③＿＿$=$④＿＿$\times a$　$a=$⑤＿＿
よって，式は $y=$⑥＿＿
この式に，$x=-3$ を⑦＿＿して，
$y=$⑧＿＿$\times(-3)=$⑨＿＿

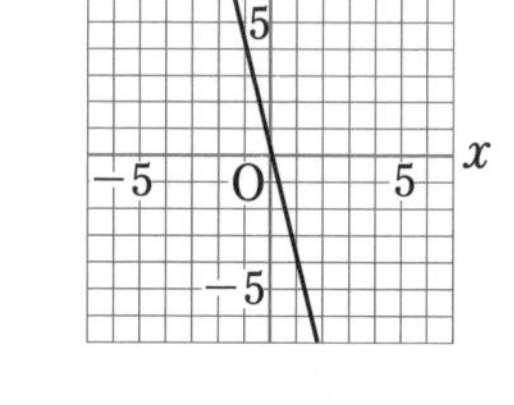

(2) 右上の図のように，原点と点 (1，⑩＿＿) を結ぶ⑪＿＿をひく。
（↑(0，0)）

② 反比例の式とグラフ ★★

例題 2　次の問いに答えなさい。
(1) y は x に反比例し，$x=-6$ のとき $y=2$ である。
① 比例定数を求めなさい。
② この反比例のグラフのかき方を答えなさい。
(2) $y=\dfrac{8}{x}$ のグラフ上の点で，x 座標，y 座標の値がともに整数となる点は何個あるか，求めなさい。

解き方 (1) ① $y=\dfrac{a}{x}$（a は比例定数）に $x=-6$，
（↑反比例の式）
$y=$①＿＿ を代入して，
②＿＿$=-\dfrac{a}{6}$　$a=$③＿＿
② x と y の積が④＿＿になる x と y の組み合わせを見つける。それらの座標を上の図のように，なめらかな⑤＿＿で結ぶ。

(2) $xy=8$ より，x 座標，y 座標がともに整数の点は，(1，8)，(2，①＿＿)，(4，②＿＿)，(③＿＿，1)，(−1，④＿＿)，(⑤＿＿，−4)，(−4，⑥＿＿)，(−8，⑦＿＿) の⑧＿＿個ある。

Points!

▶関数
ともなって変わる2つの変数 x，y があって，x の値を決めると，これに対応して y の値がただ1つに決まるとき，y は x の関数であるという。

▶座標軸と座標
・原点で垂直に交わる2つの数直線のうち，横の数直線を x 軸，縦の数直線を y 軸といい，x 軸と y 軸を合わせて，座標軸という。
・x 座標3，y 座標2の点Aを (3，2) と表し，点Aの座標という。

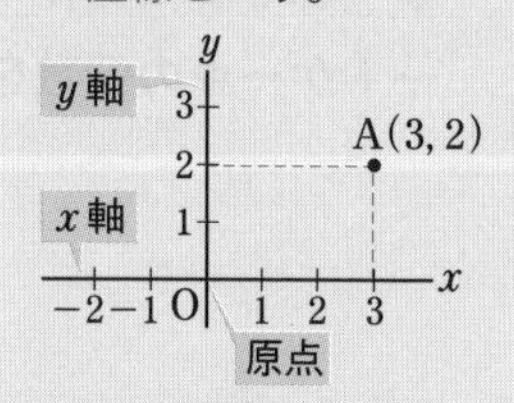

▶比例・反比例の式

ズバリ暗記
・y が x に比例する
⇨ $y=ax$
・y が x に反比例する
⇨ $y=\dfrac{a}{x}$
それぞれの式に，x，y の値を代入し，a の値を求める。
反比例では，$xy=a$ の式を使って a を求めることもできる。

③ 比例・反比例と変域 ★★

例題 3 次の問いに答えなさい。

(1) y は x に比例し，$x=2$ のとき $y=-6$ である。x の変域が $-2\leqq x\leqq 1$ のとき，y の変域を求めなさい。

(2) 関数 $y=\dfrac{6}{x}$ で，x の変域を $3\leqq x\leqq 8$ とするとき，y の変域を求めなさい。

解き方 (1) $y=ax$ に $x=2$，$y=$① を代入して，$a=$②

よって，式は $y=$③

この式に $x=-2$，$x=1$ をそれぞれ④ して，

$y=$⑤，$y=-3$

よって，y の変域は $-3\leqq y\leqq$⑥

(2) 関数 $y=\dfrac{6}{x}$ のグラフをかくと，右の図のようになる。
（↑双曲線）

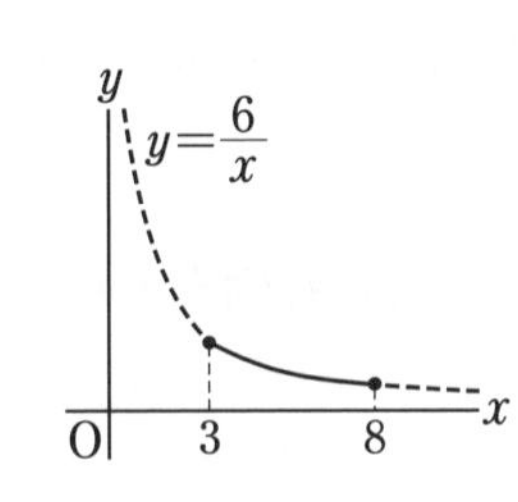

$x=3$ のとき $y=$①，

$x=8$ のとき $y=$② だから，

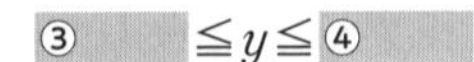

③ $\leqq y\leqq$ ④

▶変域

・変数のとる値の範囲を，その変数の変域という。

・x の変域 $0\leqq x<5$ を，数直線上に表すと，下の図のようになる。

ふくむ　ふくまない
0　5

▶$y=ax$ のグラフ

ズバリ暗記

$y=ax$ のグラフは，原点を通る直線になる。

・**$a>0$ のとき，右上がり**

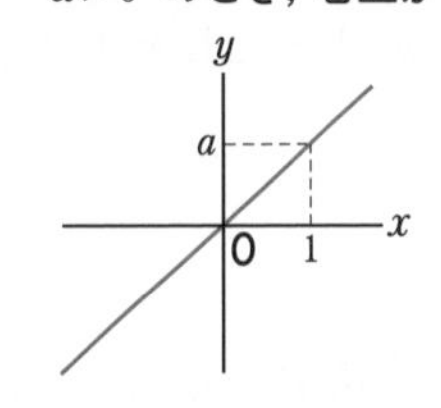

・**$a<0$ のとき，右下がり**

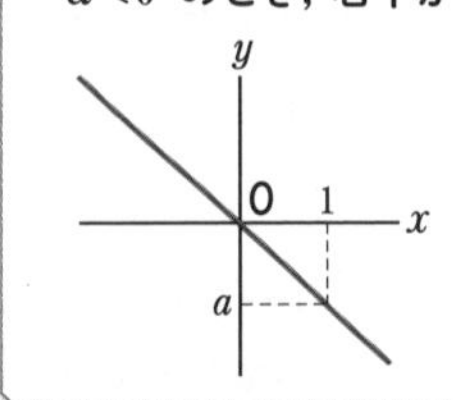

④ 比例と反比例のグラフ ★★★

例題 4 右の図のように，$y=ax$ …㋐ と $y=\dfrac{b}{x}$ …㋑ のグラフが点 P, Q で交わっていて，点 P の x 座標は 2，点 Q の y 座標は -3 である。

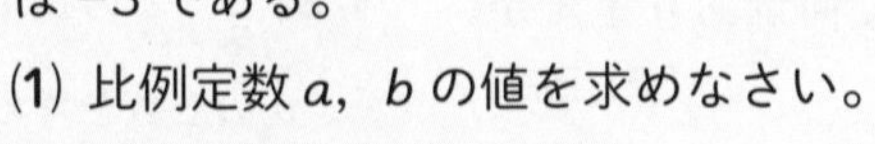

(1) 比例定数 a，b の値を求めなさい。

(2) 点 R の座標を求めなさい。

解き方 (1) 点 P と点 Q は原点について① な点になっているから，

P(2, ②)，Q(③, -3)

$y=ax$，$y=\dfrac{b}{x}$ に $x=2$，$y=$④ を代入すると，

$a=$⑤，$b=$⑥

(2) 点 R は $y=\dfrac{⑦}{x}$ のグラフ上にあり，x 座標は -4 だから，

$x=-4$ を代入して，$y=$⑧

よって，R(-4, ⑨)

▶$y=\dfrac{a}{x}$ のグラフ

ズバリ暗記

$y=\dfrac{a}{x}$ のグラフは，原点について対称な双曲線とよばれる曲線になる。

・**$a>0$ のとき**

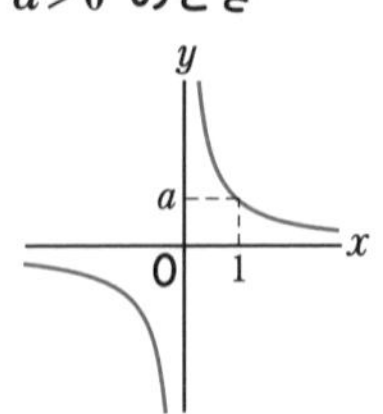

・**$a<0$ のとき**

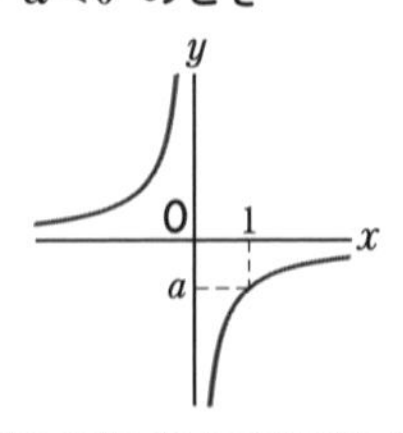

月　　日

STEP 2 実力問題

ねらわれるココが
- ○比例の式とグラフ
- ○反比例の式とグラフ
- ○比例と反比例のグラフ

解答 ⇨ 別冊 p.33

1 次の問いに答えなさい。

重要 (1) y は x に比例し，$x=2$ のとき $y=8$ である。$x=-3$ のときの y の値を求めなさい。〔徳島〕

(2) 右の表は，y が x に反比例する関係を表している。a の値を求めなさい。〔長野〕

x	…	-9	…	-3	…
y	…	a	…	2	…

重要 (3) y は x に反比例し，x の変域が $2 \leqq x \leqq 6$ のときの y の変域が $2 \leqq y \leqq 6$ である。$x=3$ のときの y の値を求めなさい。〔愛知〕

2 次のア〜オのうち，y が x に反比例するものをすべて選びなさい。〔大阪〕

ア 1冊150円のノート x 冊の代金 y 円

イ 1000 m の道のりを分速 x m で進むときにかかる時間 y 分

ウ 箱の中の和菓子20個から x 個食べたときの箱の中に残った和菓子の個数 y 個

エ x m のひもを15人で同じ長さで分けたときの一人あたりのひもの長さ y m

オ 面積が $25\ \text{cm}^2$ である長方形の縦の長さ x cm と横の長さ y cm

3 次の問いに答えなさい。

重要 (1) y は x に反比例し，$x=12$ のとき $y=-1.5$ である。この反比例のグラフ上に，x 座標と y 座標がともに整数である点は全部で何個ありますか。〔都立西高〕

(2) 右の図の双曲線は，反比例のグラフで，点 $(-6,\ -4)$ を通る。このグラフ上の点で，x 座標，y 座標の値がともに整数である点の個数を求めなさい。〔長野〕

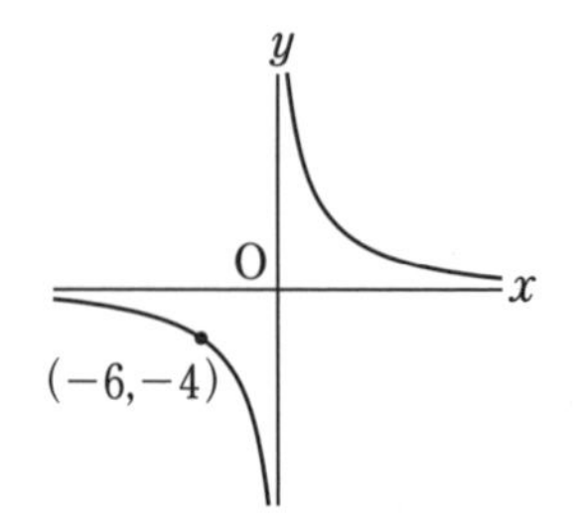

得点UP!

1 (1) y は x に比例するから，$y=ax$ (a は比例定数) に x と y の値を代入して，a を求める。
(2) y が x に反比例するから，xy=一定の数 となる。
(3) x と y の変域から対応する値を考える。

2 ア〜オについて，y を x の式で表すと，$y=\frac{a}{x}$ の式になるものが反比例である。

3 整数には，負の整数があるので注意する。$y=\frac{a}{x}$ の式から，a の約数を考える。

4 厚さが一定の1枚の厚紙から，図1のような1辺の長さが20 cmの正方形と，図2のような形を切り取って，それぞれ重さをはかると，20 g，4 gであった。このとき，図2の形の面積を求めなさい。〔山口〕

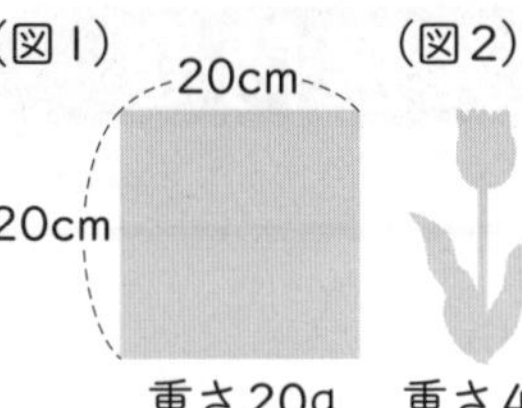

5 右の図のように，AB=10 m，BC=20 m の長方形ABCDの空き地に，角Bを内角とする長方形で，面積が80 m^2 の花壇（かだん）をつくることになった。この花壇のABの上にある辺の長さを x m，BC上にある辺の長さを y m とする。〔宮城〕

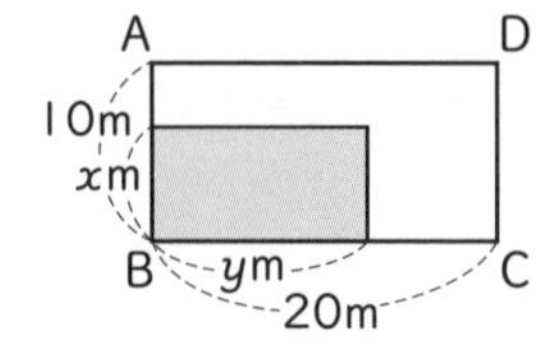

(1) y を x の式で表しなさい。ただし，x，y の変域は答えなくてもよい。

(2) 花壇の1辺をBCにしたときの花壇のまわりの長さは，花壇の1辺をABにしたときの花壇のまわりの長さの何倍になるか，求めなさい。

重要

6 右の図は，y が x に反比例する関数のグラフである。2点A，Bは，このグラフ上にあり，Aの x 座標は3，Bの x 座標は -1 である。Aの y 座標がBの y 座標より8だけ大きいとき，y を x の式で表しなさい。〔熊本〕

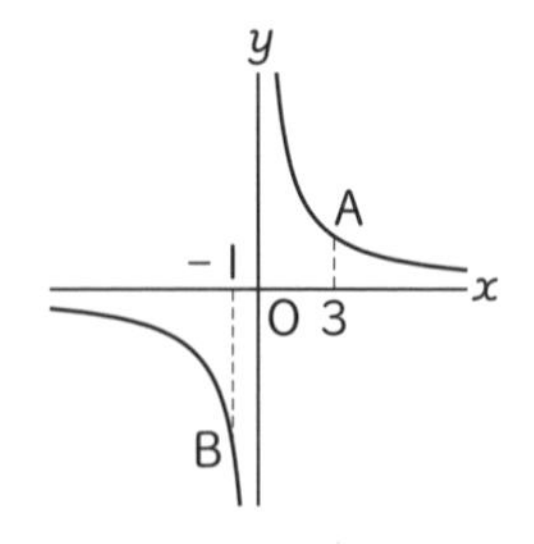

記述

7 右の図のように，関数 $y=\frac{1}{x}$ のグラフ上に x 座標が正の数である2点A，Bがあり，関数 $y=\frac{3}{x}$ のグラフ上に x 座標が正の数である2点C，Dがある。直線AC，BDはそれぞれ x 軸（じく），y 軸に平行で，AC=BD である。直線ACと直線BDとの交点をEとする。このとき，点Eの x 座標と y 座標は等しくなる。このわけを，点Eの座標を $(a,\ b)$ として，a，b を使った式を用いて説明しなさい。〔広島〕

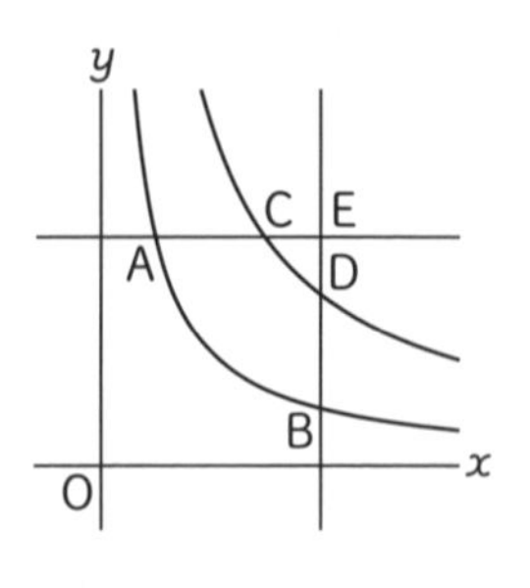

---

4 重さ x gの厚紙の面積を y cm^2 とすると，y は x に比例する。

Check! 自由自在
比例や反比例を利用した文章問題はほかにもいろいろな種類がある。どのようなものがあったか確認し，解けるようにしておこう。

5 (1) 長方形の面積より，$xy=80$
(2) 長方形のまわりの長さは，(縦+横)×2である。

6 反比例の式を $y=\frac{a}{x}$ とすると，2点A，Bの座標は，$A\left(3,\ \frac{a}{3}\right)$，$B(-1,\ -a)$ と表すことができる。

7 直線AC，BDはそれぞれ x 軸，y 軸に平行だから，点A，C，Eの y 座標は等しく，点B，D，Eの x 座標は等しい。

STEP 3 発展問題

解答⇨別冊 p.34

1 次の問いに答えなさい。

(1) y は x に反比例し，$x=2$ のとき $y=4$ である。また，z は y に比例し，$y=4$ のとき $z=-1$ である。$x=-1$ のとき，z の値を求めなさい。〔洛南高〕

(2) $y+7$ は $x-5$ に反比例し，$x=2$ のとき $y=5$ である。$y=-10$ のときの x の値を求めなさい。〔法政大第二高〕

(3) y は x に反比例し，x の値が 2 から 4 まで増加するとき，y の値は 2 減少する。x の変域を $5 \leqq x \leqq 7$ とするとき，y の変域を不等号を使って表しなさい。

重要

2 次の問いに答えなさい。

(1) 右の図のように反比例を表す曲線①と，比例を表す 2 つの直線②，③がそれぞれ点 P，Q で交わっている。点 P の座標は (3，8) で Q の x 座標は 12 である。このとき，原点を O として三角形 OPQ の面積を求めなさい。〔西大和学園高〕

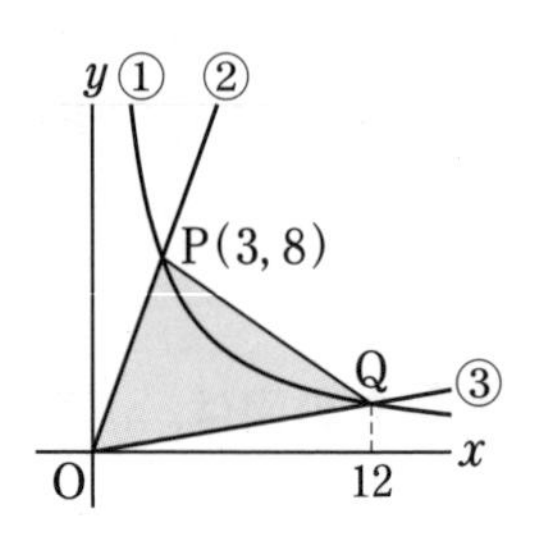

(2) 右の図のように，点 (−2，−1) を通る反比例のグラフ $y=\frac{a}{x}$ 上に点 P をとる。点 P から y 軸(じく)に垂線をひき，y 軸との交点を Q とする。原点を O とするとき，三角形 OPQ の面積を求めなさい。〔豊島岡女子学園高〕

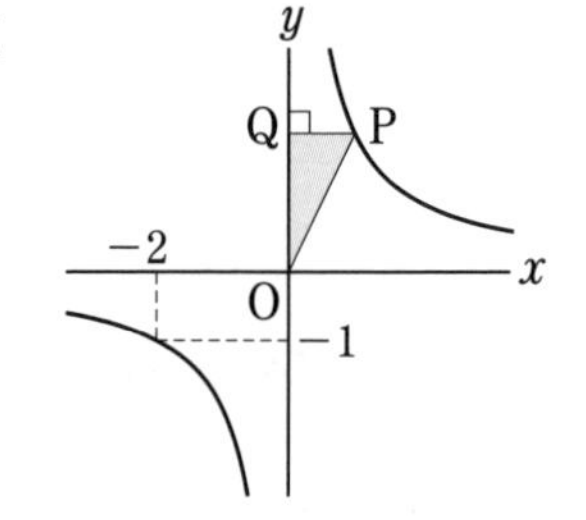

3 右の図のように，関数 $y=\frac{10}{x}$ のグラフ上に x 座標が正の数である 2 点 A，B がある。点 A，B から y 軸に平行な直線をひき，x 軸との交点をそれぞれ C，D とする。AC=5BD，CD=6 のとき，点 A の x 座標を求めなさい。〔広島〕

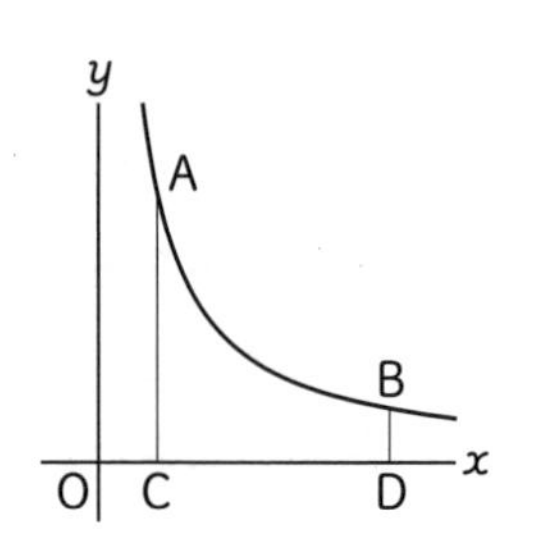

4 **右の図1のように，y が x に比例する関数㋐のグラフと，y が x に反比例する関数㋑のグラフが，点Pで交わっている。点Pの座標は(2，4)である。**

〔三重－改〕

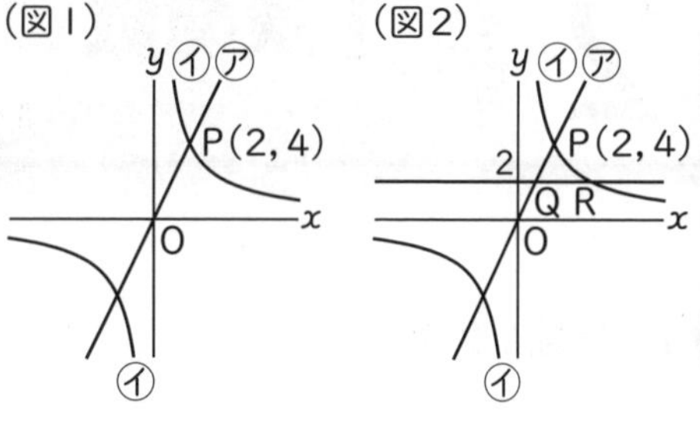
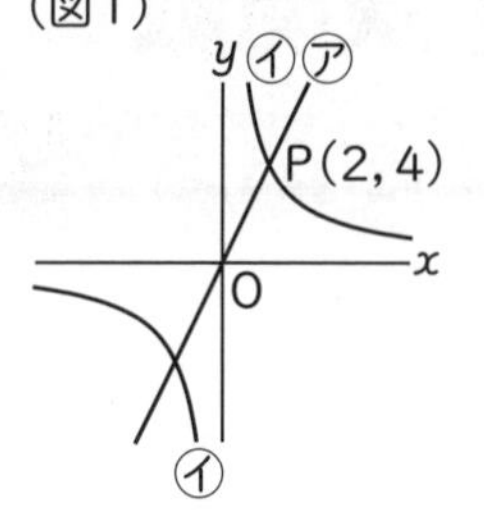

(1) 関数㋐，㋑のそれぞれについて，y を x の式で表しなさい。

(2) 図2のように，y 軸上の2を通って x 軸に平行な直線をひく。この直線と関数㋐，㋑のグラフの交点をそれぞれQ，Rとするとき，三角形PQRの面積を求めなさい。座標の1目盛りを1cmとする。

重要

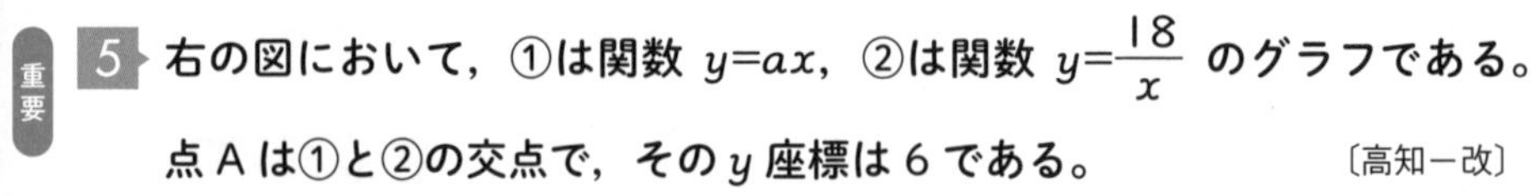

5 **右の図において，①は関数 $y=ax$，②は関数 $y=\frac{18}{x}$ のグラフである。点Aは①と②の交点で，その y 座標は6である。**

〔高知－改〕

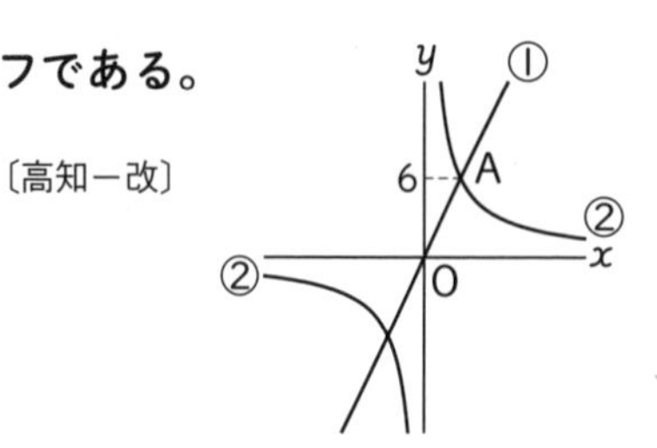

(1) 点Aの座標と定数 a の値を求めなさい。

(2) 点Aから x 軸，y 軸にひいた垂線が x 軸，y 軸と交わる点をそれぞれB，Cとし，①のグラフ上に点P，y 軸上に y 座標が8である点Qをとる。三角形OPQの面積が四角形OBACの面積と等しくなるとき，点Pの x 座標をすべて求めなさい。

難問

6 **右の図のように，長方形OABCと $y=3x$，$y=\frac{1}{2}x$ のグラフがある。$y=3x$ のグラフと辺ABの交点をP，$y=\frac{1}{2}x$ のグラフと辺BCの交点をRとする。BP=BR=t，点A(0，a)である。ただし，a，t は正の数とする。**

〔明治学院高〕

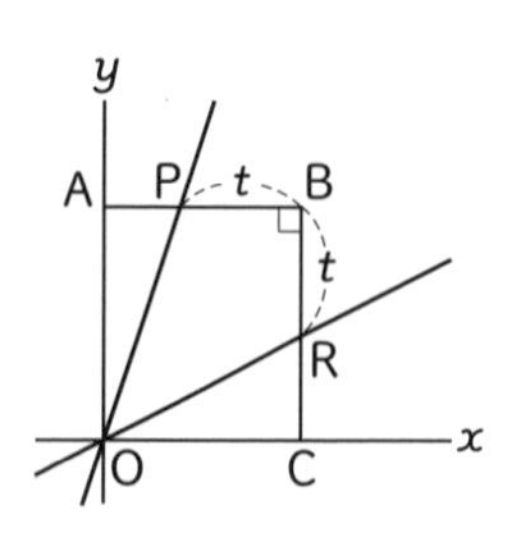

(1) 点Rの座標を a を用いて表しなさい。

(2) 直線PRと x 軸，y 軸の交点をそれぞれE，Fとするとき，線分FP，PR，REの長さの比をもっとも簡単な整数の比で表しなさい。

月　日

第3章　関数

2 1次関数

STEP 1 まとめノート

解答⇨別冊 p.35

① 1次関数とグラフ ★

例題 1　1次関数 $y=2x-3$ について，次の問いに答えなさい。

(1) 変化の割合を求めなさい。

(2) グラフのかき方を答えなさい。

解き方 (1) 1次関数の変化の割合は，①＿＿の係数②＿＿である。

(2) 切片は③＿＿だから，グラフは y 軸上の点(0, ④＿＿)を通る。

また，傾きは⑤＿＿だから，右へ1，上へ⑥＿＿進んだ点(1, ⑦＿＿)を通る。

よって，2点(0, ⑧＿＿)，(1, ⑨＿＿)を通る⑩＿＿をひく。

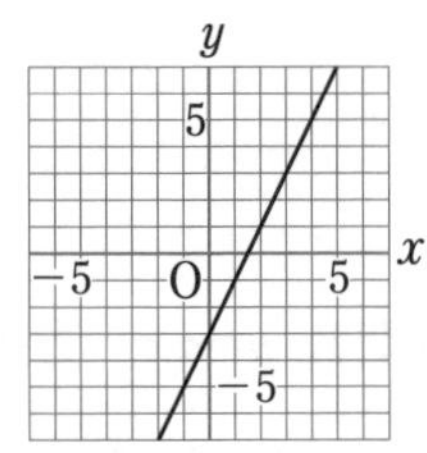

② 1次関数の式の求め方 ★

例題 2　次の直線の式を求めなさい。

(1) 点(1, 3)を通り，傾き −2 の直線

(2) 2点(3, 3)，(9, 11)を通る直線

(3) 点(−1, 4)を通り，直線 $y=-x+1$ に平行な直線

解き方 (1) 傾きが①＿＿だから，求める直線の式を $y=$②＿＿$x+b$ とする。

$x=1$，$y=$③＿＿を代入して，$3=$④＿＿$\times1+b$　$b=$⑤＿＿

よって，$y=$⑥＿＿

(2) 求める直線の式を $y=ax+b$ とすると，

2点(3, 3)，(9, 11)を通るから，$\begin{cases}3=①＿＿\\11=②＿＿\end{cases}$

これを解いて，$a=$③＿＿，$b=$④＿＿

よって，$y=$⑤＿＿

(3) $y=-x+1$ に平行だから，求める直線の傾きは①＿＿

直線の式を $y=$②＿＿$x+b$ として，$x=-1$，$y=4$ を代入すると，$4=$③＿＿$+b$　$b=$④＿＿

よって，$y=$⑤＿＿

Points!

▶ **1次関数**

y が x の関数で，y が x の1次式 $y=ax+b$ の形で表されるとき，y は x の1次関数であるという。

▶ **1次関数の値の変化**

x の増加量に対する y の増加量の割合を変化の割合という。

ズバリ暗記

・1次関数 $y=ax+b$ の

変化の割合$=\dfrac{y\text{の増加量}}{x\text{の増加量}}$

$=a$ で一定である。

・変化の割合は x が1だけ増加したときの y の増加量である。

▶ **グラフと変域**

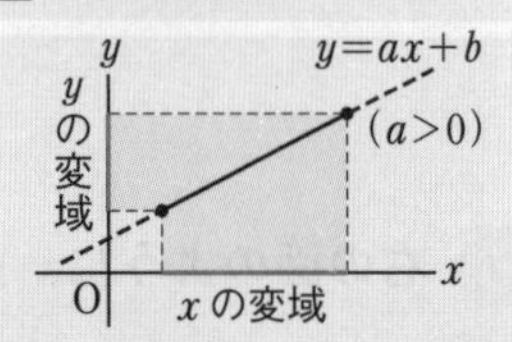

▶ **1次関数のグラフ**

1次関数 $y=ax+b$ のグラフは，$y=ax$ のグラフを，y 軸の正の方向に b だけ平行移動させた直線である。

ズバリ暗記

グラフは，傾きが a，切片が b の直線である。

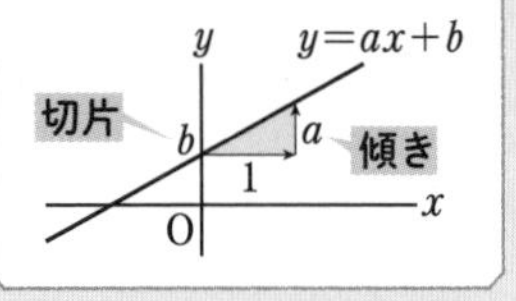

③ 2直線の交点，面積の2等分 ★★

例題 3 右の図において，直線 ℓ は $2x-y=-4$ のグラフ，直線 m は $x+y=10$ のグラフである。点Pは直線 ℓ と m の交点である。

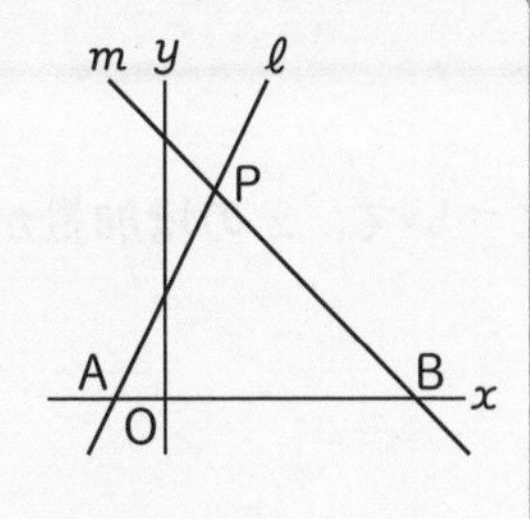

(1) 点Pの座標を求めなさい。
(2) 点Pを通って，△ABPの面積を2等分する直線の式を求めなさい。

解き方 (1) 点Pは直線 ℓ，m の① ＿＿ だから，

連立方程式 $\begin{cases} ② ＿＿ =-4 \\ ③ ＿＿ =10 \end{cases}$ を解けばよい。

これを解いて，$x=$④ ＿＿，$y=$⑤ ＿＿ より，

P(⑥ ＿＿，⑦ ＿＿)

(2) 点Pを通って△ABPの面積を2等分する直線は線分ABの⑧ ＿＿ を通る。A(⑨ ＿＿，0)，B(⑩ ＿＿，0)より，線分ABの中点は(⑪ ＿＿，0)

↑ $2x-y=-4$ に $y=0$ を代入

↑ x 座標どうしの和÷2

よって，2点P(2，8)，(⑫ ＿＿，0)を通る直線の式を求める。

傾きは⑬ ＿＿ だから，$y=$⑭ ＿＿ $x+b$ として

(⑮ ＿＿，0)を代入すると，$0=$⑯ ＿＿ $+b$　$b=$⑰ ＿＿

したがって，$y=$⑱ ＿＿

④ 線分の長さ ★★

例題 4 右の図のように，直線 $y=-2x+6$ が x 軸と点A，y 軸と点Bで交わっている。点Qは線分AB上の点で，四角形OPQRは長方形である。

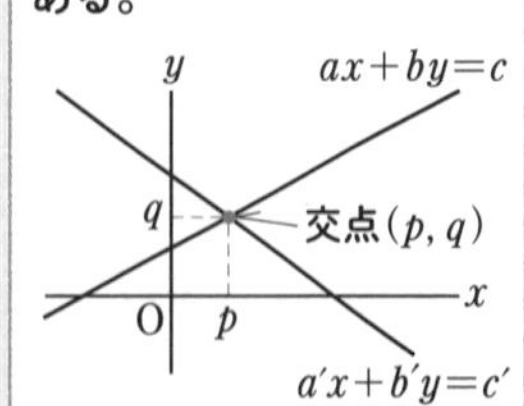

(1) 点Pの x 座標を t とするとき，線分PQの長さを t を使って表しなさい。
(2) 長方形OPQRが正方形となるときの点Qの座標を求めなさい。

解き方 (1) 点Qの x 座標は① ＿＿ だから，y 座標は② ＿＿

↑ $y=-2x+6$ に代入

よって，PQ=③ ＿＿

(2) OP=④ ＿＿ で，OP=PQ だから，⑤ ＿＿ =⑥ ＿＿

$t=$⑦ ＿＿

よって，Qの y 座標も⑧ ＿＿ だから，

Q(⑨ ＿＿，⑩ ＿＿)

▶1次関数の式の求め方

ズバリ暗記

㋐傾き a，切片 b の直線
⇨ $y=ax+b$

㋑傾き a と1点の座標がわかっているとき
⇨ $y=ax+b$ に1点の座標を代入して，b の値を求める。

㋒2点の座標がわかっているとき
⇨ 傾き a を求め，㋑の方法を使う。
⇨ $y=ax+b$ に2点の座標を代入して，連立方程式を解く。

▶軸に平行な直線

・$y=k$ のグラフは，x 軸に平行な直線
・$x=h$ のグラフは，y 軸に平行な直線

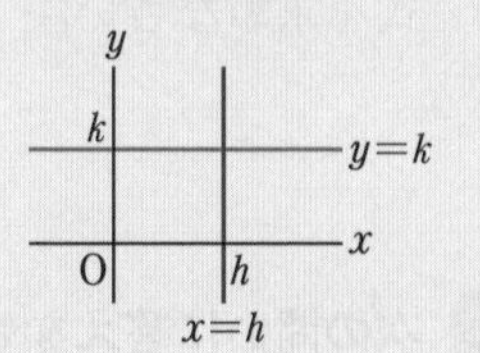

▶連立方程式の解とグラフの交点

ズバリ暗記

2直線 $ax+by=c$，$a'x+b'y=c'$ の交点の座標は，連立方程式 $\begin{cases} ax+by=c \\ a'x+b'y=c' \end{cases}$ の解である。

STEP 2 実力問題

ココがねらわれる
- ○1次関数の式とグラフ
- ○1次関数の式の求め方
- ○1次関数と図形

解答⇨別冊 p.36

1 1次関数 $y=\frac{3}{4}x-5$ について，x の増加量が12のときの y の増加量を求めなさい。〔愛知〕

2 次の問いに答えなさい。

(1) y は x の1次関数であり，変化の割合が4で，そのグラフが点 $(5,\ 13)$ を通るとき，y を x の式で表しなさい。〔高知〕

重要 (2) 2点 $(-1,\ 3)$，$(2,\ -4)$ を通る直線の式を求めなさい。〔報徳学園高〕

重要 (3) 直線 $y=-\frac{2}{5}x+2$ に平行で，直線 $y=3x-6$ と x 軸(じく)上で交わる直線の式を求めなさい。〔龍谷大付属平安高〕

3 次の問いに答えなさい。

(1) 関数 $y=-x+3$ について，x の変域が $-3\leqq x\leqq 2$ のときの y の変域を求めなさい。〔栃木〕

重要 (2) 関数 $y=ax+3$ について，x の変域が $-4\leqq x\leqq 6$ のとき，y の変域は $0\leqq y\leqq b$ であった。このとき，a，b の値を求めなさい。ただし，$a<0$ とする。

4 直線 $y=x+b$ は，2点 A$(2,\ 1)$，B$(-1,\ 4)$ を結んだ線分 AB 上の点を通る。このとき，定数 b のとる値の範囲(はんい)を求めなさい。〔高知〕

得点UP!

1 y の増加量＝変化の割合×x の増加量

2 (1) 変化の割合が4だから，求める式を $y=4x+b$ とおく。
(2) まず，傾(かたむ)き a を求めてから，$y=ax+b$ の式に1点の座標を代入する。または，それぞれの座標を $y=ax+b$ に代入して，連立方程式を解く。
(3) 2直線が平行であるとき，傾きが等しい。

3 (1) $x=-3$，2のときの y の値をそれぞれ求める。
(2) $a<0$ より，x の値が増加するとき y の値は減少するから，$x=6$ のとき，$y=0$ である。

4 2点の座標をそれぞれ $y=x+b$ に代入する。

5 **次の問いに答えなさい。**

(1) 直線 $y=2x+1$ と直線 $y=-\frac{1}{2}x+6$ の交点を通り，傾きが $\frac{1}{4}$ の直線を求めなさい。〔神戸山手女子高〕

(2) 直線 $2x-3y+6=0$，直線 $3x+y+a=0$ の交点が y 軸上にあるとき，a の値を求めなさい。〔青雲高〕

重要

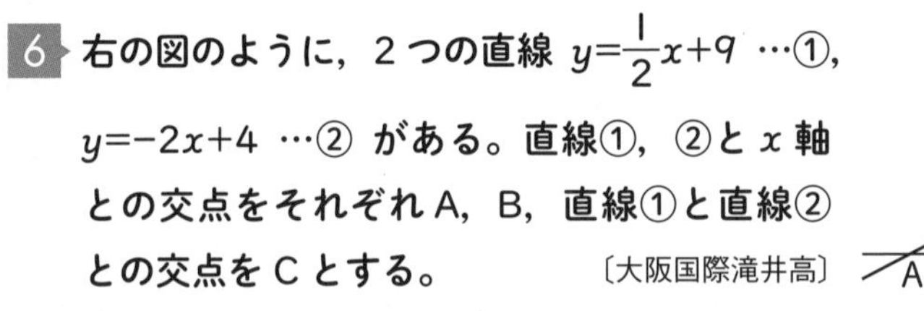

6 **右の図のように，2 つの直線 $y=\frac{1}{2}x+9$ …①，$y=-2x+4$ …② がある。直線①，②と x 軸との交点をそれぞれ A，B，直線①と直線②との交点を C とする。**〔大阪国際滝井高〕

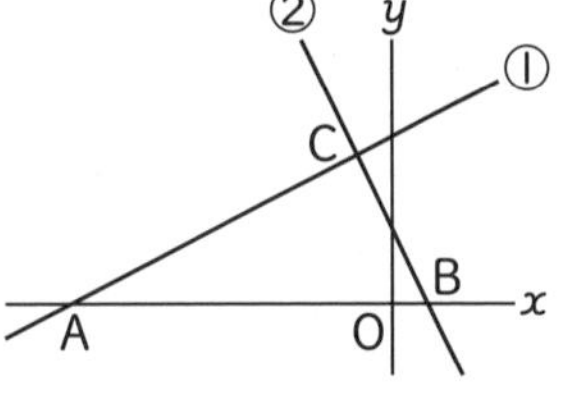

(1) 点 C の座標を求めなさい。

(2) △ABC の面積を求めなさい。

(3) 点 C を通り，△ABC の面積を 2 等分する直線の式を求めなさい。

(4) 直線②と y 軸との交点を D とするとき，四角形 ODCA の面積を求めなさい。

7 **右の図のように，関数 $y=x-6$ …① のグラフがある。点 O は原点とする。この図に，関数 $y=-2x+3$ …② のグラフをかき入れ，さらに，関数 $y=ax+8$ …③ のグラフをかき入れるとき，a の値によっては，①，②，③のグラフによって囲まれる三角形ができるときと，できないときがある。①，②，③のグラフによって囲まれる三角形ができないときの a の値をすべて求めなさい。**〔北海道〕

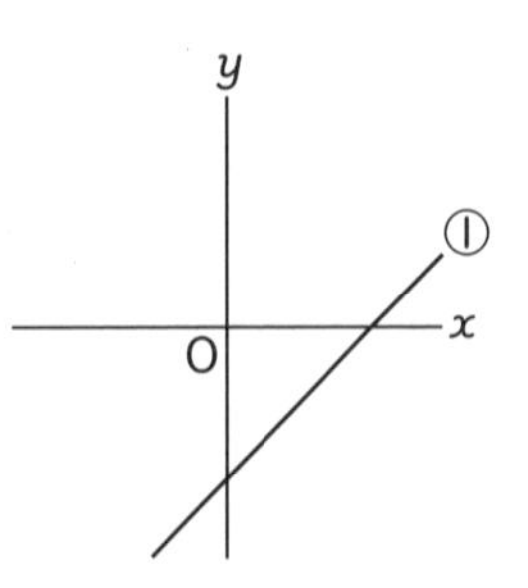

---

5 (1) 連立方程式

$$\begin{cases} y=2x+1 \\ y=-\frac{1}{2}x+6 \end{cases}$$

を解いて，交点を求める。

(2) $2x-3y+6=0$ を y について解き，切片を求める。

Check! 自由自在

2 直線が 1 点で交わらない場合もある。どのようなときだったか確かめておこう。

6 (3) 求める直線は線分 AB の中点と点 C を結ぶ直線である。

(4) 四角形 ODCA ＝△ABC－△OBD

7 三角形ができないのは，

・2 直線が平行であるとき

・3 直線が 1 点で交わるとき

である。

重要

8 **右の図のように，2点 A(4, 12)，B(20, 0) があるる。線分 OA 上に点 P，線分 AB 上に点 Q をとり，2点 P，Q から x 軸にひいた垂線と x 軸との交点をそれぞれ R，S とすると，四角形 PQSR は長方形になる。**

〔法政大高〕

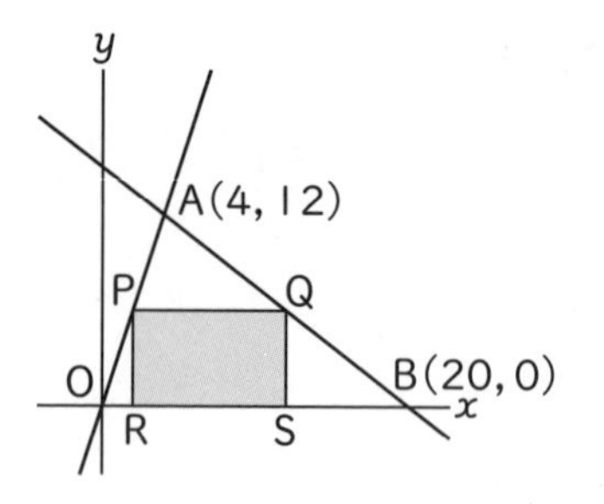

(1) 直線 AB の式を求めなさい。

(2) 点 P の x 座標を a とするとき，点 Q の座標を a を使って表しなさい。

(3) 長方形 PQSR が正方形になるとき，点 S の x 座標を求めなさい。

9 **関数 $y=-\dfrac{3}{4}x+k$（k は定数）のグラフ上にある点のうち，x 座標と y 座標とがどちらも正の整数である点の個数を S とする。ただし，k は正の整数とする。**

〔大阪〕

(1) $k=10$ であるときの S の値を求めなさい。

(2) k が 3 の倍数であるときの S の値を k を使って表しなさい。

重要

10 **右の図のように，AB=10 cm，AD=13 cm の長方形 ABCD があり，点 E は辺 AB の中点である。点 P は，B を出発し，一定の速さで辺 BC，CD，DA 上を A まで動く。P が B を出発してから x 秒後の △BPE の面積を y cm^2 とする。**

〔熊本〕

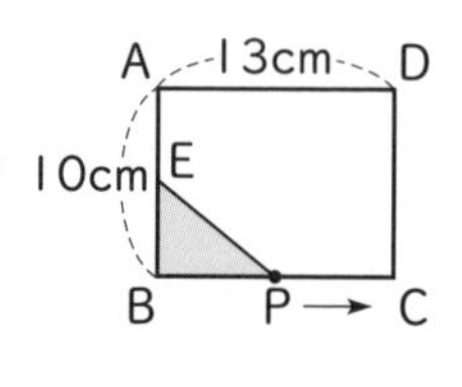

(1) P が B から A まで動いたときの x と y の関係を表したグラフが，右の**ア**〜**エ**の中に1つある。そのグラフを選び，記号で答えなさい。

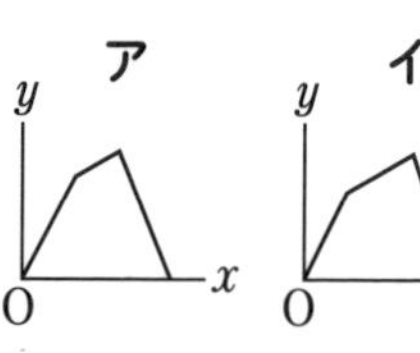

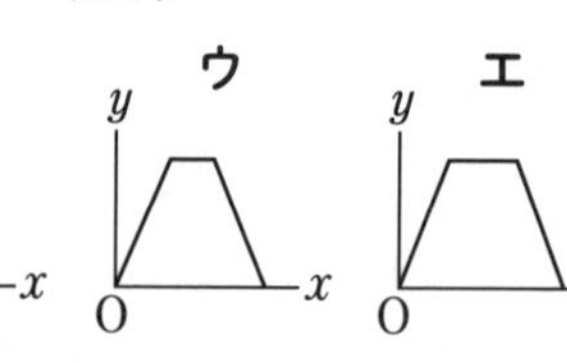

(2) $x=8$ のとき $y=30$ であり，$x=9$ のとき $y<30$ である。$x=9$ のときの y の値を求めなさい。

8 (2) P の y 座標を a を使って表す。
また，PQ と x 軸は平行である。
(3) PR と PQ の長さを a を使って表し，方程式をつくる。

9 (1) $y=-\dfrac{3}{4}x+k$ に $k=10$ を代入して，y が正の整数になるような x の値を考える。
(2) $k=3n$（n は自然数）として代入し，x の変域を n を用いて表す。

10 (1) BC>CD であり，点 P は一定の速さで動くことに注意する。
(2) $x=9$ のとき $y<30$ だから，$x=8$ のとき点 P は AD 上にあることがわかる。

重要

11 **兄は，家から駅まで 700 m の道のりを，はじめ分速 100 m で歩き，途中(とちゅう)の店で買い物をして，残りの道のりを分速 150 m で走ったところ，家を出てから 10 分後に駅に着いた。弟は兄と同時に家を出て，同じ道を兄より遅い一定の速さで歩いたところ，兄が買い物をしている間に兄を追い越(こ)したが，駅に着く前に再び兄に追い越された。家から店までの道のりは 400 m であるとする。** 〔愛知〕

(1) 兄が家を出てから x 分後の家からの道のりを y m とする。兄が家を出てから駅に着くまでの x，y の関係をグラフに表しなさい。

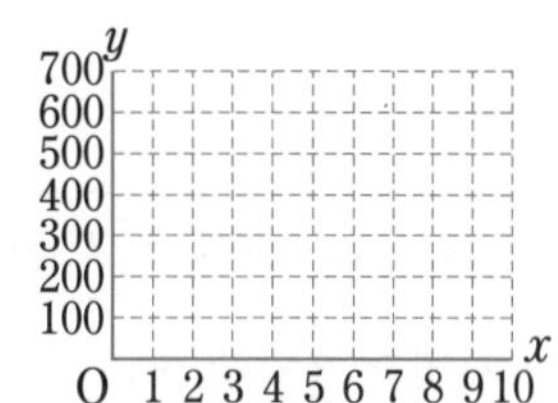

(2) 弟の歩く速さを分速 a m としたとき，a がとることのできる値の範囲(はんい)を求めなさい。

12 **右の図のように，水平に置かれた直方体状の容器があり，その中に底面と垂直な長方形のしきりがある。しきりで分けられた底面のうち，頂点 Q をふくむ底面を A，頂点 R をふくむ底面を B とし，B の面積は A の面積の 2 倍である。管 a を開くと，A 側から水が入り，管 b を開くと，B 側から水が入る。a と b の 1 分間あたりの給水量は同じで，一定である。A 側の水面の高さは辺 QP で測る。いま，a と b を同時に開くと，10 分後に A 側の水面の高さが 30 cm になり，20 分後に容器が満水になった。管を開いてから x 分後の A 側の水面の高さを y cm とすると，x と y との関係は上の表のようになった。ただし，しきりの厚さは考えないものとする。** 〔岐阜－改〕

x 分後	0	…	6	…	10	…	15	…	20
y (cm)	0	…	ア	…	30	…	イ	…	40

(1) 表のア，イにあてはまる数を求めなさい。

(2) 次の①，②の変域のとき，x と y との関係を式で表しなさい。

① $0 \leqq x \leqq 10$ のとき　　② $15 \leqq x \leqq 20$ のとき

(3) B 側の水面の高さは辺 RS で測る。管を開いてから容器が満水になるまでの間で，A 側の水面の高さと B 側の水面の高さの差が 2 cm になるときが 2 回あった。管を開いてから それぞれ何分何秒後でしたか。

11 (1) 条件から兄が店にいた時間を求める。
(2) 弟は兄を追い越し，その後，兄に追い越されたから，兄と弟のグラフは 2 点で交わらなければならない。

12 (1) $x \geqq 10$ のとき，B 側の水面の高さは，B 側に入る水の高さと A 側から流れ込んでくる水の高さの和となる。

Check! 自由自在
容積とグラフについての問題には，他にも段差のある容器や給水と排水などいろいろなパターンがある。解き方を確認しておこう。

STEP 3 発展問題

解答⇨別冊 p.38

1 次の問いに答えなさい。

(1) 3点 $(2,\ 1)$，$(3,\ -2)$，$(m,\ 4)$ が同一直線上にあるとき，m の値を求めなさい。〔明治学院高〕

(2) x の変域 $0 \leqq x \leqq 6$ において，異なる2つの1次関数 $y=mx+5$，$y=\dfrac{3}{2}x+n$ の y の変域が一致するとき，m，n の値を求めなさい。〔國學院大久我山高〕

(3) 関数 $y=ax+b$ について，x の変域が $-2 \leqq x \leqq 4$ のとき，y の変域が $-4 \leqq y \leqq 5$ である。$(a,\ b)$ の組をすべて求めなさい。〔市川高〕

2 a を正の定数とし，原点をOとする。1次関数 $y=ax-6$ のグラフと x 軸，y 軸との交点をそれぞれA，Bとし，1次関数 $y=-4x-6$ のグラフと x 軸，y 軸との交点をそれぞれP，Qとする。△OABの面積と△OPQの面積の比が2：5となるとき，a の値を求めなさい。

3 右の図において，直線 m の式は $y=-2x-4$ であり，m と x 軸，y 軸との交点をそれぞれA，Bとする。また，線分OBの中点Cを通り，傾き $\dfrac{1}{3}$ の直線を n，m と n の交点をDとする。〔大阪教育大附高(平野)〕

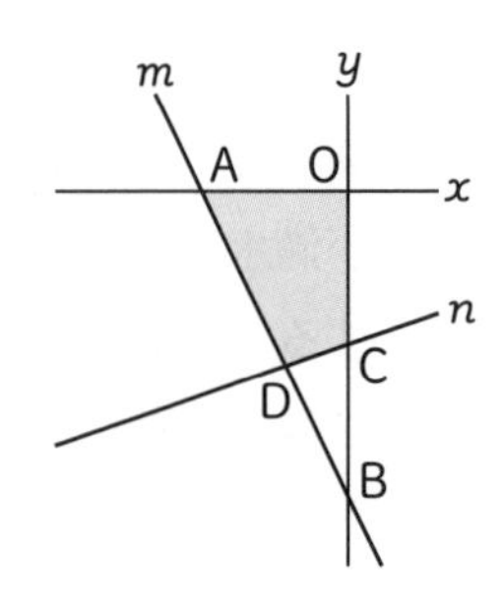

(1) 点Dの座標と，四角形OADCの面積を求めなさい。

(2) 辺OA上に点Pをとり，直線DPで四角形OADCの面積を2等分したい。点Pの座標を求めなさい。

(3) 四角形OADCを，y 軸を回転の軸として1回転させてできる立体の体積を求めなさい。

4 **右の図において，直線①の式は $y=-\frac{1}{3}x+2$，直線②の式は $y=-2x-3$ である。点 A を直線①上の点，点 B を直線①と②の交点，点 C は直線②と y 軸の交点，点 D，E をそれぞれ直線①，②と x 軸との交点とする。三角形 DEC の面積が三角形 ABC の $\frac{1}{3}$ であるとき，直線 CA の式を求めなさい。**　〔西大和学園高〕

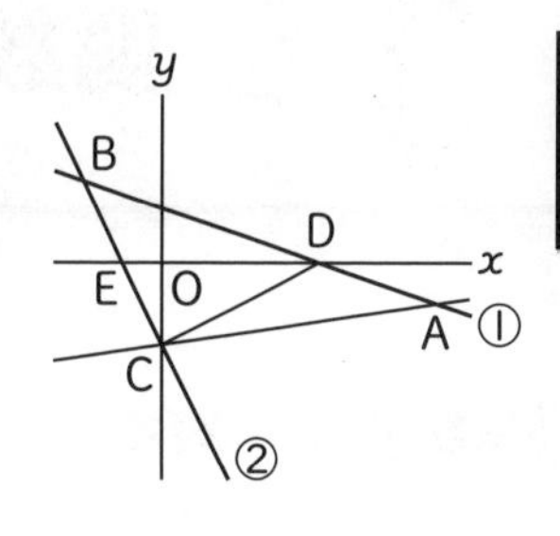

5 **右の図のように正方形 ABCD と原点を通る直線 $y=mx$ が辺 BC，AD とそれぞれ 2 点 P，Q で交わっている。このとき，四角形 ABPQ の面積を a，四角形 PCDQ の面積を b とする。**　〔駿台甲府高〕

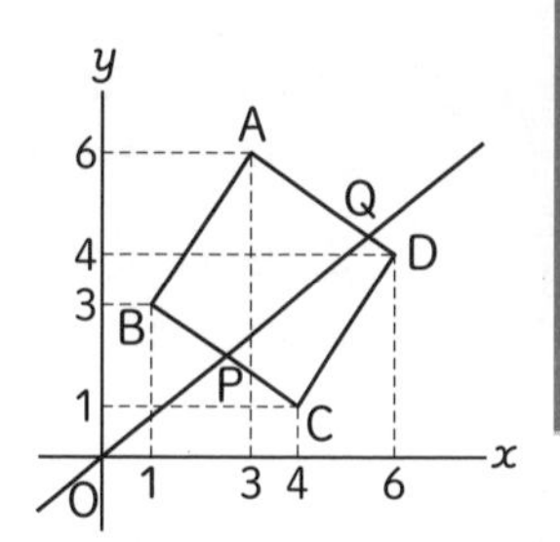

(1) $a=b$ のとき，m の値を求めなさい。

(2) $m=\frac{3}{2}$ のとき，$a:b$ を最も簡単な整数比で表しなさい。

(3) $a:b=2:1$ となるとき，m の値を求めなさい。

難問

6 **数 x に対して，記号【x】を「数直線上で，数 x に対応する点から最も近い整数に対応する点までの距離(きょり)」を表すものとする。例えば，【2】=0，【0.2】=0.2，【1.7】=0.3 となる。**

〔慶應義塾高－改〕

(1) x の変域 $0\leqq x\leqq 1$ において，関数 $y=$【x】のグラフの概形(がいけい)を右の図にかきなさい。

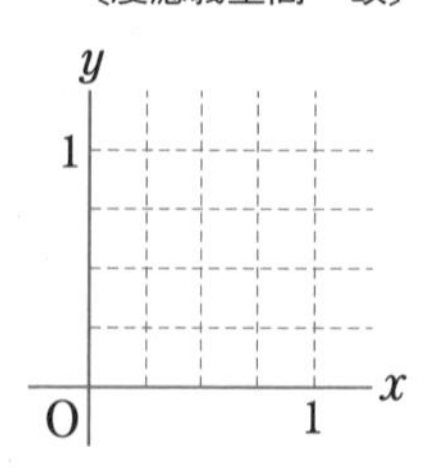

(2) x の変域 $0\leqq x\leqq 1$ において，関数 $y=$【x】と関数 $y=$【$2x$】のグラフが共有する点の座標をすべて求めなさい。

(3) n を自然数とし，x の変域 $0\leqq x\leqq 1$ において，関数 $y=$【nx】と関数 $y=$【$2nx$】のグラフが全部で 40 個の点を共有するとき，n の値を求めなさい。

第3章　関数

関数 $y=ax^2$

STEP 1 まとめノート

解答⇨別冊 p.41

① 関数 $y=ax^2$ の式 ★

例題 1 y は x の2乗に比例し，$x=2$ のとき $y=-12$ である。$y=-48$ のときの x の値を求めなさい。

解き方 $y=ax^2$ に $x=$①［　　］，$y=-12$ を代入して，

$-12=a\times$②［　　］^{2}　$a=$③［　　］より，$y=$④［　　］x^2

この式に $y=-48$ を代入して，$-48=$⑤［　　］x^2

$x^2=$⑥［　　］　$x=$⑦［　　］

↑2つある

② 関数 $y=ax^2$ の変域 ★★

例題 2 次の問いに答えなさい。

(1) 関数 $y=2x^2$ について，x の変域が $-3\leqq x\leqq 2$ のとき，y の変域を求めなさい。

(2) 関数 $y=ax^2$ で，x の変域が $-2\leqq x\leqq 4$ のとき，y の変域は $-32\leqq y\leqq 0$ である。a の値を求めなさい。

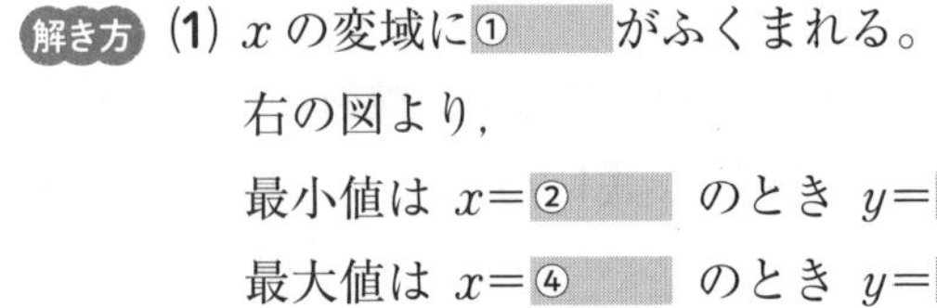

解き方 (1) x の変域に①［　　］がふくまれる。

右の図より，

最小値は $x=$②［　　］のとき $y=$③［　　］

最大値は $x=$④［　　］のとき $y=$⑤［　　］

よって，⑥［　　］$\leqq y\leqq$⑦［　　］

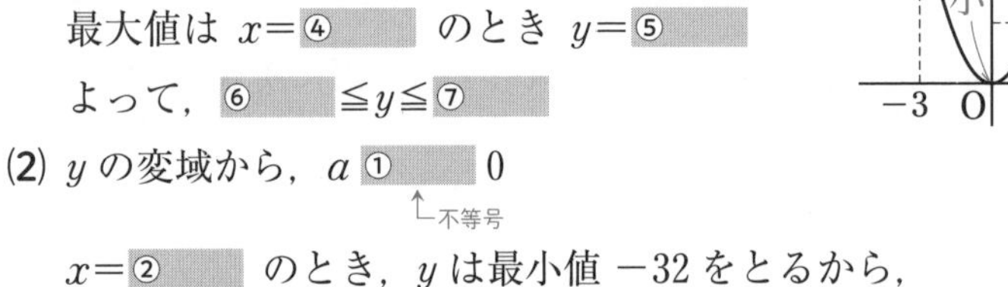

(2) y の変域から，a ①［　　］0

↑不等号

$x=$②［　　］のとき，y は最小値 -32 をとるから，

$-32=a\times$③［　　］^{2}　$a=$④［　　］

③ 関数 $y=ax^2$ の変化の割合 ★

例題 3 関数 $y=-2x^2$ について，x の値が -3 から 1 まで増加するときの変化の割合を求めなさい。

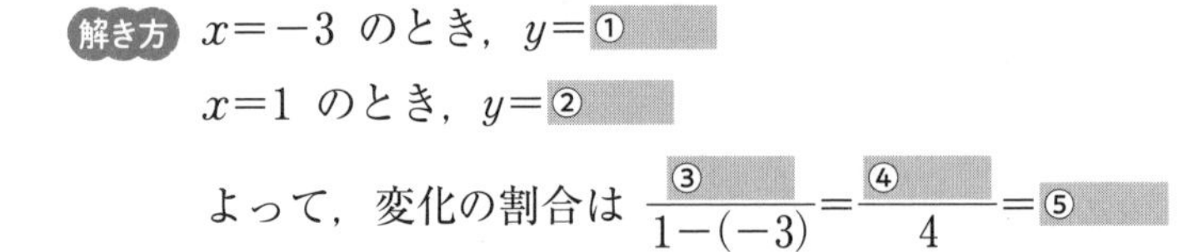

解き方 $x=-3$ のとき，$y=$①［　　］

$x=1$ のとき，$y=$②［　　］

よって，変化の割合は $\dfrac{③}{1-(-3)}=\dfrac{④}{4}=$⑤［　　］

Points!

▶関数 $y=ax^2$

y が x の関数で，$y=ax^2$ と表されるとき，y は x の2乗に比例するという。

▶関数 $y=ax^2$ のグラフ

ズバリ暗記

- y 軸(じく)について対称(たいしょう)な放物線で，頂点は原点である。
- $a>0$ のときは上に開き，$a<0$ のときは下に開く。

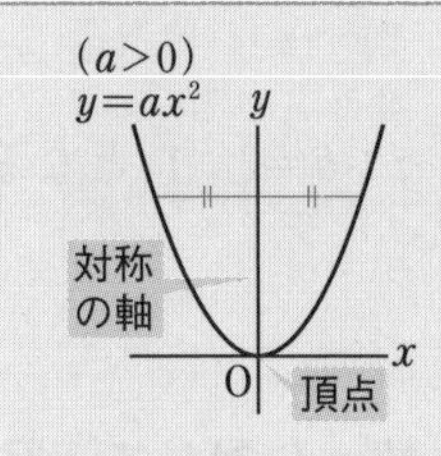

▶関数 $y=ax^2$ の変域

x の変域に 0 がふくまれないとき，x の変域の両端(りょうたん)の値を式に代入したものが y の変域になる。

例　$y=x^2\ (1\leqq x\leqq 3)$

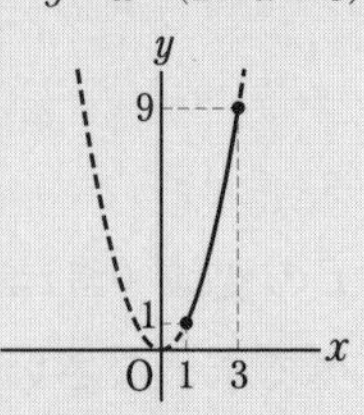

よって，$1\leqq y\leqq 9$

ズバリ暗記

関数 $y=ax^2$ の変域は x の変域に 0 をふくむかふくまないかで，y の変域のとり方が異なる。

④ 放物線と三角形 ★★

例題 4 右の図のように，放物線 $y=x^2$ …① と直線 $y=-x+6$ …② が 2 点 A，B で交わっている。

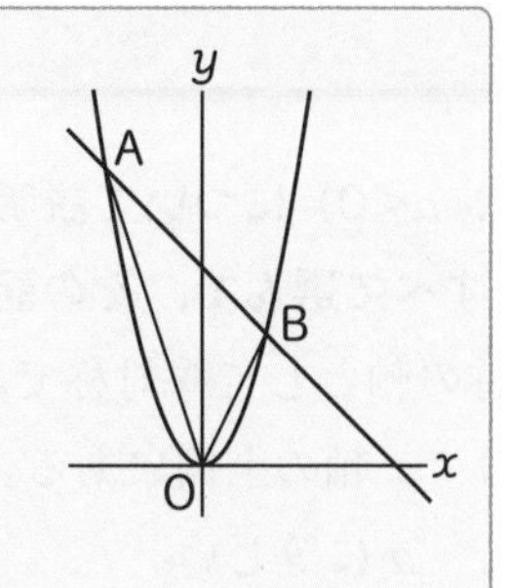

(1) 2 点 A，B の座標をそれぞれ求めなさい。

(2) △OAB の面積を求めなさい。

(3) 点 A を通り，△OAB の面積を 2 等分する直線の式を求めなさい。

解き方 (1) $y=x^2$，$y=-x+6$ を連立方程式として解いて，

$x^2=$ ① ＿＿　$x^2+x-6=0$　$(x+3)($② ＿＿$)=0$　$x=-3$，$x=2$

よって，A$(-3,$ ③ ＿＿$)$，B$(2,$ ④ ＿＿$)$

(2) 直線 AB と y 軸の交点を C とすると，C$(0,$ ⑤ ＿＿$)$

△OAB＝△OCA＋△⑥ ＿＿ $=\frac{1}{2}\times 6\times(3+$ ⑦ ＿＿$)=$ ⑧ ＿＿

（6 ↑OC の長さ）

(3) 求める直線は，点 A と線分 OB の中点 $(1,$ ⑨ ＿＿$)$ を通る。

求める直線の式を $y=ax+b$ とすると，$\begin{cases} 9= \text{⑩ ＿＿} a+b \\ \text{⑪ ＿＿} =a+b \end{cases}$

この連立方程式を解いて，$a=$ ⑫ ＿＿，$b=$ ⑬ ＿＿

よって，$y=$ ⑭ ＿＿

⑤ 放物線と三角形の等積変形 ★★★

例題 5 右の図のように，放物線 $y=\frac{1}{2}x^2$ と $y=x+4$ が 2 点 A，B で交わっていて，x 座標はそれぞれ −2，4 である。放物線上の 2 点 O から B までの部分に，△OAB＝△PAB となるような点 P をとる。このとき，点 P の座標を求めなさい。

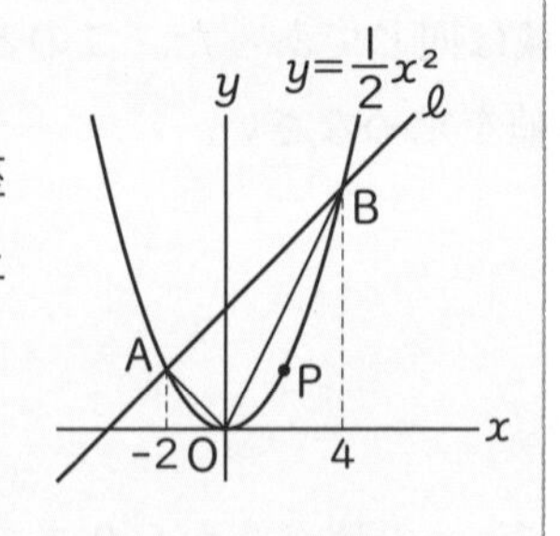

解き方 △OAB と △PAB は AB が共通だから，

AB∥① ＿＿ となればよい。

直線 OP の傾き（かたむ）きは ② ＿＿ だから，直線

（↑$y=x+4$ の傾きと等しい）

OP の式は $y=$ ③ ＿＿

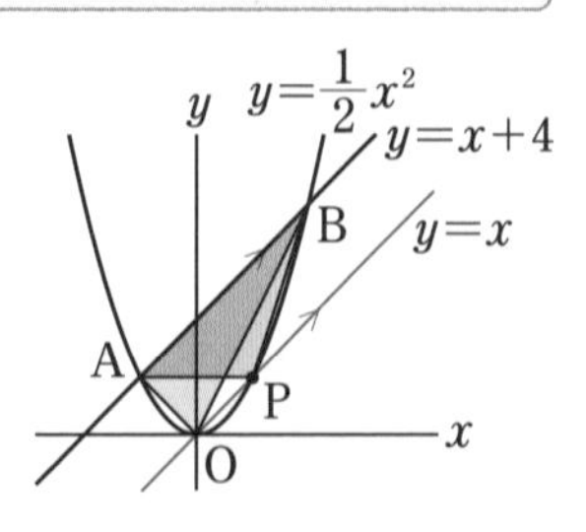

点 P は $y=\frac{1}{2}x^2$ と $y=x$ の ④ ＿＿ だ

から，$\frac{1}{2}x^2=x$　$x^2-2x=0$　$x($⑤ ＿＿$)=0$

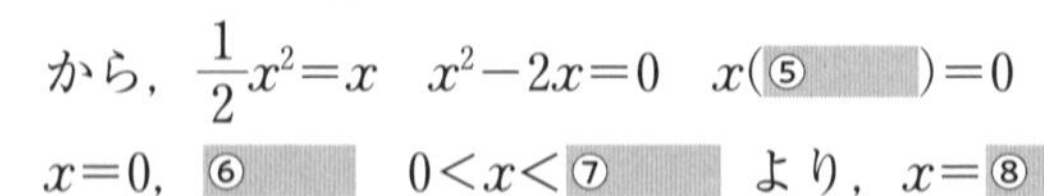

$x=0$，⑥ ＿＿　$0<x<$ ⑦ ＿＿ より，$x=$ ⑧ ＿＿

よって，P$($⑨ ＿＿，⑩ ＿＿$)$

▶関数 $y=ax^2$ の変化の割合

関数 $y=ax^2$ の変化の割合は一定ではない。

ズバリ暗記

関数 $y=ax^2$ で，x の値が p から q まで増加するときの変化の割合は，

$$\frac{aq^2-ap^2}{q-p}$$
$$=\frac{a(q+p)(q-p)}{q-p}$$
$$=a(p+q)$$

▶放物線と直線の交点，放物線と交わる直線の公式

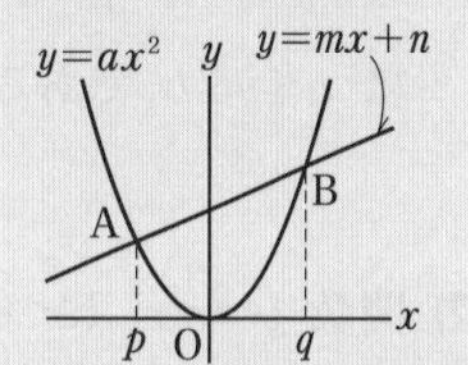

放物線 $y=ax^2$ と直線 $y=mx+n$ の交点 A，B の座標は，連立方程式 $\begin{cases} y=ax^2 \\ y=mx+n \end{cases}$ の解である。

ズバリ暗記

放物線 $y=ax^2$ と直線の交点 A，B の x 座標がそれぞれ p，q であるとき，直線の式は，$y=a(p+q)x-apq$ で求められる。

▶放物線と三角形

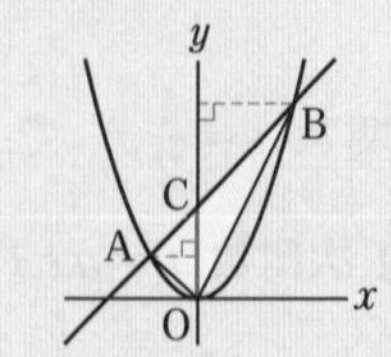

△OAB＝△OCA＋△OCB

月　日

STEP 2 実力問題

ねらわれるココが
- ○関数 $y=ax^2$ の変域
- ○関数 $y=ax^2$ の変化の割合
- ○放物線と三角形

解答⇨別冊 p.41

1 **関数 $y=ax^2$（a は定数，$a<0$）について説明した次のアからエまでの文の中から正しいものをすべて選んで，その記号を書きなさい。** 〔愛知〕

ア グラフは y 軸（じく）を対称（たいしょう）の軸として線対称である。

イ グラフは原点を通り，x 軸の上側にある。

ウ 変化の割合は一定で，a に等しい。

エ $x \leqq 0$ の範囲（はんい）では，x の値が増加するにつれて，y の値は増加する。

2 **次の問いに答えなさい。**

(1) 関数 $y=-\frac{1}{3}x^2$ について，x の変域が $-2 \leqq x \leqq 3$ のとき，y の変域は $a \leqq y \leqq b$ である。このとき，a，b の値を求めなさい。 〔神奈川〕

重要 (2) 関数 $y=ax^2$ について，x の変域が $-4 \leqq x \leqq 2$ のとき，y の変域は $0 \leqq y \leqq 12$ となる。このときの a の値を求めなさい。 〔栃木〕

(3) 1 次関数 $y=\frac{1}{2}x+1$（$-2 \leqq x \leqq 1$）…① の y の変域と，関数 $y=ax^2$（$-2 \leqq x \leqq 1$）の y の変域は同じであった。このとき，①の y の変域を求めなさい。また，a の値を求めなさい。 〔鳥取－改〕

3 **次の問いに答えなさい。**

(1) 関数 $y=\frac{1}{3}x^2$ について，x の値が 3 から 9 まで増加するときの変化の割合を求めなさい。 〔東京〕

重要 (2) 関数 $y=\frac{1}{2}x^2$ で，x の値が 1 から 5 まで増加するときの変化の割合が，1 次関数 $y=ax+2$ の変化の割合と等しくなった。a の値を求めなさい。 〔埼玉〕

得点UP!

1 $y=ax^2$（$a<0$）のグラフをかいて考える。

Check! 自由自在
関数 $y=ax^2$ のグラフの特徴（とくちょう）にはどのようなものがあったか確認しておこう。

2 (1) x の変域に 0 がふくまれていることに注意する。
(2) y の変域より，$a>0$
$y=ax^2$ のグラフをかいて考える。
(3) $y=\frac{1}{2}x+1$ の y の変域を求め，①のグラフと $y=ax^2$ のグラフをかいてみる。

3 変化の割合 $=\frac{y\text{ の増加量}}{x\text{ の増加量}}$
(2) 1 次関数 $y=ax+2$ の変化の割合は a である。

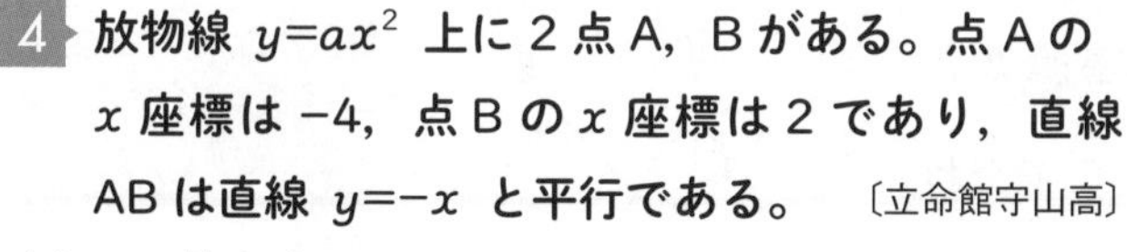

4 放物線 $y=ax^2$ 上に２点 A，B がある。点 A の x 座標は -4，点 B の x 座標は２であり，直線 AB は直線 $y=-x$ と平行である。 〔立命館守山高〕

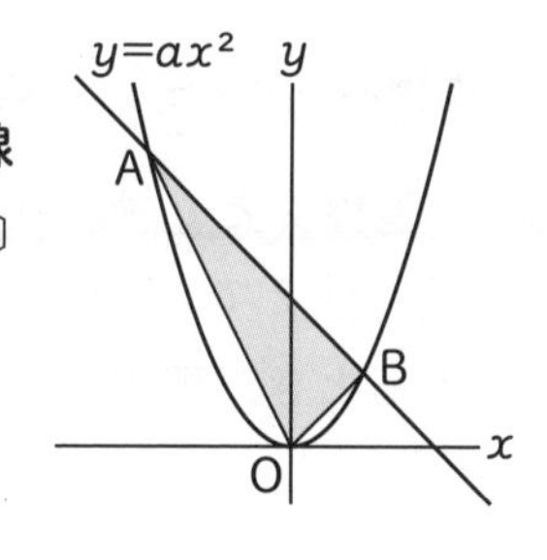

(1) a の値を求めなさい。

(2) 直線 AB の方程式を求めなさい。

(3) $\triangle$OAB の面積を求めなさい。

(4) 原点 O を通る直線の中で，$\triangle$OAB の面積を２等分するような直線の方程式を求めなさい。

5 右の図のように，関数 $y=\frac{1}{2}x^2$ のグラフ上に，３点 A，B，C があり，点 B の x 座標は２，点 C の x 座標は４である。また，y 軸上に点 D (0，8) があり，四角形 ABCD は平行四辺形である。 〔長崎〕

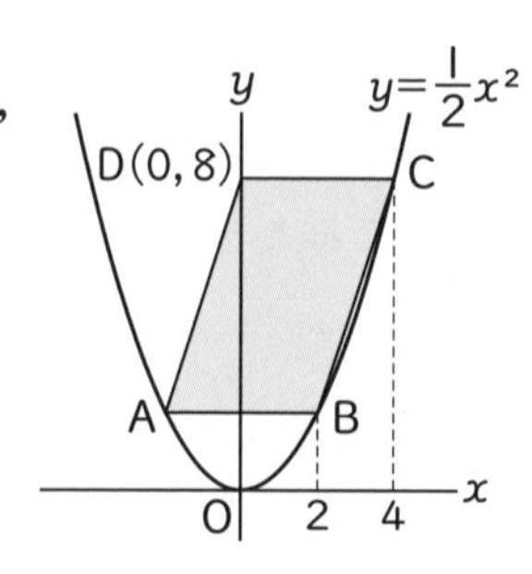

(1) 点 B の y 座標を求めなさい。

(2) 点 A の座標を求めなさい。

(3) 直線 BD の式を求めなさい。

(4) 平行四辺形 ABCD の面積を求めなさい。

(5) 原点 O を通り，平行四辺形 ABCD の面積を２等分する直線の式を求めなさい。

4 (1) 直線 AB の傾きを a を使って表す。
(2) (1)で求めた a を代入して，A と B の座標を求める。
(3) 直線 AB と y 軸との交点を C とすると，
$\triangle$OAB
$=\triangle$OAC$+\triangle$OBC
(4) 求める直線は，線分 AB の中点を通る。

5 (2) 点 C の y 座標は８だから，DC は AB と x 軸に平行である。
(4) AB を底辺とし，高さを求める。
(5) 平行四辺形の面積を２等分する直線は対角線の交点を通る。

6 **右の図のように，放物線 $y=-\frac{1}{2}x^2$ は直線 ℓ と2点A，Bで交わり，直線 ℓ と y 軸(じく)が点Cで交わっている。点Aの x 座標は2で，△OACと△OABの面積比は1：3であるとき，直線 ℓ の式を求めなさい。** 〔広島大附高〕

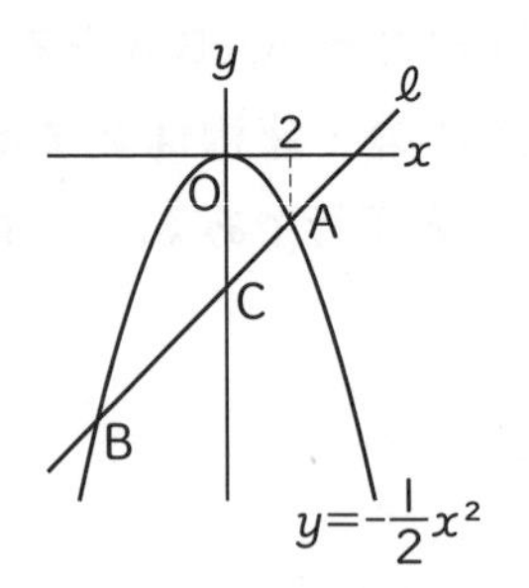

7 **右の図において，①は関数 $y=ax^2$ $(0<a<2)$ のグラフであり，②は関数 $y=2x^2$ のグラフである。また，2点A，Bの座標は，それぞれ(2，−1)，(−3，−2)である。点Aを通り y 軸に平行な直線と，放物線①，②との交点をそれぞれC，Dとする。** 〔静岡一改〕

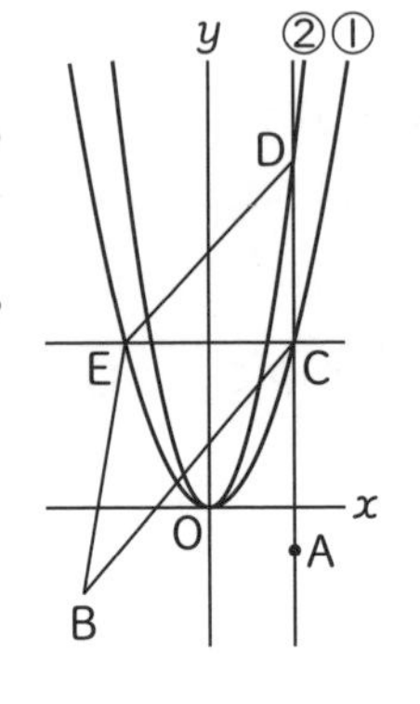

(1) 線分ADの中点を通り，傾(かたむ)きが $-\frac{3}{4}$ である直線の式を求めなさい。

(2) 点Cから y 軸にひいた垂線の延長と，放物線①との交点をEとする。四角形EBCDが台形となるときの，a の値を求めなさい。

重要

8 **右の図のように，2つの関数 $y=ax^2$ (a は定数) …㋐，$y=-2x$ …㋑ のグラフがある。点Aは関数㋐，㋑のグラフの交点で，Aの x 座標は−6である。点Bは関数㋐のグラフ上にあり，Bの x 座標は4である。また，点CはBを通る直線と関数㋑のグラフとの交点で，Cの x 座標は−1である。** 〔熊本〕

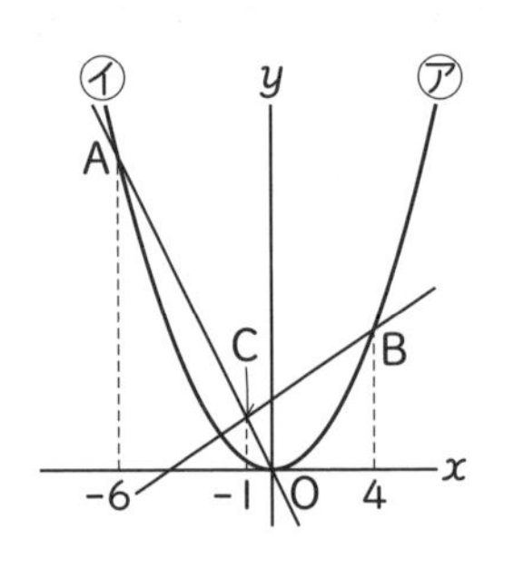

(1) a の値を求めなさい。

(2) 線分BC上に2点B，Cとは異なる点Pをとり，Pの x 座標を t とする。また，Pから x 軸にひいた垂線と x 軸との交点をQとする。

① △BPQの面積を，t を使った式で表しなさい。

② △BPQの面積が△ACPの面積の $\frac{1}{2}$ となるときの t の値を求めなさい。

---

6 △OAC：△OAB＝1：3 より，△OAC：△OBC＝1：2
底辺が等しい2つの三角形の面積比は高さの比に等しい。

7 (1) 直線ADは y 軸と平行だから，点Aと点Dの x 座標は等しい。
(2) 直線EBは y 軸と平行でないから，直線EBと直線CDが平行になることはない。よって，直線EDと直線BCが平行になるときの a の値を求める。

8 (1) 点Aは $y=ax^2$ と $y=-2x$ のグラフの交点で x 座標が−6である。
(2)① 2点B，Cの座標を求め，直線BCの式をつくって，Pの座標を t を使って表す。
②点Dを直線BC上に x 座標が点Aと同じ−6となるようにとる。このとき，
△ACP
＝△ADP−△ADC

9 あるクラスで，図のような振り子が１往復する時間と，振り子の長さの関係を調べることにした。振り子が１往復するのにかかる時間は，おもりの重さや振れ幅に関係なく一定で，それを周期という。周期が x 秒の振り子の長さを y m とすると，$y=ax^2$ の関係があることがわかっている。実際に調べたところ，x，y の関係は表のようになった。〔島根〕

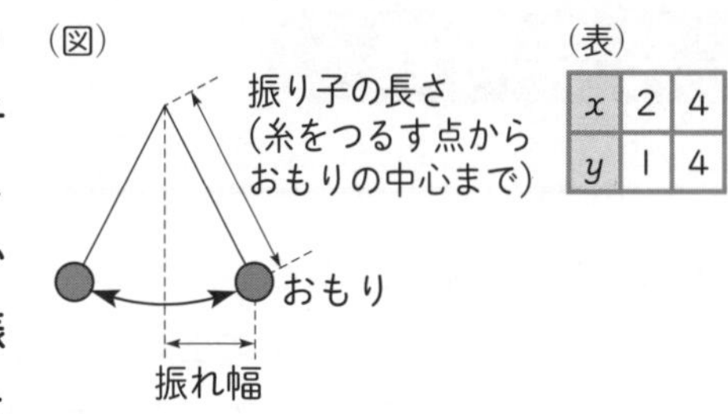

(表)

x	2	4
y	1	4

(1) a の値を求めなさい。また，x，y の関係をグラフに表しなさい。

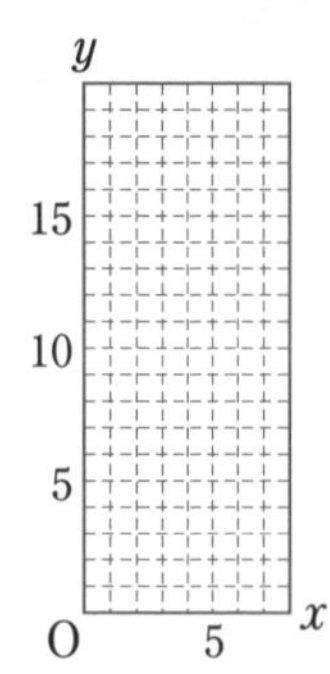

(2) 10 往復でちょうど 30 秒かかるようにするには，振り子の長さを何 m にすればよいか，求めなさい。

重要

10 右の図１は，平面上において，合同な台形ABCD，EFGH が，頂点C と頂点F が重なるように直線 ℓ 上に並んでいることを表している。台形ABCD は，AD=DC=8 cm，BC=16 cm，∠ADC =∠BCD=90° である。台形ABCD を図１の状態から直線 ℓ に沿って，図２のように，矢印(→)の方向に毎秒 2 cm の速さで移動する。図３のように，頂点A と頂点H が重なったとき，台形ABCD を停止する。台形ABCD が移動をはじめてから，x 秒後の２つの台形の重なった部分の面積を y cm^2 とする。〔秋田〕

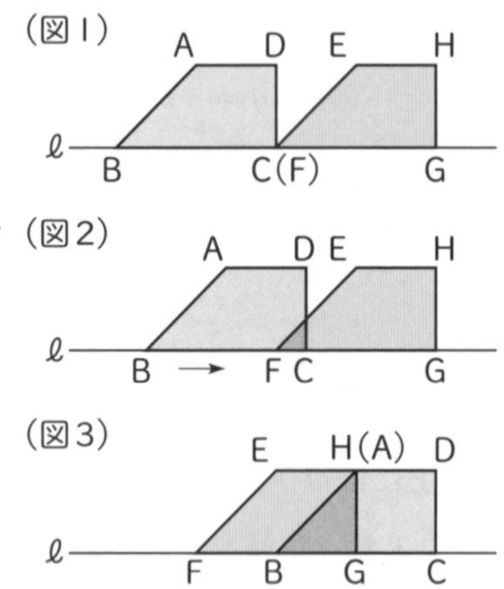

(1) $x=3$ のときのy の値を求めなさい。

(2) x の変域が次の①，②のとき，y を x の式で表しなさい。

① $0 \leqq x \leqq 4$ のとき　　② $4 \leqq x \leqq 8$ のとき

(3) 台形 ABCD において，台形 EFGH と重なった部分と重ならない部分の面積が等しくなるのは何秒後か，すべて求めなさい。

9 (1) 式 $y=ax^2$ と表を用いて a の値を求める。
(2) 1 往復にかかる時間が周期 x の値である。

10 (1)(2) $0 \leqq x \leqq 4$ では，重なった部分は直角二等辺三角形になる。
$4 \leqq x \leqq 8$ では，重なった部分は台形になる。
(3) $4 \leqq x \leqq 8$，
$8 \leqq x \leqq 12$ のときで場合分けをして考える。

Check! 自由自在
関数には１次関数や関数 $y=ax^2$ のほかにも，いろいろなものがある。どのようなものがあったか確認しておこう。

STEP 3 発展問題

解答 ⇨ 別冊 p.44

1 **次の □ にあてはまる数や式を求めなさい。**

(1) 2 つの関数 $y=ax^2$, $y=bx+8$ について，x の変域を $-1\leqq x\leqq 2$ とすると y の変域が一致(いっち)する。このとき，$a=$ □①，$b=$ □② である。ただし，$b<0$ とする。〔國學院大久我山高〕

(2) x の値が $-a-1$ から 0 まで変化するとき，1 次関数 $y=-5ax+1$ と 2 次関数 $y=2ax^2$ の変化の割合が等しくなった。このとき，$a=$ □ である。ただし，$a>0$ とする。〔明治大付属明治高〕

(3) 2 点 (1, 0), (0, −1) を通る直線を ℓ，2 点 (3, 0), (−1, 2) を通る直線を m とする。2 直線 ℓ, m と関数 $y=ax^2$ のグラフが，1 点 P で交わるとき，P の座標は □① である。また，$a=$ □② である。〔筑波大附高〕

(4) 関数 $y=ax^2$ のグラフと，線分 $y=\frac{1}{2}x$ $(-3\leqq x\leqq 2)$ が，原点のみで交わるとき，a のとりうる値の範囲(はんい)は □ である。〔明治大付属明治高〕

2 **右の図のように，2 つの放物線 $y=\frac{1}{4}x^2$ …① と $y=-\frac{1}{2}x^2$ …② がある。また，放物線①の上には点 A, B，放物線②の上には点 C, D があり，四角形 ABCD は各辺が x 軸(じく)，y 軸と平行な長方形である。点 A の x 座標を a $(a>0)$ とする。**〔法政大高〕

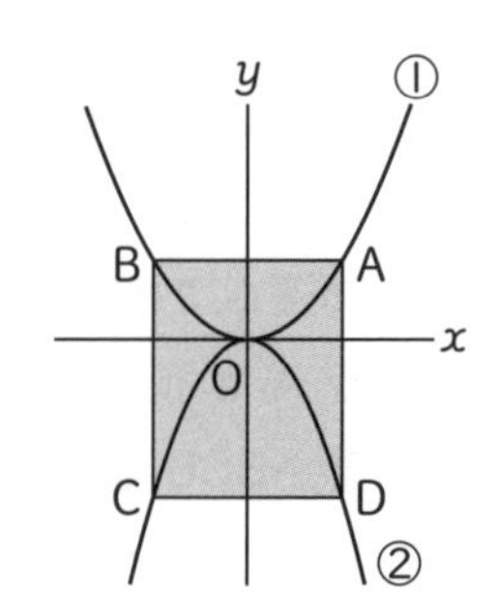

(1) $a=2$ のとき，直線 BD の方程式を求めなさい。

(2) 四角形 ABCD が正方形になるとき，点 A の座標を求めなさい。

(3) $a=8$ のとき，直線 AO と放物線①とによって囲まれた部分の線上および内部にあり，x 座標と y 座標がともに整数である点の個数を求めなさい。

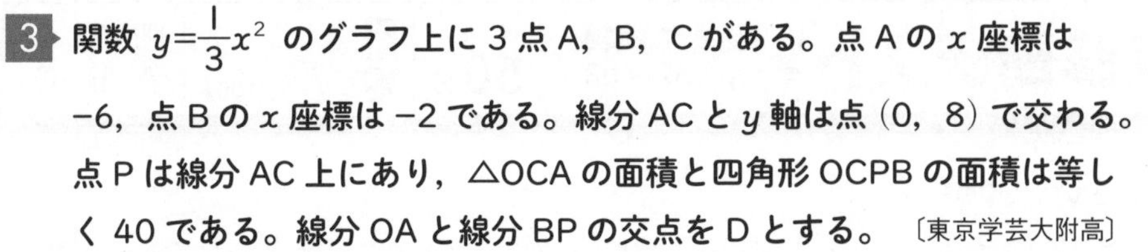

3 **関数 $y=\frac{1}{3}x^2$ のグラフ上に3点A，B，Cがある。点Aの x 座標は -6，点Bの x 座標は -2 である。線分ACと y 軸は点 $(0,\ 8)$ で交わる。点Pは線分AC上にあり，△OCAの面積と四角形OCPBの面積は等しく40である。線分OAと線分BPの交点をDとする。** 〔東京学芸大附高〕

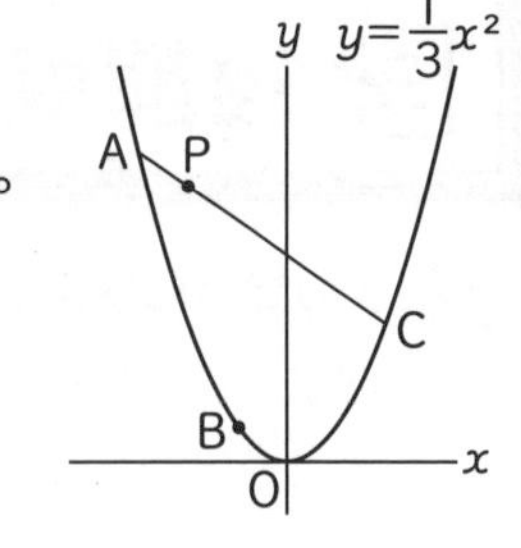

(1) 点Cの座標を求めなさい。

(2) 点Pの座標を求めなさい。

(3) 四角形OCPDの面積を求めなさい。

重要

4 **a が正の定数のとき，関数 $y=ax^2$ のグラフ上に2点A，Bがある。A，Bの x 座標はそれぞれ -1，2で，直線ABの傾きは $\frac{1}{2}$ である。また，直線ABと y 軸との交点をCとする。**

〔筑波大附属駒場高〕

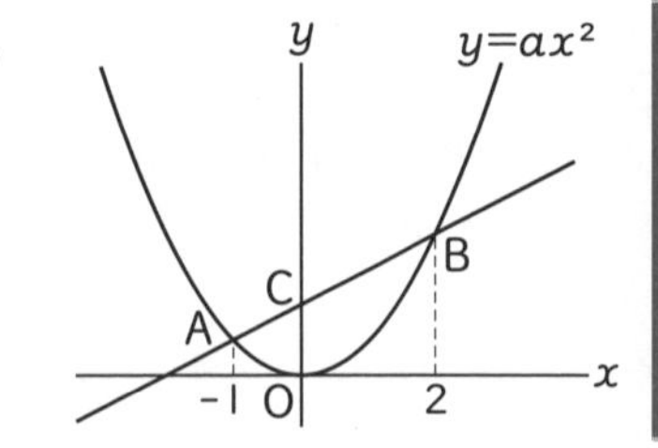

(1) a の値を求めなさい。

(2) 直線OB上に点Dがあり，直線CDは△OABの面積を2等分する。Dの座標を求めなさい。

(3) $y=ax^2$ のグラフ上に点Pをとる。(2)で求めたDについて，△PBCと△DBCの面積が等しくなるようなPの x 座標をすべて求めなさい。

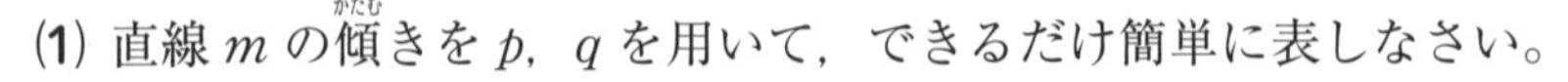

5 **放物線 $y=2x^2$ 上の2点P，Qの x 座標をそれぞれ p，q $(p>0,\ q<0)$ とする。2点P，Qを通る直線を m とする。** 〔明治学院高〕

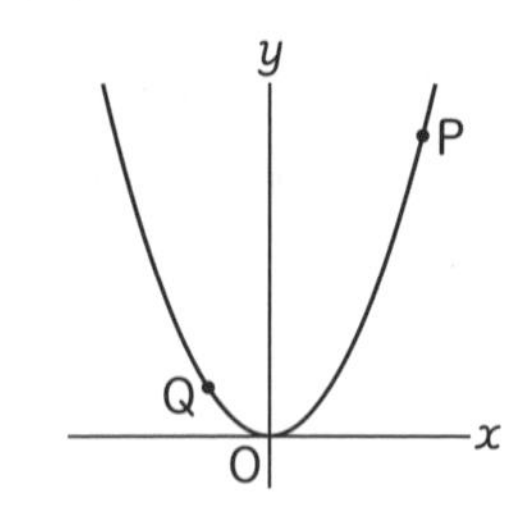

(1) 直線 m の傾き（かたむ）きを p，q を用いて，できるだけ簡単に表しなさい。

難問

(2) 直線 m の傾きを4，2点P，Qの y 座標の差を16とする。原点Oを通り，線分PQと平行な直線と放物線の交点のうち，原点ではない方をAとする。原点Oを通り，四角形OAPQの面積を2等分する直線の式を求めなさい。

〔　　月　　日〕

理解度診断テスト③

本書の出題範囲 pp.62～83　時間 50分　得点 /100点　理解度診断 A B C

解答 ⇨ 別冊 p.47

1 次の問いに答えなさい。(10点)

(1) y は x に比例し，$x=2$ のとき $y=-6$ である。$x=-3$ のときの y の値を求めなさい。〔京都〕

(2) 反比例 $y=\dfrac{a}{x}$ のグラフが点 $(4,\ -3)$ を通るとき，a の値を求めなさい。〔兵庫〕

2 次の問いに答えなさい。(20点)

(1) y は x の1次関数で，そのグラフは点 $(1,\ -3)$ を通り，傾き(かたむ)き2の直線である。この1次関数の式を求めなさい。〔岡山〕

(2) 方程式 $3x-5y=5$ のグラフは直線である。このグラフの y 軸(じく)上の切片を求めなさい。〔栃木〕

(3) $y=ax+4$，x 軸，y 軸で囲まれた図形の面積が a となるとき，a の値を求めなさい。〔明治学院高〕

(4) 右の図のように，2点 $(0,\ 6)$，$(-3,\ 0)$ を通る直線 ℓ と2点 $(0,\ 10)$，$(10,\ 0)$ を通る直線 m がある。このとき，直線 ℓ，m の交点Aの座標を求めなさい。〔佐賀〕

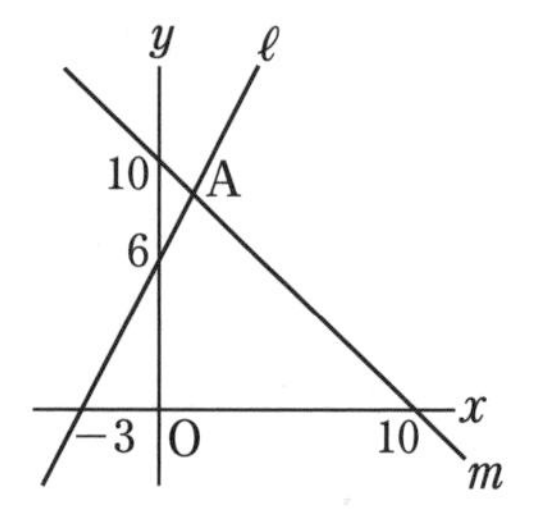

3 次の問いに答えなさい。(10点)

(1) 関数 $y=ax^2$ について，x の変域が $-4 \leqq x \leqq 2$ のとき，y の変域は $0 \leqq y \leqq 32$ である。a の値を求めなさい。また，この関数の x の値が1から3まで増加するときの変化の割合を求めなさい。〔福井〕

(2) 右の図において，m は $y=\dfrac{1}{4}x^2$ のグラフを表す。A，Bは m 上の点であり，Aの x 座標は -1，Bの x 座標は3である。ℓ は2点A，Bを通る直線である。このとき，Bの y 座標を求めなさい。また，直線 ℓ の式を求めなさい。〔大阪〕

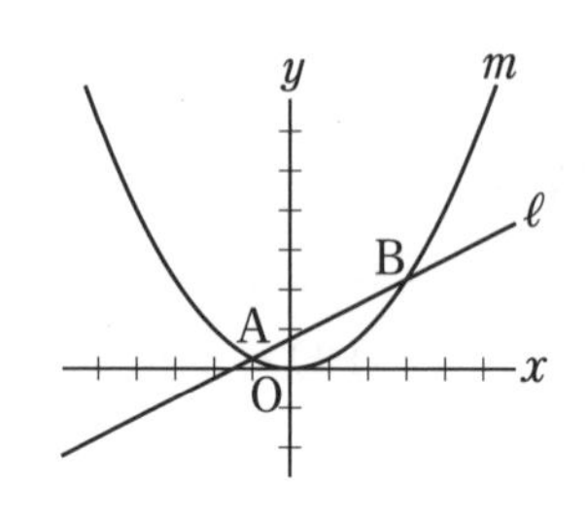

4 **右の図は，関数 $y=-\frac{1}{4}x^2$ のグラフで，点 A，B はこのグラフ上にある。点 A，B の x 座標はそれぞれ −2，4 である。**(15点)　〔高知〕

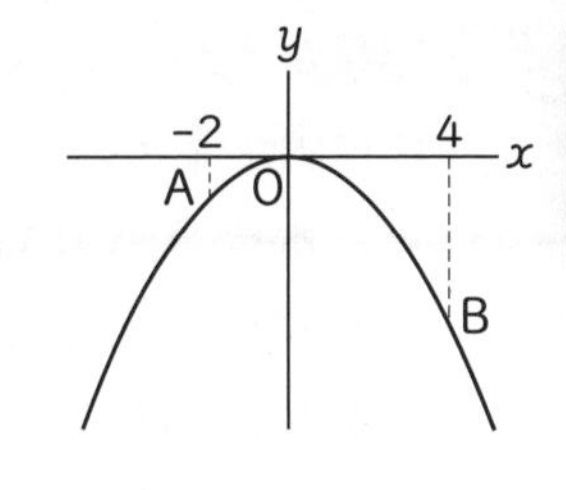

(1) 2 点 A，B を通る直線の式を求めなさい。

(2) 三角形 OAB の面積を求めなさい。

(3) 直線 AB と y 軸との交点を C とする。関数 $y=-\frac{1}{4}x^2$ のグラフ上に点 P をとり，三角形 OCP の面積が三角形 OAB の面積の $\frac{1}{5}$ 倍となるようにしたい。このときの点 P の x 座標をすべて求めなさい。

5 **右の図は，関数 $y=\frac{1}{4}x^2$ のグラフで，点 A，B はこのグラフ上の点であり，点 A，B の x 座標はそれぞれ −6，2 である。y 軸上に点 C をとり，点 A と点 C，点 B と点 C をそれぞれ結ぶ。**(15点)　〔高知〕

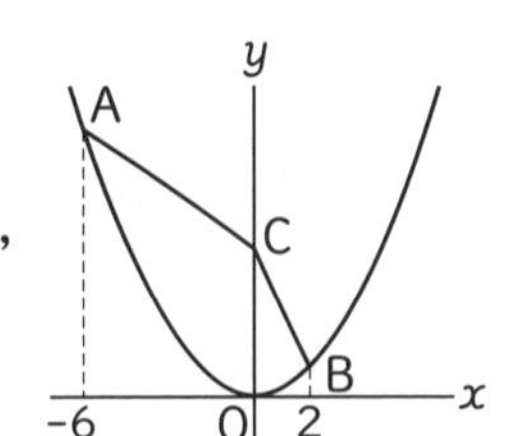

(1) 点 A の座標を求めなさい。

(2) 線分 AC と線分 BC の長さの和 AC+CB を考える。AC+CB が最小となる点 C の座標を求めなさい。

(3) 2 点 A，B から y 軸へそれぞれ垂線をひき，y 軸との交点をそれぞれ D，E とする。ただし，点 C は線分 DE 上の点とする。三角形 ACD と三角形 CEB について，y 軸を軸として 1 回転させたときにできる立体の体積をそれぞれ考える。三角形 ACD を 1 回転させてできる立体の体積が，三角形 CEB を 1 回転させてできる立体の体積の 7 倍となるときの線分 CE の長さを求めなさい。

6 容積が 12 m^3 の水そう A と 15 m^3 の水そう B がある。水そう A には水が 2 m^3 入っており，水そう B には水が入っていない。また，水そう A には給水管と排水管がつながっており，水そう B には給水管だけがつながっている。最初に，水そう A の排水管を閉めたまま両方の給水管を同時に開き，4 分後に水そう A の排水管を開いて，それぞれの水そうがいっぱいになるまで水を入れた。水そう A と水そう B の給水管からはそれぞれ毎分 1.5 m^3 の割合で給水され，水そう A の排水管からは毎分 1 m^3 の割合で排水されるとする。(10点)　〔愛知〕

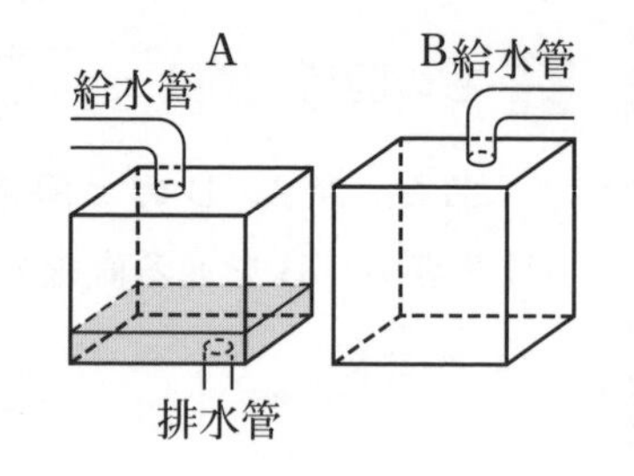

(1) 給水をはじめてから x 分後の水そう A の水の量を y m^3 とする。給水をはじめてから水そう A がいっぱいになるまでの x，y の関係をグラフに表しなさい。

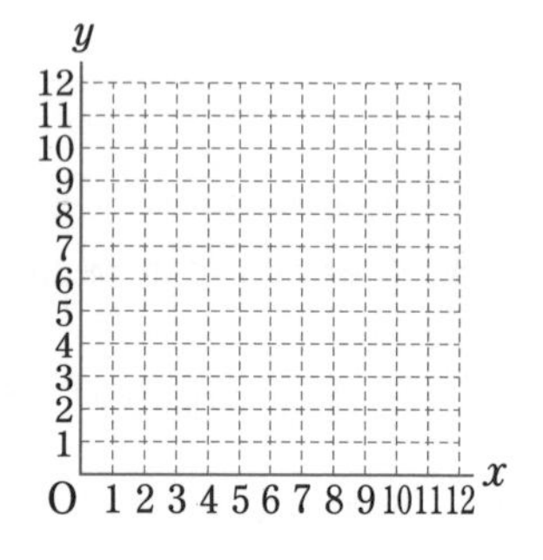

(2) 2 つの水そうの水の量が等しくなるのは給水をはじめてから何分後か，求めなさい。

7 右の図のような 1 辺が 6 cm の正方形 ABCD がある。点 P，Q は，点 A を同時に出発して，点 P は毎秒 2 cm の速さで正方形の辺上を反時計回りに動き，点 Q は毎秒 1 cm の速さで正方形の辺上を時計回りに動く。また，点 P，Q は出会うまで動き，出会ったところで停止する。点 P，Q が点 A を出発してから x 秒後の △APQ の面積を y cm^2 とする。ただし，$x=0$ のときと点 P，Q が出会ったときは，$y=0$ とする。(20点)　〔愛媛〕

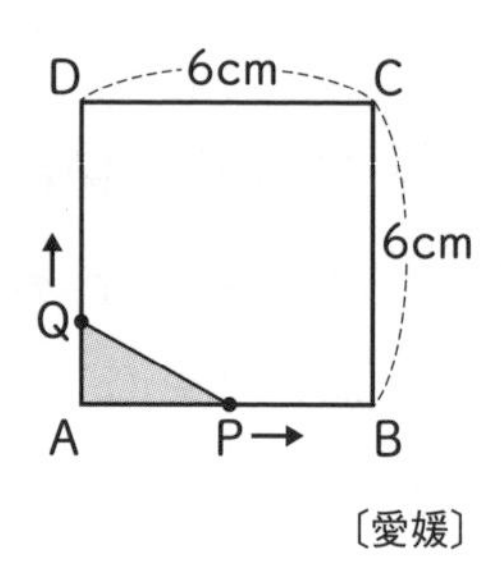

(1) $x=1$ のときと $x=4$ のときの y の値をそれぞれ求めなさい。

(2) 点 P，Q が出会うのは，点 P，Q が点 A を出発してから何秒後か求めなさい。

(3) 右のア～エのうち，x と y の関係を表すグラフとして，最も適当なものを 1 つ選び，その記号を書きなさい。

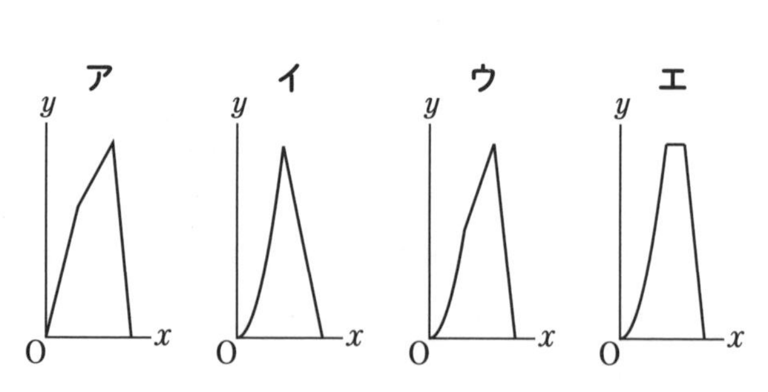

(4) $y=6$ となるときの x の値をすべて求めなさい。

図形・データの活用

第４章　図　形

第５章　データの活用

1 平面図形

STEP 1 まとめノート

月　日

解答 ⇨ 別冊 p.50

① 直線と角 ★

例題 1 右の図の四角形 ABCD は台形である。

(1) 辺 AD と辺 BC の位置関係を記号を使って表しなさい。

(2) 辺 AD と辺 DC の位置関係を記号を使って表しなさい。

(3) 辺 AD と辺 BC の距離(きょり)を求めなさい。

(4) x の角を記号と A〜D を使って表しなさい。

解き方 (1) 辺 AD と辺 BC は平行だから，AD ①＿＿ BC

(2) 辺 AD と辺 DC は垂直だから，AD ②＿＿ DC

(3) 辺③＿＿ は辺 AD と辺 BC と垂直に交わっているから，辺 AD と辺 BC の距離は辺④＿＿ の長さで⑤＿＿ cm

(4) x の角は⑥＿＿ を頂点として，2 本の線分⑦＿＿ と⑧＿＿ によってできているから，⑨＿＿ と表す。

② 図形の移動 ★

例題 2 右の図のア〜オの三角形は，すべて合同な正三角形である。次の(1)〜(4)にあてはまる三角形をすべて求めなさい。

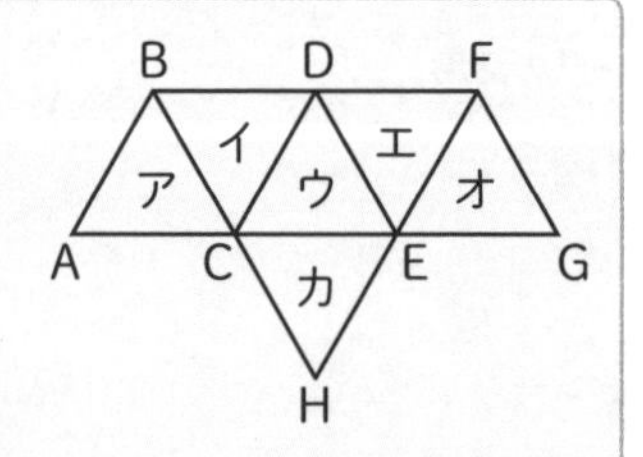

(1) アを平行移動させた三角形

(2) イを点 D を回転の中心として回転移動させた三角形

(3) カを点 E を回転の中心として点対称(てんたいしょう)移動させた三角形

(4) ウを線分 DE を対称の軸(じく)として対称移動させた三角形

解き方 (1) アを平行移動させて，点 A を点 C に移した三角形は①＿＿，点 A を点 E に移した三角形は②＿＿

(2) イを，点 D を③＿＿ の中心として，反時計まわりに 60° 回転移動させた三角形は④＿＿，120° 回転移動させた三角形は⑤＿＿

(3) カを，点 E を回転の中心として⑥＿＿° 回転移動させた三角形は⑦＿＿

(4) ウを，線分⑧＿＿ で折り返して重なる三角形は⑨＿＿

Points!

▶垂直と平行

$\ell \perp n$

$m \perp n$

$\ell \parallel m$

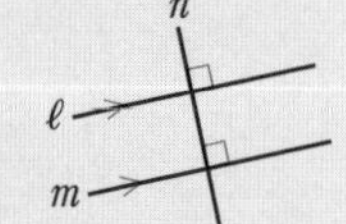

▶平行線と距離

平行線の距離は，直線上のある点からもう一方の直線にひいた垂線の長さで表される。

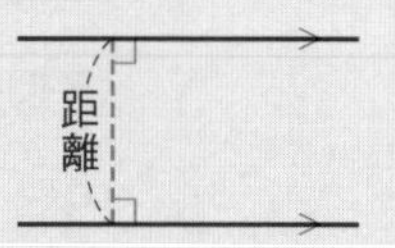

▶図形の移動

・平行移動

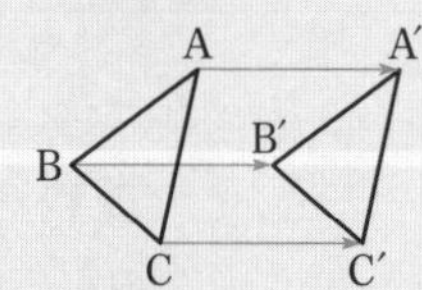

・回転移動

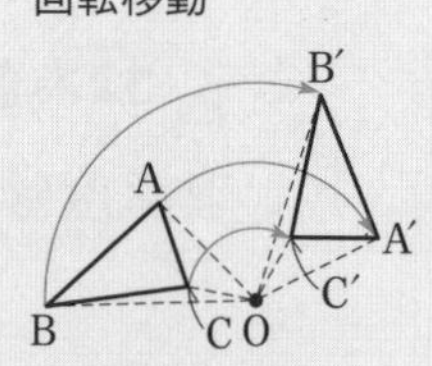

回転移動の中で，特に 180° 回転移動させることを点対称移動という。

・対称移動

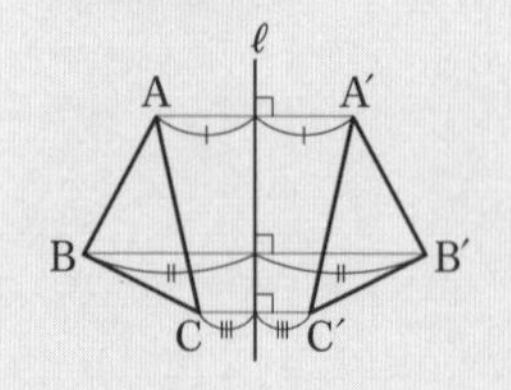

③ 基本の作図 ★

例題 3 次の作図のしかたを答えなさい。

(1) 下の図１の円Ｏにおいて，周上の点Ａを通る円Ｏの接線

(2) 下の図２の△ABC で，BP=CP，∠ABP=∠CBP となる点Ｐ

（図１）

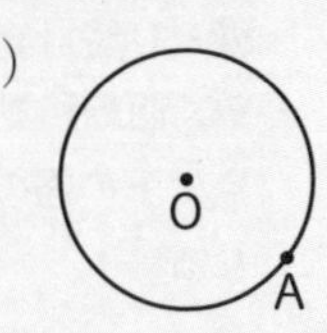

（図２）

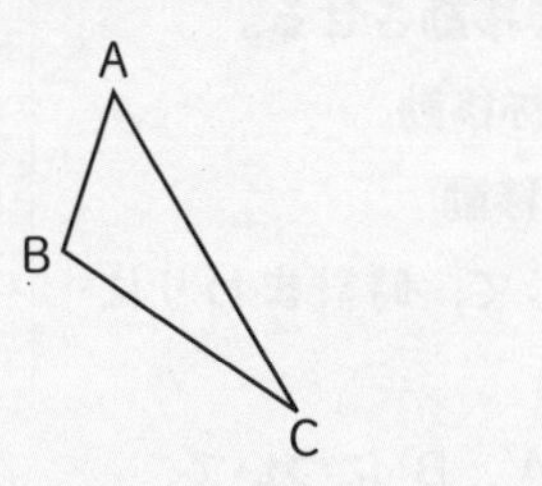

解き方 (1) 円の接線は，①＿＿を通る半径に②＿＿である。

㋐ 直線③＿＿をひく。

㋑ 直線④＿＿上にある点Ａを通る⑤＿＿ℓ をひく。この直線 ℓ が円Ｏの⑥＿＿である。

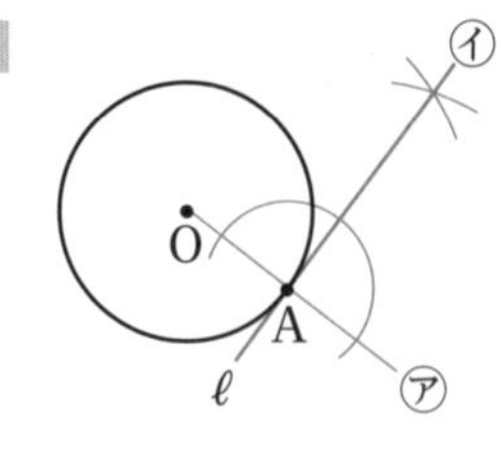

(2) ㋐ BP＝①＿＿ より，点Ｐは２点Ｂ，Ｃから等しい②＿＿にある点だから，線分 BC の③＿＿上にある。

㋑ ∠ABP＝∠④＿＿ だから，点Ｐは∠ABC の⑤＿＿上にある。

よって，㋐と㋑の⑥＿＿が点Ｐである。

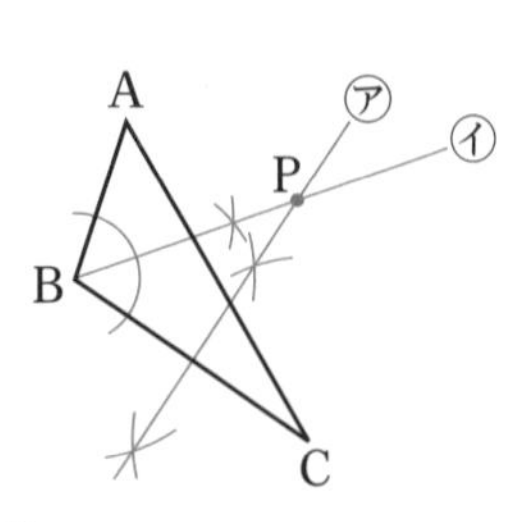

▶基本の作図

ズバリ暗記

・垂直二等分線

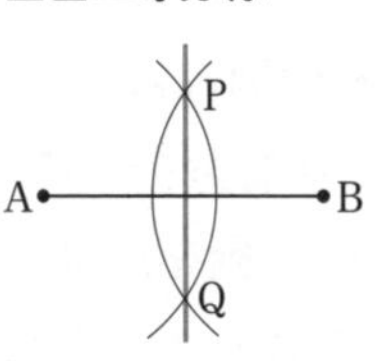

２点Ａ，Ｂから等しい**距離**にある点の集合である。

・角の二等分線

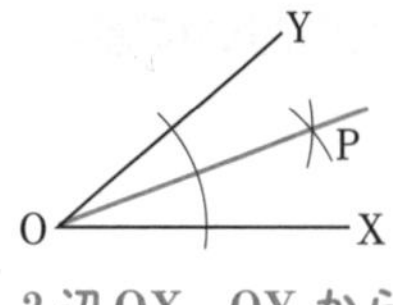

２辺 OX，OY から等しい**距離**にある点の集合である。

・垂線

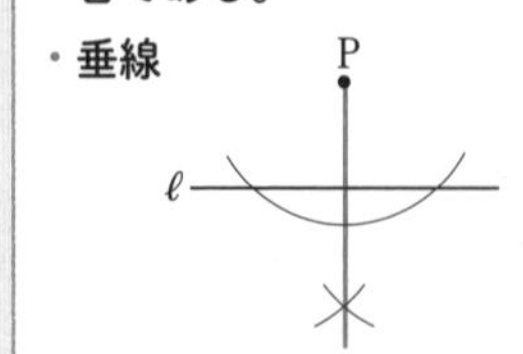

▶円と接線

円の**接線**は，その接点を通る半径に**垂直**である。

$\ell \perp$ OA

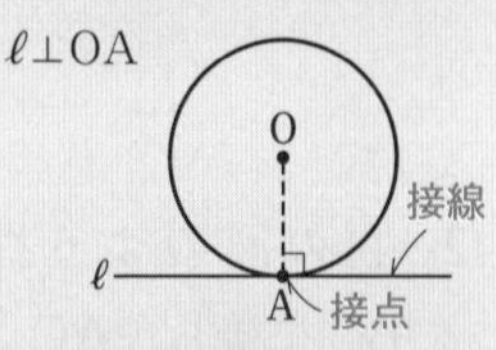

④ おうぎ形といろいろな面積 ★★

例題 4 右の図で，色のついた部分の面積を求めなさい。ただし，四角形 ABCD は AB=8，BC=12 の長方形で，点Ｍは辺 CD を直径とする半円の弧の中点である。

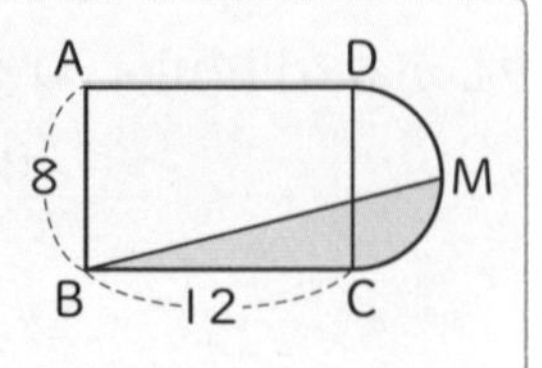

解き方 点Ｍから辺 AB に①＿＿をひき，AB，DC との交点をＮ，Ｏとする。おうぎ形 OMC の中心角は②＿＿°より，求める面積は，

長方形③＿＿の面積＋おうぎ形④＿＿の面積－⑤＿＿の面積 となるから，

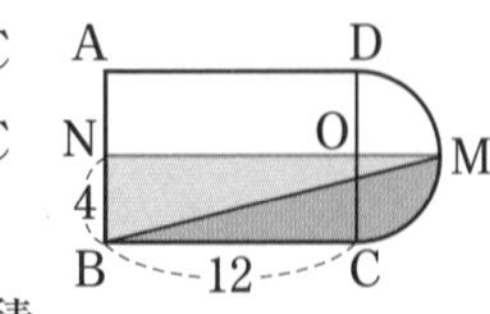

$4\times$⑥＿＿$+\pi\times4^2\times\dfrac{⑦＿＿}{360}-\dfrac{1}{2}\times$⑧＿＿$\times(12+$⑨＿＿$)$

$=48+$⑩＿＿$-$⑪＿＿$=$⑫＿＿

▶おうぎ形の弧の長さと面積

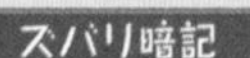

ズバリ暗記

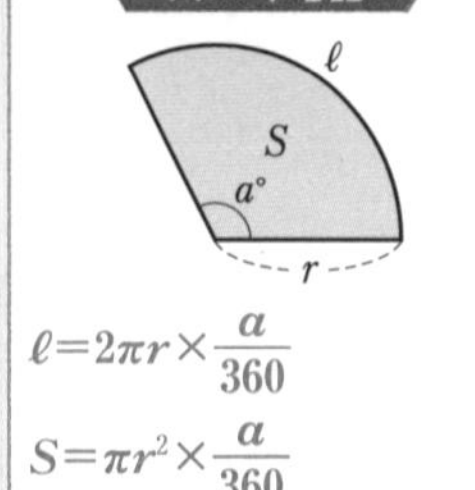

$\ell=2\pi r\times\dfrac{a}{360}$

$S=\pi r^2\times\dfrac{a}{360}$

$S=\dfrac{1}{2}\ell r$

$a=360\times\dfrac{\ell}{2\pi r}$

月　日

STEP 2 実力問題

ねらわれるココが
- ○図形の移動
- ○基本の作図
- ○おうぎ形の弧の長さと面積

解答⇨別冊 p.50

1 **右の図のように，座標平面上に線分 AB がある。この線分を次の①～③の順で移動させる。**

① x 軸を対称の軸として対称移動

② 左へ 4，上へ 1 だけ平行移動

③ 原点 O を回転の中心として，時計まわりに 90° 回転移動

このようにしてできた 2 点 A′，B′ について，次の問いに答えなさい。

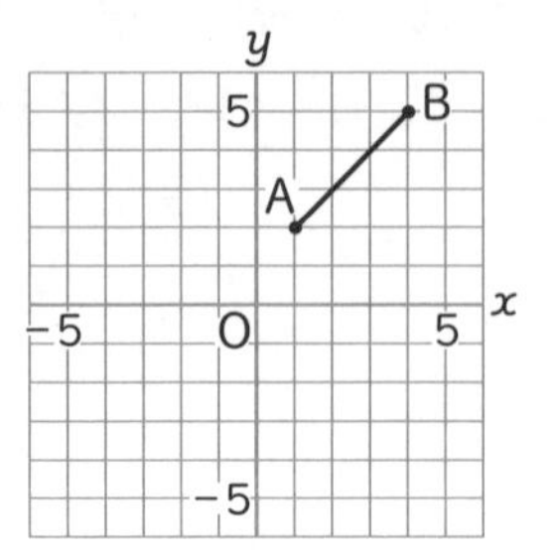

重要 (1) 2 点 A′，B′ の座標をそれぞれ求めなさい。

(2) A′B′AB を結んでできる四角形の名まえを答えなさい。

2 **次の作図をしなさい。**

(1) 右の図のように，2 点 A，B と半直線 OX，OY がある。2 点 A，B から等しい距離にあって，半直線 OX，OY からの距離が等しい点 P を，作図によって求めなさい。〔高知〕

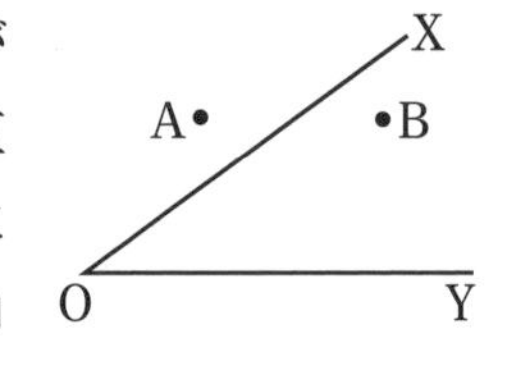

重要 (2) 右の図のような △ABC がある。2 辺 AB，BC に接し，AC 上に中心がある円の中心 O を作図によって求めなさい。〔栃木〕

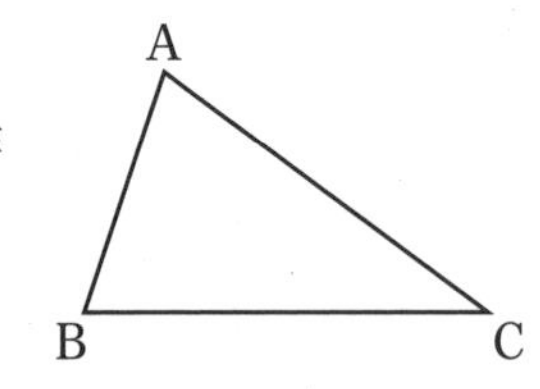

(3) 右の図のように，直線 ℓ 上の点 A と ℓ 上にない点 B がある。A を通り，ℓ に垂直な直線上にあって，∠ABP＝60° となる点 P を作図しなさい。〔熊本〕

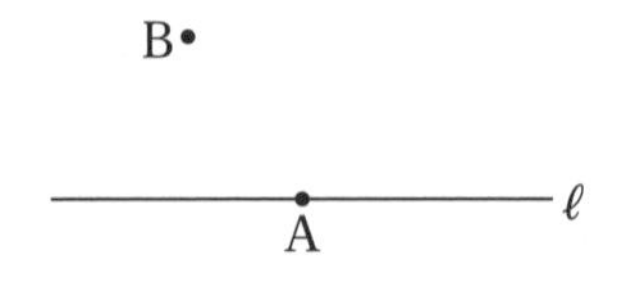

得点UP!

1 (1) 時計まわりに 90° 回転移動させた点は下の図のようになる。

2 (1) 2 点 A，B から等しい距離にある点は，線分 AB の垂直二等分線上にある。

(2) 2 辺 AB，BC に接する円の中心は，それぞれの辺から等しい距離にある点である。

(3) ℓ 上の点 A を通る垂線と，線分 AB を 1 辺とする正三角形を考える。

3 右の図のように円Oに外接する三角形ABCがある。辺ACの長さを求めなさい。

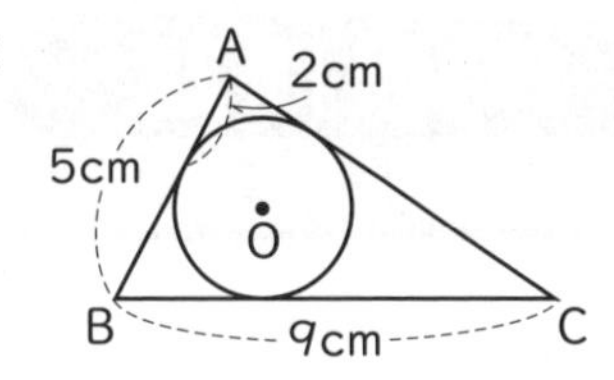

4 次の図の色のついた部分のまわりの長さと面積を求めなさい。

(1)

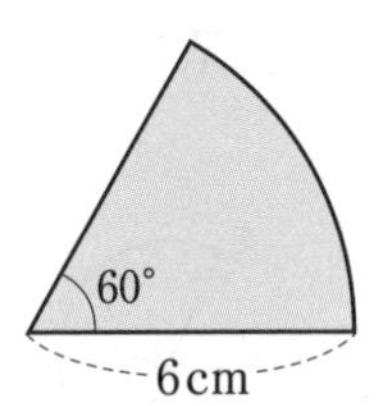

重要 (2) 〔星稜高〕

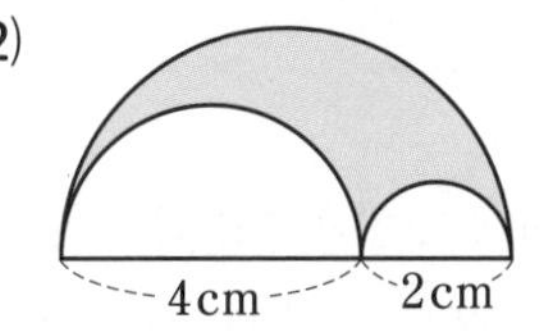

5 次のおうぎ形や正方形を組み合わせた図形の色のついた部分の面積を求めなさい。

(1)

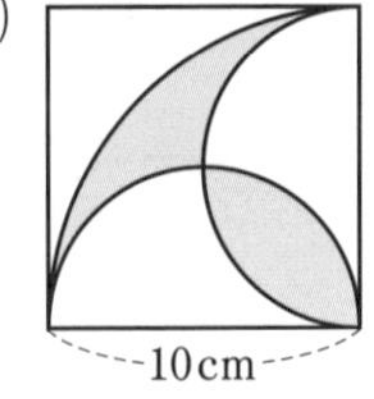

(2)

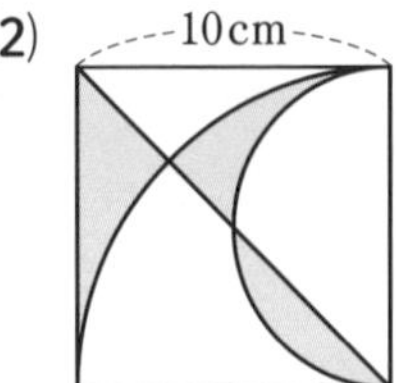

重要 (3)

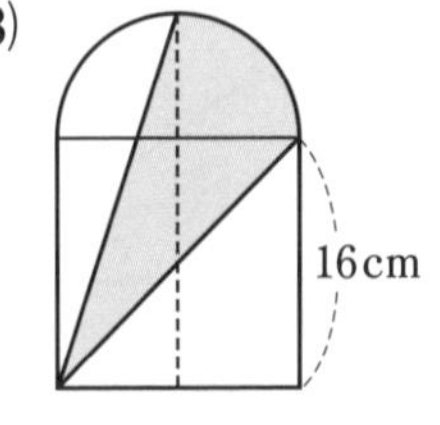

重要 (4)

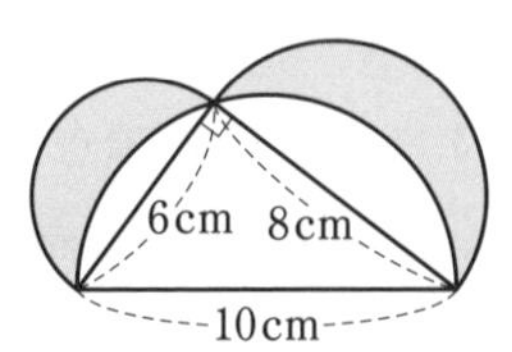

重要 **6** 右の図のように，半径12cmで，中心角90°のおうぎ形に，縦6cm，横12cmの長方形が重なっている。図の色のついた部分㋐と㋑の面積の差㋐－㋑を求めなさい。 〔埼玉〕

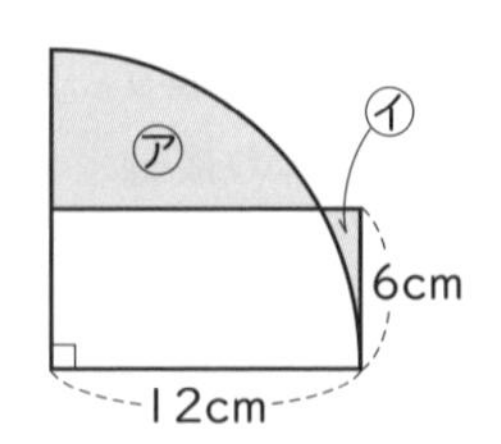

7 直径3cmの同一の硬貨(こうか)10枚を，右の図のようにすきまなく並べ，これらの周囲を一まわり，ひもで結んだ。このひもの長さを求めなさい。ただし，ひもの太さは無視してよい。 〔江戸川学園取手高〕

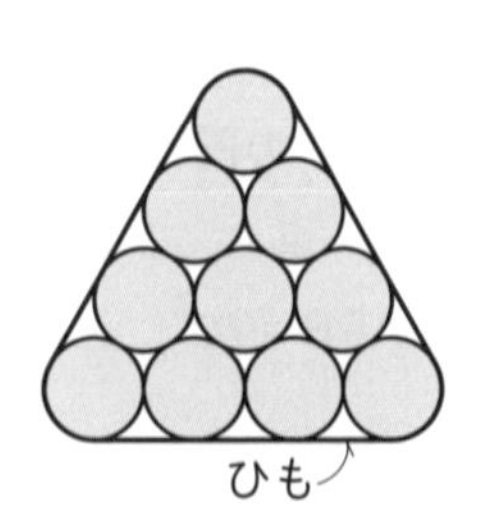

3 円外の1点からその円にひいた2つの接線の長さは等しい。

Check! 自由自在
内接円の半径の求め方や外接円についても調べておこう。

4 (1) まわりの長さ＝弧(こ)の長さ＋半径×2
面積＝半径6cmの円の面積×$\frac{60}{360}$

5 (1)(2) 補助線をひき，面積の等しい部分を移動させて考える。
(3) 面積の等しい部分を探して移動させる。
(4) 全体の図形は直角三角形と半円2つを組み合わせたものである。

6 色のついていない部分を㋒とすると，
おうぎ形＝㋐＋㋒
長方形＝㋑＋㋒

7 かどの円の中心をそれぞれ結ぶと，正三角形ができる。

STEP 3 発展問題

解答⇨別冊 p.51

重要

1 次の作図をしなさい。

(1) 右の図において，点 A を通り，直線 ℓ 上の点 B で接する円を作図しなさい。　〔西大和学園高〕

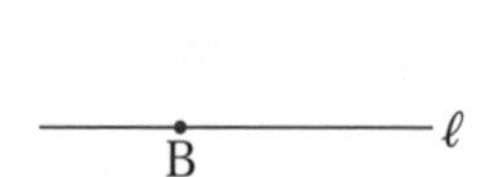

(2) 右の図において，線分 A′B′ を直径とする半円は，線分 AB を直径とする半円を回転移動したものである。このとき，回転の中心 O を作図しなさい。　〔群馬〕

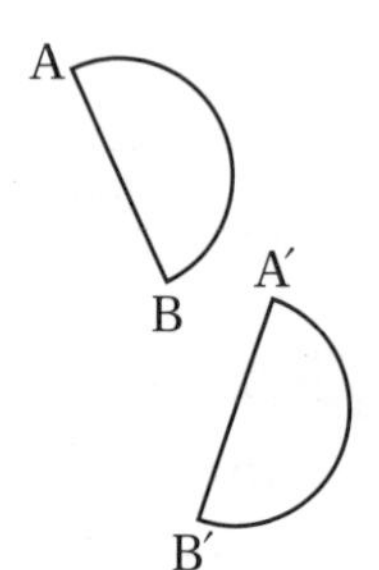

(3) 右の図は，線分 AB を直径とする半円である。この半円の弧（こ）の上に 1 つの頂点があり，線分 AB 上に残りの 2 つの頂点がある正三角形のうち，面積が最も大きくなる正三角形を作図しなさい。　〔三重〕

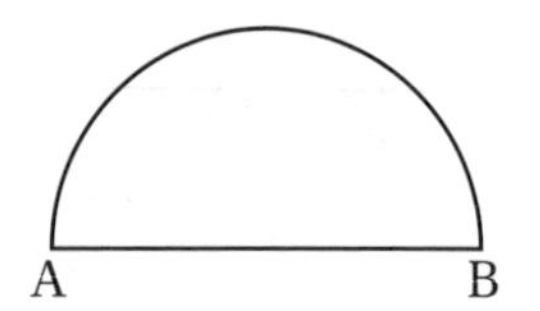

(4) 右のような △ABC の紙を机上に置き，辺 AB が辺 AC の上に重なるように折ったあと，紙を開かずに頂点 C が頂点 A の上に重なるように折る。このとき，紙につく折り目を表す直線をすべて作図しなさい。　〔千葉〕

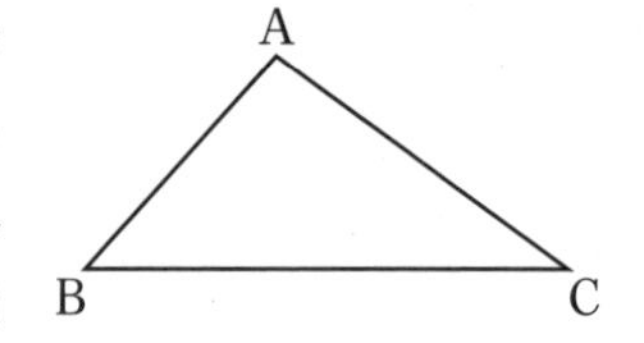

(5) 右の図 1 で，点 P は線分ABを直径とする半円 O の周上にある点である。円 O′ は，点 P を通り，半円 O の直径ABに接している。点 P における半円 O の接線と，点 P における円 O′ の接線は一致している。右に示した図 2 をもとに，円 O′ の中心 O′ を作図しなさい。

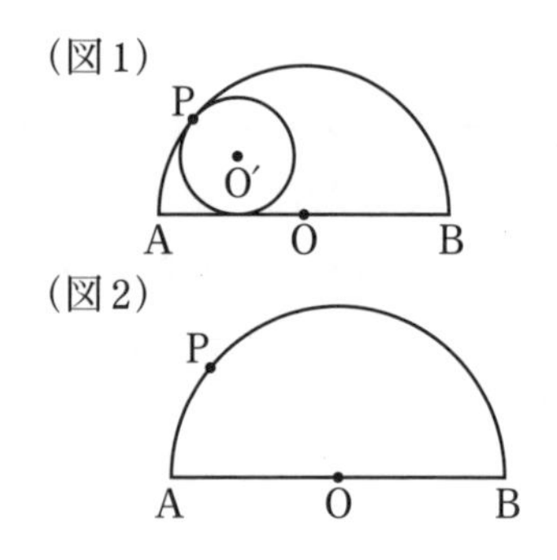

2 右の図のように，半径 2 の円 O の周上に 3 点 A，B，C がある。点 B における円 O の接線と，点 A，C における円 O の接線との交点をそれぞれ P，Q とする。∠APB=90°，∠BQC=60° であるとき，弧 ABC の長さを求めなさい。　〔明治大付属明治高〕

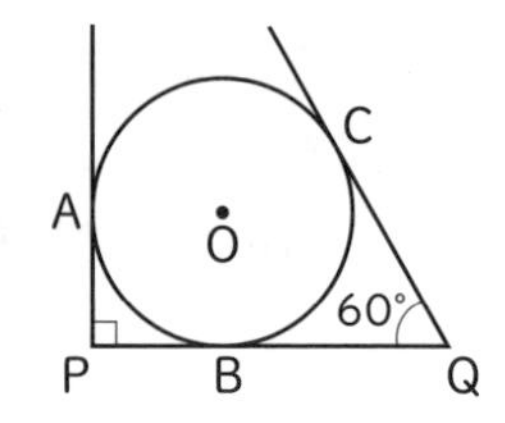

3 右の図のように，半径 12 cm，中心角 90° のおうぎ形 OAB がある。また，線分 OA を直径とする円があり，その中心を O′ とする。$\overset{\frown}{AB}$ を 3 等分する点を P，Q とし，線分 OP，OQ をひいたとき，図の色のついた部分の面積を求めなさい。〔埼玉〕

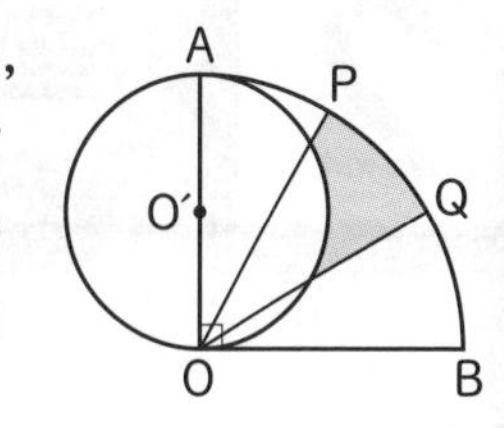

4 右の図のように，中心が 1 つの直線上にある半径 2 cm の 3 つの円 A，B，C と，これらのまわりを動く半径 2 cm の円 O がある。円 A，C は，互いに重なることなく，円 B に接している。円 O は，円 A，B，C のいずれかに接しながら，どれにも交わらないで動くものとする。円 O が，ある位置から円 A，B，C のまわりを 1 周してもとの位置まで動くとき，円 O の中心がえがく線の長さを求めなさい。〔北海道〕

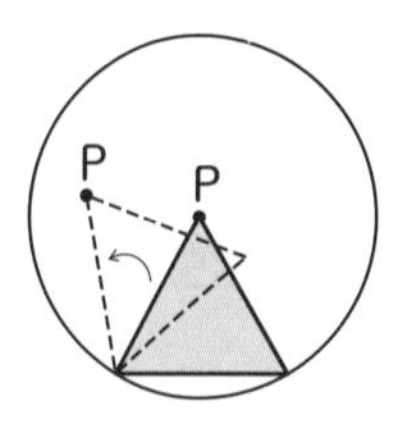

5 右の図のように，半径 1 cm の円の内部に 1 辺の長さが 1 cm の正三角形を置く。この正三角形をすべることなく円の内部を矢印の方向に転がす。正三角形がもとの位置に戻るまでに，点 P が動いた道のりを求めなさい。〔巣鴨高〕

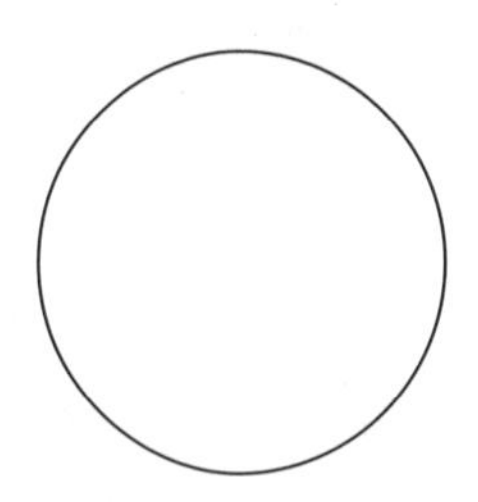

6 右の図で示した円周上に 3 頂点 A，B，C があり，正三角形となる △ABC を考える。右に示した円周上に，正三角形となる △ABC を定規とコンパスを用いて作図しなさい。〔都立青山高〕

7 半径 6 cm の 4 つの円が，右の図のように他の 2 つの円の中心を通るように重なり合っている。2 つまたは 3 つの円が重なり合っている部分の面積を求めなさい。〔立教新座高〕

月　　日

2 空間図形

STEP 1 まとめノート

解答 ⇨ 別冊 p.53

① 直線や平面の位置関係 ★

例題 1 右の図の三角柱で，次の辺や面をすべて答えなさい。

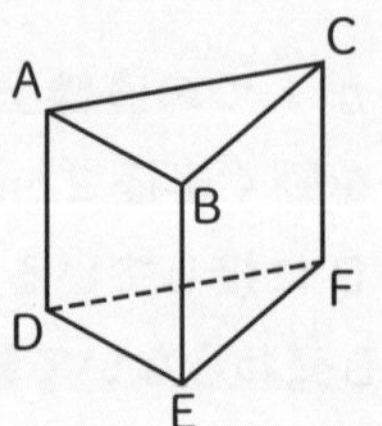
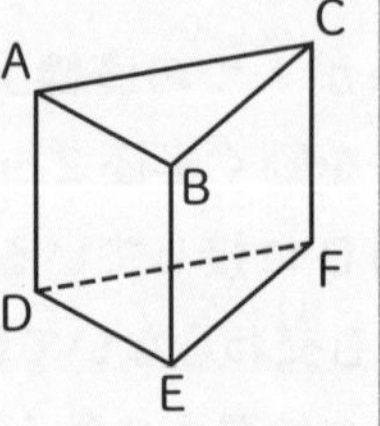

(1) 辺 AD と平行な辺
(2) 辺 AB とねじれの位置にある辺
(3) 面 DEF と平行な辺
(4) 辺 BE と垂直な面
(5) 面 ABC と垂直な面

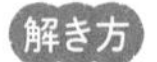

(1) 辺①＿＿，辺②＿＿
(2) 辺 CF，辺③＿＿，辺④＿＿
(3) 辺 AB，辺⑤＿＿，辺⑥＿＿
(4) 面⑦＿＿，面⑧＿＿
(5) 面 ADEB，面⑨＿＿，面⑩＿＿

② 立体の展開図 ★★

例題 2 右の展開図を組み立てて立方体をつくる。

L K
N M J I H
A B C F G
D E

(1) 点 H と重なる 2 点，辺 AB と重なる辺をそれぞれ求めなさい。

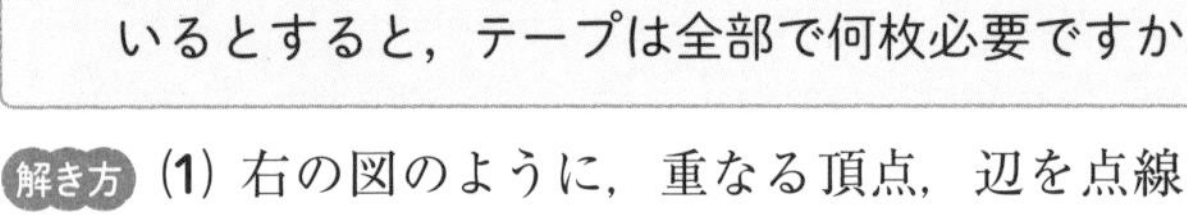

(2) 2 つの辺をくっつけるのに，テープが 1 枚いるとすると，テープは全部で何枚必要ですか。

解き方 (1) 右の図のように，重なる頂点，辺を点線で結ぶと，

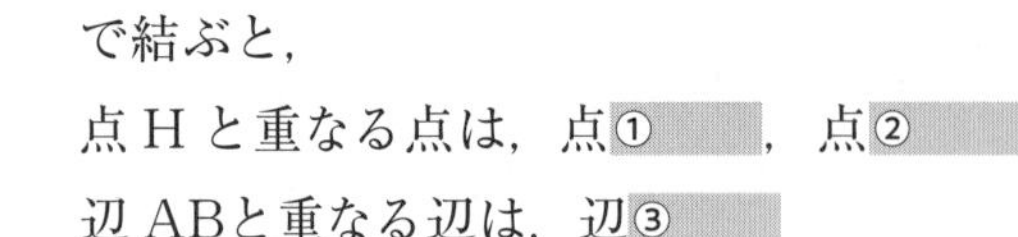

点 H と重なる点は，点①＿＿，点②＿＿
辺 ABと重なる辺は，辺③＿＿

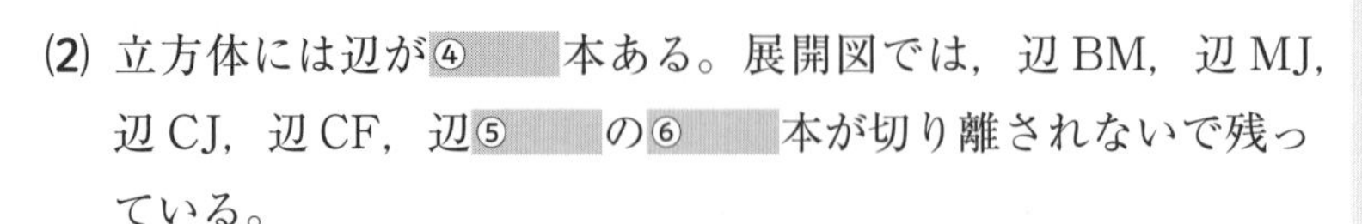

(2) 立方体には辺が④＿＿本ある。展開図では，辺 BM，辺 MJ，辺 CJ，辺 CF，辺⑤＿＿の⑥＿＿本が切り離されないで残っている。
よって，あと ⑦＿＿－⑧＿＿＝⑨＿＿（本）くっつければよいから，テープは全部で⑩＿＿枚必要である。

Points!

▶ねじれの位置
下の図の CD と AE のような，空間内で平行でなく交わらない 2 つの直線は，ねじれの位置にあるという。

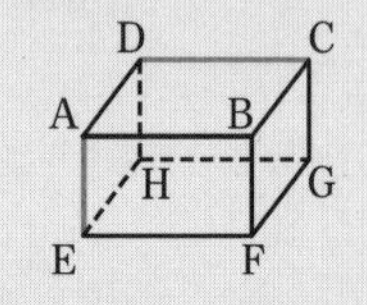

▶回転体

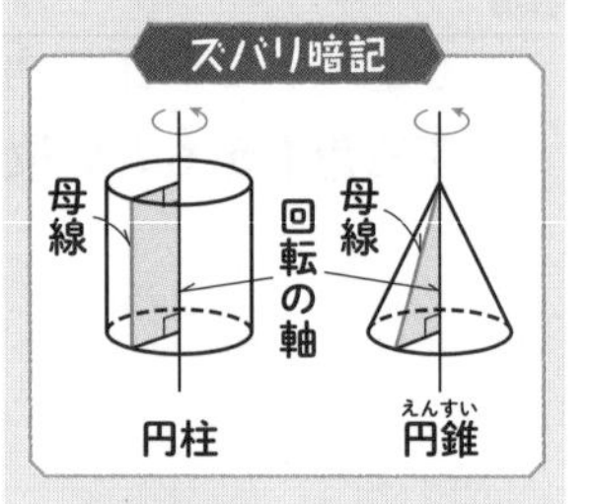

▶投影図
立体を真正面から見た図を立面図，真上から見た図を平面図といい，立面図と平面図を合わせて投影図という。

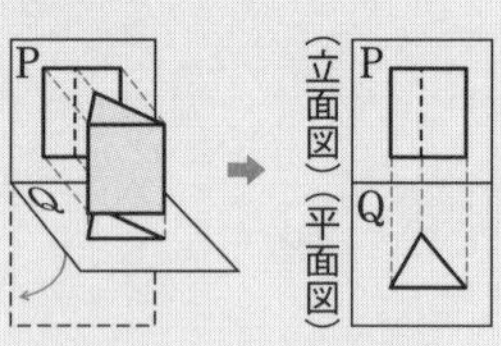

▶展開図
展開図を組み立てるとき，重なる頂点をわかりやすい所から順に結んでみる。

例

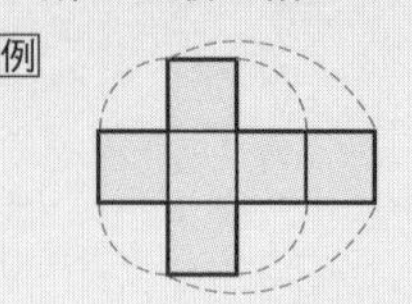

③ 正四角錐の表面積と体積 ★

例題 3 右の図の正四角錐の表面積と体積を求めなさい。

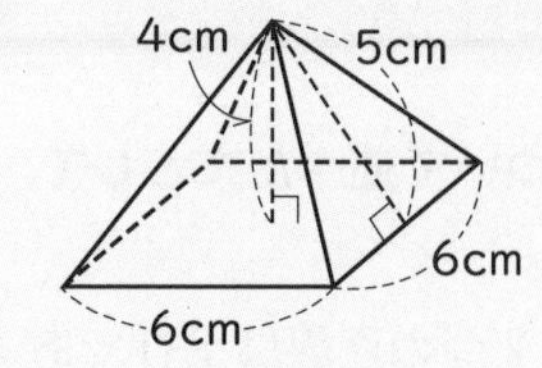

解き方 表面積は，$\boxed{①}^2+\left(\dfrac{1}{2}\times6\times\boxed{②}\right)\times\boxed{③}=\boxed{④}$ (cm²)

（↑底面積　↑側面積）

体積は，$\boxed{⑤}\times6^2\times4=\boxed{⑥}$ (cm³)

④ 円錐の展開図，表面積 ★★

例題 4 右の図は円錐の展開図で，底面の円の半径が 3 cm，側面のおうぎ形の半径が 8 cm である。側面のおうぎ形の中心角と円錐の表面積を求めなさい。

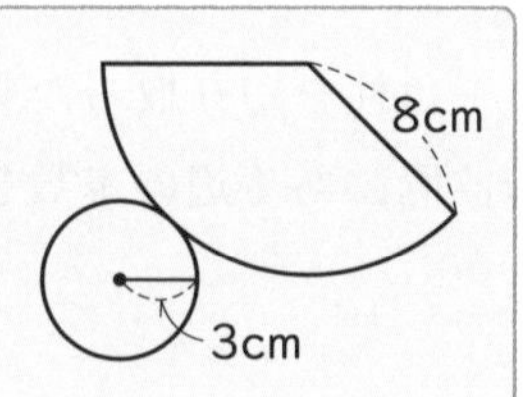

解き方 おうぎ形の中心角は，$360°\times\dfrac{2\pi\times\boxed{①}}{2\pi\times8}=\boxed{②}°$

側面積は，$\pi\times\boxed{③}^2\times\dfrac{\boxed{④}}{8}=\boxed{⑤}$ (cm²)

底面積は，$\pi\times\boxed{⑥}^2=\boxed{⑦}$ (cm²)

よって，表面積は，$\boxed{⑧}+\boxed{⑨}=\boxed{⑩}$ (cm²)

（↑側面積　↑底面積）

⑤ 回転体の体積 ★★★

例題 5 右の図の台形 ABCD を，辺 AB を軸（じく）として 1 回転させてできる立体の体積を求めなさい。

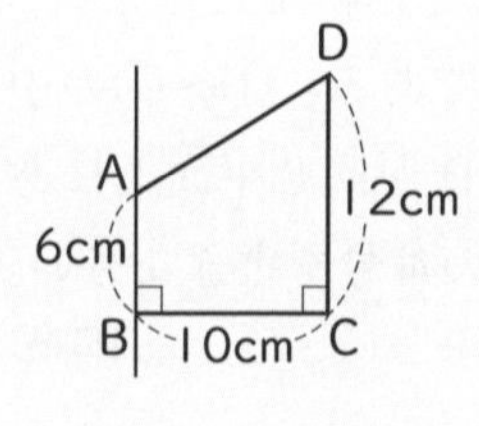

解き方 1 回転させてできる回転体は，右の図のような$\boxed{①}$から$\boxed{②}$を取り除いた立体である。

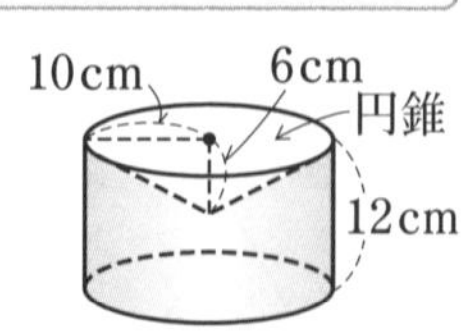

円柱の体積は，

$\pi\times\boxed{③}^2\times\boxed{④}=\boxed{⑤}$ (cm³)

円錐の体積は，$\dfrac{1}{3}\times\boxed{⑥}\times10^2\times\boxed{⑦}=\boxed{⑧}$ (cm³)

よって，求める立体の体積は，

$\boxed{⑨}-\boxed{⑩}=\boxed{⑪}$ (cm³)

▶角柱・円柱

・表面積

底面積×2＋側面積

側面積

＝底面のまわりの長さ×高さ

・体積

底面積をS，高さをh，

体積をVとすると，

$V=Sh$

▶角錐・円錐の体積

底面積をS，高さをh，

体積をVとすると，

$V=\dfrac{1}{3}Sh$

円錐の体積は，

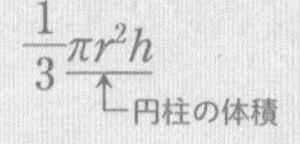
$\dfrac{1}{3}\pi r^2h$（↑円柱の体積）

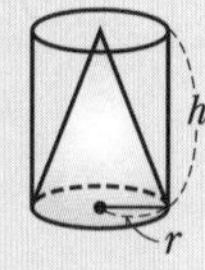

▶円錐の表面積

ズバリ暗記

円錐の側面積は展開図のおうぎ形の面積である。

側面積は，

$\dfrac{1}{2}\times2\pi r\times R=\pi Rr$

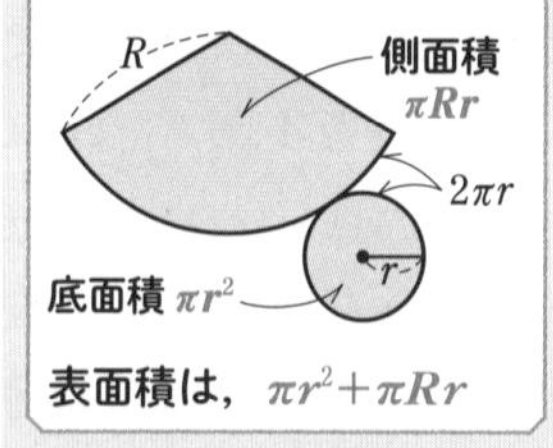

表面積は， $\pi r^2+\pi Rr$

▶球の表面積と体積

ズバリ暗記

・**表面積**

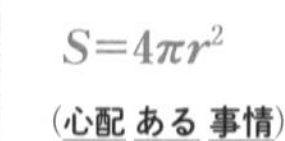
$S=4\pi r^2$

（心配 ある 事情）
4π r 2乗

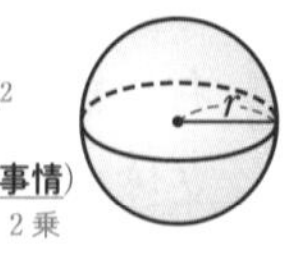

・**体積** $V=\dfrac{4}{3}\pi r^3$

（身の上に心 配 あるので参上）
4/3 π r 3乗

STEP 2 実力問題

ココがねらわれる
- ○直線と平面の位置関係
- ○立体の展開図
- ○立体の表面積と体積

解答 ⇨ 別冊 p.53

重要 **1** **空間内の平面や直線について述べた文として，正しいものを，次のア～エから１つ選びなさい。** 〔徳島〕

ア 1つの平面に平行な2つの直線は平行である。

イ 1つの平面に垂直な2つの平面は垂直である。

ウ 1つの直線に平行な2つの直線は平行である。

エ 1つの直線に垂直な2つの平面は垂直である。

2 **次の問いに答えなさい。**

(1) 右の図は，直方体から三角柱を切り取った立体である。辺ABとねじれの位置にある辺の本数を求めなさい。 〔青森〕

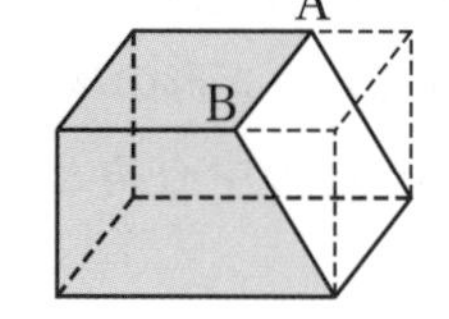

重要 **(2)** 右の図は，正三角錐（せいさんかくすい）の展開図である。この展開図を組み立てて正三角錐をつくるとき，辺ABとねじれの位置にある辺はどれか，答えなさい。〔新潟〕

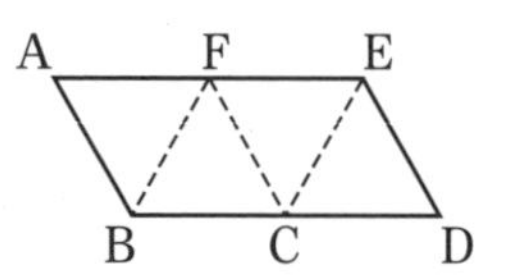

(3) 右の①～④はそれぞれ，立方体の辺の中点のうち4点A，B，C，Dをとり，点Aと点B，点Cと点Dをそれぞれ結んだ線分AB，CDを図に表したものである。①～④の中で，線分ABと線分CDが同じ平面上にあるのはどれですか。その番号を書きなさい。 〔広島〕

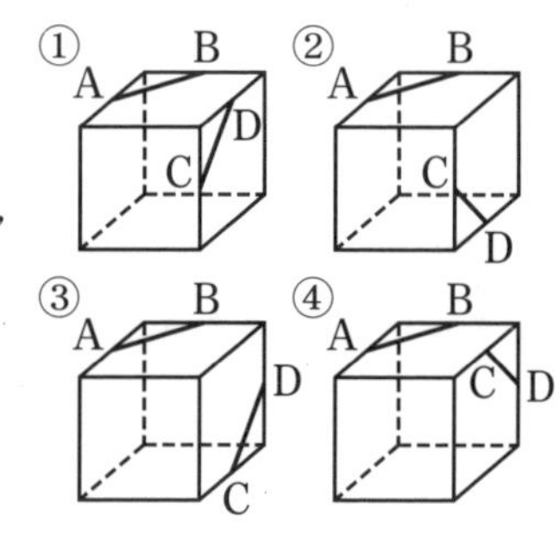

3 **右の投影図で表された立体のうち，三角柱はどれか，ア～エから１つ選びなさい。** 〔徳島〕

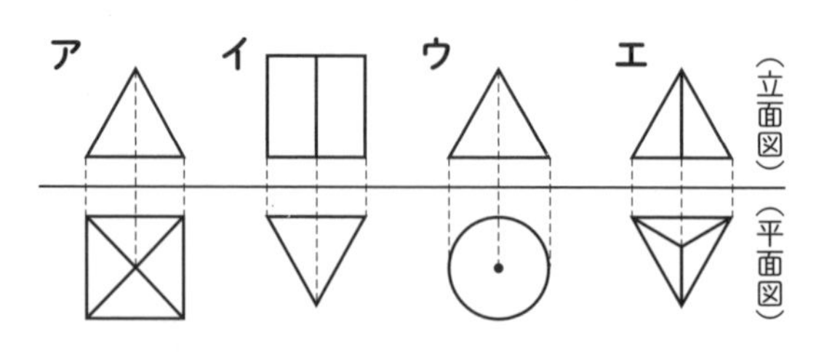

得点UP!

1 ア

ℓ//P，m//P であるが，ℓ と m は平行ではない。

2 (1) 辺ABと平行でなく，交わらない辺を探す。

(2) △BCFを底面にした見取図をかいてみる。

(3) 3点で平面が決まるから，残りの１点がその平面上にあるかを考える。

3 ア 真正面から見ると三角形で，真上から見ると正方形になる立体である。

4 次の問いに答えなさい。

(1) 右の図は立方体の展開図で，辺ABは面**ア**の１辺である。この展開図をもとにして立方体をつくるとき，辺ABに平行な面を**ア**～**カ**からすべて選び，記号を書きなさい。〔長野〕

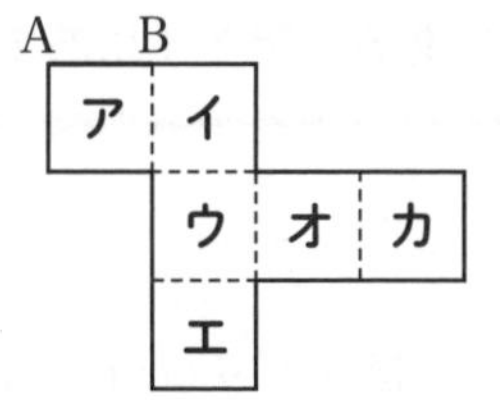

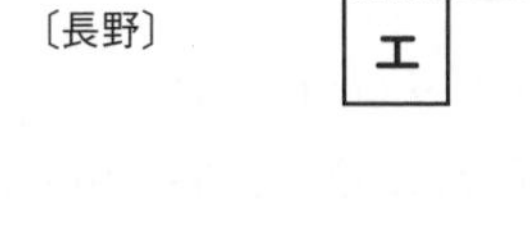

重要 (2) 右の図１のように，表面に矢印と実線をかいた立方体がある。この立方体の展開図を図２のように表したとき，矢印をかいていない残りの面の実線を図２にかきなさい。〔青森〕

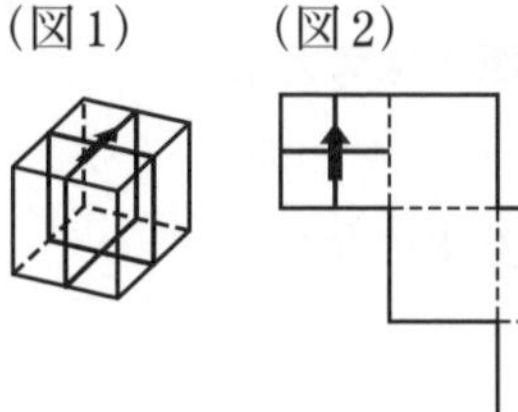

5 次の問いに答えなさい。

(1) 右の図のような，平面Pにふくまれている，∠A＝90°，AB＝3 cm，AC＝4 cmの直角三角形ABCがある。この直角三角形ABCを，平面Pに垂直な方向へ3 cmだけ，回転させずに動かしてできる立体の体積を求めなさい。〔宮城〕

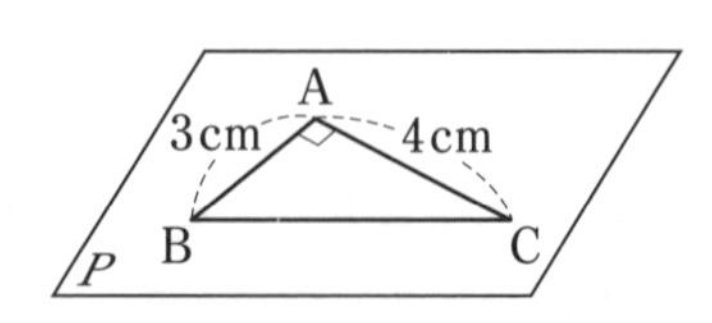

(2) 右の図は，円柱の展開図である。この円柱の体積を求めなさい。〔福島〕

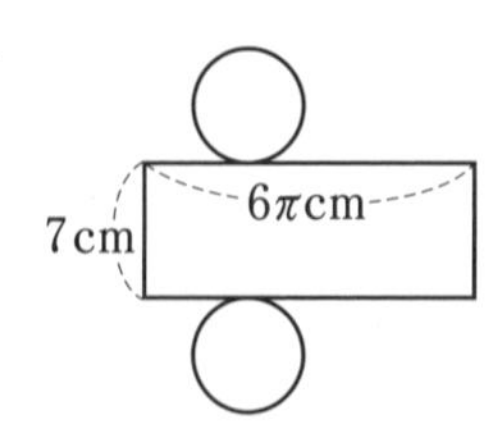

重要 (3) 次の**ア**～**エ**の立体のうち，体積が最大であるものはどれか。適当なものを１つ選び，その記号を書きなさい。〔愛媛〕

ア

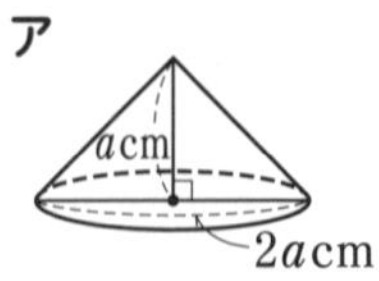

底面が直径2acmの円で，高さがacmの円錐

イ

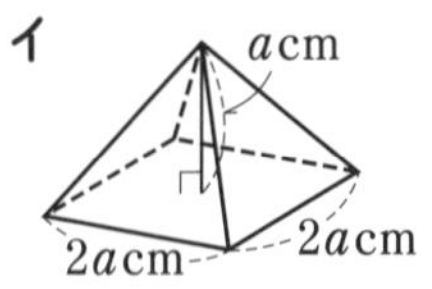

底面が1辺2acmの正方形で，高さがacmの正四角錐

ウ

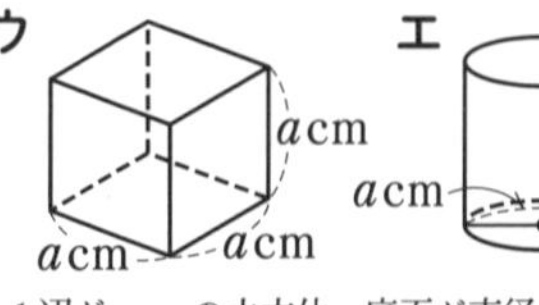

1辺がacmの立方体

エ

底面が直径acmの円で，高さがacmの円柱

---

4 (1) 面**ウ**を底面として見取り図をかいて考える。
(2) 下の図のように頂点を定め，展開図にかき入れていく。

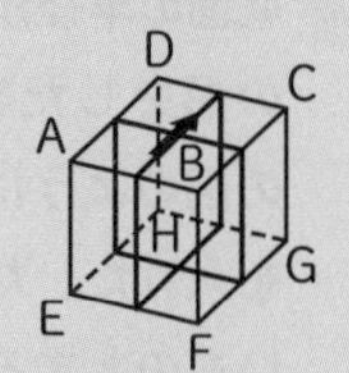

5 (1) できる立体は三角柱である。
(2) 底面の円周の長さと，側面の長方形の横の長さは等しい。
(3) 4つの立体の体積をaを使って表す。π=3.14…である。

Check! 自由自在
角柱や角錐の面の数，辺の数，頂点の数と，底面の辺の数との関係を確かめておこう。また，多面体での頂点と辺と面の数の関係を表した式についても調べておこう。

6 **表面積が 36π cm^2 である球の半径は [ア] cm　であり，この球の体積は [イ] cm^3 である。アとイにあてはまる数を求めなさい。**

〔岡山県立朝日高〕

> 6 球の表面積と体積の公式を使う。

7 **底面の半径が 8 cm，高さが 9 cm の円柱の形をした容器を水平な台に置き，右の図のように底から 5 cm の高さまで水を入れた。ただし，容器の厚さは考えないものとする。**

〔山形〕

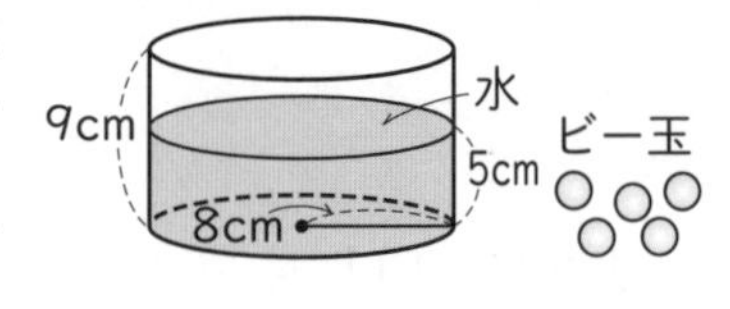

(1) 容器に入っている水の体積を求めなさい。

(2) この容器に，半径が 1 cm の球の形をしたビー玉を，静かに何個か沈めたところ，水面がちょうど 1 cm 上昇した。沈めたビー玉の個数を求めなさい。ただし，沈めたビー玉は全体が水中に収まっているものとする。

> 7 (1) 水の体積は，底面の半径が 8 cm，高さが 5 cm の円柱の体積と考える。
> (2) 1 cm 上昇した部分の水の体積は，$\pi \times 8^2 \times 1 = 64\pi$ (cm^3) である。

重要

8 **右の図 1 のように，点 P を頂点とし，点 O を底面の中心とする円錐（えんすい）がある。底面の周上に点 A があり，PA=6 cm，OA=1 cm である。また，図 2 はこの円錐の展開図であり，点 A′ は組み立てたときに点 A と重なる点である。**

〔島根一改〕

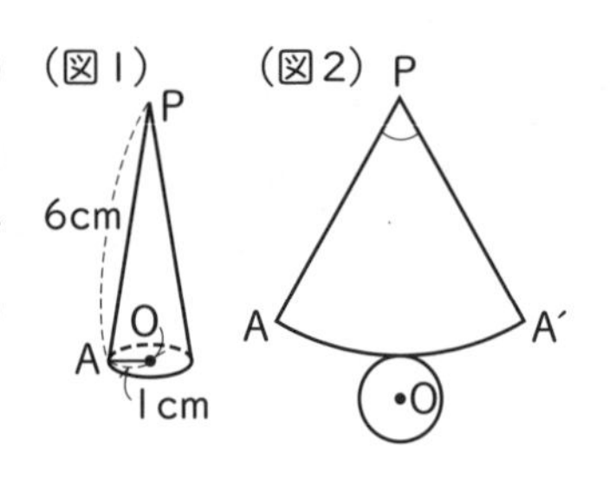

(1) 図 2 のおうぎ形の中心角の大きさを求めなさい。

(2) 図 3 のように，点 A から円錐の側面にそって，糸を 1 周巻きつけて点 A にもどす。糸の長さが最も短くなるとき，

(図3)

① 糸のようすを側面の展開図に太線で表すとどのようになるか，下の**ア**～**エ**から 1 つ選び，記号で答えなさい。

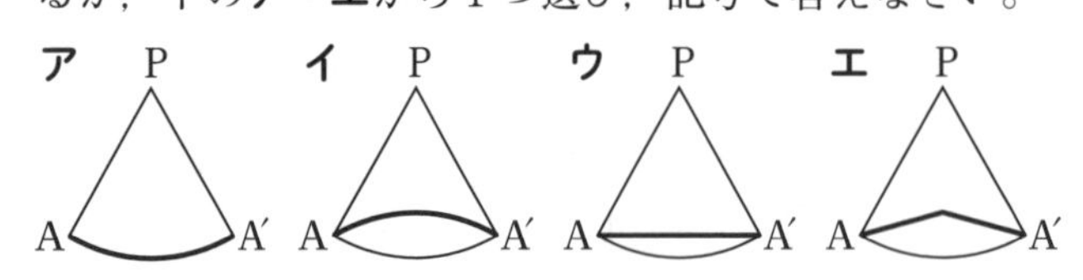

② 糸の長さは何 cm になるか，求めなさい。

> 8 (1) 底面の円周の長さと側面のおうぎ形の弧（こ）の長さは等しいことから，方程式をつくる。
> (2) ①側面の展開図はおうぎ形 PAA′ であり，2 点 A，A′ を結ぶ線の最短を考える。
> ② (1)より，∠APA′ の大きさがわかる。

重要

9 **右の図形を，辺 AB を軸(じく)として 1 回転させてできる立体の表面積を求めなさい。** 〔千葉〕

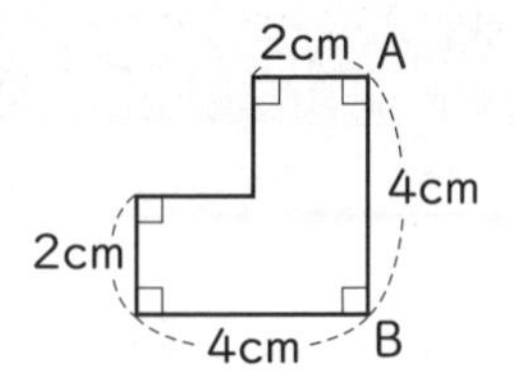

重要

10 **右の図のように，底面の中心を O とし，半径 OA=4 cm の円錐の頂点 P を固定して，すべらないように平面上で転がすと，3 回転して点 A がはじめてもとの位置にもどった。** 〔福岡大附属大濠高－改〕

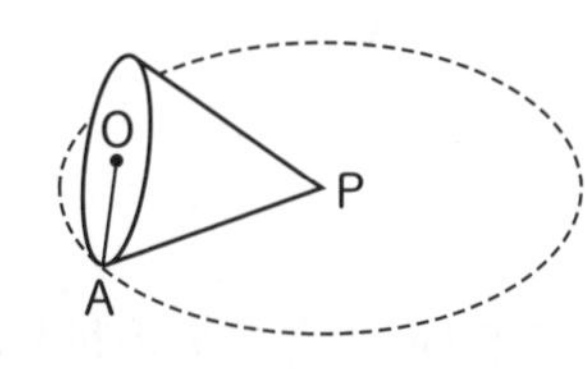

(1) 平面上で転がしたときにできる円のまわりの長さを求めなさい。

(2) 円錐の母線の長さを求めなさい。

(3) 円錐の側面積を求めなさい。

11 **右の図 1 のような立体がある。これは，底面の半径が 12 cm，高さが 5 cm の円柱を，底面の中心 O を通り，底面に垂直な平面で 4 等分したものの 1 つである。OD の長さは 13 cm である。** 〔鳥取－改〕

(図 1)

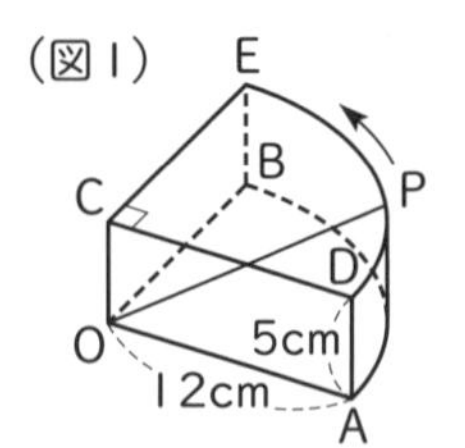

(1) 点 P が $\overset{\frown}{DE}$ 上を，D から E まで動くとき，線分 OP が動いたあとにできる面の面積を求めなさい。

(2) 図 2 のように，この立体を，3 点 O，D，E を通る平面で切って 2 つに分けるとき，頂点 A をふくむ立体の体積を求めなさい。

(図 2)

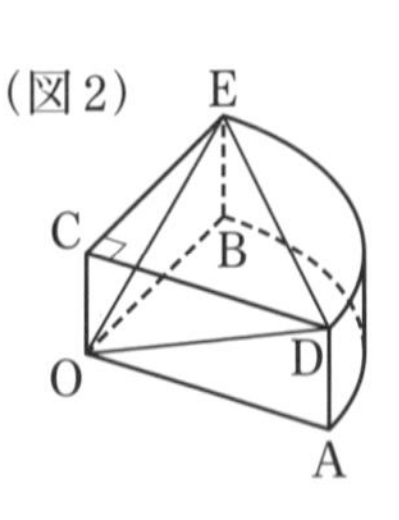

9 回転体の見取図をかいてみる。

10 (1) 円の周の長さは，底面の円の周の長さの 3 倍である。
(2) (1)より，AP の長さを x cm として方程式をつくる。
(3) 求める面積は半径 12 cm の円の面積の $\frac{1}{3}$ と等しい。

Check! 自由自在

円錐の側面積を簡単に求めることのできる公式がある。どのようなものだったか確認しておこう。

11 (1) 線分 OP が動いたあとにできる面は，おうぎ形である。
(2) 図 1 の立体から，底面が △DCE で高さが CO の三角錐をひいたものである。

STEP 3 発展問題

解答 ⇨ 別冊 p.55

1 **次のことがらのうち，つねに成り立つものをすべて選びなさい。ただし，ℓ は直線，A，B，C は平面とする。** 〔日本大豊山高〕

ア A∥ℓ，B∥ℓ ならば A∥B　　**イ** A∥C，B∥C ならば A∥B

ウ A⊥C，B⊥C ならば A∥B　　**エ** A∥B，ℓ⊥A ならば ℓ⊥B

重要 **2** **右の図のような 1 辺 5 cm の正方形の折り紙で，点 B，C は辺の中点とする。線分 AB，BC，CA で折り曲げ，三角錐（さんかくすい）をつくる。** 〔京都外大西高〕

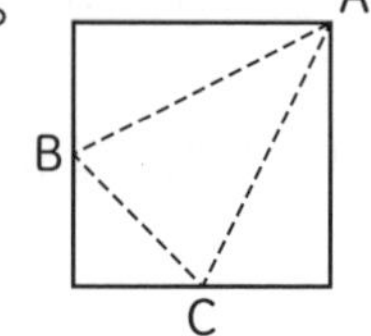

(1) △ABC の面積を求めなさい。

(2) △ABC を底面としたときの三角錐の高さを求めなさい。

3 **右の図 1 のように，底面が二等辺三角形で，側面がすべて長方形の三角柱 ABC−DEF があり，AB=AC=9 cm，BC=6 cm，AD=3 cm である。図 2 は，三角柱 ABC−DEF を点 B，C，D を通る平面で切ってできる 2 つの立体ア，イである。** 〔秋田〕

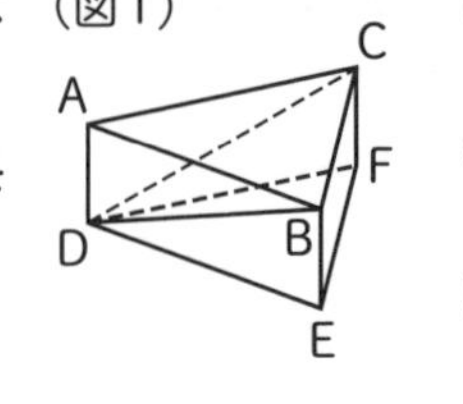

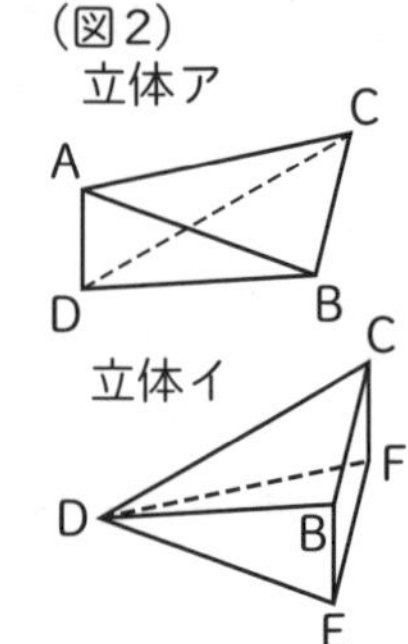

(1) 立体**ア**と立体**イ**の体積の比を求めなさい。

(2) 立体**ア**と**イ**では，表面積はどちらが何 cm^2 大きいか求めなさい。

4 **右の図のような，すべての辺の長さが 4 の正三角柱 ABC−DEF がある。点 G を，辺 DF 上に∠DEG=45° となるようにとる。このとき，∠AEG の大きさを求めなさい。** 〔巣鴨高〕

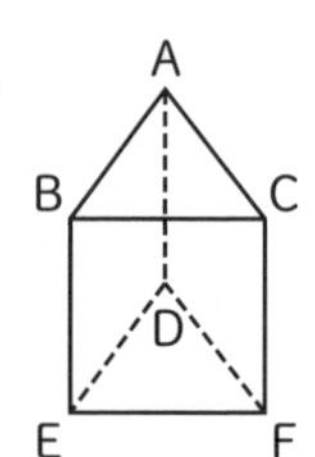

重要 **5** **右の図 1 は，1 辺の長さが 4 cm の立方体の各面に対角線 AC，AF，AH，CF，CH，FH をひいたものである。** 〔山梨－改〕

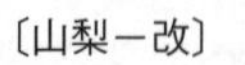

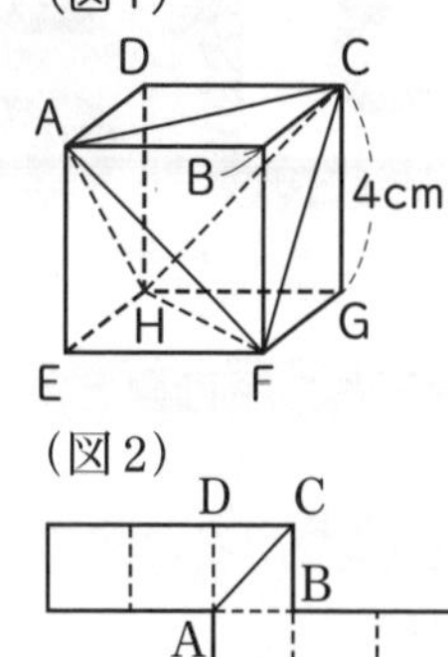

(1) 図 2 は，図 1 の立方体の展開図に対角線 AC をかき入れたものである。図 2 に対角線 AF，AH，CF，CH，FH をかき入れなさい。ただし，頂点の記号は書かなくてもよい。

(2) 図 1 を見ると，この立方体は，四面体が 5 個集まったものと見ることができる。このとき，この立方体と AC，AF，AH，CF，CH，FH を辺とする四面体の体積の比を，最も簡単な整数の比で表しなさい。

6 **右の図に示した立体 ABC−DEF は，AD=5 cm，BE=3 cm，CF=2 cm，EF=5 cm，DE=3 cm，∠ADE=∠ADF=∠BED=90°，∠BEF=∠CFD=∠CFE=∠DEF=90° の立体である。立体 ABC−DEF の体積は何 cm^3 ですか。** 〔都立立川高〕

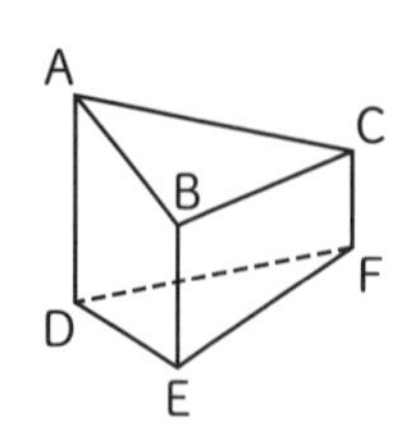

7 **右の図のように，立方体 ABCD−EFGH の各辺の中点を定める。次の □ に適当な数を入れなさい。** 〔成城高－改〕

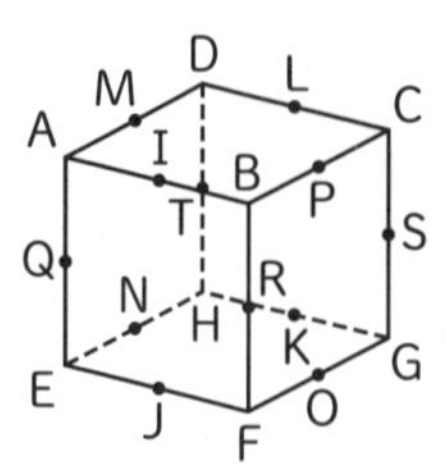

(1) この立方体は，面 IJKL，面 MNOP，面 QRST の 3 つの面で切断すると，□ 個の立体に分けられる。

難問 (2) さらに面 DEG で切断すると，全部で □ 個の立体に分けられる。

難問 **8** **右の図は，3 つの長方形 ADEB，BEFC，CFDA を側面とし，∠ABC=∠DEF=90° の 2 つの直角三角形 ABC，DEF を底面とする三角柱である。また，P，Q，R はそれぞれ辺 AD，BE，CF 上の点で，AP=2PD，BQ=3QE である。この三角柱を平面 PQR で切った 2 つの立体にしたところ，2 つの立体の体積が等しくなった。AB=4 cm，BC=6 cm，BE=10 cm のとき，線分 CR の長さは何 cm か，求めなさい。** 〔愛知〕

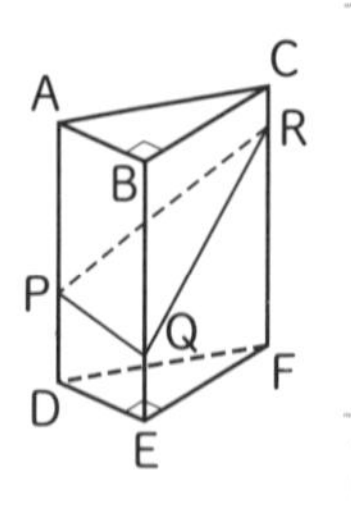

図形の角と合同

STEP 1 まとめノート

解答⇨別冊 p.56

① 対頂角，平行線と角 ★★

例題 1 次の図で，$\ell /\!/ m$ のとき，$\angle x$ の大きさを求めなさい。

(1)　(2)

解き方 (1) ①　　は等しいから，$\angle \mathrm{ADB}=$②　　°

平行線の同位角は等しいから，$\angle \mathrm{BAD}=$③　　°

よって，$\angle x=180°-$④　　°$-$⑤　　°$=$⑥　　°

(2) ℓ，m に①　　な直線を 2 本ひく。

平行線の②　　は等しいから，

$\angle x=(80°-$③　　°$)+$④　　°$=$⑤　　°

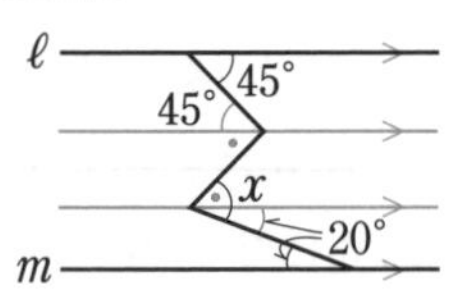

② 三角形の内角と外角 ★★

例題 2 次の図で，$\angle x$ の大きさを求めなさい。

(1)　(2)

解き方 (1) 三角形の①　　はそれととなり合わない 2 つの②　　の和に等しいから，

$\triangle \mathrm{ABC}$ で，$\angle \mathrm{BCD}=60°+$③　　°$=$④　　°

（60° ← ∠BAD，③ ← ∠ABC）

よって，$\triangle \mathrm{ECD}$ で，$\angle x=$⑤　　°$-$⑥　　°$=$⑦　　°

(2) $\triangle \mathrm{ABC}$ の内角の和は①　　° だから，

$\angle \mathrm{ABC}+\angle \mathrm{ACB}=$②　　°$-48°=$③　　°

$\angle \mathrm{DBC}=a°$，$\angle \mathrm{DCB}=b°$ とおくと，

$2a°+2b°=2($④　　$)=$⑤　　° だから，$a°+b°=$⑥　　°

よって，$\triangle \mathrm{BCD}$ で，

$\angle x=$⑦　　°$-$⑧　　°$=$⑨　　°

（⑦ ← 三角形の内角の和）

Points!

▶対頂角の性質

対頂角は等しい。

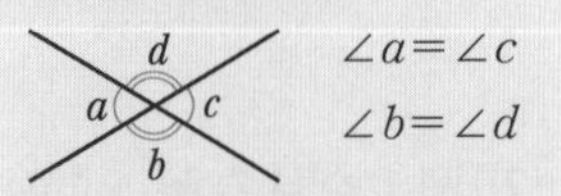

▶平行線の性質

・2 直線が平行ならば，同位角，錯角（さっかく）は等しい。

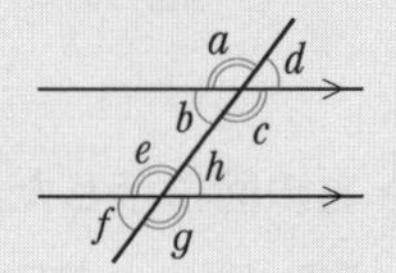

同位角は，$\angle a=\angle e$ など

錯角は，$\angle c=\angle e$ など

・同位角または錯角が等しいとき，2 直線は平行である。

▶三角形の内角と外角

▶三角形の内角と外角の利用

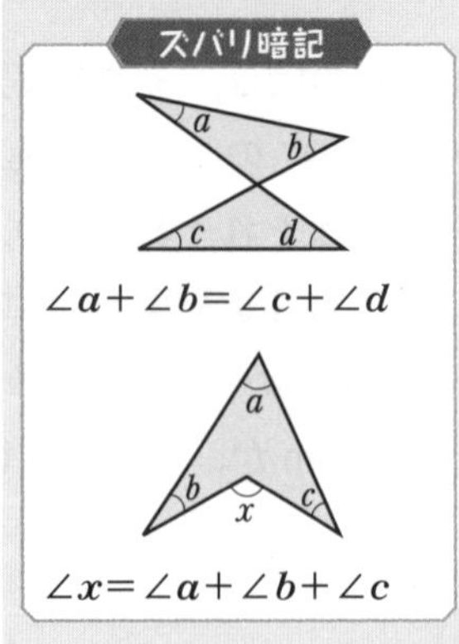

③ 多角形の内角と外角 ★

例題 3 次の問いに答えなさい。

(1) 内角の和が 900° である多角形は何角形ですか。

(2) 正五角形の 1 つの外角の大きさを求めなさい。

解き方 (1) n 角形とすると，$180°\times(n-$ ①　　$)=900°$
（↑ n 角形の内角の和の公式）

両辺を 180° でわって，$n-$ ②　　 ＝ ③　　　$n=$ ④　　

よって，⑤　　角形

(2) 正五角形の外角の和は ①　　° だから，②　　 °÷5＝ ③　　°

④ 三角形の合同の証明 (1) ★★

例題 4 右の図で，O が線分 AB，CD それぞれの中点ならば，AC=BD である。

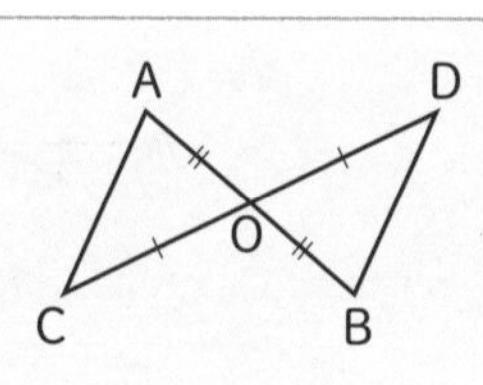

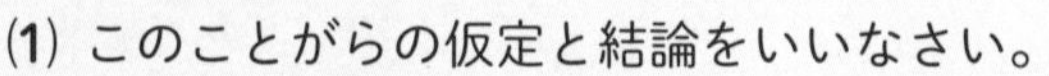
(1) このことがらの仮定と結論をいいなさい。

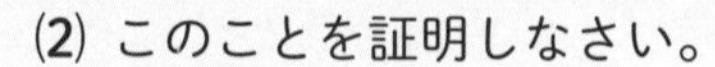
(2) このことを証明しなさい。

解き方 (1) 仮定…AO＝ ①　　，CO＝ ②　　　結論…AC＝ ③　　

(2) △AOC と △BOD において，

仮定より，AO＝ ④　　 …①，CO＝ ⑤　　 …②

対頂角は等しいから，∠AOC＝ ⑥　　 …③

①，②，③より，⑦　　 がそれぞれ等しいから，
（↑ 三角形の合同条件）

△AOC≡ ⑧　　

よって，対応する辺は等しいから，AC＝ ⑨　　

⑤ 三角形の合同の証明 (2) ★★★

例題 5 AD//BC である台形 ABCD において，辺 CD の中点を M とし，AM の延長と BC の延長との交点を E とする。このとき，△AMD≡△EMC であることを証明しなさい。

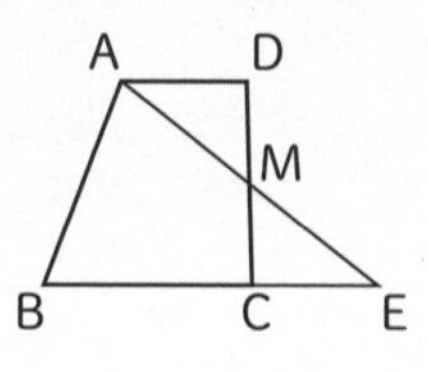

解き方 △AMD と ①　　 において，

②　　 より，DM＝ ③　　 …①

④　　 は等しいから，∠AMD＝ ⑤　　 …②

AD // BC より，⑥　　 は等しいから，∠ADM＝ ⑦　　 …③

①，②，③より，⑧　　 がそれぞれ等しいから，
（↑ 三角形の合同条件）

△AMD≡ ⑨　　

▶多角形の角

・n 角形の内角の和は，$180°\times(n-2)$

・多角形の外角の和は，360°（一定）

ズバリ暗記

・正 n 角形の 1 つの外角の大きさは，$360°\div n$

・正 n 角形の 1 つの内角の大きさは，$180°\times(n-2)\div n$

▶三角形の合同条件

ズバリ暗記

・3 組の辺がそれぞれ等しい。

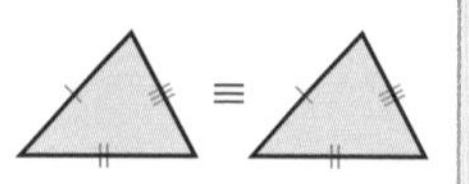

・2 組の辺とその間の角がそれぞれ等しい。

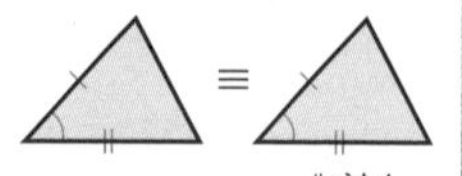

・1 組の辺とその両端（りょうたん）の角がそれぞれ等しい。

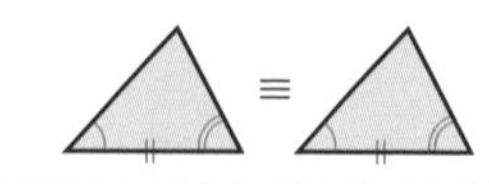

▶仮定と結論，証明

・「○○ならば□□」（○○…仮定，□□…結論）

・仮定をもとにして，結論が成り立つ理由を図形の性質などを根拠（こんきょ）にして示すことを証明という。

・証明の根拠として，

㋐対頂角の性質

㋑平行線の性質

㋒三角形の内角と外角の性質

㋓合同な図形の性質

㋔三角形の合同条件

などをよく使う。

STEP 2 実力問題

ねらわれる ココが
- ○対頂角，平行線と角
- ○三角形や多角形の内角と外角
- ○三角形の合同の証明

解答 ⇨ 別冊 p.56

1 次の図で，$\ell /\!/ m$ のとき，$\angle x$ の大きさを求めなさい。

(1) 〔埼玉〕

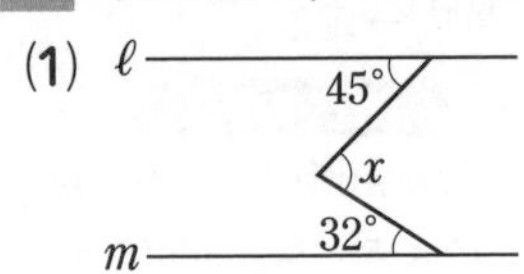

(2) 〔石川〕

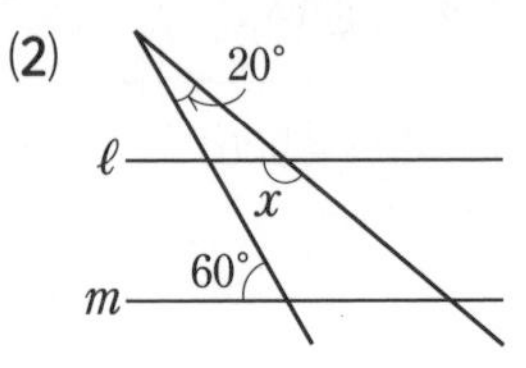

(3) 〔秋田〕

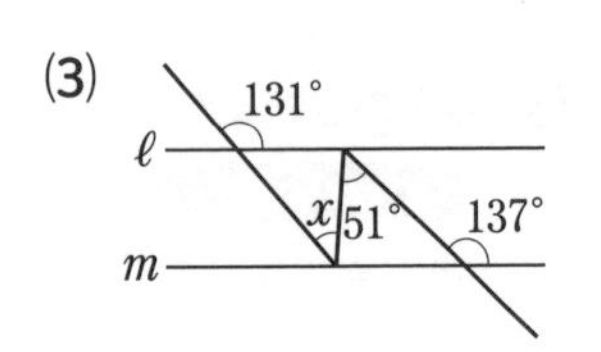

重要 (4) 〔鳥取〕

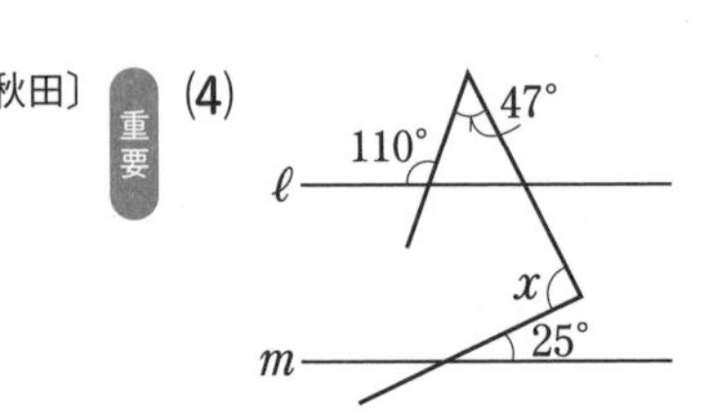

2 次の問いに答えなさい。

(1) 右の図において，点 E は線分 CA の延長上にあって，$\angle \mathrm{BAE}=x$，$\angle \mathrm{BAD}=a$，$\angle \mathrm{ADC}=b$，$\angle \mathrm{ACD}=c$ とするとき，x を a，b，c を用いて表しなさい。〔新潟〕

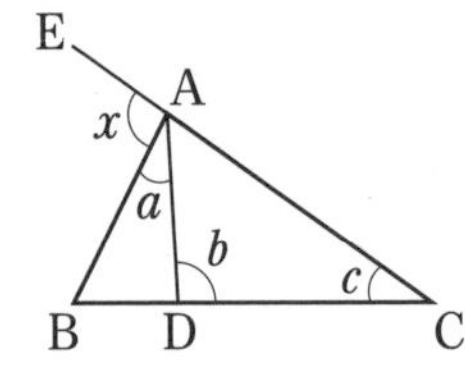

(2) 右の図のように，長方形 ABCD を対角線 AC を折り目として折り返し，頂点 B が移った点をEとする。$\angle \mathrm{ACE}=20°$ のとき，$\angle x$ の大きさを求めなさい。〔和歌山〕

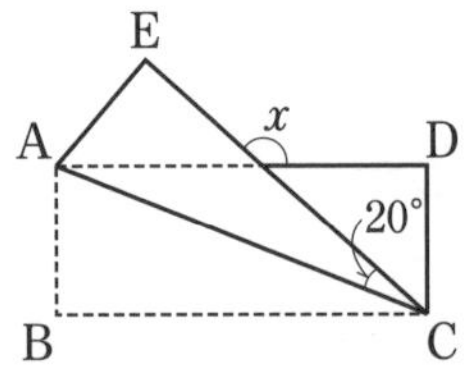

3 次の図で，$\angle x$ の大きさを求めなさい。

(1) 〔岩手〕

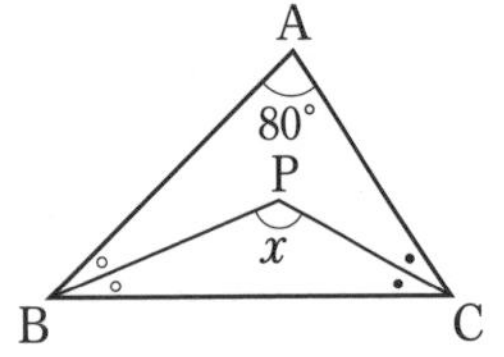

(2) 〔和洋国府台女子高〕

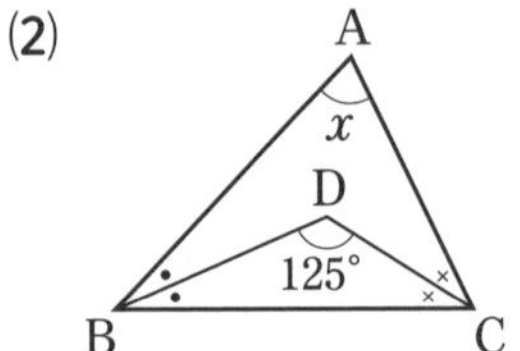

得点UP!

1 (1)(4) 折れ線の折れたところで，ℓ，m に平行な直線をひき，平行線の同位角・錯角（さっかく）が等しいことを使う。
(2)～(4) 三角形の外角の性質を利用する。

2 (1) △ADC の内角と外角の関係に注目する。
(2) 折り返した図形は，もとの図形と合同であることを利用する。

Check! 自由自在
三角形は，角の種類によって３つに分けられる。
それぞれどのような名まえだったか確認しておこう。

3 (1)△ABC で，2×◦+2×• の大きさを求める。

4 次の問いに答えなさい。

(1) 五角形の内角の和を求めなさい。〔群馬〕

(2) 1つの外角の大きさが30°である正多角形の内角の和を求めなさい。〔清風高〕

4 (1) n 角形の内角の和の公式は $180° \times (n-2)$ である。
(2) 多角形の外角の和は，つねに360°である。

5 次の問いに答えなさい。

重要

(1) 右の図のように，正五角形の2つの頂点を，2本の平行線が通過している。このとき，x の角度を求めなさい。〔江戸川学園取手高〕

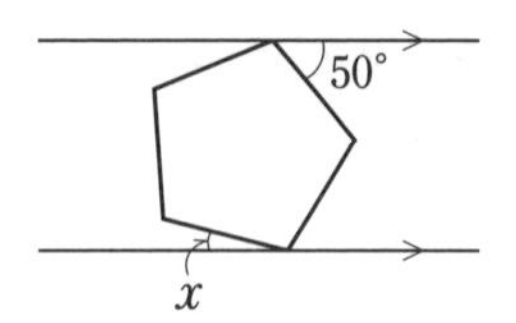

(2) 右の図のように，正五角形ABCDEの頂点Aが線分OX上にあり，頂点C，Dが線分OY上にある。$\angle XAE = 55°$ のとき，$\angle x$ の大きさを求めなさい。〔和歌山〕

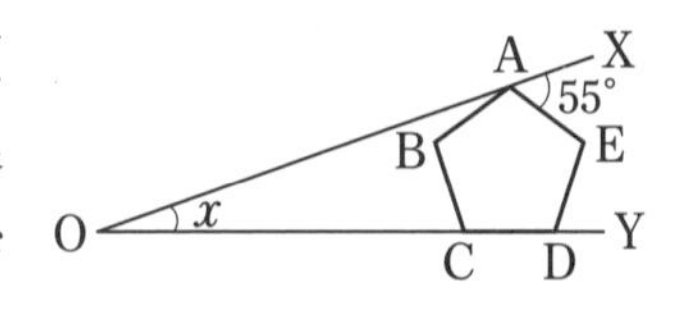

(3) 2直線 ℓ，m が平行で，2つの正六角形が右の図のように交わっているとき，$\angle x$ は何度ですか。〔洛南高〕

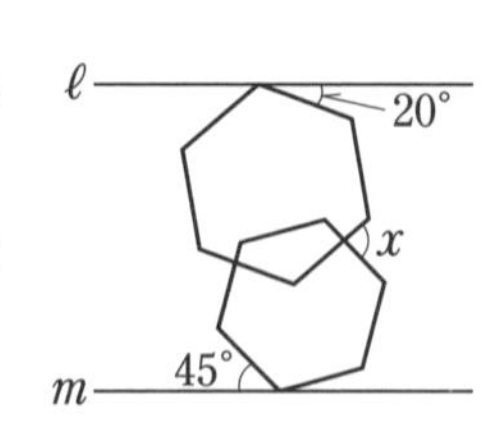

5 (1)正五角形の1つの内角は $180° \times (5-2) \div 5$
(2) 四角形OABCで考える。
(3) 下の図のように，ℓ，m に平行な直線をひいて考える。

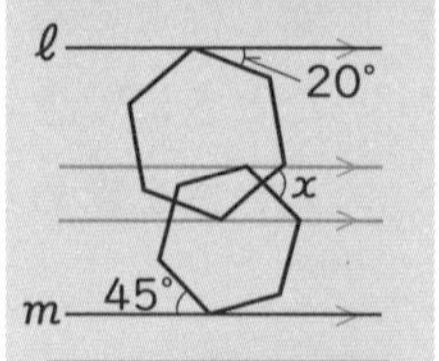

Check! 自由自在
n 角形の内角の和の公式 $180° \times (n-2)$ がなぜ成り立つのか，そのしくみを確認しておこう。

6 次の図で，印のついた角の和を求めなさい。

(1)

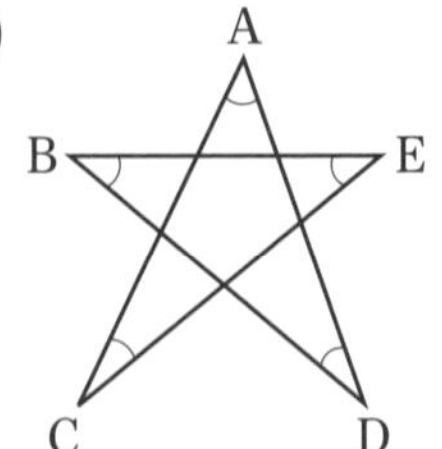

(2) 〔関西中央高〕

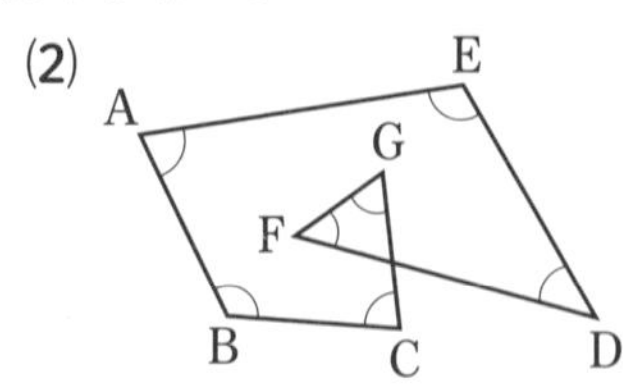

6 (1) 三角形の外角は，それととなり合わない2つの内角の和に等しいことを利用する。
(2) CとDを結んで考える。

7 **次の問いに答えなさい。**

(1) 右の図において，$\triangle ABC \equiv \triangle BED$ である。点 C は辺 BD 上の点であり，辺 AC と辺 BE との交点を F とする。$\angle ABF=32^\circ$，$\angle CFE=122^\circ$ のとき，$\angle FCD$ の大きさを求めなさい。〔静岡〕

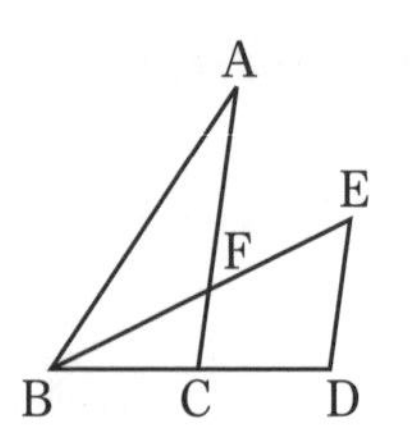

重要 (2) $\triangle ADE$ は，$\triangle ABC$ を右の図のように，頂点 A を中心として DA∥BC となるように回転させた三角形である。$\angle BAE=52^\circ$，$\angle BCA=62^\circ$ のとき，$\angle ABC$ の大きさを求めなさい。〔青森〕

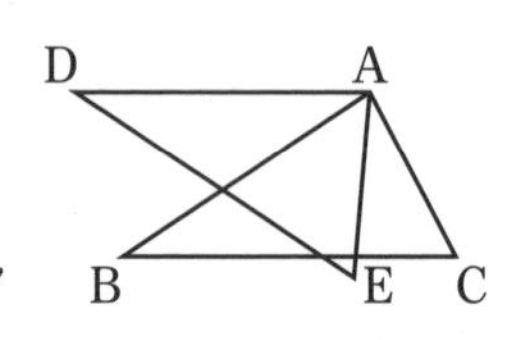

重要 (3) 右の図のように，$\angle B=30^\circ$，$\angle C=80^\circ$ の $\triangle ABC$ の辺 AB，AC 上に点 D，E をとり，DE で折り返したところ，頂点 A が A′ に移った。折り返したときにできる $\angle a$，$\angle b$ について，$\angle a+\angle b$ の大きさを求めなさい。〔長野〕

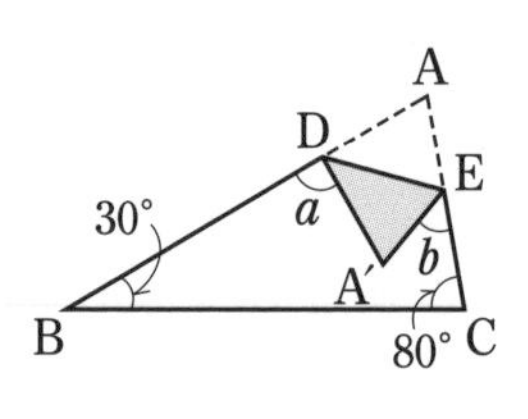

7 合同な図形の対応する角の大きさは等しいことを利用する。
(2) $\angle ABC$ の大きさを $\angle x$ として，$\triangle ABC$ の内角の和で方程式をつくる。
(3) $\angle ADA'+\angle AEA'=2\times(\angle ADE+\angle AED)$

8 **右の図において，線分 AB 上に点 D，線分 AC 上に点 E があり，線分 CD と線分 BE の交点を F とする。AD=AE，$\angle ADC=\angle AEB$ であるとき，$\triangle ACD$ と合同な三角形を答えなさい。また，それらが合同であることを証明するときに使う三角形の合同条件を書きなさい。**〔秋田〕

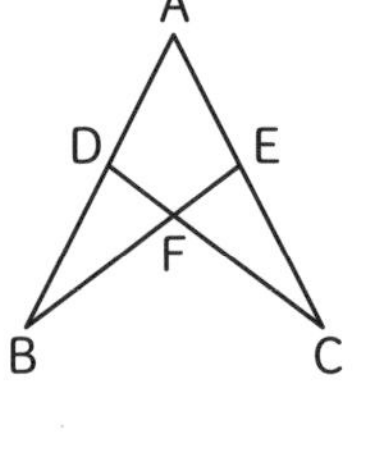
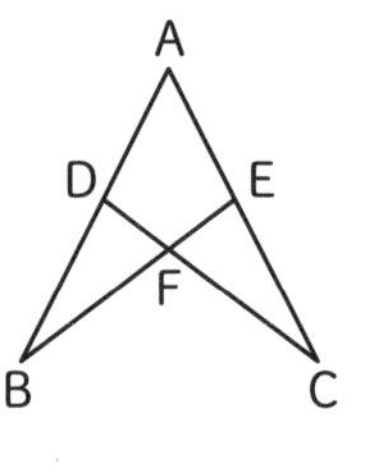

8 1 組の辺と 1 組の角が等しいことがわかっているから，もう 1 つ等しい辺または等しい角を見つければよい。

重要 **9** **右の図の $\triangle ABC$ と $\triangle DEF$ において，AB=DE，BC=EF である。このほかにどの辺や角が等しければ，$\triangle ABC$ と $\triangle DEF$ が合同であるといえますか。あてはまるものをすべて選び，そのときに使う三角形の合同条件を答えなさい。**〔栃木一改〕

ア AC=DF　　**イ** $\angle BAC=\angle EDF$

ウ $\angle ABC=\angle DEF$　　**エ** $\angle BCA=\angle EFD$

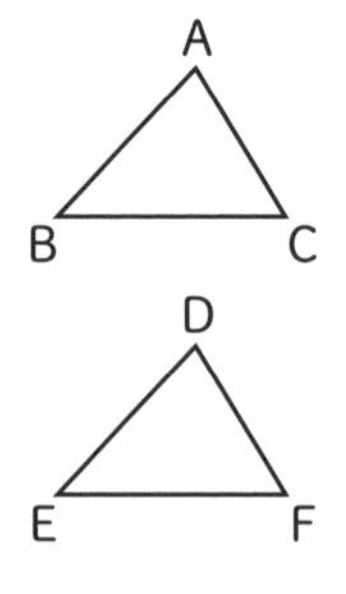

9

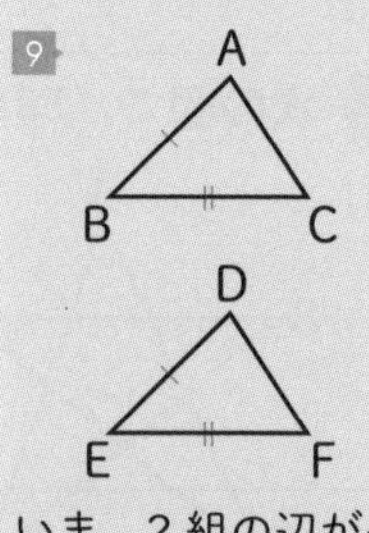

いま，2 組の辺がそれぞれ等しいことがわかっている。これを三角形の合同条件に結びつける。

重要

10 直線ℓ上にある点Pを通るℓの垂線をひくために，次のように作図した。

P　ℓ

Ⅰ　点Pを中心とする円をかき，直線ℓとの交点をA，Bとする。
Ⅱ　点A，Bを，それぞれ中心として，等しい半径の2つの円を交わるようにかき，その交点の1つをQとする。
Ⅲ　直線PQをひく。

この直線PQが直線ℓと垂直であることを次のように証明した。［ア］，［イ］，［ウ］をうめて証明を完成させなさい。〔愛知〕

（証明）△QAPと△QBPで，
PA=PB …①　PQ=PQ …②　AQ=［ア］…③
①，②，③から，3組の辺がそれぞれ等しいので，
△QAP≡△QBP
よって，∠QPA=∠［イ］…④
④と，∠QPA+∠［イ］=［ウ］° から，∠QPA=90°
つまり，PQ⊥ℓ

10 垂線を作図してみる。

Q
A　P　B　ℓ

11 右の図で，△ABC≡△DEF で，4点B，F，C，Eは，1つの直線上にある。点Aと点F，点Dと点Cをそれぞれ結ぶとき，△ABF≡△DECであることを証明しなさい。〔栃木〕

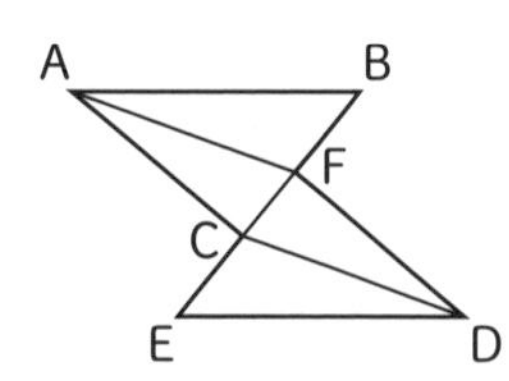

11 △ABC≡△DEFから，合同条件に使えそうな辺や角を見つける。

重要

12 右の図のように，△ABCにおいて，辺AC上にAD=CEとなるように2点D，Eをとる。BEの延長と，点Cを通り辺ABに平行な直線との交点をFとする。また，点Dを通りBFに平行な直線と辺ABとの交点をGとする。このとき，△AGD≡△CFE であることを証明しなさい。〔栃木〕

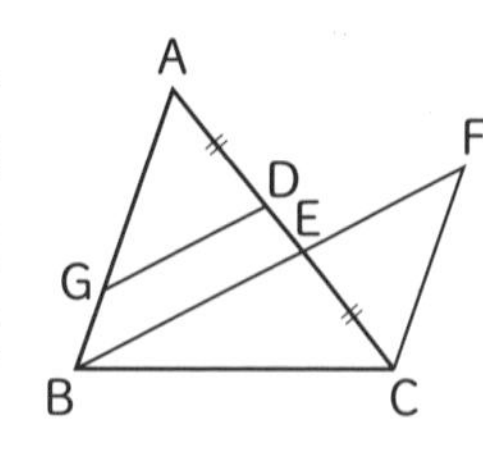

12 △AGDと△CFEにおいて，等しい辺はAD=CEの1組しかないから，合同条件は，「1組の辺とその両端（りょうたん）の角」を用いることを考える。

図形
1 平面図形
2 空間図形
3 図形の角と合同
4 三角形と四角形
5 相似な図形
6 円
7 三平方の定理
理解度診断テスト④

STEP 3 発展問題

解答⇨別冊 p.58

重要

1 下の図で，$\ell /\!/ m$ のとき，$\angle x$ の大きさを求めなさい。

(1) 〔岡山県立朝日高〕

(2) 〔東山高〕

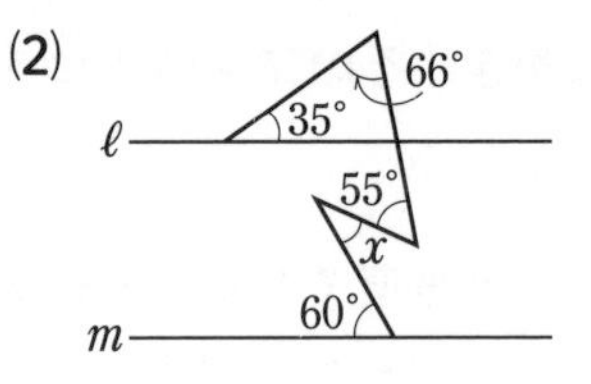

2 右の図において，$\angle x$ の大きさを求めなさい。〔日本大第二高〕

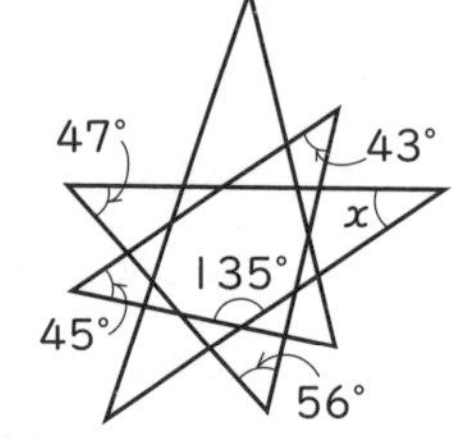

3 右の図のように，△ABC の ∠ABC を三等分する直線と ∠ACB を三等分する直線との交点をそれぞれ P，Q，R，S とする。∠BQC=123°，∠BSC=117°のとき，∠ABC と ∠ACB の大きさをそれぞれ求めなさい。〔近畿大附属和歌山高〕

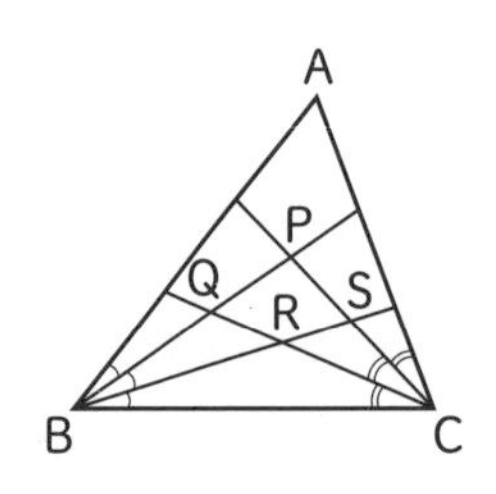

4 右の図において，各頂点 A～L の印のつけた角の大きさの総和を求めなさい。〔西大和学園高〕

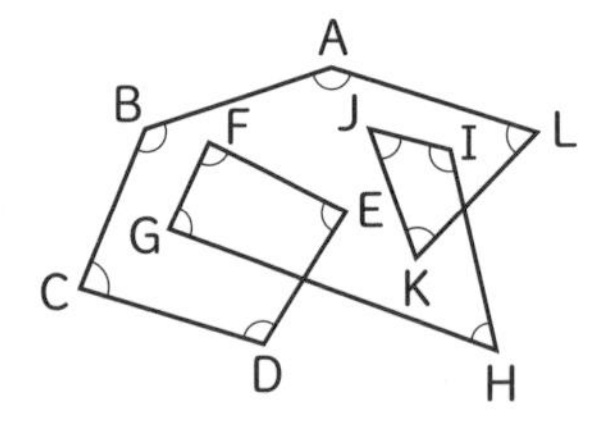

難問

5 右の図のような正五角形 ABCDE において，辺 CD 上の点 F から出た光が，辺 AE 上の点 G で反射し，次々に辺 BC，DE，AB 上の点 H，I，J で反射して，再び辺 CD 上の点 K に戻った。線分 FG，GH，HI，IJ，JK はそれぞれ光の道すじを示したものである。∠GFD=65°とするとき，$\angle x$，$\angle y$ の大きさをそれぞれ求めなさい。〔京都府立嵯峨野高〕

6 右の図のように，正三角形 ABC があり，辺 AC の延長上に CD=AC となる点 D をとる。また，同じ平面上で，点 B を中心として，D を矢印の方向に 60° 回転させた点を P とする。このとき，AB∥CP であることを証明しなさい。

〔福島〕

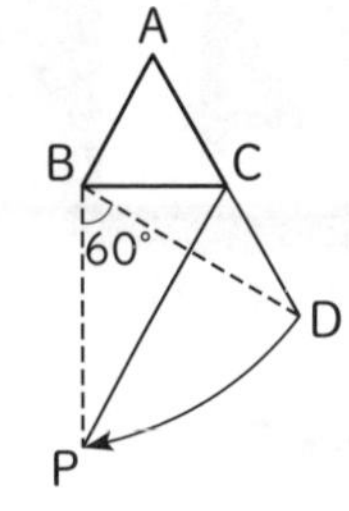

7 直角三角形 ABC の直角の頂点 A から辺 BC に垂線 AH をひく。∠ABC の二等分線と AH，AC との交点を D，E とし，D から AC に平行な直線をひき，BC との交点を F とする。このとき，DA=DF であることを証明しなさい。

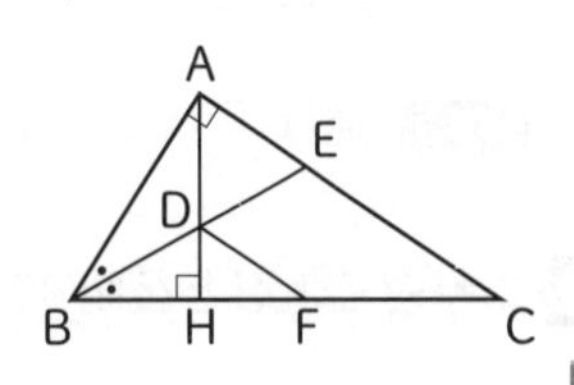

8 洋子さんのクラスの数学の授業で次の問題が出された。〔和洋国府台女子高〕

【問題】右の図で，∠AOB+∠AOP を求めなさい。ただし，点 P は長方形 OABC の辺 BC 上にある。

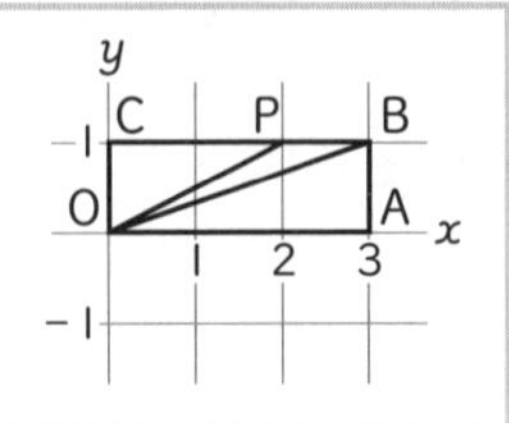

記述 **(1)** 洋子さんは右の図を利用して，∠AOB＋∠AOP＝45° を求め，正解した。洋子さんの考え方を説明しなさい。

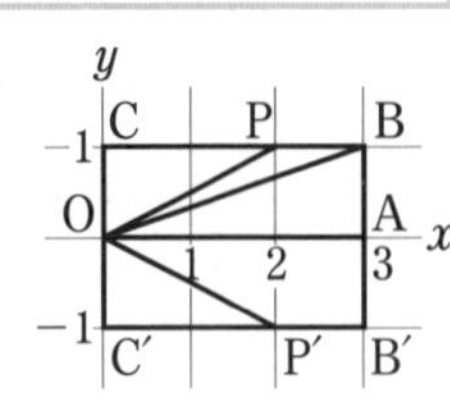

難問 **(2)** さらに，洋子さんは答えが 45° になるような新しい問題をつくった。

【問題】右の図で，∠AOQ＋∠AOR を求めなさい。ただし，点 Q は長方形 OABC の辺 AB 上に，点 R は辺 BC 上にある。

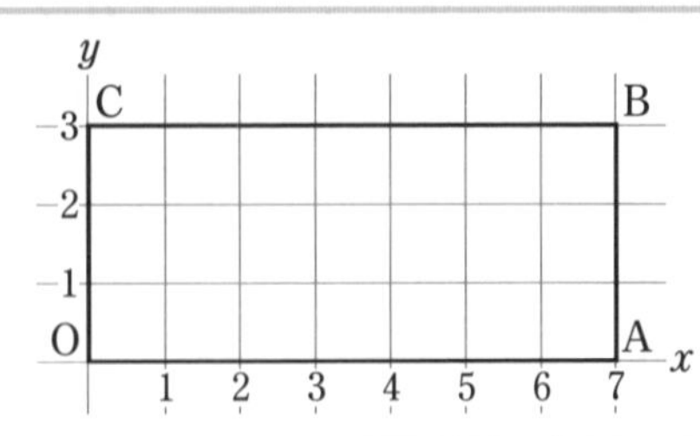

この問題の 2 点 Q，R の座標を定めなさい。ただし，x 座標，y 座標はともに自然数とする。

月　　日

第4章　図形

4 三角形と四角形

STEP 1 まとめノート

解答⇨別冊 p.59

① 逆 ★

例題 1　「$a>0$ ならば，$a^2>0$」は正しいが，その逆は正しくない。逆を答え，反例を1つ示しなさい。

解き方　逆は「①　　ならば，②　　」である。反例は ③

② 二等辺三角形と証明 ★★

例題 2　右の図のような，AB=AC である二等辺三角形 ABC で，∠B，∠C の二等分線をそれぞれ BE，CD とする。このとき，BE=CD であることを証明しなさい。

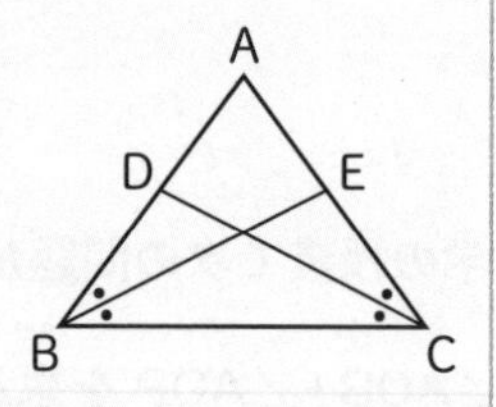

解き方　△BCE と △CBD において，

①　　は共通

AB=AC より，二等辺三角形の②　　は等しいから，

∠BCE=③

また，BE，CD はそれぞれ ∠B，∠C の二等分線だから，

∠EBC=④

⑤　　がそれぞれ等しいから，△BCE≡⑥

└合同条件

よって，BE=⑦

③ 直角三角形の合同条件 ★

例題 3　右の図のように，∠XOY の二等分線上の点 P から，2 辺 OX，OY に垂線 PR，PQ をひくとき，PR=PQ となることを証明しなさい。

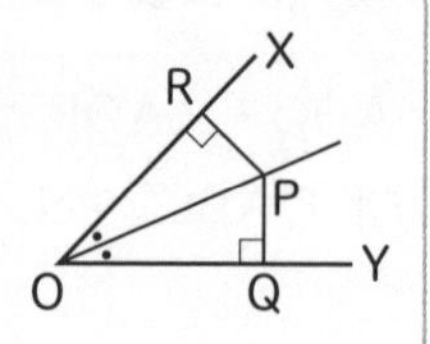

解き方　△POR と △POQ において，

仮定より，∠POR=①

∠PRO=②　　=③　　°

④　　は共通

直角三角形の⑤　　がそれぞれ等しいから，△POR≡⑥

└合同条件

よって，PR=⑦

Points!

▶逆

仮定と結論を入れかえたものを，その定理の逆という。定理の逆はいつでも正しいとは限らない。

▶二等辺三角形

・定義…2 辺が等しい三角形

・AB=AC

・∠ABC =∠ACB

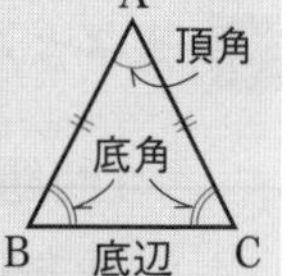

ズバリ暗記

二等辺三角形の性質は，
・二等辺三角形の底角は等しい。
・二等辺三角形の頂角の二等分線は，底辺を垂直に 2 等分する。

二等辺三角形になる条件は，
・2 つの角が等しい三角形は二等辺三角形である。

▶直角三角形の合同条件

ズバリ暗記

・斜辺と 1 つの鋭角がそれぞれ等しい。

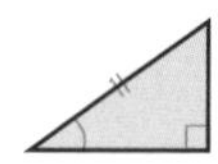
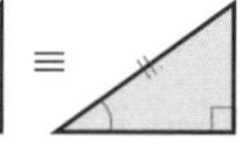

・斜辺と他の 1 辺がそれぞれ等しい。

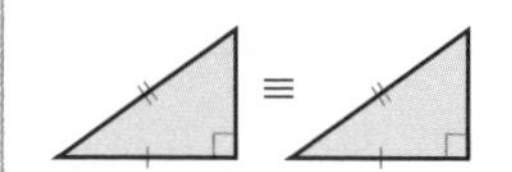

④ 平行四辺形の性質 ★★

例題 4　次の図の ▱ABCD で，x の値を求めなさい。

(1)

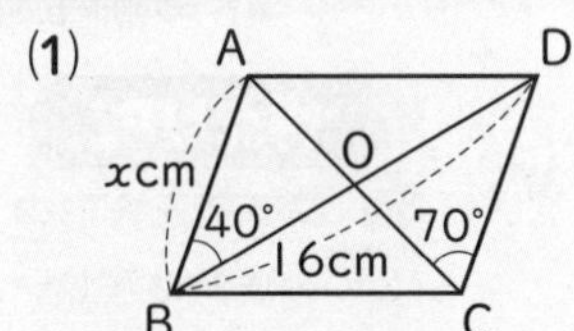

(2)

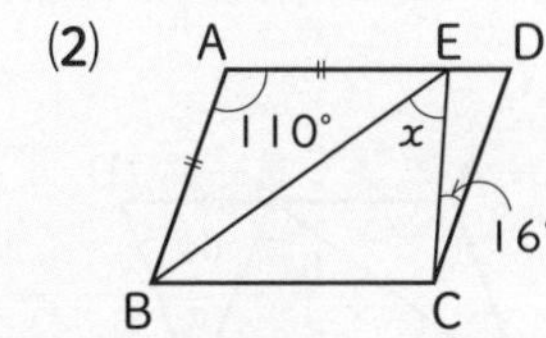

解き方 (1) ∠BAO＝∠①[　　]＝②[　　]° だから，
（平行線の錯角は等しい）

∠AOB＝180°－40°－③[　　]°＝④[　　]°

よって，△AOB は⑤[　　]三角形となるから，

x＝⑥[　　]＝BD÷2＝⑦[　　] (cm)

(2) ∠ABC＝180°－①[　　]°＝②[　　]°

△ABE は二等辺三角形だから，

∠ABE＝(180°－110°)÷③[　　]＝④[　　]°

よって，∠EBC＝⑤[　　]°，∠ECB＝⑥[　　]°－16°＝⑦[　　]°

だから，△EBC で，x＝180°－⑧[　　]°－⑨[　　]°＝⑩[　　]°

⑤ 平行四辺形になるための条件 ★★

例題 5　▱ABCD の辺 AD，BC の中点をそれぞれ E，F とするとき，四角形 EBFD は平行四辺形であることを証明しなさい。

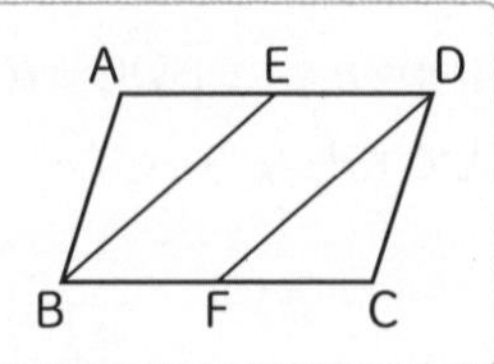

解き方 AD∥BC だから，ED∥①[　　] …①

平行四辺形の性質より，AD＝②[　　] …②

E，F はそれぞれ AD，BC の③[　　]だから，②より，

ED＝④[　　] …③

四角形 EBFD において，①，③より，⑤[　　]から，この四角形は平行四辺形である。
（平行四辺形になる条件）

⑥ 平行線と面積 ★★

例題 6　右の図のように，▱ABCD で，PQ∥BD とする。このとき，△ABP と面積が等しい三角形をすべて求めなさい。

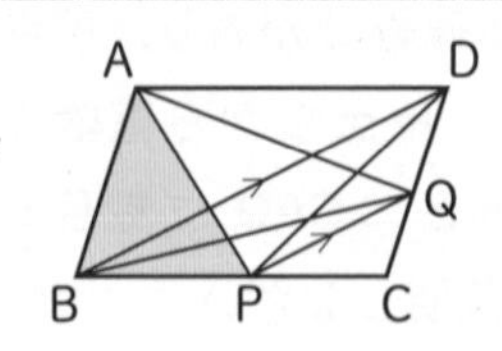

解き方 AD∥BP より，△ABP＝△DBP，

BD∥①[　　] より，△DBP＝△②[　　]

DQ∥③[　　] より，△④[　　]＝△⑤[　　]

▶平行四辺形

・定義…2 組の対辺がそれぞれ平行な四角形

ズバリ暗記

平行四辺形の性質は，
- 2 組の対辺は等しい。
- 2 組の対角は等しい。
- 対角線はそれぞれの中点で交わる。

ズバリ暗記

平行四辺形になる条件は，
- 2 組の対辺が平行である。(定義)
- 2 組の対辺が等しい。
- 2 組の対角が等しい。
- 対角線がそれぞれの中点で交わる。
- 1 組の対辺が平行でその長さが等しい。

▶特別な平行四辺形

・長方形
∠A＝∠B
＝∠C＝∠D
AC＝BD

・ひし形
AB＝BC
＝CD＝DA
AC⊥BD

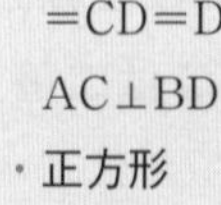

・正方形
∠A＝∠B
＝∠C＝∠D
AB＝BC
＝CD＝DA
AC＝BD，AC⊥BD

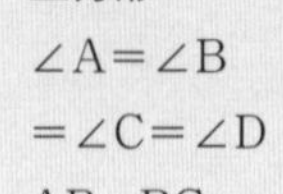

▶平行線と面積

ℓ∥BC のとき，

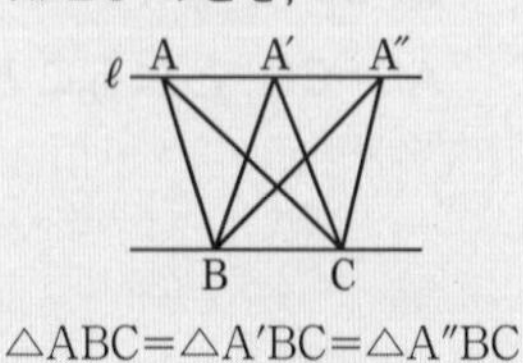

△ABC＝△A′BC＝△A″BC

図形
1 平面図形
2 空間図形
3 図形の角と合同
4 三角形と四角形
5 相似な図形
6 円
7 三平方の定理
理解度診断テスト④

STEP 2 実力問題

ココがねらわれる
- 二等辺三角形の定義と性質
- 直角三角形の合同条件
- 平行四辺形の定義と性質

解答⇨別冊 p.60

1 次の図で，∠x の大きさを求めなさい。

(1) 〔福井〕

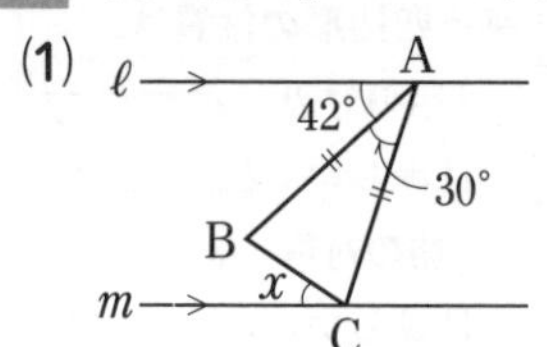

重要 (2) 〔駿台甲府高〕

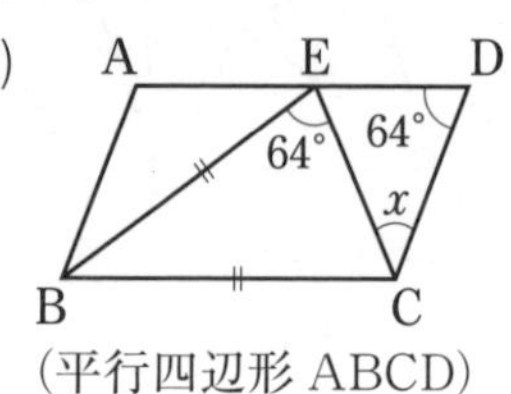

(平行四辺形 ABCD)

2 次の問いに答えなさい。

重要 (1) 右の図で，四角形 ABCD は長方形，E，F はそれぞれ辺 AB，BC 上の点で，DE＝DF である。∠ADE＝26°，∠DFC＝52° のとき，∠EFB の大きさを求めなさい。 〔愛知〕

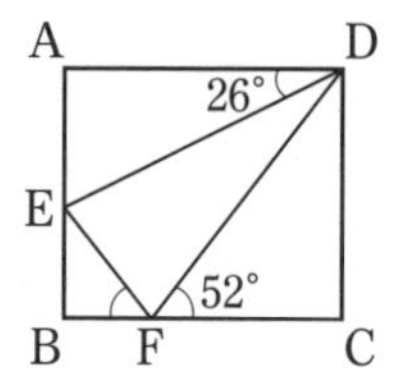

(2) 右の図で，四角形 ABCD は長方形である。点 P は辺 AD 上の点であり，∠PBC の二等分線と辺 CD の交点を Q とする。∠APB＝a°，∠BQC＝b° とするとき，b を a を用いた式で表しなさい。 〔秋田〕

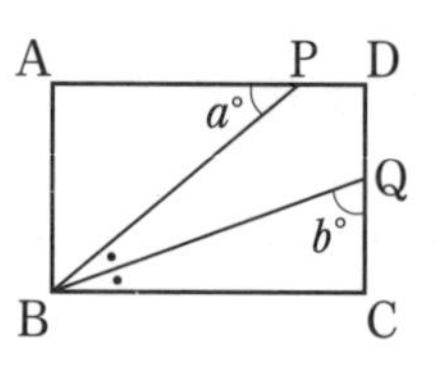

重要 **3** 右の図は，AB<BC である長方形 ABCD を，対角線 AC を折り目として折り返し，頂点 D が移った点を E，辺 BC と線分 AE の交点を F とする。このとき，△AFC は二等辺三角形であることを証明しなさい。 〔高知－改〕

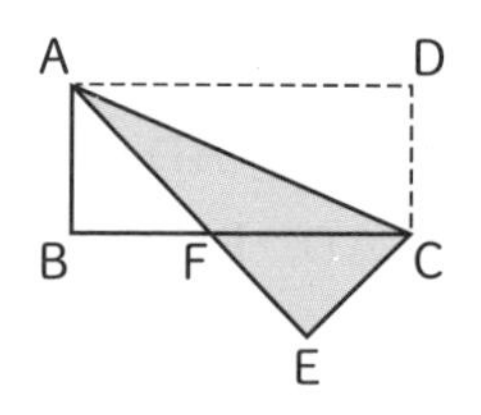

4 右の図のように，AB=AC である直角二等辺三角形 ABC と頂点 A を通る直線 ℓ があり，頂点 B から直線 ℓ に垂線 BP を，頂点 C から直線 ℓ に垂線 CQ をひく。△ABP と △CAQ に着目して，AP=CQ となることを証明しなさい。 〔鳥取－改〕

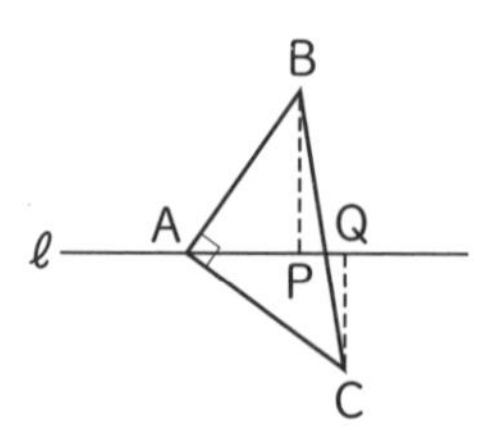

得点UP!

1 二等辺三角形の2つの底角は等しいことを使う。

2 (1) 二等辺三角形 DEF の頂角 ∠EDF を求める。
(2) 平行線の錯角(さっかく)は等しいことを利用する。

3 二等辺三角形になる条件である「2つの角 ∠FAC と ∠FCA が等しい」ことを示す。

4 △ABP で，
∠ABP
=180°−(∠BPA+∠BAP)
=180°−(90°+∠BAP)
=90°−∠BAP

5 **次のア～エのことがらについて，その逆が正しいものを一つ選び，記号を書きなさい。** 〔大阪〕

ア 四角形 ABCD が平行四辺形ならば四角形 ABCD の 1 組の向かい合う角の大きさが等しい。

イ 四角形 ABCD が長方形ならば四角形 ABCD の 4 つの内角の大きさがすべて等しい。

ウ 四角形 ABCD がひし形ならば四角形 ABCD の 2 本の対角線が垂直に交わる。

エ 四角形 ABCD が正方形ならば四角形 ABCD の 4 つの辺の長さがすべて等しい。

6 **次の問いに答えなさい。**

(1) 右の図のように，平行四辺形 ABCD の対角線の交点 O を通る直線と辺 AD，BC との交点をそれぞれ P，Q とする。このとき，△AOP≡△COQ となることを証明しなさい。 〔秋田〕

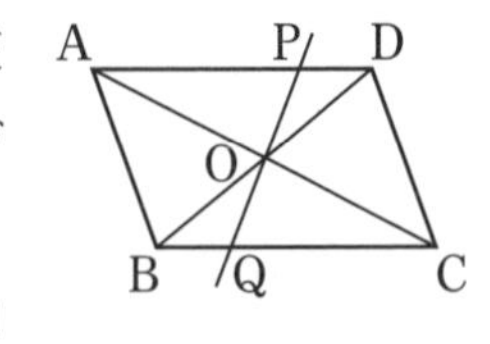

重要

(2) 右の図のように，平行四辺形 ABCD があり，対角線の交点を O とする。対角線 BD 上に OE＝OF となるように異なる 2 点 E，F をとる。このとき，△OAE≡△OCF であることを証明しなさい。 〔岩手〕

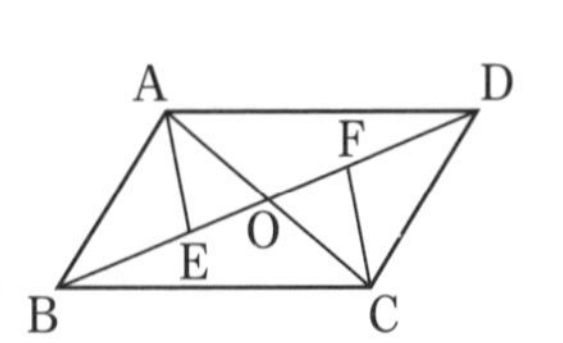

重要

7 **右の図のように，正方形 ABCD の辺 BC 上に B と異なる点 E をとる。B から線分 AE に垂線 BF をひき，BF の延長と辺 CD との交点を G とする。このとき，△ABE≡△BCG であることを証明しなさい。** 〔岩手〕

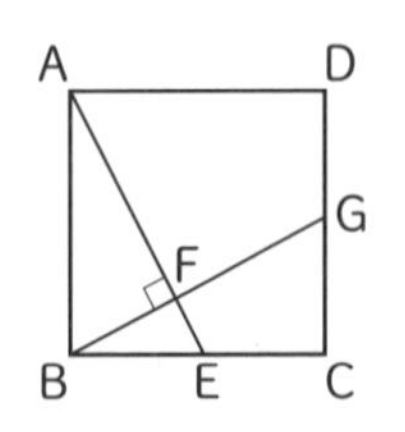

記述

8 **右の図のように，四角形 ABCD で，辺 BA を A の方向に延長した線上に点 P をとり，△PBC の面積が，四角形 ABCD の面積と等しくなるようにしたい。このとき，点 P の位置の決め方を説明しなさい。** 〔福井〕

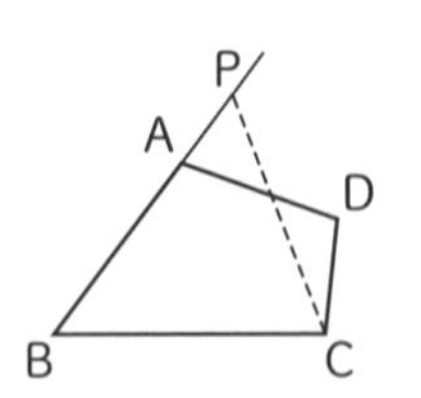

5 あることがらの仮定と結論を入れかえたことがらを，もとのことがらの逆という。反例が 1 つでもあれば正しくない。

Check! 自由自在
長方形，ひし形，正方形の定義と対角線の性質をそれぞれ確認しておこう。

6 平行四辺形の性質である「対角線はそれぞれの中点で交わる」を使う。

7 ∠AFB=90° より
∠BAE+∠ABF
=90°
また，∠CBG+∠ABF
=∠ABC=90°

8 A と C を結び，
△ACD=△ACP
となるような点 P を考える。

月　　日

STEP 3 発展問題

解答 ⇨ 別冊 p.61

重要

1 右の図の △ABC は，AB=AC，AD=DE=EB=BC である。∠EBC は何度ですか。

〔大阪桐蔭高〕

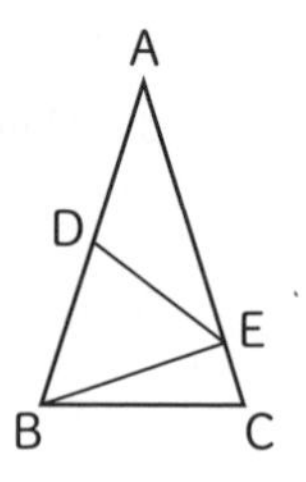

2 右の図で，四角形 ABCD は平行四辺形である。E は辺 AD 上の点であり，ED=DC，EB=EC である。∠EAB=98° のとき，∠ABE の大きさは何度ですか。

〔愛知〕

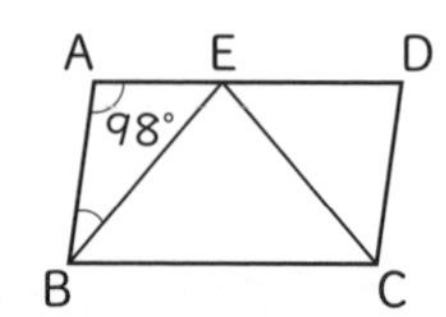

3 右の図のような長方形 ABCD がある。対角線 BD の垂直二等分線と，辺 AD，BC との交点をそれぞれ E，F，対角線 BD との交点を G とする。このとき，DE=DF であることを証明しなさい。

〔大分－改〕

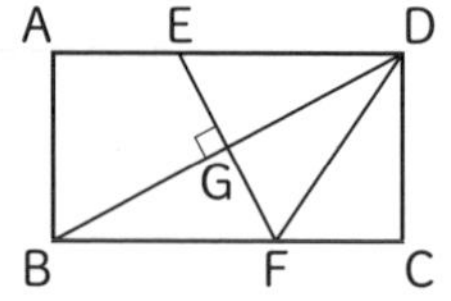

4 右の図の正方形 ABCD において，2 つの対角線の交点を E とする。辺 CD 上に 2 点 C，D と異なる点 F をとり，線分 BF と線分 AC との交点を G とする。また，点 A から線分 BF に垂線 AH をひき，線分 AH と線分 BD との交点を I とする。このとき，AI=BG であることを証明しなさい。

〔千葉－改〕

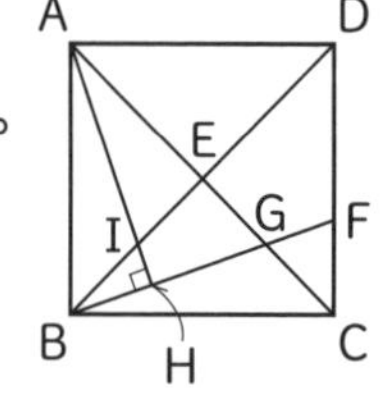

重要

5 右の図のように，正三角形 ABC の辺 AB を B の方へ延長した直線上に点 D をとる。また，点 E を四角形 CBDE が平行四辺形となるようにとり，点 D と点 E，点 C と点 E，点 A と点 E をそれぞれ結ぶ。さらに，辺 BC を B の方へ延長した直線上に，BF=BD となる点 F をとり，点 A と点 F，点 D と点 F をそれぞれ結ぶ。このとき，△ABF≡△ACE であることを証明しなさい。

〔宮城－改〕

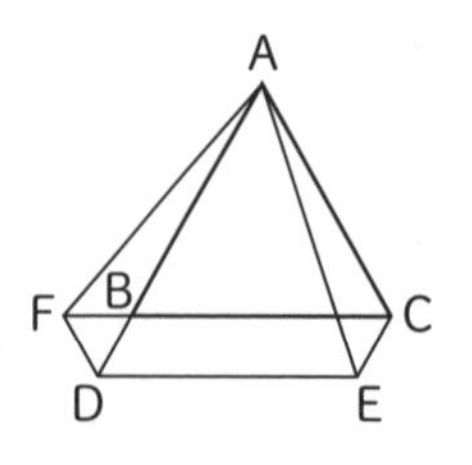

6 右の図で，四角形 ABCD は平行四辺形である。点 E，F，G，H はそれぞれ辺 AB，BC，CD，DA 上にある点で，AE：EB=2：3，BF：FC=2：3，CG：GD=2：3，DH：HA=2：3 である。頂点 A と点 F，頂点 B と点 G，頂点 C と点 H，頂点 D と点 E をそれぞれ結び，線分 AF と線分 DE との交点を P，線分 AF と線分 BG との交点を Q，線分 BG と線分 CH との交点を R，線分 CH と線分 DE との交点を S とする。このとき，四角形 PQRS が平行四辺形であることを証明しなさい。

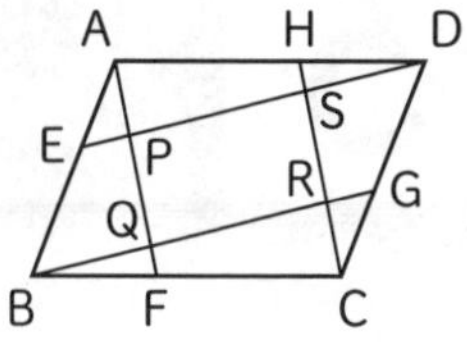

重要 **7** 右の図で，四角形 ABCD は平行四辺形である。点 E，F は，辺 AD，BC 上の点で，AE：ED=CF：FB=1：3 である。線分 EF と対角線 BD との交点を G とする。〔秋田〕

(1) 次のア～エから正しいものをすべて選びなさい。

ア △EGD≡△FGB である。　イ △ABD の面積は，△EGD の面積の 2 倍である。

ウ 点 G は対角線 AC 上にある。　エ AB=BC のとき，∠EGD=90° である。

(2) 平行四辺形 ABCD の面積は四角形 ABGE の面積の何倍か，答えなさい。

難問 **8**

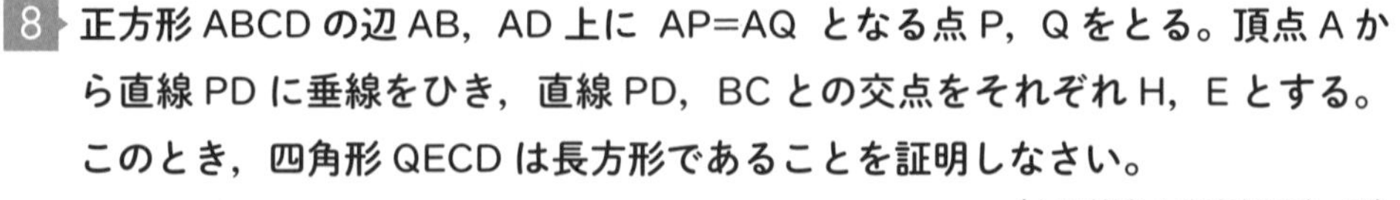
正方形 ABCD の辺 AB，AD 上に AP=AQ となる点 P，Q をとる。頂点 A から直線 PD に垂線をひき，直線 PD，BC との交点をそれぞれ H，E とする。このとき，四角形 QECD は長方形であることを証明しなさい。

〔大阪教育大附高(池田)－改〕

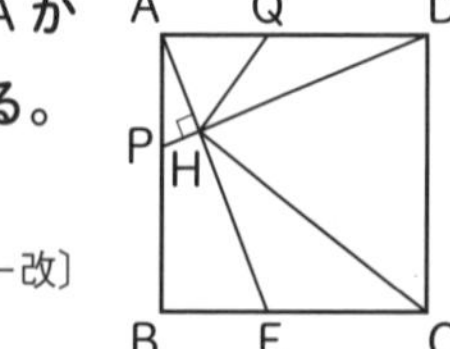

難問 **9**

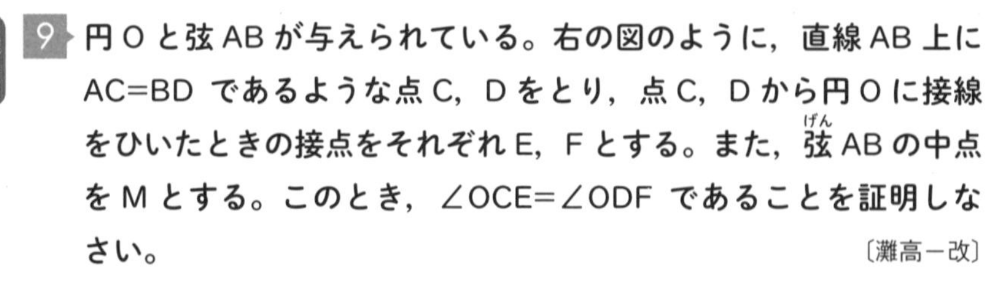
円 O と弦 AB が与えられている。右の図のように，直線 AB 上に AC=BD であるような点 C，D をとり，点 C，D から円 O に接線をひいたときの接点をそれぞれ E，F とする。また，弦(げん) AB の中点を M とする。このとき，∠OCE=∠ODF であることを証明しなさい。

〔灘高－改〕

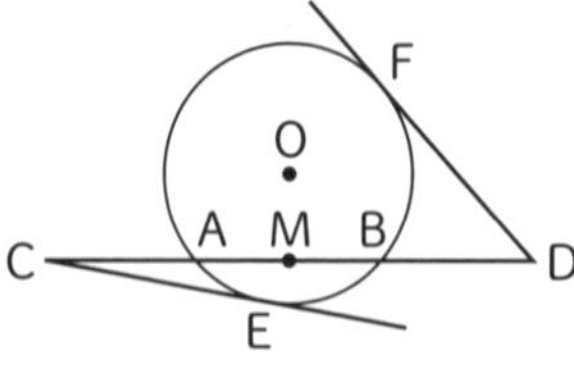

月　日

相似な図形

STEP 1 まとめノート

解答⇨別冊 p.63

① 相似な図形 ★★

例題 1 次の図で，x の値を求めなさい。

(1)

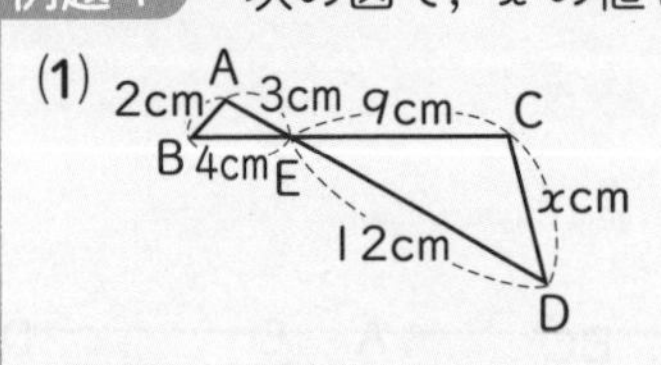

(2)

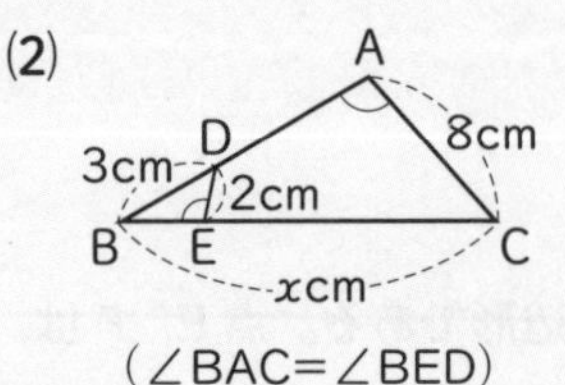

(∠BAC=∠BED)

解き方 (1) △ABE と① 　 において，

対頂角は等しいから，∠AEB=② 　

AE：CE=BE：③ 　 =④ 　 ：3

⑤ 　 がそれぞれ等しいから，△ABE∽⑥ 　

（↑三角形の相似条件）

よって，2：x=1：⑦ 　 　x=⑧ 　

(2) △ABC と① 　 において，

仮定より，∠BAC=② 　

共通の角だから，∠ABC=③ 　

④ 　 がそれぞれ等しいから，△ABC∽⑤ 　

（↑三角形の相似条件）

相似比は AC：⑥ 　 =4：⑦ 　 だから，

（↑対応する辺の比）

x：⑧ 　 =4：⑨ 　 　x=⑩ 　

② 三角形の相似の証明 ★★

例題 2 右の図のように，∠A=90° の直角三角形 ABC の頂点 A を通る直線 ℓ に，頂点 B, C からそれぞれ垂線 BD, CE をひく。このとき，△ABD∽△CAE であることを証明しなさい。

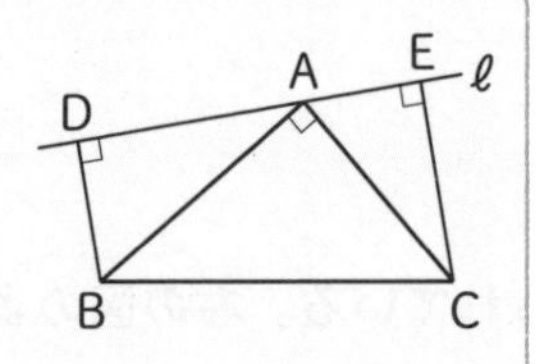

解き方 △ABD と △CAE において，

∠ADB=① 　 =90° …①

△ABD で，∠ABD=180°−∠ADB−② 　 =90°−③ 　

∠CAE=180°−∠BAC−④ 　 =90°−⑤ 　

よって，∠ABD=⑥ 　 …②

①，②より，⑦ 　 がそれぞれ等しいから，△ABD∽⑧ 　

（↑三角形の相似条件）

Points!

▶相似な図形

一つの図形を，形を変えずに一定の割合に拡大または縮小した図形はもとの図形と相似であるといい，対応する線分の比を相似比という。

▶三角形の相似条件

ズバリ暗記

・3 組の辺の比がすべて等しい。

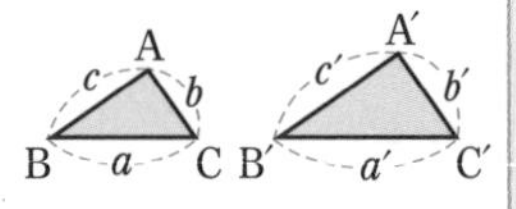

$a : a' = b : b' = c : c'$

・2 組の辺の比とその間の角がそれぞれ等しい。

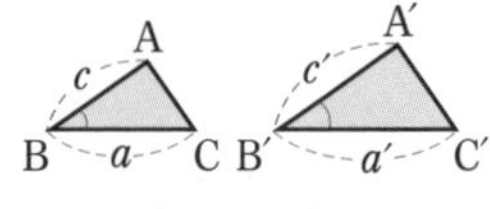

$a : a' = c : c'$,

∠B=∠B′

・2 組の角がそれぞれ等しい。

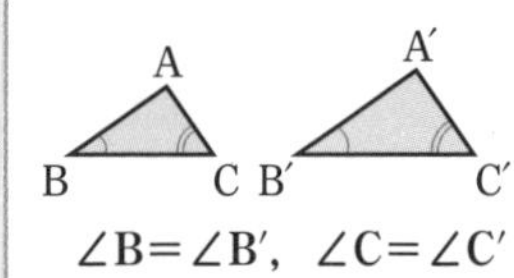

∠B=∠B′，∠C=∠C′

▶相似条件と証明

三角形の相似条件は，「2 組の角がそれぞれ等しい」を使うことが多い。対頂角，共通な角，平行線の錯角(さっかく)などに注目して導く。

③ 平行線と線分の比 ★★

例題 3 次の図で，x の値を求めなさい。

(1) 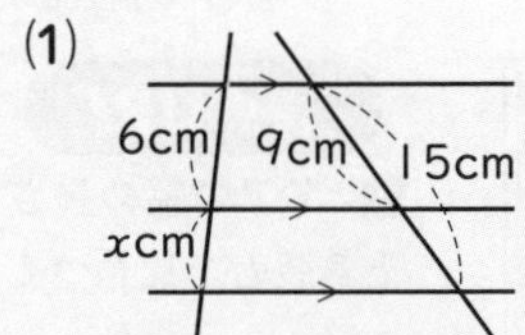

(2) 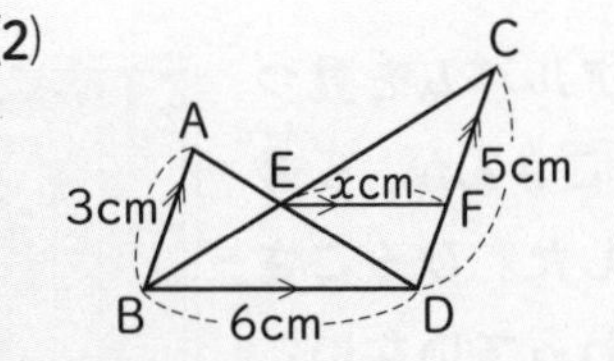

解き方 (1) ① ：x=9：(15−②) ③ ：x=9：④

9x=⑤ x=⑥

(2) AB∥CD より，BE：CE=AB：① =3：②

EF∥BD より，CE：CB=EF：③ （CB←CE+BE）

5：④ =x：⑤ x=⑥

④ 中点連結定理 ★★

例題 4 △ABC において，辺 AB の中点を D，辺 AC を 3 等分する点を A に近いほうから順に E，F とする。線分 BF と CD の交点を G とするとき，x，y の値をそれぞれ答えなさい。

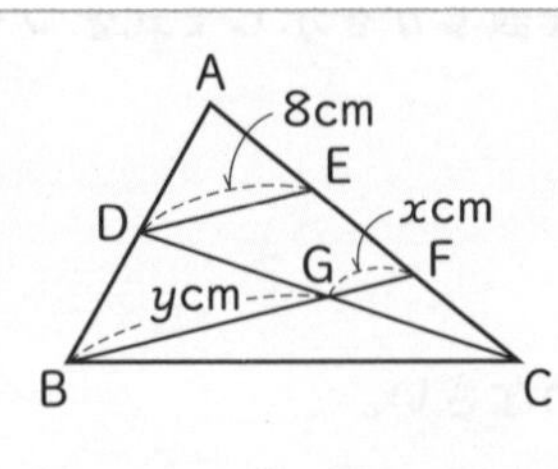

解き方 △CDE で，点 G，F は辺 CD，CE の① だから，② 定理より，x=③

また，△ABF で，点④ ，E は辺 AB，AF の⑤ だから，⑥ 定理より，y+⑦ =⑧ y=⑨

⑤ 相似な図形の面積比・体積比 ★★

例題 5 次の問いに答えなさい。

(1) 1 辺の長さが 3 cm の正三角形 A と，1 辺の長さが 4 cm の正三角形 B がある。A と B の面積比を求めなさい。

(2) 2 つの三角錐（さんかくすい）A，B は相似でその相似比は 2：3 である。三角錐 A の体積が 160 cm³ のとき，三角錐 B の体積を求めなさい。

解き方 (1) A∽① より，A と B の面積比は相似比の② だから，

③ ²：④ ²=⑤

(2) 相似な立体の体積比は相似比の① だから，

160：B の体積=② ：③

④ ×B の体積=160×⑤ B の体積=⑥ (cm³)

▶三角形と比

DE∥BC ならば，

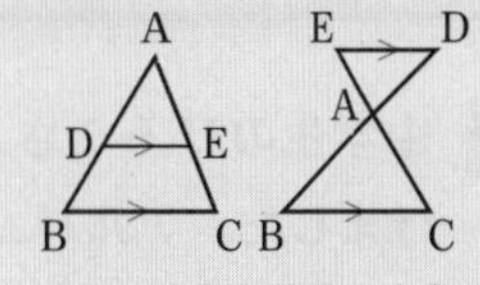

・AD：AB=AE：AC =DE：BC

・AD：DB=AE：EC

▶平行線と比

ℓ∥m∥n ならば，

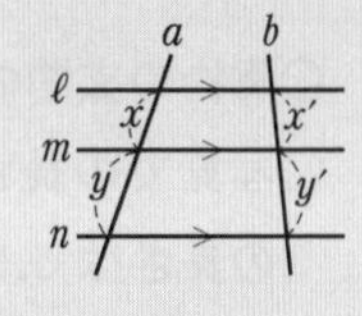

x：y=x'：y'

▶中点連結定理

ズバリ暗記

△ABC において，AB，AC の中点 M，N を結ぶと，MN∥BC，

$MN=\frac{1}{2}BC$

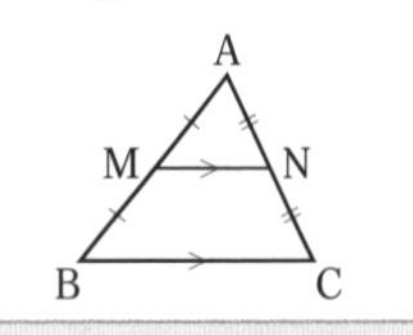

▶相似な図形と面積比・体積比

・相似な図形の面積比は，相似比の 2 乗に等しい。

・相似な立体の体積比は，相似比の 3 乗に等しい。

▶三角形の面積比

高さが等しい三角形では，面積比は底辺の比に等しい。

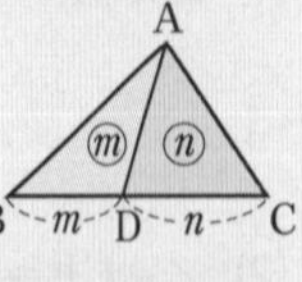

△ABD：△ACD=m：n

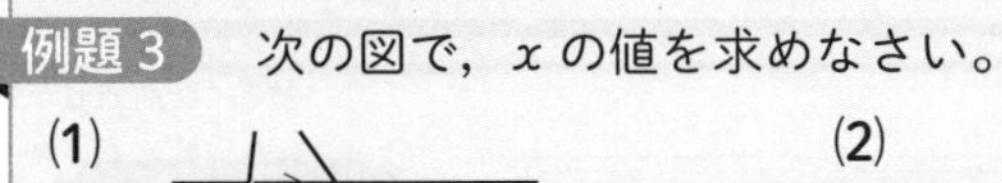

STEP 2 実力問題

ココがねらわれる
- ○三角形の相似の証明
- ○平行線と線分の比
- ○相似な図形の面積比・体積比

解答 ⇨ 別冊 p.63

記述

1 中学生のひろこさんは，昔のアルバムを見つけました。アルバムには，ひろこさんが，5歳(さい)のときに撮(と)った写真がありました。ひろこさんは，写真の背景が現在と変わっていないことから，相似の考え方を使って，当時の身長がわかると考えました。

ひろこさんが調べてわかったこと。

> ○実物の玄関(げんかん)のドアの縦の長さを測ると，208 cm でした。
> ○写真での長さを測ると，自分の身長は 3.5 cm，玄関のドアの縦の長さは 6.5 cm でした。

このとき，写真に写っているひろこさんの，当時の身長を求めなさい。ただし，使う文字が何を表すかを示して式をつくり，それを解く過程も書きなさい。〔岩手〕

2 次の図で，x の値を求めなさい。

(1) 〔東京工業大附属科学技術高〕

2　x　13　7

重要 (2) 〔和歌山〕

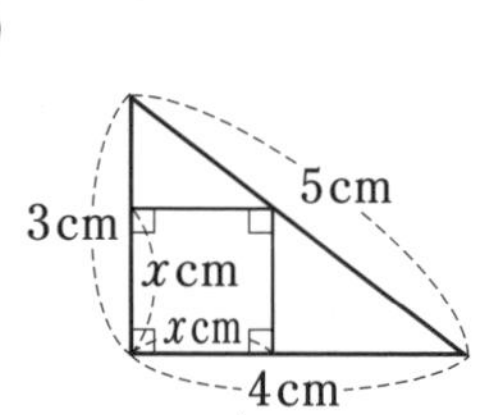

3 右の図のように，辺 AC が共通な 2 つの二等辺三角形 ABC と ACD があり，AB=AC=AD とする。∠ACB の二等分線と辺 DA の延長との交点を E とし，辺 AB と CE との交点を F とする。〔北海道〕

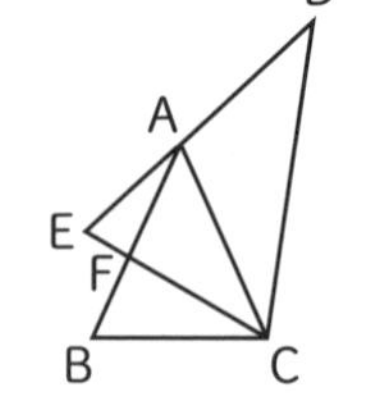

(1) ∠BCF＝35° のとき，∠BAC の大きさを求めなさい。

重要 (2) ∠ACE＝∠ADC のとき，△ACE∽△BCF を証明しなさい。

得点UP!

1 ドアの縦の長さと身長とで比をつくる。

2 (1)

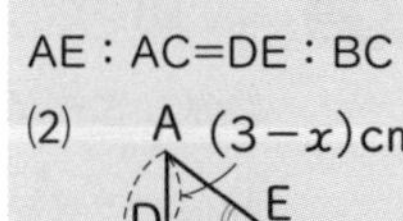

ED∥BC のとき，
AE：AC=DE：BC

(2)

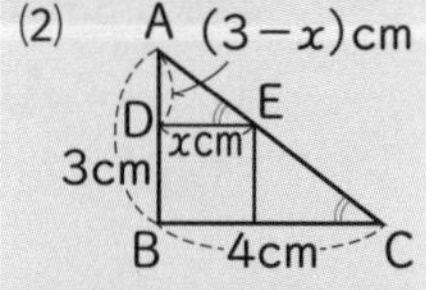

△ADE∽△ABC を利用する。

3 (1) CE は∠ACB の二等分線だから，
∠ACF=∠BCF
(2) △ACD，△ABC は二等辺三角形だから，底角は等しい。
また，∠CAE は△ACD の外角だから，
∠CAE
=∠ADC+∠ACD

4 右の図の △ABC と △ADE は，AB=BC，∠ABC=90°，AD=DE，∠ADE=90° の直角二等辺三角形である。また，3 つの頂点 D，A，C は一直線上に並んでおり，線分 BD と CE の交点を P とする。△ABD∽△ACE であることを証明しなさい。

〔石川－改〕

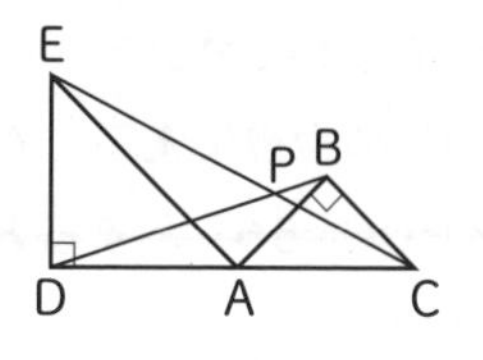

5 右の図のように，1 辺の長さが 8 の正三角形 ABC があり，辺 BC を 4 等分する点のうち，B に 1 番近い点を D とする。正三角形 ABC を点 A が点 D に重なるように折り返し，折り目の線と辺 AB，AC との交点をそれぞれ E，F とするとき，AE，AF の長さをそれぞれ求めなさい。

〔京都女子高〕

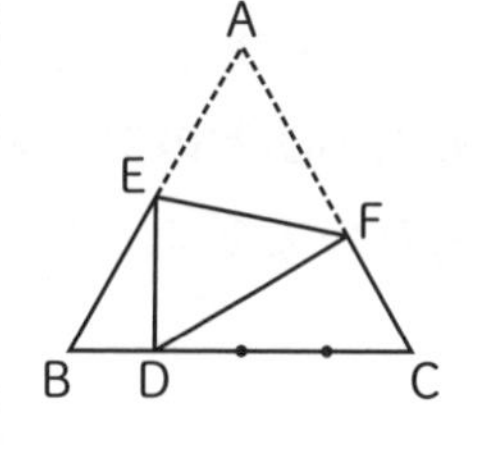

6 次の図で，x の値を求めなさい。

(1) 〔駿台甲府高〕

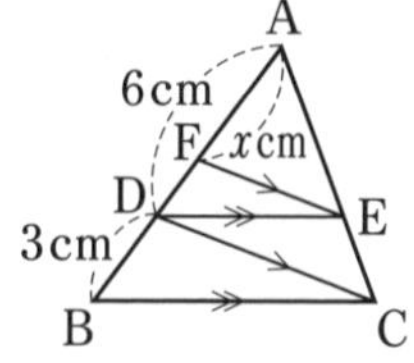

重要 (2) 〔日本大豊山高〕

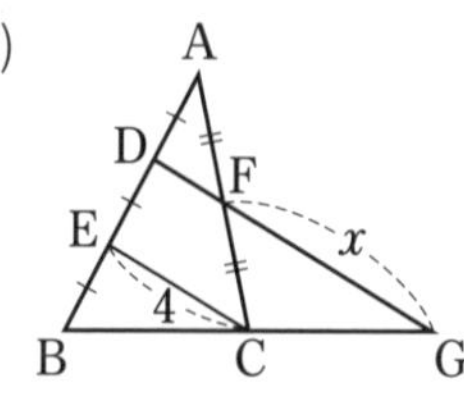

7 右の図のような AB=6 cm の正方形 ABCD がある。辺 AB 上に点 E を AE=4 cm となるようにとり，辺 AD 上に点 F を AF=2 cm となるようにとる。また，線分 CF 上に点 G を BC//EG となるようにとる。このとき，線分 EG の長さを求めなさい。

〔神奈川〕

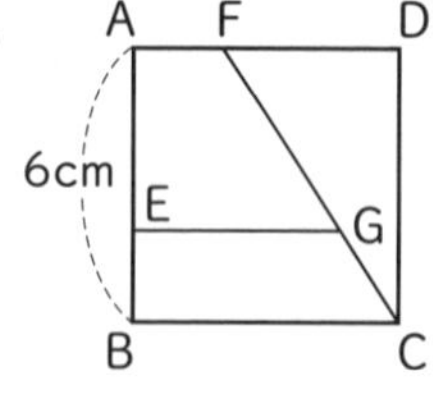

重要 **8** 右の図のように，1 辺が 8 cm の正三角形 ABC と，1 辺が 6 cm の正三角形 BDE があり，点 D は辺 AB の延長上の点で，2 点 C，E は直線 AD について同じ側にある。辺 AC 上に，2 点 A，C と異なる点 F をとり，線分 DF と辺 BC との交点を G とする。CF=3 cm であるとき，線分 BG の長さは何 cm ですか。

〔香川〕

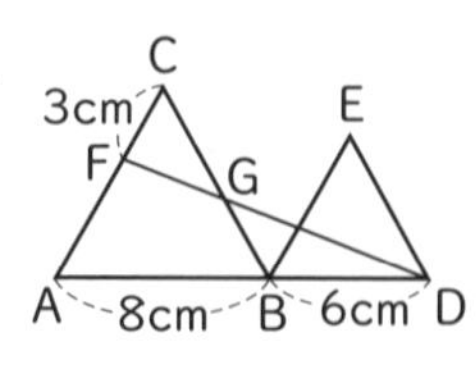

4 △ABC と △ADE は直角二等辺三角形だから，相似で，∠BAC=∠DAE=45°

5 △EBD∽△DCF を利用する。BE=x とおく。

6 (1) BC//DE より，AE：EC=AD：DB
(2) AD=DE，AF=FC より，△AEC で中点連結定理が成り立つ。

7 点 F を通り辺 AB に平行な直線をひき，線分 EG，BC との交点をそれぞれ H，I として考える。

8 点 F を通り辺 CB に平行な直線をひき，辺 AB との交点を H として考える。

9 右の図の四角形 ABCD において，E，F，G はそれぞれ AD，BD，BC の中点である。AB=DC，∠ABD=20°，∠BDC=56° とするとき，∠FEG の大きさを求めなさい。 〔城北高〕

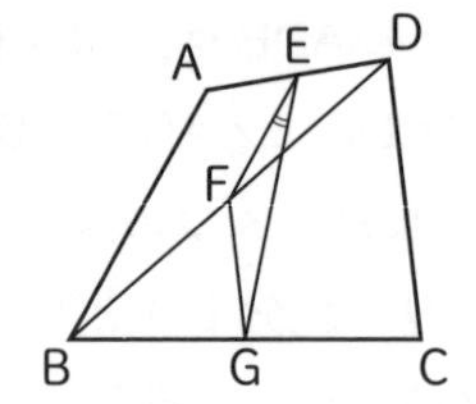

9 △DAB，△BCD で中点連結定理が成り立つ。

重要

10 AD//BC である台形 ABCD がある。辺 AB の中点 M を通り辺 BC に平行な直線と辺 CD との交点を N とし，線分 MN と線分 BD との交点を P，線分MN と線分 AC との交点を Q とするとき，線分PQ の長さを求めなさい。 〔山口〕

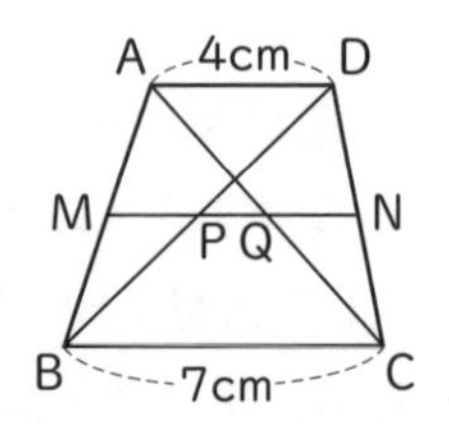

10 AM=MB，AD//MN//BC より，P，Q，N はそれぞれ DB，AC，DC の中点である。

11 右の図のように，△ABC の辺 AB 上に点 D，辺 AC 上に点 E がある。線分 DB，辺 BC，線分 CE，線分 DE 上にそれぞれ中点 F，G，H，I をとる。このとき，四角形 FGHI が平行四辺形であることを証明しなさい。 〔北海道ー改〕

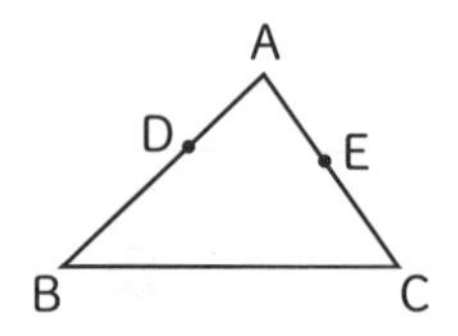

11 四角形 DBCE の対角線 DC をひき，△BCD と △ECD で中点連結定理を利用する。

12 右の図で，G は △ABC の重心，BG=CE，∠BEF=∠CEF である。線分の比 BD：DF：FC を最も簡単な整数で求めなさい。 〔城北高〕

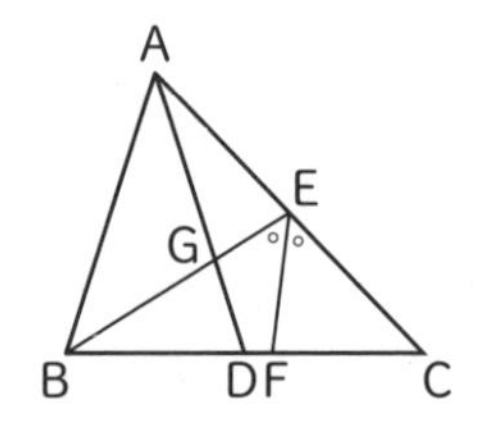

12 点 G は △ABC の重心だから，BD=DC，BG：GE=2：1

13 △ABC の辺 AB，BC，CA 上に，$\frac{AP}{AB}=\frac{BQ}{BC}=\frac{CR}{CA}=\frac{2}{3}$ となるように，点 P，Q，R をとる。このとき，面積比 △ABC：△PQR を求めなさい。 〔日本大第二高〕

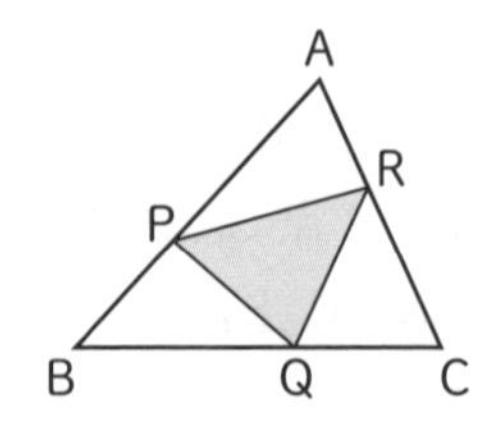

13 「1 つの角が共通な三角形の面積比」を利用する。

14 **次の問いに答えなさい。**

重要 (1) 右の図で，△ABC∽△DEF であるとき，△ABC と △DEF の面積比を，最も簡単な整数の比で表しなさい。〔福島〕

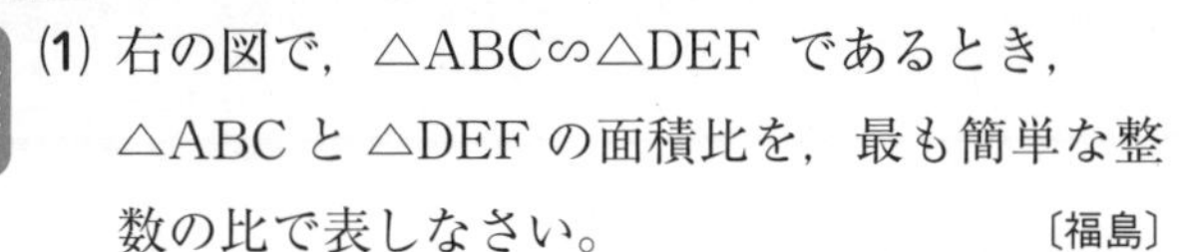

(2) 右の図のように，三角錐（さんかくすい）ABCD があり，辺 AB，AC，AD 上にそれぞれ点 E，F，G を，AE：EB＝AF：FC＝AG：GD＝2：1 となるようにとる。このとき，三角錐 AEFG と三角錐 ABCD の体積比を求めなさい。〔富山〕

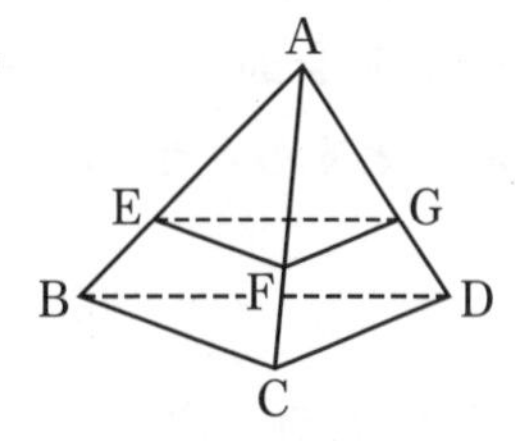

重要 **15** **右の図のように，平行四辺形 ABCD があり，辺 BC，CD，DA の中点をそれぞれ点 E，F，G とする。また，線分 AE，FG と対角線 BD との交点をそれぞれ H，I とする。BD＝12 cm のとき，線分 HI の長さを求めなさい。** 〔富山－改〕

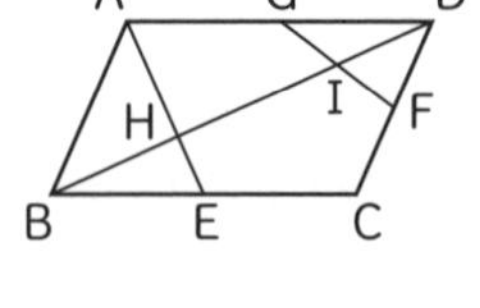

重要 **16** **右の図のように，平行四辺形 ABCD がある。辺 BC 上に BE：EC＝2：3 となる点 E があり，点 F は辺 CD の中点である。AF と ED の交点を G とする。AG：GF を最も簡単な整数の比で求めなさい。** 〔日本大第二高〕

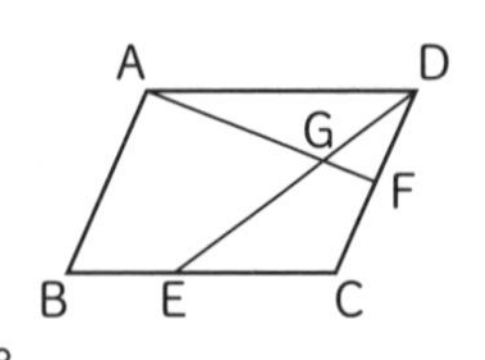

17 **右の図のように，平行四辺形 ABCD がある。BC 上に AB＝AE となるように点 E をとり，BD と AE の交点を F とする。AB＝12 cm，BE：EC＝3：2 とする。** 〔奈良大附高〕

(1) AF の長さを求めなさい。

(2) △BEF の面積を a cm² とするとき，四角形 CDFE の面積を a を用いて表しなさい。

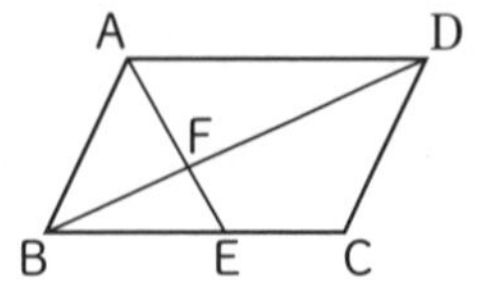

14 (1) 相似な図形の面積比は，相似比の2乗に等しいことを利用する。
(2) 相似な立体の体積比は，相似比の3乗に等しいことを利用する。

Check! 自由自在
相似な立体の表面積比と相似比との関係について調べておこう。

15 対角線 AC をひき，BD との交点を O とする。
△DAC で中点連結定理を利用して，まず DI の長さを求める。

16 AB，DE の延長線の交点を H として，相似な三角形を探していく。

17 (1) △AFD∽△EFB である。
(2) D と E を結び，△DEF と △DEC の面積を a を使って表す。

月　日

STEP 3 発展問題

解答 ⇨ 別冊 p.65

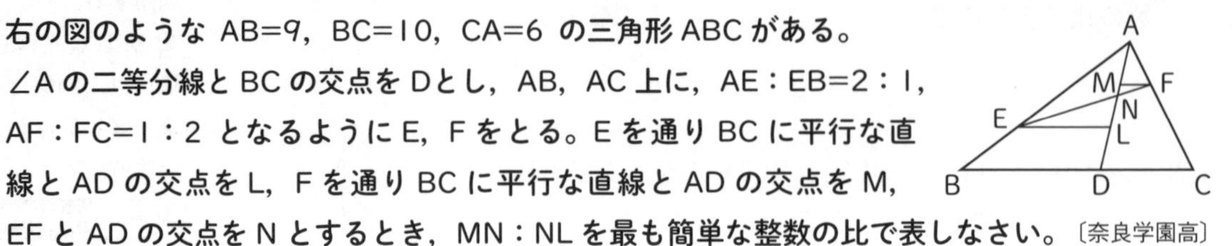

1 右の図のような AB=9，BC=10，CA=6 の三角形 ABC がある。∠A の二等分線と BC の交点を D とし，AB，AC 上に，AE：EB=2：1，AF：FC=1：2 となるように E，F をとる。E を通り BC に平行な直線と AD の交点を L，F を通り BC に平行な直線と AD の交点を M，EF と AD の交点を N とするとき，MN：NL を最も簡単な整数の比で表しなさい。〔奈良学園高〕

重要 **2** △ABC の辺 BC 上に点 D，辺 AC 上に点 E をとり，AD と BE の交点を F とする。BD：DC=2：1，BF：FE=6：1 とする。〔中央大附高〕

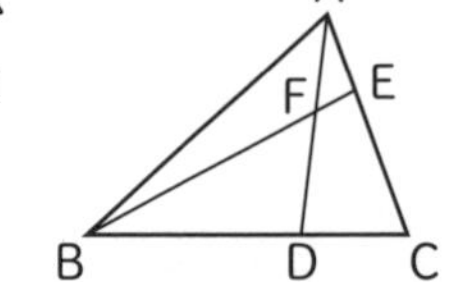

(1) AF：FD を最も簡単な整数の比で表しなさい。

(2) △ABC の面積と四角形 CEFD の面積の比を最も簡単な整数の比で表しなさい。

3 右の図の平行四辺形 ABCD において，AB//EF であり，点 G は線分 EF と対角線 BD の交点である。また，△BFG の面積を S_1，△DEG の面積を S_2，四角形 ABGE の面積を S_3，平行四辺形 ABCD の面積を S_4 とする。S_1：S_2=1：4 のとき，S_3：S_4 を最も簡単な整数の比で答えなさい。〔中央大杉並高〕

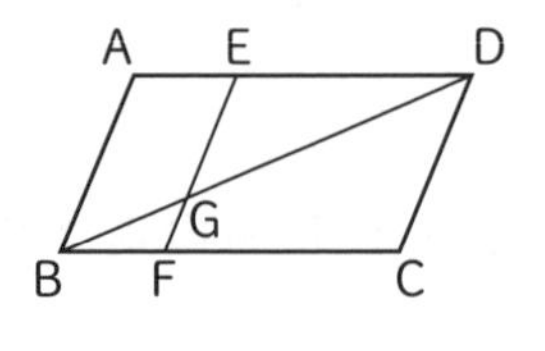

重要 **4** 右の図のように平行四辺形 ABCD があり，辺 AB，AD の中点をそれぞれ M，N とする。また，辺 AD 上に AP：PD=5：1 となる点 P を，辺 BC 上に BQ：QC=3：1 となる点 Q をそれぞれとり，MP と NQ の交点を R とする。このとき，NP：BQ，PR：RM をそれぞれ求めなさい。〔愛光高〕

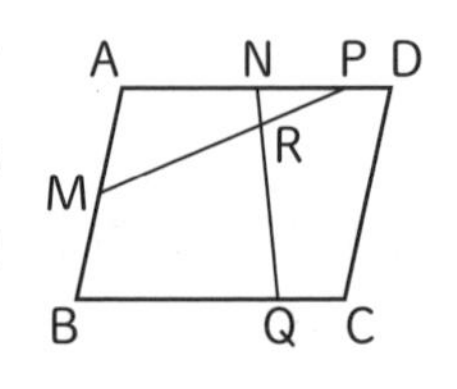

5 右の図のように，直線 n 上に点 A，P，R，B と，x 軸上に点 Q を，OA//QP，OP//QR となるようにとる。点 A の座標は (−3，6)，点 B の座標は (5，0)，AP：PB=3：2 である。このとき，直線 QR の式を求めなさい。〔西大和学園高〕

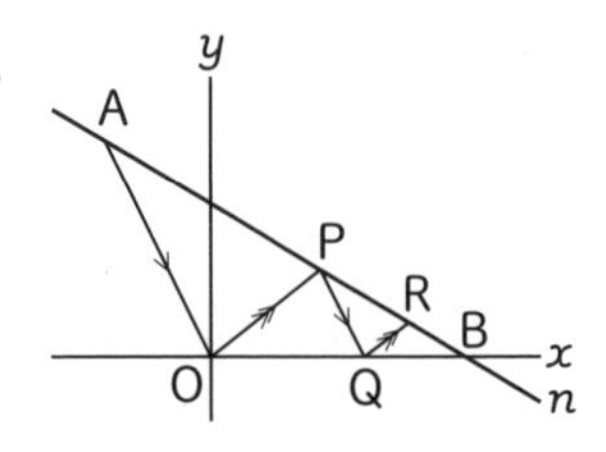

6 **右の図のような立方体 ABCD-EFGH について，辺 BF，AB，AD，DH，AE の中点をそれぞれ，I，J，K，L，M とする。** 〔初芝立命館高〕

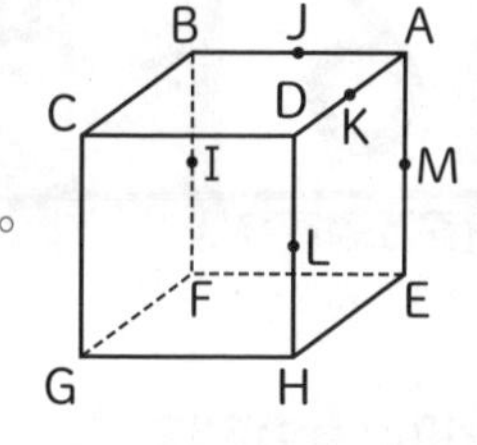

(1) 点 I，J，K，L を通る平面で切り分けたときの切り口の図形を答えなさい。

(2) (1)で切り分けた立体のうち，点 A をふくむほうの立体において，さらに点 M，I，L を通る平面で切り分けた。このとき，点 A をふくむほうの立体の体積と点 A をふくまないほうの立体の体積の比を最も簡単な整数で求めなさい。

7 **AB=3 cm，BC=6 cm，∠ABC=90° の直角三角形 ABC がある。図 1 のように，辺 BC 上に点 P をとり，辺 BC と線分 PQ が垂直になるように，辺 AC 上に点 Q をとる。次に，図 2 のように，この三角形を線分 PQ を折り目として折り返した。このとき，点 C が移る点を R とする。また，線分 QR と辺 AB との交点を S とする。ただし，線分 BP の長さは 3 cm 未満とする。** 〔立教新座高〕

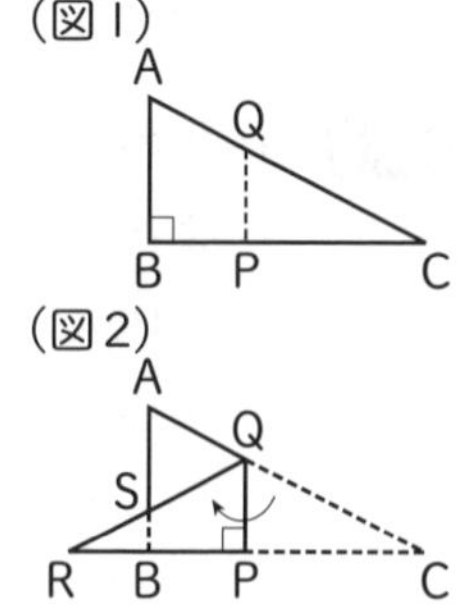

(1) 図 2 について，次の問いに答えなさい。

① 線分 BP の長さが 1.5 cm のとき，△ASQ と四角形 BPQS の面積比を求めなさい。

② △ASQ と四角形 BPQS の面積が等しくなるとき，線分 BP の長さを求めなさい。

難問

(2) 図 3 のように，線分 BP の中点を T とし，線分 BP と線分 TU が垂直になるように，線分 AQ 上に点 U をとる。次に，図 4 のように，図 3 の図形を線分 TU を折り目として折り返した。図 4 について，次の問いに答えなさい。

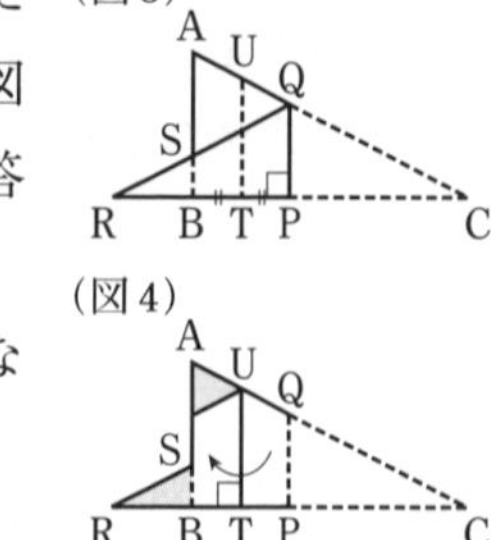

① 線分 BT の長さが 1 cm のとき，色のついた部分の面積の和を求めなさい。

② 色のついた部分の面積の和が $1\ \mathrm{cm}^2$ のとき，線分 BT の長さを求めなさい。

月　　日

6 円

STEP 1 まとめノート

解答 ⇨ 別冊 p.68

① 円周角の定理 ★★

例題 1 次の図で，$\angle x$ の大きさを求めなさい。

(1)

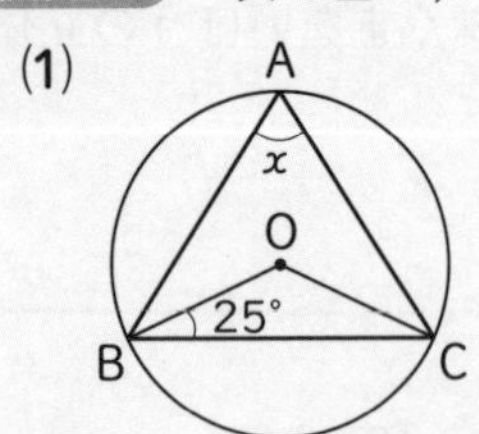

(2)

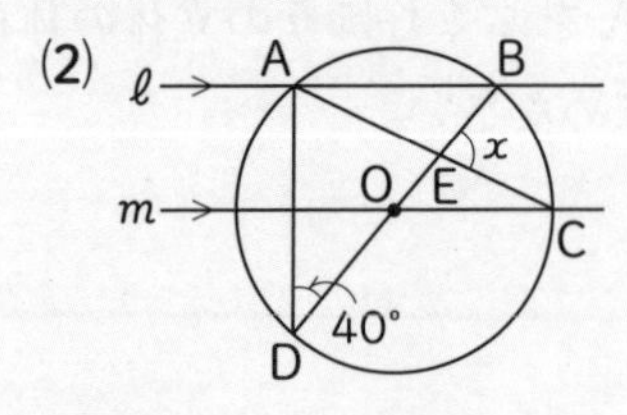

解き方 (1) 円の① 　　は等しいから，△OBC は② 　　三角形である。

よって，∠OCB＝③ 　　°だから，

∠BOC＝180°－④ 　　°×2＝⑤ 　　°

円周角の定理より，∠x＝⑥ 　　∠BOC＝⑦ 　　°

(2) BD は直径だから，∠BAD＝① 　　°

△ADB は② 　　三角形になるから，

∠ABD＝180°－(③ 　　°＋40°)＝④ 　　°

また，$\ell /\!/ m$ より，⑤ 　　は等しいから，∠ABD＝∠⑥ 　　

円周角の定理より，∠BAC＝⑦ 　　∠BOC＝⑧ 　　°

よって，∠x＝∠ABD＋∠⑨ 　　＝⑩ 　　°
（∠x：△ABE の外角）

② 円周角と弧 ★★

例題 2 右の図で，円周上の点 A，B，C，D，E は円周を 5 等分した点である。∠x，∠y の大きさを求めなさい。

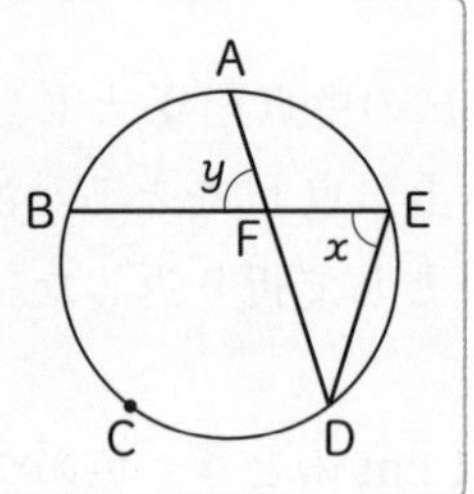

解き方 $\overset{\frown}{BD}$ に対する中心角は，360°×$\dfrac{②}{①}$＝③ 　　°

∠x は $\overset{\frown}{BD}$ に対する④ 　　だから，

∠x＝⑤ 　　×⑥ 　　°＝⑦ 　　°

また，$\overset{\frown}{BD}$：$\overset{\frown}{EA}$＝2：⑧ 　　だから，

∠ADE＝⑨ 　　×⑩ 　　°＝⑪ 　　°

よって，△DEF で，

∠y＝∠DFE＝180°－(⑫ 　　°＋⑬ 　　°)＝⑭ 　　°

Points!

▶円周角の定理

ズバリ暗記

1 つの弧 AB に対する円周角の大きさは等しく，その弧に対する中心角の大きさの半分である。

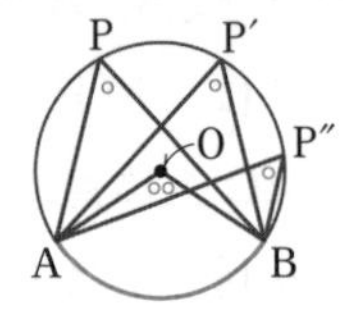

・∠APB＝∠AP′B＝∠AP″B

・∠APB（円周角）＝$\dfrac{1}{2}$∠AOB（中心角）

▶半円の弧に対する円周角

半円の弧に対する円周角は 90° である。

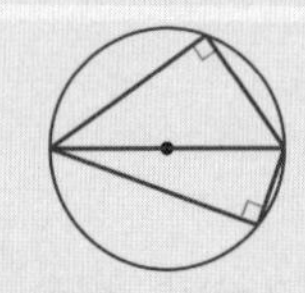

▶円周角と弧

等しい弧に対する中心角や円周角の大きさが等しいことから，円周角の大きさは弧の長さに比例する。

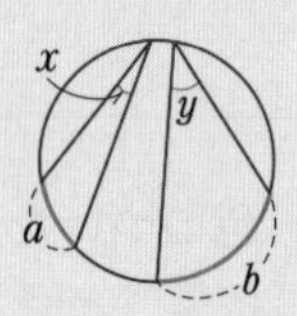

$x : y = a : b$

③ 円周角の定理の逆 ★★

例題 3 右の図のような四角形ABCDがあり，対角線ACと対角線BDの交点をEとする。
∠ABD=32°，∠ACB=43°，∠BDC=68°，∠BEC=100° のとき，∠CADの大きさを求めなさい。

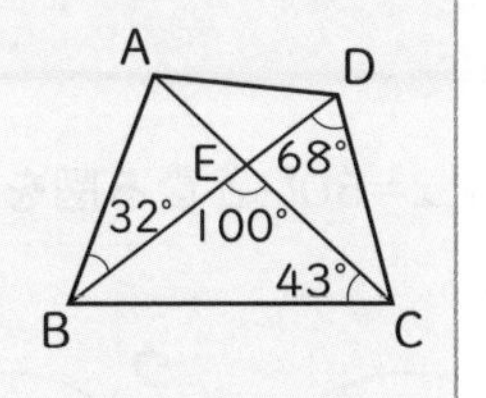

解き方 △ABEで，∠BAE=①　°−②　°
=③　°
よって，A，Dが直線BCの同じ側にあって，
∠BAC=∠④　だから，円周角の定理の⑤　より，4点A，B，C，Dは同じ⑥　上にある。
よって，⑦　の定理より，
$\overset{\frown}{CD}$に対する⑧　は等しいから，
∠CAD=∠CBD=180°−⑨　°=⑩　°
↑∠CEB+∠ECB

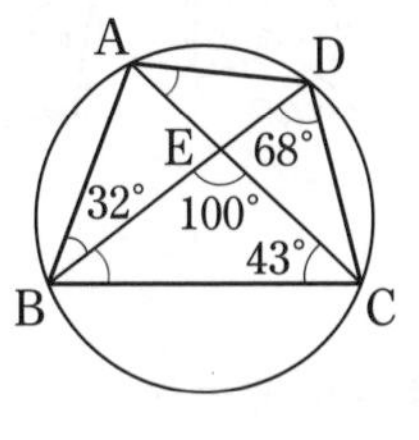

④ 円と三角形の合同 ★★★

例題 4 右の図で，4点A，B，C，Dは円Oの周上の点で，AB=ADであり，線分BDは円Oの直径である。2点B，Dから線分ACに垂線をひき，ACとの交点をそれぞれE，Fとする。このとき，AE=DFとなることを証明しなさい。

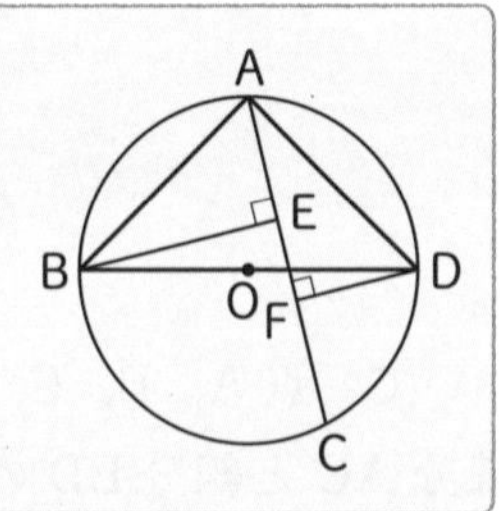

解き方 △ABEと△DAFにおいて，
仮定より，AB=①　…①
また，∠AEB=∠②　=③　° …②
BDが円Oの④　だから，∠BAD=⑤　°
よって，∠EAB=90°−∠⑥　…③
直角三角形DAFで，
∠FDA=90°−∠⑦　…④
③，④より，∠EAB=∠⑧　…⑤
①，②，⑤より，直角三角形の⑨　がそれぞれ等しいから，
↑直角三角形の合同条件
△ABE≡△DAF
したがって，AE=⑩

ズバリ暗記
円に関する角度を求める問題では，次のようなことを意識しておくとよい。
- 2つの半径 ⇨ 二等辺三角形ができる。
- 直径 ⇨ 円周角は直角になる。
- 弦（げん）が交わる ⇨ 対頂角は等しい。
- 平行線 ⇨ 同位角，錯角（さっかく）は等しい。
- 接線 ⇨ 接点を通る半径に垂直である。

▶円周角の定理の逆
4点A，B，P，Qについて，P，Qが直線ABの同じ側にあるとき，
∠APB=∠AQB
ならば，この4点は同一円周上にある。

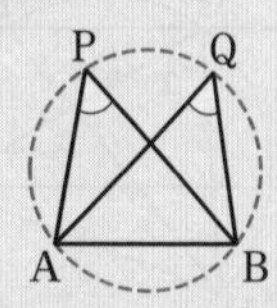

▶円に内接する四角形
四角形の4つの頂点が同一円周上にあるとき，この四角形は円に内接するという。この円を外接円という。四角形ABCDが円に内接するとき，

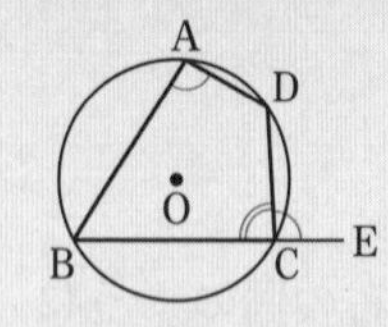

- 対角の和は180°である。
∠A+∠DCB=180°
- 1つの外角は，それととなり合う内角の対角に等しい。
∠A=∠DCE

STEP 2 実力問題

ねらわれるココが
- 円周角の定理とその逆
- 弧の比と円周角
- 円と三角形の合同

解答 ⇨ 別冊 p.68

1 次の円 O において，$\angle x=50°$ となる図をア〜エの中から 1 つ選び，その記号を書きなさい。 〔山梨〕

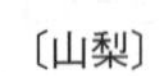

ア

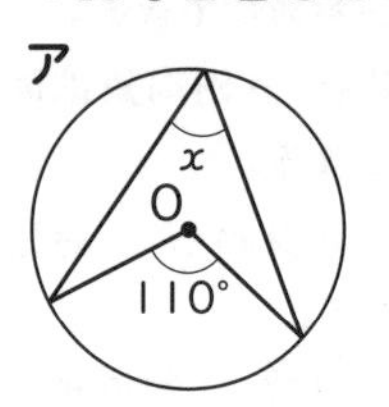

イ

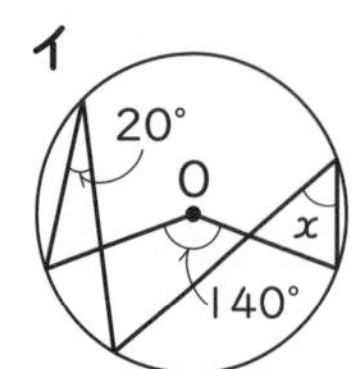

ウ

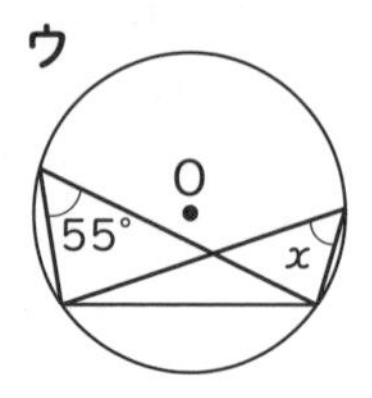

エ

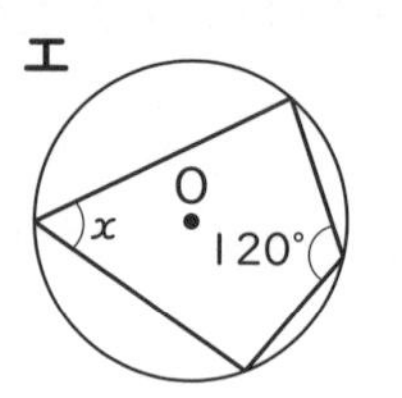

2 次の図で，$\angle x$ の大きさを求めなさい。

重要 (1) 〔福島〕

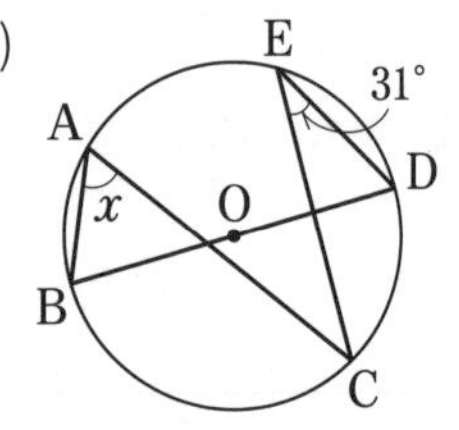

重要 (2) 〔大分〕

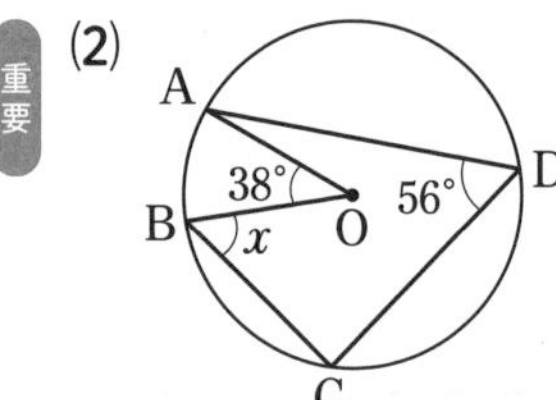

(3) 〔茨城〕

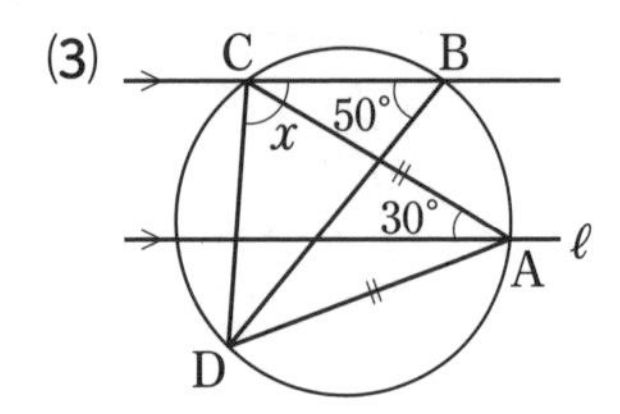

(4) 〔岩手〕

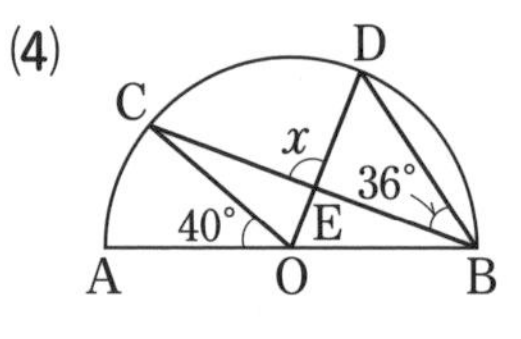

3 次の問いに答えなさい。

(1) 右の図ような円 O において，点 A，B，C，D は円周上の点である。線分 AC と線分 BD の交点を E とするとき，$\angle$AED の大きさを求めなさい。 〔茨城〕

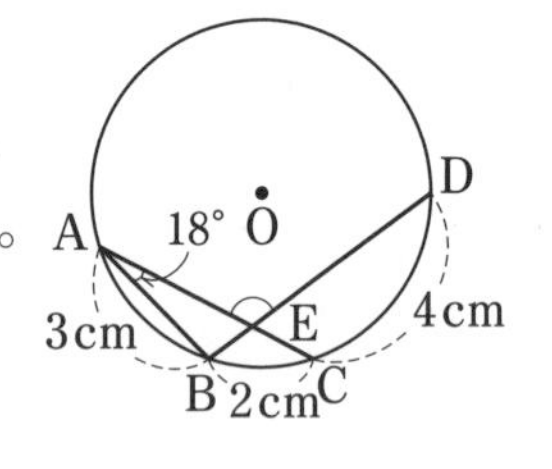

重要 (2) 右の図のように，円 O の円周上に 6 つの点 A，B，C，D，E，F があり，線分 AE と BF は円の中心 O で交わっている。また，$\angle AOB=36°$ であり，点 C，D は $\overset{\frown}{BE}$ を 3 等分する点である。このとき，$\angle$BFD の大きさを答えなさい。 〔新潟〕

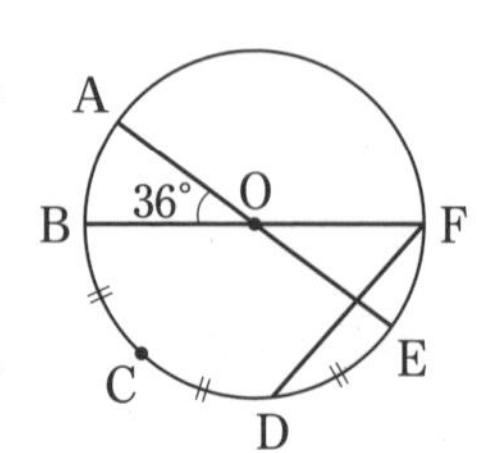

得点UP!

1 円周角の定理，円に内接する四角形の性質を使う。

2 ㋐直径に対する円周角は 90°
㋑2 つの半径がつくる三角形は二等辺三角形。
㋒平行線の錯角（さっかく）は等しい。
などを使って，$\angle x$ を求める。
(1) B と E を結ぶ。
(2) O と C を結ぶ。

3 中心角や円周角の大きさは弧（こ）の長さに比例することを利用する。
(1) A と D を結ぶ。
(2) O と D を結ぶ。

重要

4 **右の図の四角形 ABCD で，$\angle y$ の大きさを求めなさい。** 〔沖縄〕

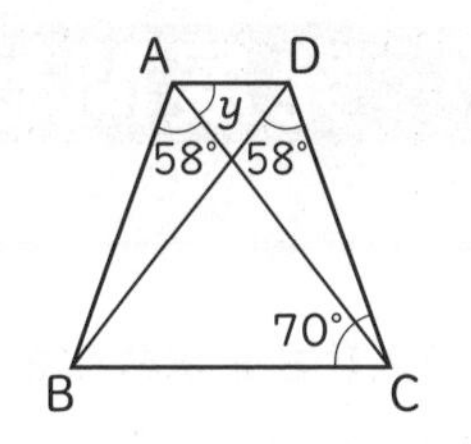

5 **右の図において，3 点 A，B，C は円 O の円周上にあり，△ABC は正三角形である。AC 上に点 D をとり，BD の延長と円 O との交点を E とする。点 A を通り BC に平行な直線と CE の延長との交点を F とする。** 〔静岡〕

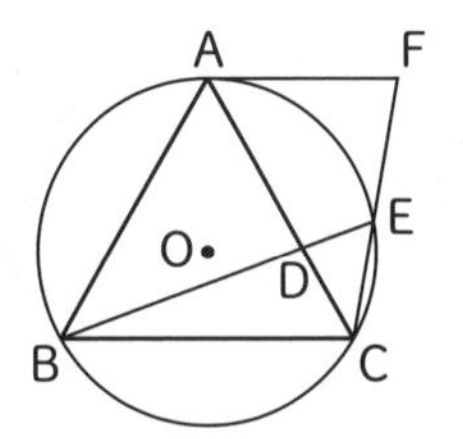

(1) AD＝AF であることを証明しなさい。

(2) 2 点 D，F を直線で結ぶ。∠DFE＝28° で，円 O の半径が 5 cm のとき，$\overset{\frown}{AE}$ の長さを求めなさい。

重要

6 **右の図のように，円 O の周上に異なる 3 点 A，B，C を $\overset{\frown}{AB}=\overset{\frown}{BC}$ となるようにとる。点 B をふくまない $\overset{\frown}{AC}$ 上に 2 点 A，C とは異なる点 D をとり，線分 BD と線分 AC との交点を E とする。また，点 C をふくまない $\overset{\frown}{AD}$ 上に点 F を BA//EF となるようにとる。さらに，線分 EF の延長上に点 E とは異なる点 G を AE=AG となるようにとり，線分 EG と線分 AD との交点を H とする。このとき，△AGH∽△BAE であることを証明しなさい。** 〔神奈川－改〕

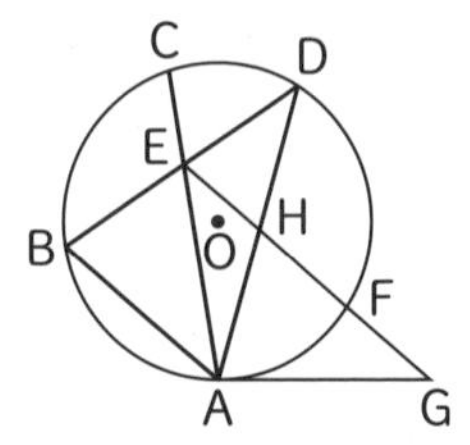

7 **右の図のように，円 O の周を 5 等分する点を A，B，C，D，E とし，正五角形 ABCDE をつくる。また，対角線 AC と BD の交点を H とする。** 〔石川－改〕

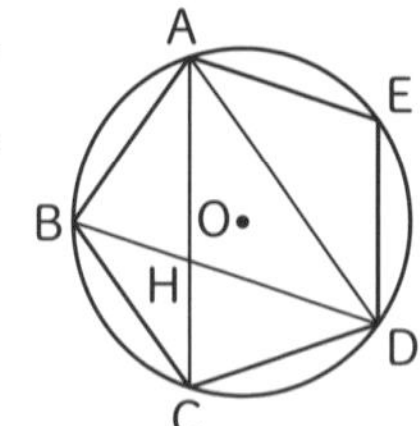

(1) △ABH∽△ACD である。このことを証明しなさい。

重要

(2) 線分 AB の長さが 1 のとき，線分 AC の長さを求めなさい。

4 ∠BAC=∠BDC に注目する。

5 (2) (1)の結論から△ADF がどんな三角形かわかる。

Check! 自由自在

接線と弦（げん）のつくる角の性質（接弦定理）についても確認しておこう。

6 二等辺三角形の底角は等しいこと，平行線の錯角（さっかく）は等しいこと，等しい弧に対する円周角は等しいことを使って，等しい角を探す。

7 (1) BC=CD より，$\overset{\frown}{BC}=\overset{\frown}{CD}$ である。
(2) AC=x とし，BH の長さを x を使って表す。また，(1)より，AB：AC=BH：CD

STEP 3 発展問題

解答⇨別冊 p.69

重要 **1** 次の図で，$\angle x$ の大きさを求めなさい。

(1) 〔広島大附高〕

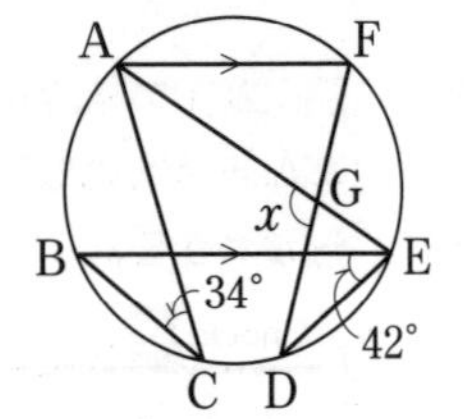

(2) 〔同志社高〕

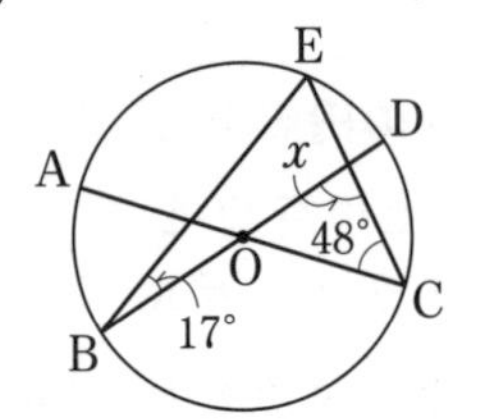

(3) 〔中央大杉並高〕

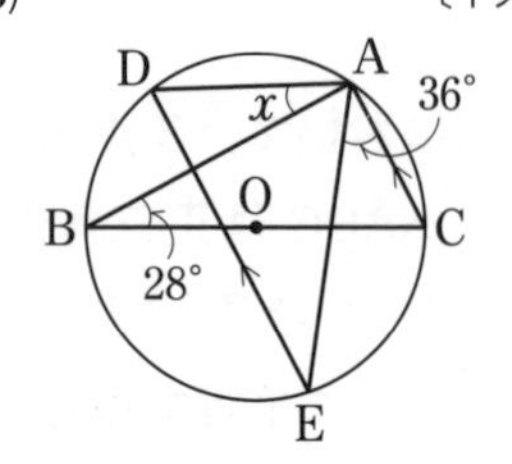

(4) 〔広島〕

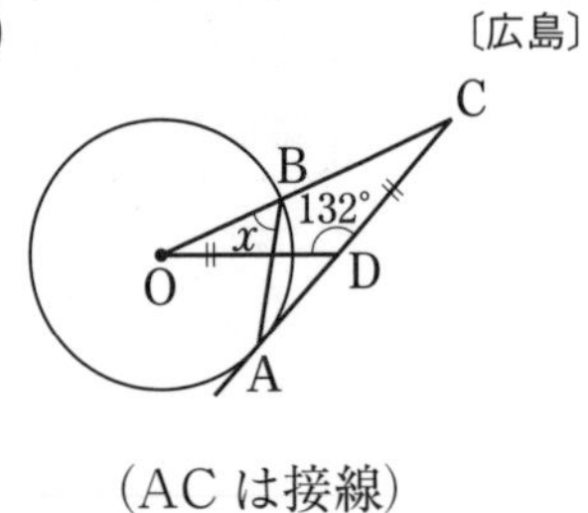

(ACは接線)

(5) 〔土浦日本大高〕

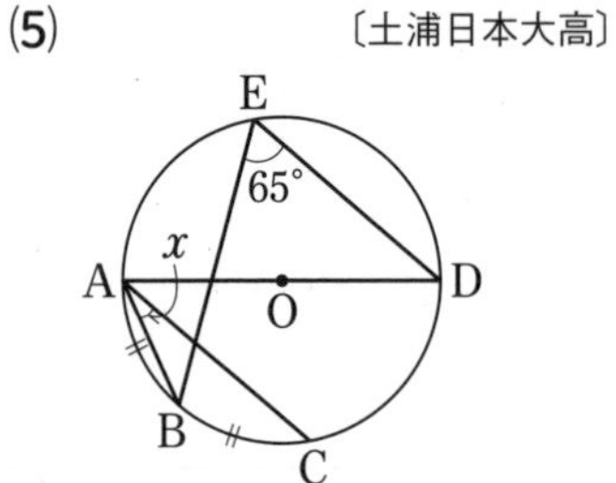

(6) 〔大分〕

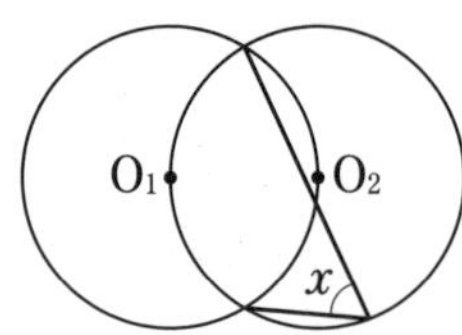

2 次の図で，$\angle x$，$\angle y$ の大きさをそれぞれ求めなさい。

(1) 〔青雲高〕

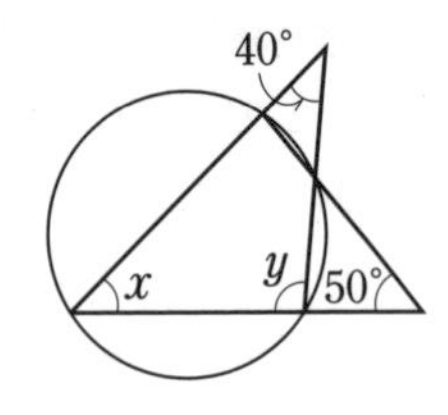

(2) 〔ラ・サール高〕

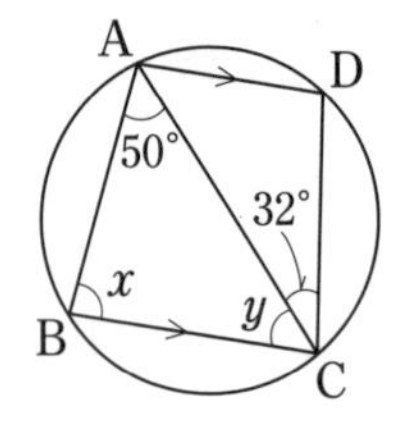

(3) 〔西大和学園高〕

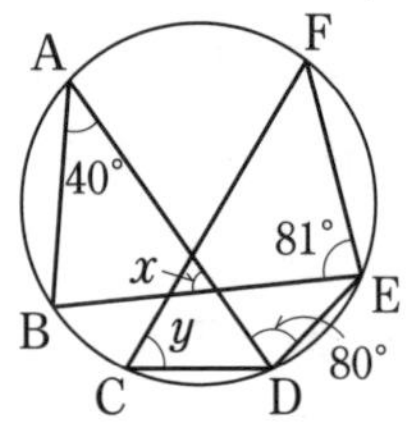

3 右の図の円 O で，3 つの弦（げん）AB，CD，EF は平行で $\angle$BCD=22°，$\angle$DEF=21°，$\overset{\frown}{CE}:\overset{\frown}{EG}=3:1$ であるとき，$\angle x$ の大きさを求めなさい。

〔国立工業高専〕

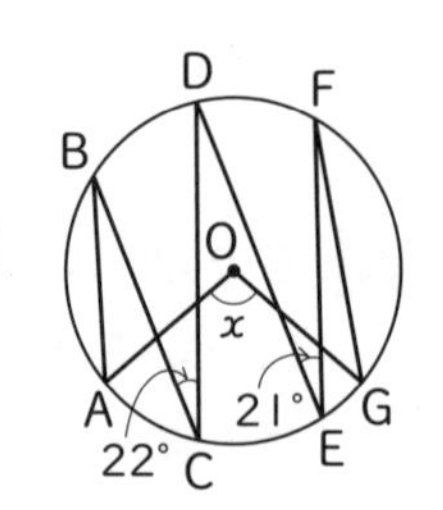

重要 **4** 右の図のように，円周上に 4 点 A，B，C，D があり，弦 AC と弦 BD との交点を E とする。$\overset{\frown}{AB}$=1 cm，$\overset{\frown}{BC}$=2 cm，$\overset{\frown}{CD}$=3 cm のとき，△ABE は AB=AE の二等辺三角形となった。このとき，$\angle$ABE の大きさを求めなさい。

〔筑波大附高〕

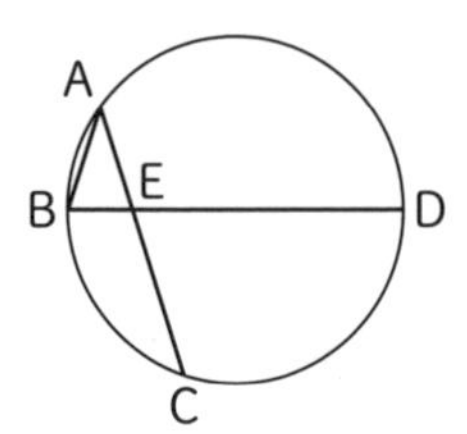

重要

5 右の図で，AB=4，AC=3，BD=5 である。 〔法政大高〕

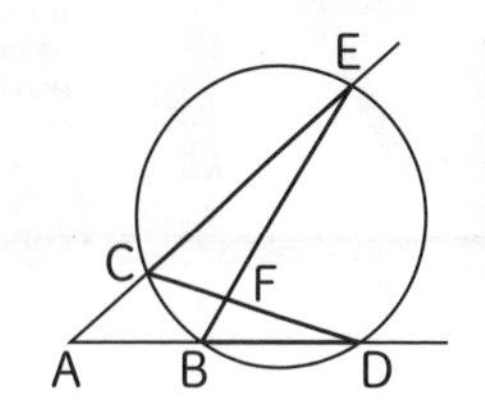

(1) CE の長さを求めなさい。

(2) BF：EF を最も簡単な整数の比で答えなさい。

(3) 四角形 ABFC：△CFE を最も簡単な整数の比で答えなさい。

6 右の図のように，∠ACB=90° の直角三角形 ABC がある。辺 AB 上に点 D を BC=BD となるようにとる。また，点 D を通り辺 AB に垂直な直線をひき，辺 AC との交点を E とする。さらに，線分 BE を E の方向に延長した直線に点 A から垂線をひき，その交点を F とする。このとき，△ABE∽△FDE を証明しなさい。 〔茨城一改〕

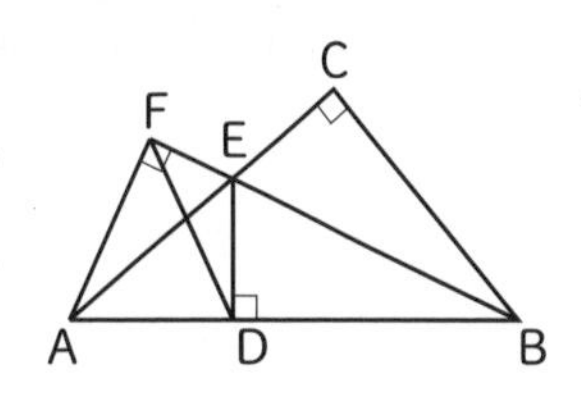

7 右の図のように，中心が O である円 O と，中心が P で半径が円 O の直径の長さと等しい円 P があり，円 P は中心 O を通っている。中心 P から円 O に接線をひき，接点を A とする。また，中心 P を通り，OA に平行な線をひき，円 P との交点を B，C とする。なお，D は円 P 上の点で，BC に関して △AOP と反対側にあり，OP∥BD とする。

〔函館ラ・サール高一改〕

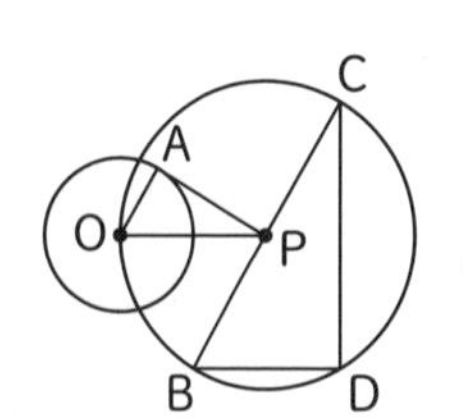

(1) ∠AOP の大きさを求めなさい。

重要 (2) △OAP∽△BDC を証明しなさい。

難問 (3) 右の図は，△BDC を P を中心にして時計回りに回転させ，線分 BC がはじめて円 O に接したときの図である。回転させた後の △BDC を対応する順に △B′D′C′ とし，線分 B′D′ と BC の交点を E とする。このとき，(△OAP の面積)：(四角形 ED′C′P の面積) を最も簡単な整数の比で表しなさい。

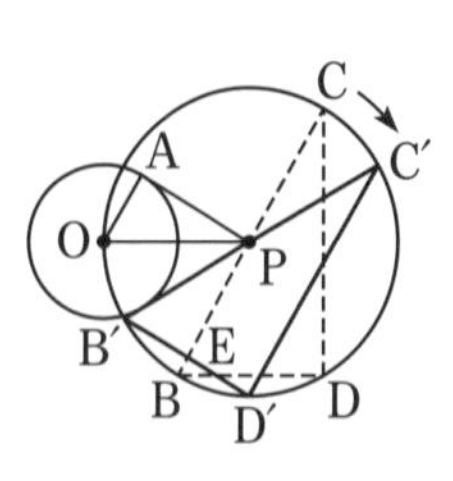

月　日

7 第4章 図形
三平方の定理

STEP 1 まとめノート

解答⇨別冊 p.72

① 特別な直角三角形の辺の比 ★

例題1 次の問いに答えなさい。

(1) 右の図のように，２枚１組の三角定規をならべる。BC=12 のとき，AB，BD，CD の長さをそれぞれ求めなさい。

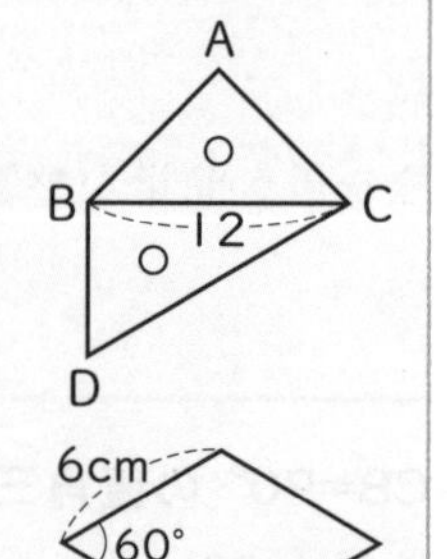

(2) 右の図のひし形の面積を求めなさい。

6cm
60°

解き方 (1) △ABC の辺の比は 1：1：①＿＿ だから，
（AB：AC：BC）

$AB=\frac{12}{\sqrt{②}}=$③＿＿

△BCD の辺の比は 1：2：④＿＿ だから，
（BD：CD：BC）

$BD=\frac{12}{\sqrt{⑤}}=$⑥＿＿，CD=2BD=⑦＿＿

(2) ひし形の面積は１辺 ①＿＿ cm の正三角形の面積の②＿＿倍である。

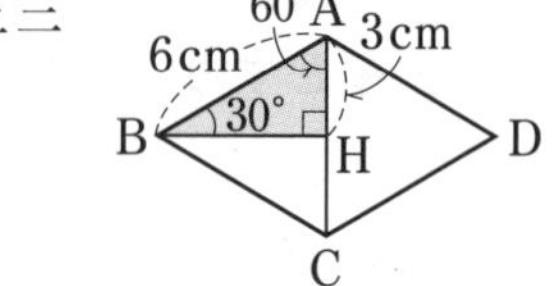

△ABH は，30°，③＿＿°，90° の直角三角形だから，BH=④＿＿ cm
（辺の比 $1:2:\sqrt{3}$）

よって，ひし形の面積は $\frac{1}{2}\times6\times$⑤＿＿$\times2=$⑥＿＿ (cm²)
（△ABC の面積）

② 平面図形への利用 ★

例題2 次の問いに答えなさい。

(1) ２点 A(−2，1)，B(3，5) 間の距離（きょり）を求めなさい。

(2) 右の図のような半径 4 cm の円 O がある。中心 O からの距離が 3 cm である弦 AB の長さを求めなさい。

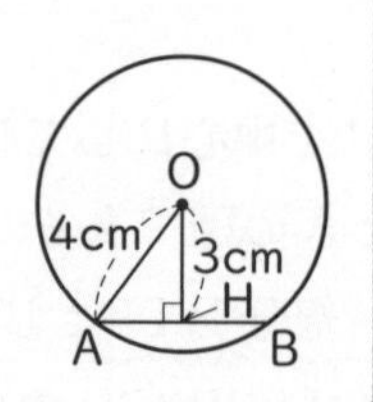

解き方 (1) $AB=\sqrt{\{3-(①\quad)\}^2+(5-②\quad)^2}=$③＿＿

(2) 直角三角形 OAH において，

$AH=\sqrt{4^2-①^2}=$②＿＿ (cm)

よって，AB=AH×③＿＿=④＿＿ (cm)

Points!

▶三平方の定理

△ABC において，∠C=90° ならば，

$a^2+b^2=c^2$

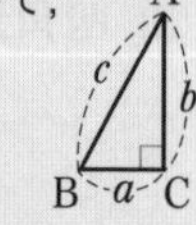

ズバリ暗記

直角三角形の２辺がわかれば，残る１辺がわかる。

右の図で，

$c=\sqrt{a^2+b^2}$

$a=\sqrt{c^2-b^2}$

$b=\sqrt{c^2-a^2}$

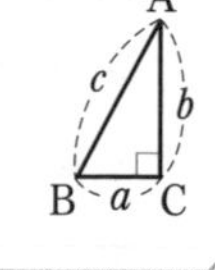

▶特別な直角三角形の辺の比

ズバリ暗記

・30°，60°，90° の三角形

BC：AB：AC

$=1:2:\sqrt{3}$

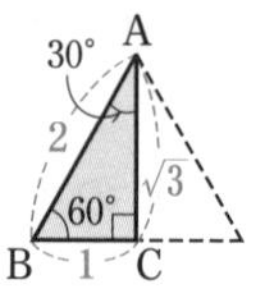

・45°，45°，90° の三角形

BC：AC：AB

$=1:1:\sqrt{2}$

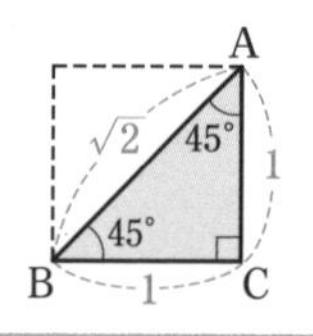

▶２点間の距離

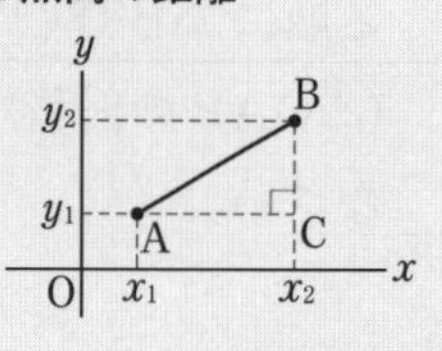

$AB=\sqrt{(x_2-x_1)^2+(y_2-y_1)^2}$

③ 立方体・直方体の対角線の長さ ★

例題3 次の立方体，直方体の対角線の長さを求めなさい。

(1) 縦 4 cm，横 2 cm，高さ 5 cm の直方体

(2) 1 辺の長さが 7 cm の立方体

解き方 (1) 直方体の対角線の長さは，

$\sqrt{4^2+①\quad^2+②\quad^2}=③\quad$ (cm)

(2) 立方体の対角線の長さは，

$\sqrt{7^2+①\quad^2+②\quad^2}=③\quad$ (cm)

④ 正四角錐の体積 ★

例題4 右の図は，正四角錐(せいしかくすい)の展開図である。この展開図を組み立ててできる正四角錐の体積を求めなさい。

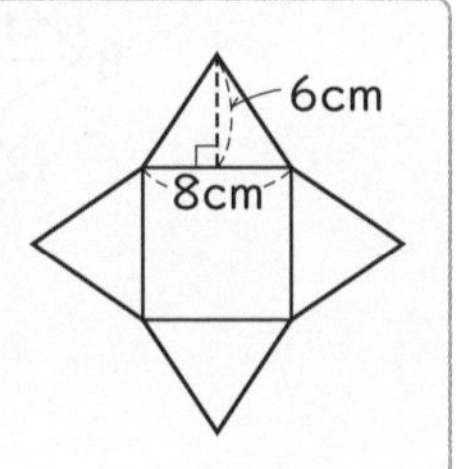

解き方 組み立ててできる正四角錐は右の図のようになる。△AMH は①　　三角形だから，

$AH=\sqrt{6^2-②\quad^2}=③\quad$ (cm)

よって，体積は，

$\frac{1}{3}\times8^2\times④\quad=⑤\quad$ (cm³)

（8^2：底面積　④：高さ）

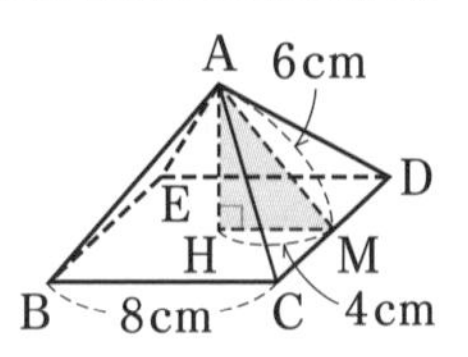

⑤ 最短距離の長さ ★★★

例題5 底面の半径 2 cm，母線の長さ 6 cm の円錐があり，底面の周上にある点 A から，円錐の側面を一周してもとの点 A まで，ひもをゆるまないようにかける。ひもの長さが最も短くなるとき，その長さを求めなさい。

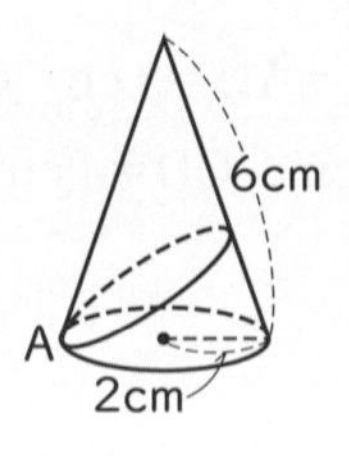

解き方 右のおうぎ形の中心角は，

$\angle AOA'=360°\times\frac{2\pi\times②}{2\pi\times①}=③\quad°$

ひもの最短の長さは，線分④　　の長さだから，△OAH において，

$AH=OA\times⑤\quad=⑥\quad$ (cm) より，

$⑦\quad=AH\times⑧\quad=⑨\quad$ (cm)

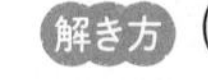

▶直方体の対角線

ズバリ暗記

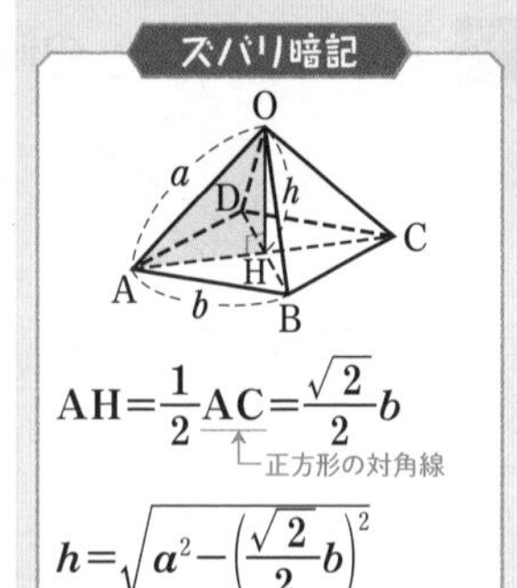

$AC=\sqrt{a^2+c^2}$ だから，

$\ell=\sqrt{AC^2+CG^2}$

$=\sqrt{a^2+b^2+c^2}$

▶正四角錐の高さ

ズバリ暗記

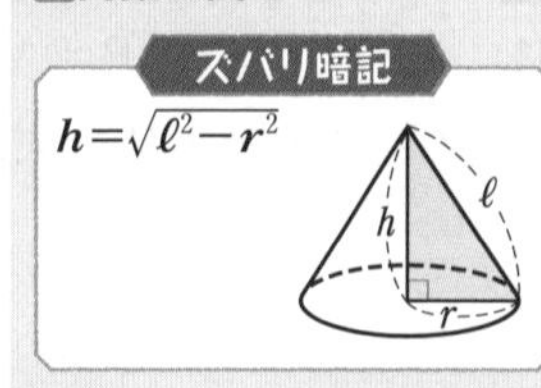

$AH=\frac{1}{2}AC=\frac{\sqrt{2}}{2}b$（AC：正方形の対角線）

$h=\sqrt{a^2-\left(\frac{\sqrt{2}}{2}b\right)^2}$

▶円錐の高さ

ズバリ暗記

$h=\sqrt{\ell^2-r^2}$

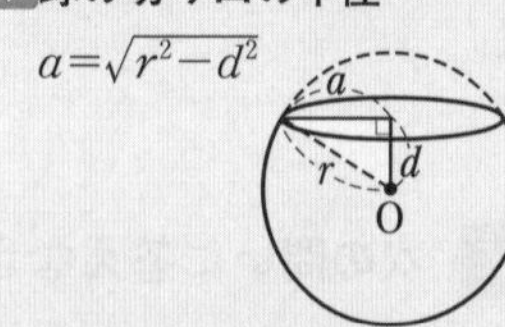

▶球の切り口の半径

$a=\sqrt{r^2-d^2}$

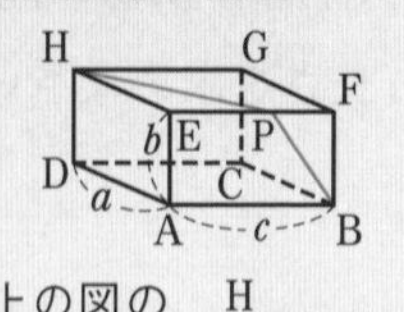

▶最短距離の問題

上の図のような最短距離を求める問題では，展開図をかいて考える。H，P，B が一直線に並ぶときが最短である。

STEP 2 実力問題

ねらわれるココが
- ○特別な直角三角形の辺の比
- ○平面図形への利用
- ○空間図形への利用

解答 ⇨ 別冊 p.72

1 右の図のように，まわりの長さが 24 の直角三角形がある。斜辺（しゃへん）の長さが 10 であるとき，残りの 2 辺のうち，短いほうの辺の長さを求めなさい。

〔神戸学院大附高〕

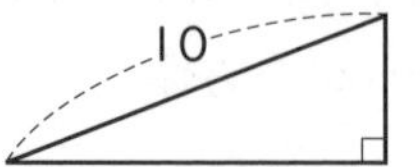

2 次の図で，x，y の値を求めなさい。

〔立命館宇治高－改〕

(1)

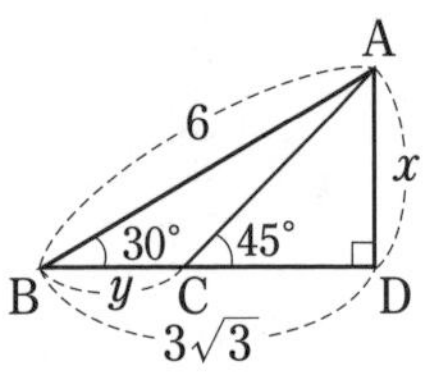

(2)

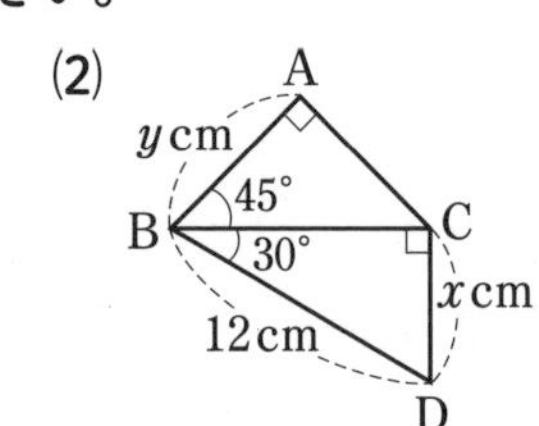

3 次の問いに答えなさい。

重要 (1) △ABC は，AB＝AC＝5 cm，BC＝6 cm の二等辺三角形である。この三角形の面積を求めなさい。

〔武庫川女子大附高〕

(2) 1 辺が 10 cm である正三角形の面積を答えなさい。

〔綾羽高〕

4 次の問いに答えなさい。

(1) 右の図のような AB＝AC＝8 cm の二等辺三角形 ABC がある。BD＝6 cm，CD＝4 cm のとき，AD の長さを求めなさい。

〔和洋国府台女子高〕

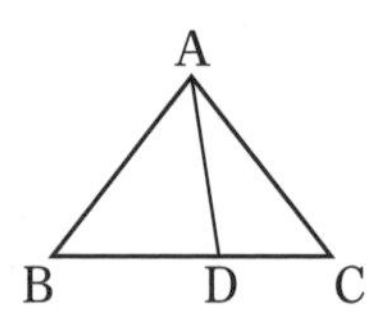

重要 (2) 右の図の △ABC において，AB＝$\sqrt{41}$ cm，BC＝4 cm，CA＝3 cm とする。直線 BC と，点 A を通り直線 BC に垂直な直線との交点を D とする。このとき，線分 AD の長さを求めなさい。

〔函館ラ・サール高〕

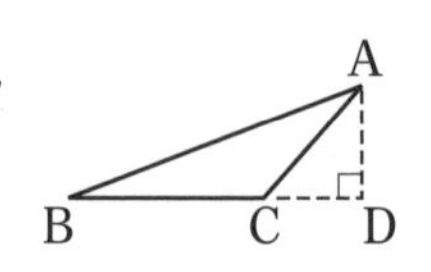

得点UP!

1 (1) 短いほうの辺の長さを x として，三平方の定理を使う。

Check! 自由自在

三平方の定理が成り立つことを証明するには，いくつか方法がある。どのようなものがあったか確認しておこう。

2

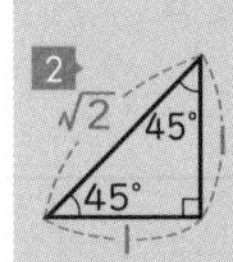

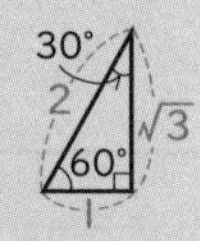

を用いる。

3 頂角の二等分線をひいて考える。

4 (1) A から BC に垂線をひく。

(2) CD＝x cm として AD の長さを 2 通りの方法で表す。

5 右の図１，図２のように，△PQR があり，∠PRQ=60° である。PQ=x，QR=y，RP=z とする。〔長崎〕

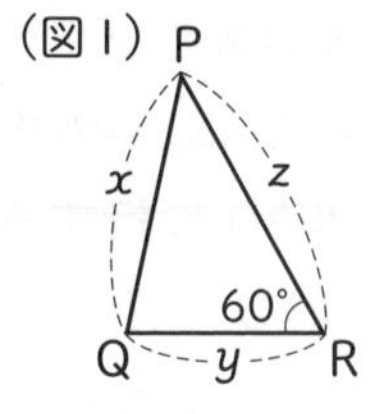

(1) 図２のように，辺 PR 上に ∠QSR=90° となる点 S をとるとき，線分 SR の長さを y の式で表しなさい。

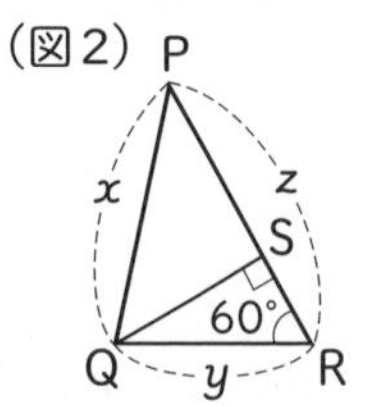

(2) x，y，z の間に，$x^2=y^2-yz+z^2$ の関係が成り立つことを証明しなさい。

6 右の図のように，関数 $y=ax^2$ のグラフ上に４点 A，B，C，D がある。点 A の座標は (2，2) で，点 B の x 座標は 4，AD と BC は x 軸（じく）に平行である。ただし，座標軸の単位の長さは１cm とする。〔兵庫〕

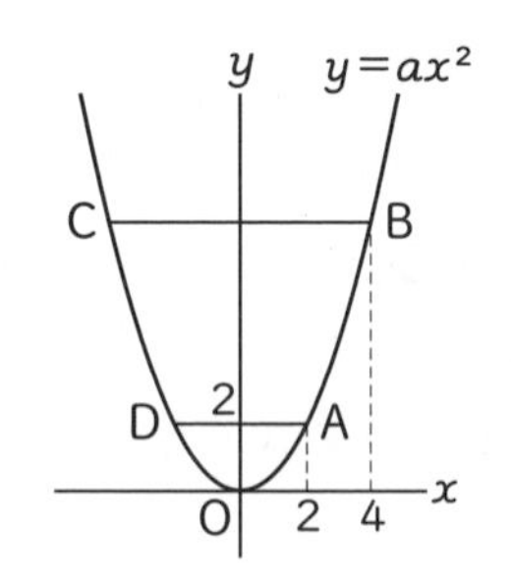

(1) 点 C の座標を求めなさい。

(2) 線分 BD の長さは何 cm か求めなさい。

(3) 四角形 OBCD の面積は何 cm^2 か求めなさい。

重要

7 右の図のように，１辺の長さが１cm の正三角形 OAB がある。辺 AB はおうぎ形 OCD の弧（こ）に接する。色のついた部分の面積を求めなさい。〔四天王寺高〕

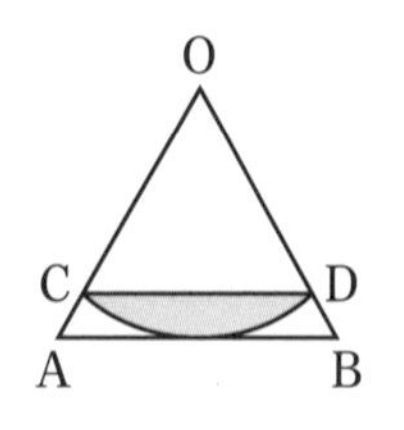

8 右の図のように，３つの小さい円と大きい円がたがいに接している。３つの小さい円の半径が１のとき，大きい円の半径を求めなさい。〔國學院大久我山高〕

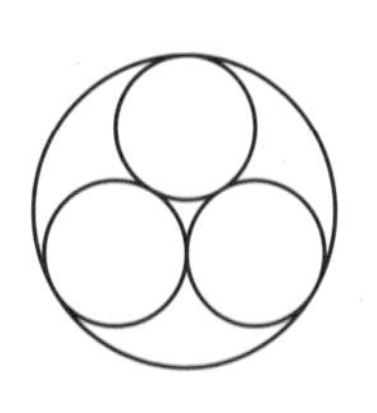

5 (1) △QRS は 30°，60°，90° の直角三角形である。
(2) QS，PS の長さを文字で表し，△PQS で三平方の定理を使う。

6 (1) 点 C は点 B と y 軸について対称（たいしょう）な点である。
(2) $(x_1,\ y_1)$，$(x_2,\ y_2)$ の距離（きょり）の公式 $\sqrt{(x_2-x_1)^2+(y_2-y_1)^2}$ を使う。
(3) 四角形 OBCD をいくつかの図形に分けて考える。

7 O から AB に垂線をひいて考える。

8 小さい円の中心をそれぞれ結ぶと，正三角形ができる。

Check! 自由自在
三角形の３つの中線の交点を何というか調べておこう。またその性質を覚えておこう。

重要 **9** **右の図のように，縦の長さが 9 cm，横の長さが 25 cm の長方形ABCDの中に，線分 OB を半径とし，辺 AD に接する半円 O と，辺 AD，CD 及び半円 O に接する円 O′ がある。円 O′ の半径を r cm とする。**

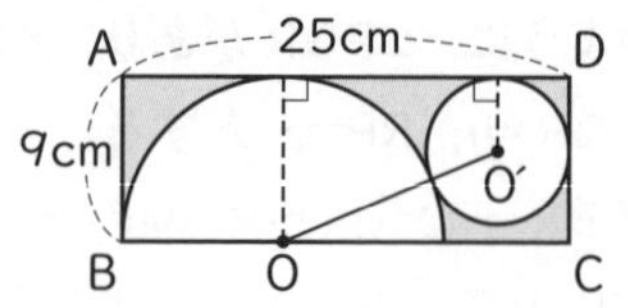

〔日本大第三高〕

(1) r の値を求めなさい。

(2) 色のついた部分の面積を求めなさい。

重要 **10** **右の図のように，1 辺が 4 cm の立方体 ABCD-EFGH がある。点 P，Q はそれぞれ辺 BF，DH 上の点であり，BP=HQ=1 cm である。このとき，△PGQ のまわりの長さを求めなさい。** 〔秋田〕

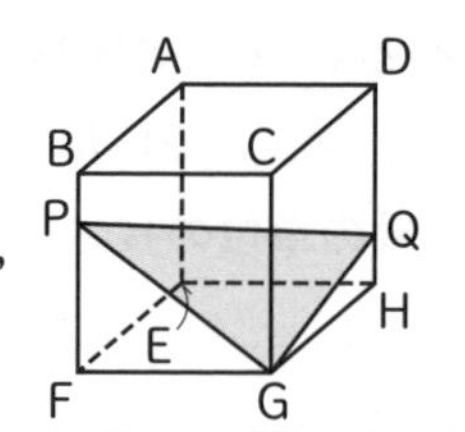

11 **右の図のように，台形 ABCD があり，AD=1 cm，CD=2 cm，∠BCD=∠ADC=90°，∠BAD=135° である。この台形 ABCD を辺 CD を軸(じく)として 1 回転させてできる立体の体積を求めなさい。** 〔秋田〕

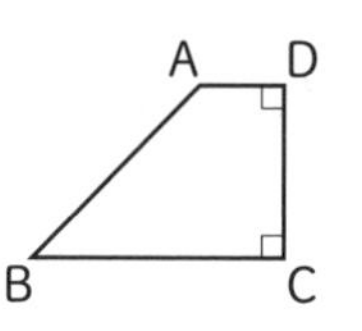

重要 **12** **右の図は 1 辺が 12 cm の立方体である。この立方体を点 B，D，G を通る平面で切断して三角錐(さんかくすい) BCDG を切り取る。** 〔神戸山手女子高〕

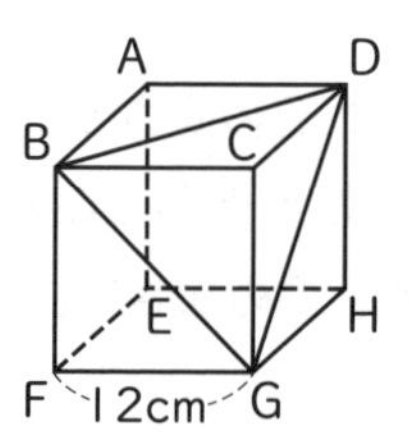

(1) 三角錐 BCDG の体積を求めなさい。

(2) △BDG の面積を求めなさい。

(3) C から平面 BDG にひいた垂線の長さを求めなさい。

---

9 (1) AD と半円の接点を E とし，O′ から OE に垂線をひく。

10 PQ は縦 4 cm，横 4 cm，高さ 2 cm の直方体の対角線として考える。

11 BA と CD の延長線の交点を O とすると，△OAD∽△OBC

12 (1) 底面を △BCD，高さを CG として考える。
(2) △BDG は BG=GD=DB の正三角形である。
(3) 求める長さを h cm とすると，三角錐 BCDG の体積は $\frac{1}{3}\times$△BDG$\times h$

重要

13 右の図のように，１辺の長さが 4 cm の立方体 ABCD-EFGH において，辺 GC の延長上に，GC=CL となるような点 L をとり，線分 LF と辺 BC の交点を M，線分 LH と辺 CD の交点を N とする。また，線分 AC と MN の交点を P，線分 EG と FH の交点を Q，線分 AG と平面 MNHF との交点を R とする。〔新潟〕

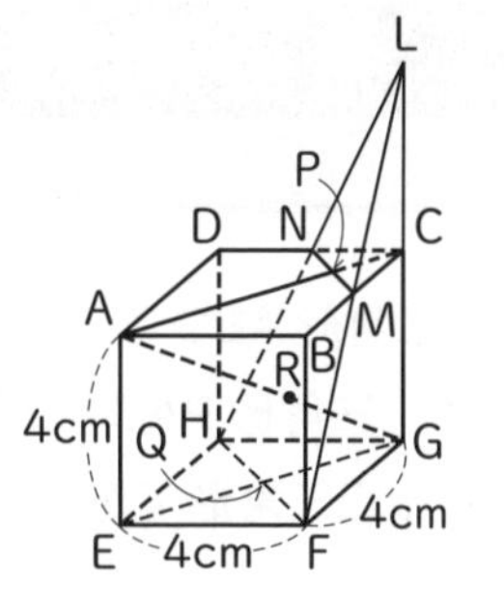

(1) △LNM と △LHF の面積比を答えなさい。

(2) 三角錐 LFGH の体積を求めなさい。

(3) 線分 CP と線分 AG の長さをそれぞれ求めなさい。

(4) 線分 GR の長さを求めなさい。

14 右の図のように，底面の直径 BC=6 cm，母線 AB=5 cm の円錐の中に，底面と側面に接する球が入っている。このとき，球の半径と表面積を求めなさい。〔福岡大附属大濠高〕

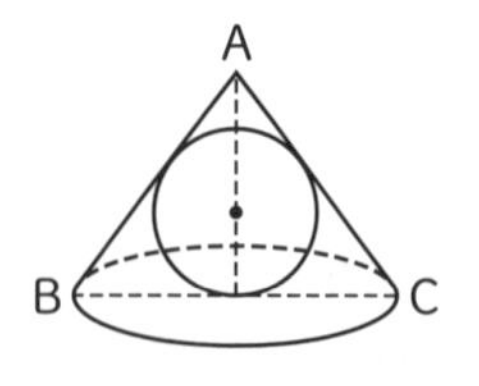

15 右の図のような底面が DE=DF=6 cm，EF=4 cm の二等辺三角形で，高さが 3 cm の三角柱がある。辺 AC 上に線分 BL の長さが最も短くなるように点 L をとり，L を通り辺 CF に平行な直線と辺 DF との交点を M とする。また，線分 AF と線分 LM との交点を P とし，辺 BC の中点を Q とする。〔福島〕

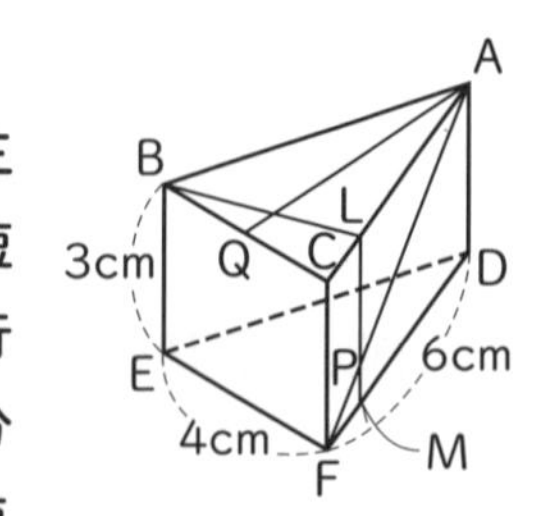

(1) 線分 AQ の長さを求めなさい。

(2) 線分 LP と線分 PM の長さの比を求めなさい。

(3) 4 点 Q，A，E，P を結んでできる三角錐の体積を求めなさい。

13 (1) NM // HF より，△LNM ∽ △LHF 相似比から面積比を求める。
(2) 三角錐 LFGH の体積は $\frac{1}{3}$×△FGH×LG
(3) △CNP は直角二等辺三角形である。また，線分 AG は立方体 ABCD-EFGH の対角線である。
(4) 点 R は，対角線 AG と線分 PQ の交点になっている。

14 下のような図で考える。

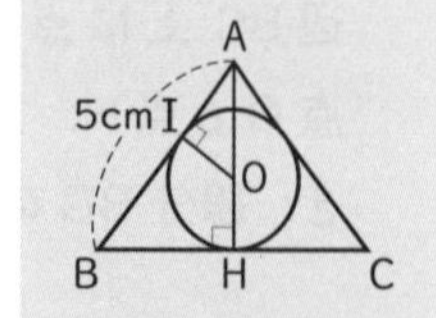

15 (2) △ABQ ∽ △BCL である。

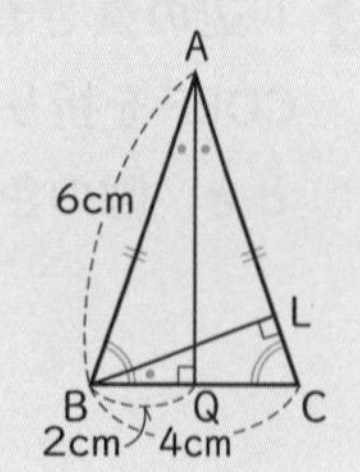

(3) 求める立体は，三角錐 Q-AEF の一部である。また，三角錐 Q-EFP と三角錐 Q-EPA は高さが共通である。

STEP 3 発展問題

解答⇨別冊 p.75

1 右の図において，三角形ABCは，AB=1 cm，BC=2 cm，∠BAC=90° の直角三角形であり，三角形PAC，三角形QBAはそれぞれ，線分AC，線分ABを1辺とする正三角形である。このとき，線分PQの長さを求めなさい。

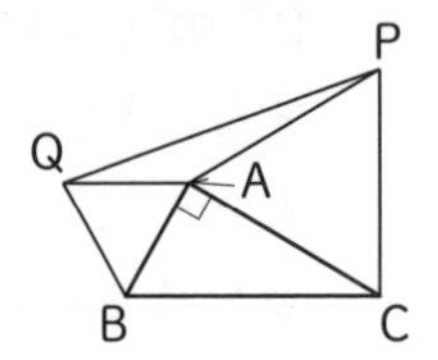

重要 **2** AB=9 cm，BC=12 cm の長方形ABCDがある。右の図のように，頂点Cを中心として，この長方形を30°回転させる。点A，B，Dの回転後の点をそれぞれA′，B′，D′とするとき，A′Cの長さと色のついた部分の面積をそれぞれ求めなさい。〔江戸川学園取手高〕

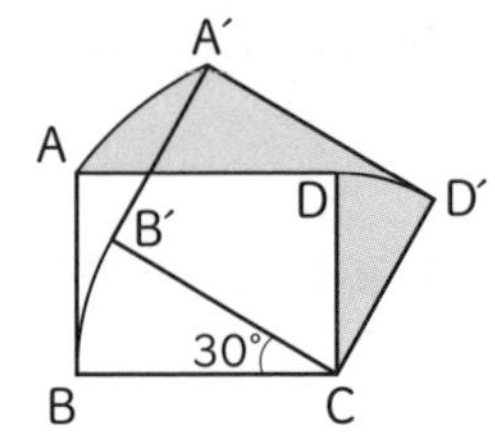

3 右の図のような，1辺の長さが3 cmの正方形ABCDがあり，2点E，Fはそれぞれ辺AB，辺DC上の点で，AE=DF=2 cm である。また，辺BC上に点Gをとり，線分EF上に点Hをとる。点Aと点G，点Gと点H，点Hと点Aをそれぞれ結ぶ。△ABG≡△AHG であるとき，線分BGの長さは何cmですか。〔香川〕

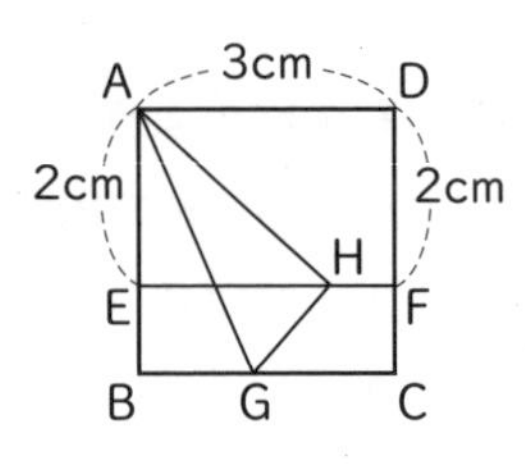

重要 **4** 1辺の長さが3の正方形ABCDを図のようにEFを折り目として四角形CDEFを折り返したところ，頂点Cは辺AB上の点Gと重なった。GF=2 のとき，図の色のついた部分の面積を求めなさい。〔城北高〕

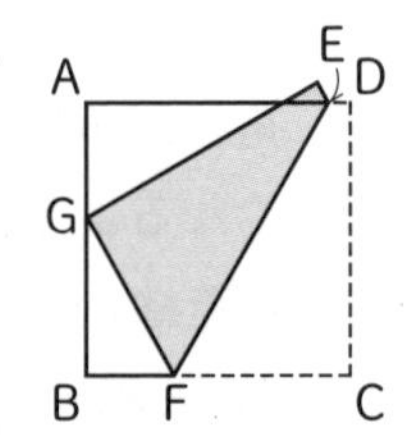

5 右の図は，1辺2 cmの正六角形と，6つの辺が正六角形の周上にある正十二角形である。正十二角形の1辺の長さと面積をそれぞれ求めなさい。〔立教新座高〕

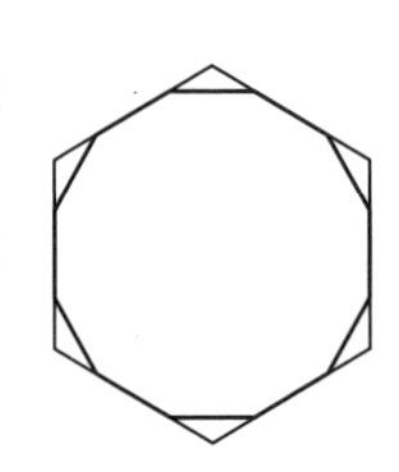

6 △PQR について，QR=6 cm，∠QPR=60° である。辺 PQ の長さが最大になるとき，△PQR の面積を求めなさい。〔豊島岡女子学園高〕

重要 **7** 点 O を中心とし PQ を直径とする半径 3 cm の円と，点 P を中心とし PO を半径とする円との交点を A，B とする。このとき，線分 QA，線分 QB，点 O を含む弧AB で囲まれた色のついた部分の図形の面積を求めなさい。〔鳥取〕

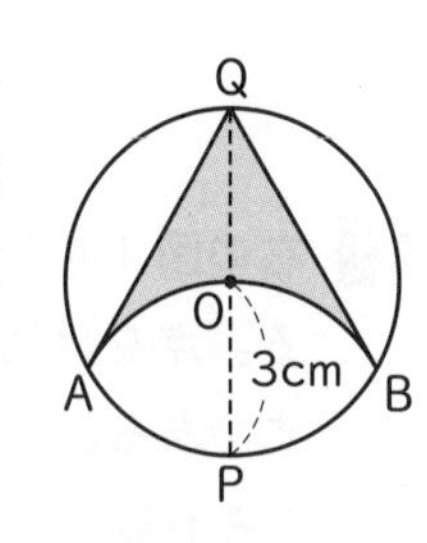

重要 **8** 右の図のように，1 辺の長さが 6 cm の正三角形 ABC と，辺 BC を弦とする円 O がある。円 O と △ABC の 2 辺 AB，AC との交点をそれぞれ D，E とする。点 E から円の中心 O を通る直線をひき，この直線と円 O との交点を F とする。AD=2 cm である。〔東京学芸大附高〕

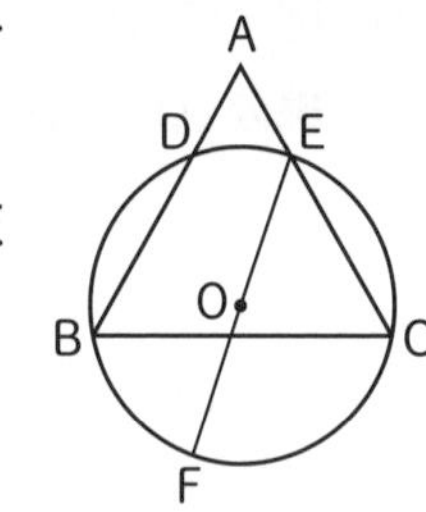

(1) 線分 DE の長さを求めなさい。

(2) 線分 CD の長さを求めなさい。

(3) 円 O の半径を求めなさい。

(4) △BCF の面積を求めなさい。

9 右の図のように，原点 O を中心とする円と x 軸の正の部分との交点を A，y 軸の負の部分との交点を B とする。また，この円と放物線 $y=ax^2$ との交点を C，D，直線 AD と y 軸との交点を E とし，C(1，$\sqrt{3}$) とする。〔日本大第二高〕

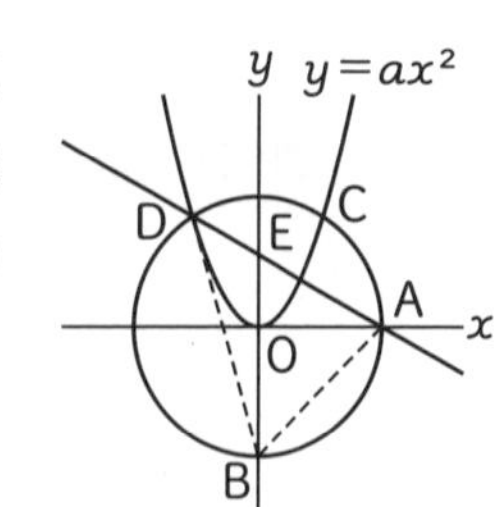

(1) 点 A，E の座標を求めなさい。

(2) ∠ABD の大きさを求めなさい。

(3) 三角形 ABD の面積を求めなさい。

10 AD=4，BC=CD=2 である右の図形を直線 ℓ を軸(じく)に回転させたときにできる立体の体積を求めなさい。〔法政大高〕

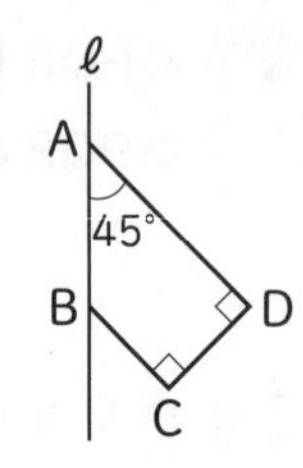

重要

11 右の図１に示した立体 A-BCD は，１辺の長さが 16 cm の正四面体である。点 E は辺 AB 上にある点で，AE=12 cm であり，点 F は辺 AD の中点である。辺 AC 上にある点を P とする。点 E と点 P，点 F と点 P をそれぞれ結ぶ。〔都立新宿高〕

（図１）

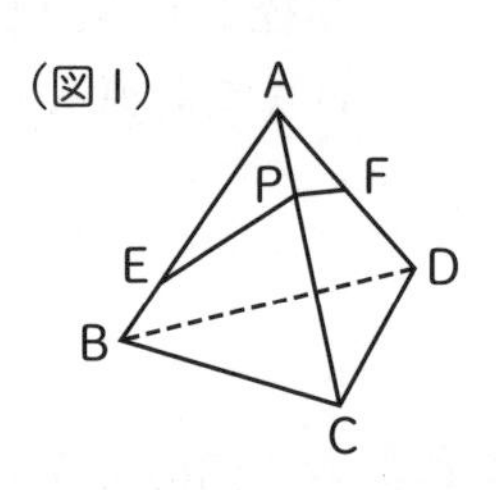

(1) 図１において，EP＋PF＝d cm とする。d の値が最も小さくなるとき，線分 AP の長さは何 cm ですか。

(2) 右の図２は，図１において，EP∥BC のとき，点 E と点 F を結んだ場合を表している。

（図２）

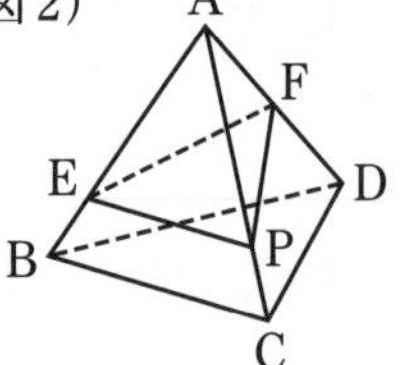

① △EPF の面積は何 cm^2 ですか。

② 立体 A–EPF の体積は，立体 A–BCD の体積の何分のいくつですか。

12 頂点が底面の中心の真上にある円錐(えんすい)について，母線の長さを ℓ として，右の図のように底面の円周上の点 B から，糸を最短の長さになるように円錐の表面に１周巻き付ける。ただし，糸の太さは考えないものとする。このときの糸の長さを a，底面の円 O の半径を r とする。〔京都市立西京高〕

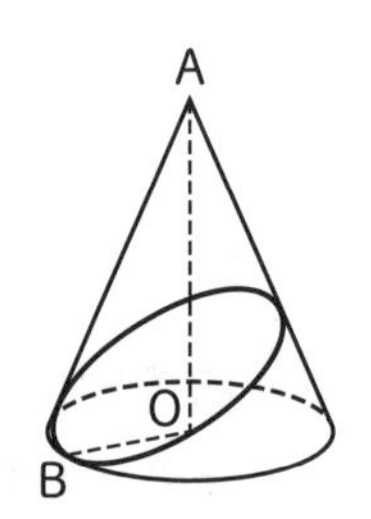

(1) この円錐の高さが $\frac{2}{3}\sqrt{2}\ell$ となるとき，a を ℓ を用いて表しなさい。

(2) $a=\ell$ となるとき，この円錐の底面の半径 r を，ℓ を用いて表しなさい。

(3) この円錐の底面の半径 r をどんどん大きくしていくと，ある時点から糸をたるまないようにピンと張って巻き付けることができなくなる。糸を巻き付けることができるのは，r がどのような値をとるときですか。ℓ を用いてその範囲(はんい)を表しなさい。

13 **1 辺の長さが 8 の立方体 ABCD−EFGH に球が内接している。この立方体を次に与えられた各平面で切断するとき，それぞれの場合について球の切り口の円の半径を求めなさい。** 〔青山学院高〕

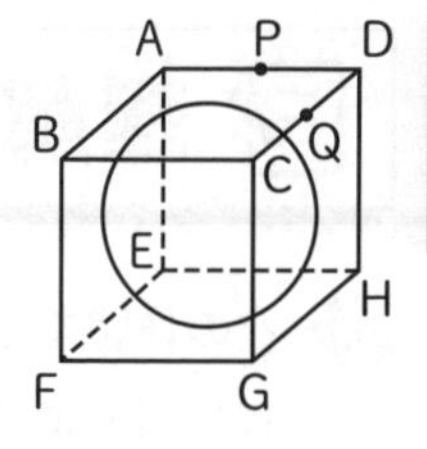

(1) 四角形 BDHF

(2) △ACF

(3) 台形 PQGE（ただし，P，Q はそれぞれ辺 AD，辺 CD の中点とする）

重要 **14** **右の図 1 のように，底面の直径 AB が 16 cm で高さ BC が 18 cm のふたのない円柱の容器に同じ大きさの鉄球を 2 つ入れて水を容器いっぱいに注いだところ，上の鉄球が水面にちょうどかくれた。2 つの鉄球は，長方形 ABCD の各辺とそれぞれちょうど 1 点でふれているものとする。** 〔東京工業大附属科学技術高〕

（図 1）

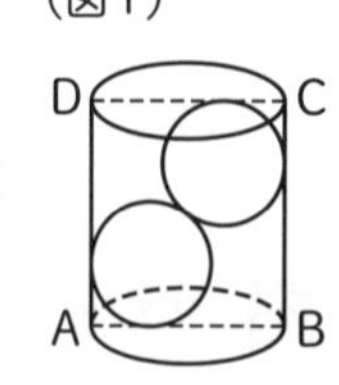

(1) 鉄球の半径を求めなさい。

(2) 図 1 の状態から水を抜(ぬ)いて，水面の高さを 9 cm にした。このとき，水面と鉄球の境界としてできる 2 つの円の面積の和を求めなさい。

難問 **(3)** (2)の状態から，図 2 のように円柱の容器を傾(かたむ)けて，水面がちょうど 2 点 A，C を通るようにした。このとき，水面と鉄球の境界としてできる 2 つの円の面積の和を求めなさい。

（図 2）

難問 **15** **右の図は，底面の 1 辺の長さが 4，他のすべての辺の長さが $2\sqrt{6}$ の正四角錐である。頂点 O から底面 ABCD に垂線 OH をひき，OH の中点を M とする。3 点 A，B，M を通る平面で正四角錐を切るとき，この平面と辺 OC，OD との交点をそれぞれ P，Q とする。** 〔明治大付属明治高〕

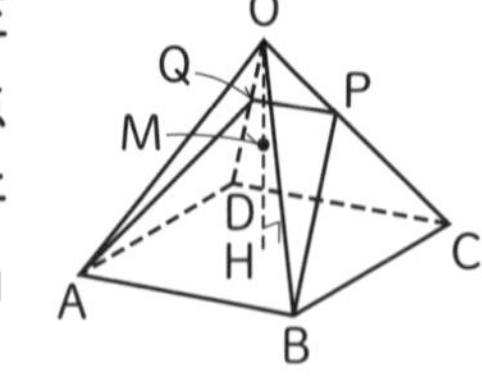

(1) 四角形 ABPQ の面積を求めなさい。

(2) 四角錐 O−ABPQ の体積を求めなさい。

〔　　月　　日〕

理解度診断テスト④

本書の出題範囲 pp.88～139　時間 40分　得点 /100点　理解度診断 A B C

解答⇨別冊 p.80

1 次の作図をしなさい。(12点)

(1) 右の図のように，平行な 2 直線 ℓ，m があり，ℓ 上に点 A がある。点 A で直線 ℓ に接し，さらに，直線 m にも接する円を作図しなさい。〔山形〕

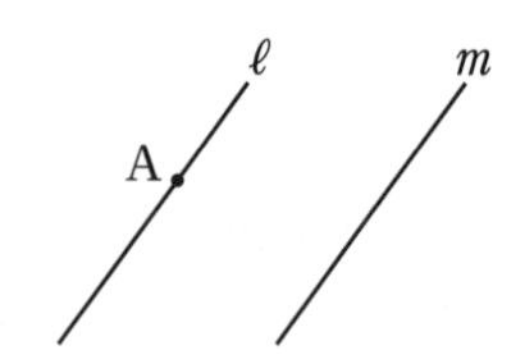

(2) 右の図のような，線分 AB がある。この線分 AB を斜辺(しゃへん)とし，∠CAB＝30° の直角三角形 ABC の点 C を線分 AB より上に作図しなさい。〔宮崎－改〕

A――――B

2 次の図で，∠x の大きさを求めなさい。(18点)

(1) 〔岩手〕

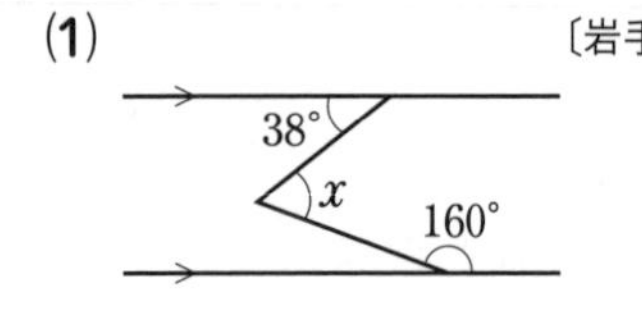

(2) 〔駿台甲府高〕

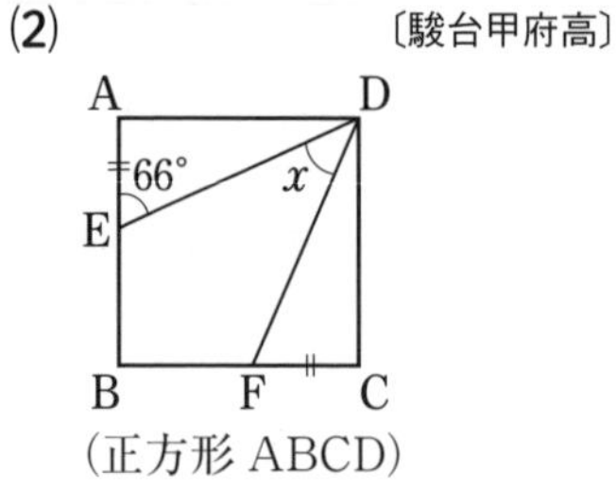

(正方形 ABCD)

(3) 〔福岡大附属大濠高〕

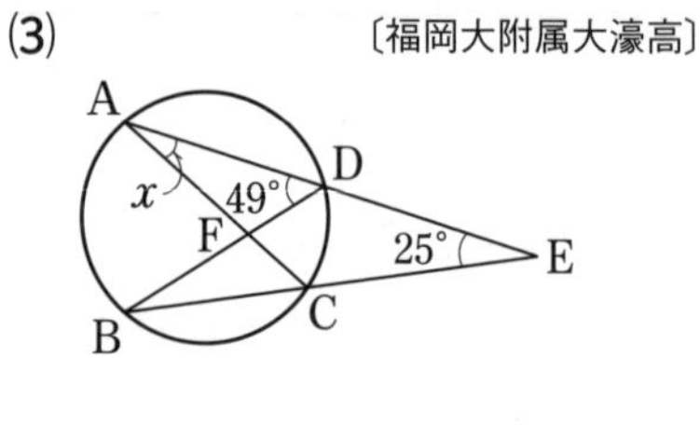

3 右の図のように，円周上の 4点 A，B，C，D を頂点とする四角形 ABCD があり，△ABD は正三角形とする。対角線 AC と BD との交点を Eとし，辺 AB 上に，BC//FE となる点 F をとる。ただし，辺 BC は，辺 CD より長いものとする。(22点) 〔福井〕

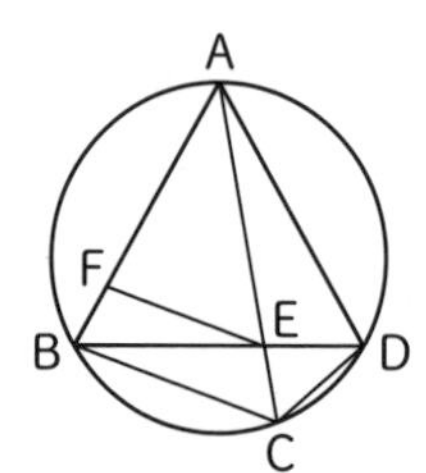

(1) △ADE∽△EBF であることを証明しなさい。(8点)

(2) 線分 BE と FC との交点を G とする。AB＝8 cm，AE＝7 cm である。

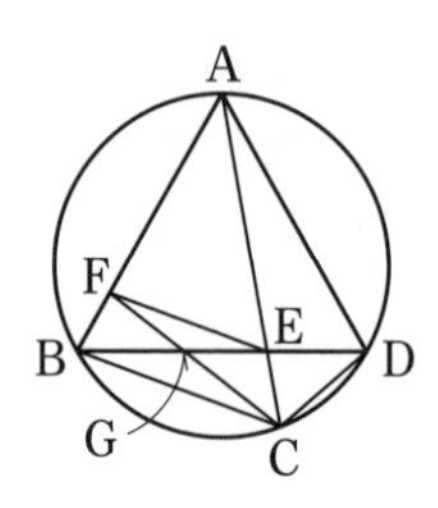

① 線分 BF の長さを求めなさい。(6点)

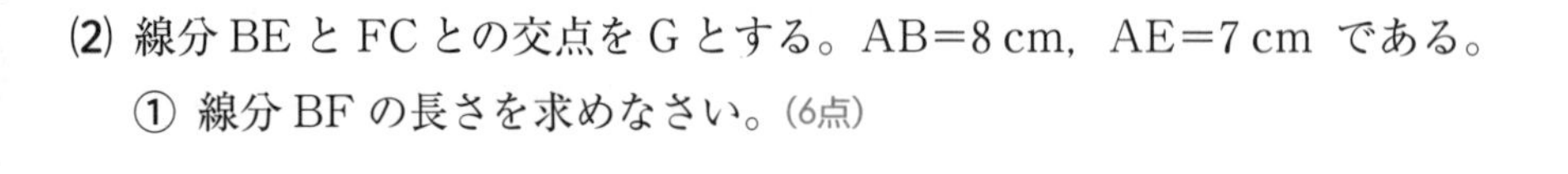

② △BFG の面積を求めなさい。(8点)

4 **右の図の正方形 ABCD は，1 辺の長さが 3 cm である。DE：EC=1：3 となる点 E を辺 DC 上にとり，BE，AD を延長して交わった点を F とする。また，∠CBE=∠GBE となる点 G を辺 AD 上にとる。**（14点）〔青森〕

(1) △EBC と △EFD が相似になることを証明しなさい。（8点）

(2) BG の長さを求めなさい。（6点）

5 **右の図のような底面の半径 3 cm，母線の長さ 9 cm の円錐（えんすい）がある。この円錐の底面の直径の両端（りょうたん）A から B まで側面上にひもをかける。最も短いときのひもの長さを求めなさい。**（6点）〔星陵高〕

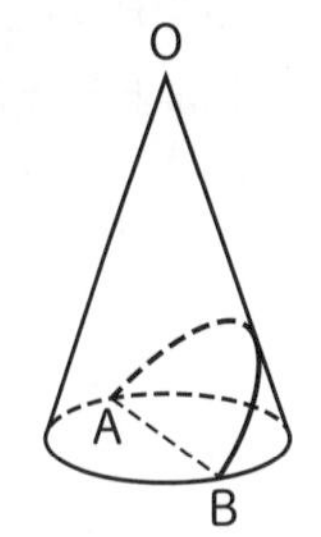

6 **AB=8 cm，BC=9 cm の長方形 ABCD と，この長方形の周および内部にふくまれる円 P，Q がある。右の図のように，円 P は 2 辺 AB，BC で，円 Q は 2 辺 CD，DA で，それぞれ長方形に接しており，円 P と円 Q はたがいに接している。このとき，円 P と円 Q の中心間の距離（きょり）を求めなさい。**（8点）〔灘高〕

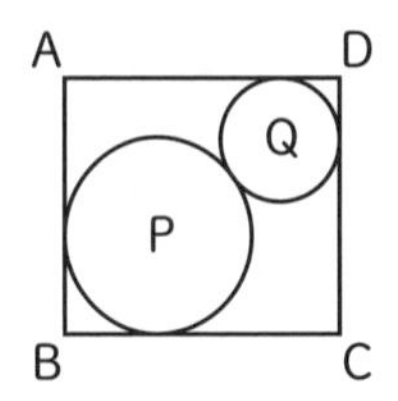

7 **右の図のような，底面が 1 辺 $4\sqrt{2}$ cm の正方形で，高さが 6 cm の直方体がある。辺 AB，AD の中点をそれぞれ P，Q とする。**（20点）〔福島〕

(1) 線分 PQ の長さを求めなさい。（6点）

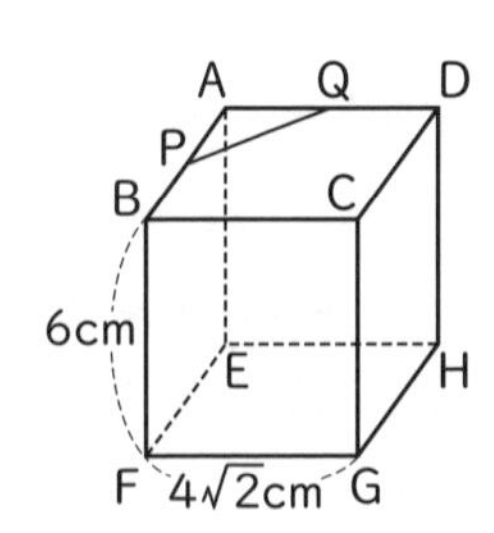

(2) 四角形 PFHQ の面積を求めなさい。（6点）

(3) 線分 FH と線分 EG の交点を R とする。また，線分 CR の中点を S とする。このとき，S を頂点とし，四角形 PFHQ を底面とする四角錐の体積を求めなさい。（8点）

月　日

第5章　データの活用

1 資料の整理

STEP 1 まとめノート

解答⇨別冊 p.83

① 度数分布表，相対度数 ★★

例題 1 右の表は，ある中学校の男子 50 人のハンドボール投げの記録をまとめたものである。表の中の ア ～ ウ にあてはまる数を，それぞれ求めなさい。

階級（m）	度数（人）	相対度数
以上　未満 13 ～ 15	2	0.04
15 ～ 17	4	0.08
17 ～ 19	ア	0.14
19 ～ 21	10	0.20
21 ～ 23	イ	ウ
23 ～ 25	9	0.18
25 ～ 27	5	0.10
27 ～ 29	1	0.02
計	50	1.00

解き方 17～19 の相対①＿＿は②＿＿だから，

ア ＝50×③＿＿＝④＿＿

イ ＝⑤＿＿（総数）－(2＋4＋⑥＿＿＋10＋9＋5＋1)＝⑦＿＿ だから，

ウ ＝⑧＿＿（21～23 の階級の度数）÷50＝⑨＿＿

② ヒストグラムと代表値 ★★

例題 2 右の図のヒストグラムは，あるクラスの 5 点満点のテストの結果である。

(1) 中央値を求めなさい。

(2) 最頻値（さいひんち）を求めなさい。

(3) 平均値を求めなさい。

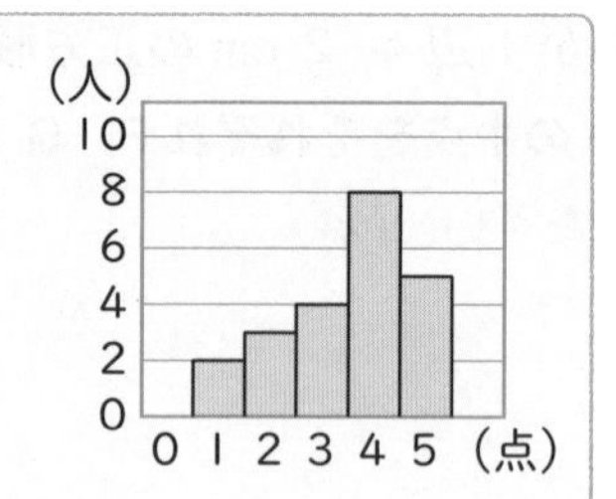

解き方 (1) クラスの人数は 2+3+4+①＿＿＋5＝②＿＿（人）で偶数（ぐうすう）だから，中央値は小さいほうから③＿＿番目と④＿＿番目の値の平均になる。

どちらの値も⑤＿＿点だから，中央値は⑥＿＿点

(2) 最頻値は最も⑦＿＿の多い得点で，⑧＿＿点

(3) (1×2＋2×3＋3×⑨＿＿＋4×8＋⑩＿＿×5)÷⑪＿＿

（得点の合計＝階級値×度数の合計）（総数）

＝⑫＿＿（点）

Points!

▶度数分布表

・資料を整理するために用いる区間を階級という。

・各階級の真ん中の値を階級値という。

・各階級に入っている資料の個数を度数という。

▶相対度数

ズバリ暗記

相対度数＝各階級の度数／度数の合計

ふつう，小数で表す。

▶ヒストグラム

階級の幅（はば）を横，度数を縦とする長方形を並べたグラフをヒストグラム（柱状グラフ）という。

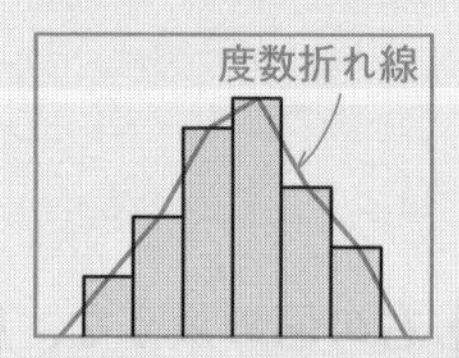

▶代表値

ズバリ暗記

資料全体のようすを表す数値で，中央値（メジアン），最頻値（モード），平均値の 3 つがある。

▶四分位数

・中央値が第 2 四分位数

・中央値より小さいほうの中央値が第 1 四分位数

・中央値より大きいほうの中央値が第 3 四分位数

STEP 2 実力問題

ココがねらわれる
- ○度数分布表，ヒストグラム
- ○相対度数，累積度数
- ○四分位数，箱ひげ図

解答⇨別冊 p.83

重要

1 ある中学校の女子50人の反復横とびの記録を調べた。図1は調べた記録を大きいほうから順に並べて書いたメモの一部で，表は調べた50人の記録を度数分布表にしたものである。

（図1）

反復横とびの記録（回）
59，58，57，55，55，54，54，53，52，52

階級（回）	度数（人）	相対度数	累積度数（人）
以上　未満 35～40	3	0.06	3
40～45	10	ウ	オ
45～50	ア	0.36	31
50～55	14	0.28	カ
55～60	イ	エ	50
計	50	1.00	

(1) 度数 ア，イ の値を求めなさい。

(2) 相対度数 ウ，エ の値を求めなさい。

(3) 累積度数 オ，カ の値を求めなさい。

(4) 累積度数折れ線を図2にかきなさい。

（図2）

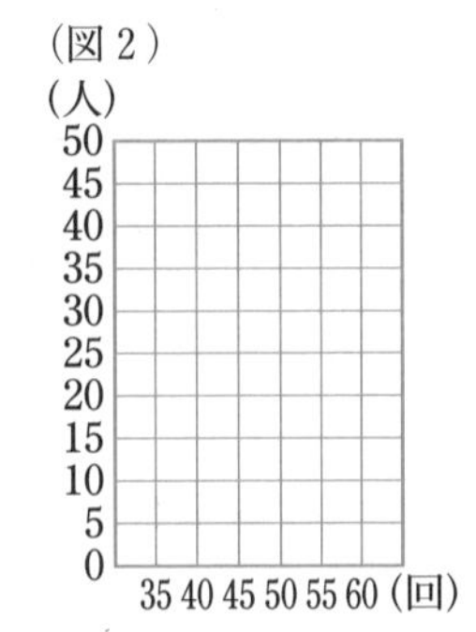

2 右の図は，あるクラスの15人が冬休みに読んだ本の冊数をヒストグラムに表したものである。この15人が読んだ本の冊数について，次のア～エから正しいものを1つ選んで記号を書きなさい。〔秋田〕

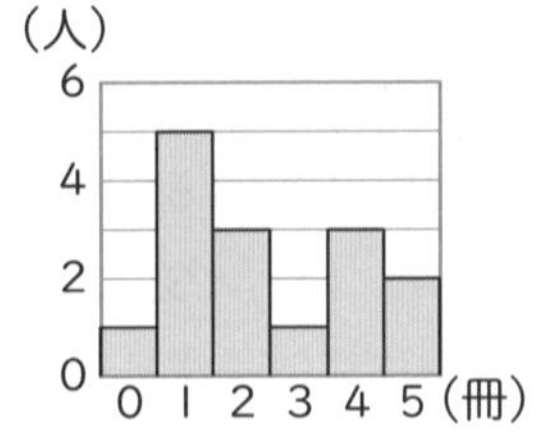

ア 分布の範囲は，4冊である。
イ 最頻値(モード)は，5冊である。
ウ 中央値(メジアン)は，2.5冊である。
エ 平均値は，2.4冊である。

得点UP!

1 (1) 55回以上60回未満の記録は59，58，57，55，55の5人である。
(2) 相対度数 $=\dfrac{\text{各階級の度数}}{\text{度数の合計}}$ で求められる。
(3) 累積度数ははじめの階級から各階級までの度数の和である。

Check! 自由自在
累積相対度数の求め方を確認しておこう。

2 ア 分布の範囲は最大の値−最小の値で求める。
ウ 中央値は小さいほうから8番目の値である。

重要 **3** **右の表は，ある陸上競技大会の男子円盤（えんばん）投げ決勝の記録を度数分布表に表したものである。この度数分布表から記録の平均値を求めなさい。ただし，小数第２位を四捨五入して，答えること。** 〔鹿児島〕

階級（m）	度数（人）
以上 未満 60 ～ 64	5
64 ～ 68	6
68 ～ 72	1
計	12

3 記録の合計は，階級値×度数の合計である。
60 m 以上 64 m 未満の階級の階級値は 62 m である。

重要 **4** **右の表は，ある中学校の３年１組の生徒40人と３年２組の生徒40人の，夏休み中に読んだ本の冊数をまとめたものである。読んだ本の冊数の平均は，１組，２組のどちらも3.3冊であった。図１は，１組の生徒が読んだ本の冊数を表したヒストグラムである。** 〔群馬〕

本の冊数(冊)	0	1	2	3	4	5	6	7	平均
1組(人)	2	3	6	8	13	7	1	0	3.3冊
2組(人)	3	12	4	2	3	5	8	3	3.3冊

（図1）
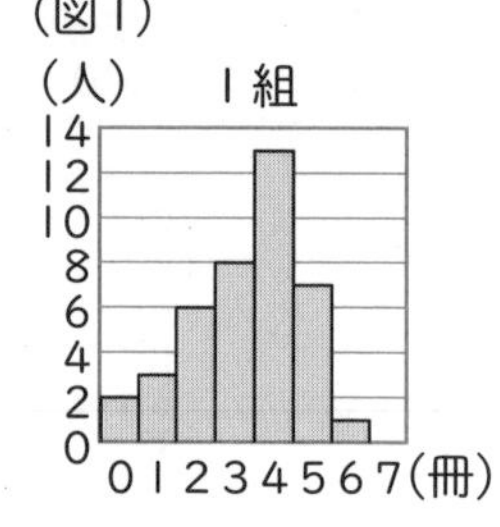

（図2）
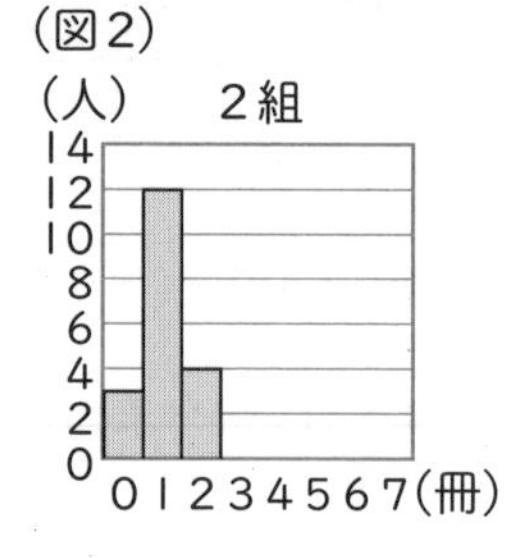

(1) 1組，2組のそれぞれにおける生徒が読んだ本の冊数の中央値を求めなさい。

(2) 2組の生徒が読んだ本の冊数を表すヒストグラムを，図2にかき加えて完成させなさい。

記述 (3) 1組，2組の生徒が読んだ本の冊数を表したヒストグラムを比べて，分布の傾向（けいこう）の違（ちが）いを書きなさい。

4 (1) 1組，2組とも40人だから，20番目と21番目の人の読んだ本の冊数を表から求める。
(2) 読んだ本の冊数を横軸（よこじく）に，人数（度数）を縦軸にとって，長方形をかく。
(3) ヒストグラムによって，分布のようすが見やすくなる。

重要 **5** **次のデータは，あるクラスのA班，B班のハンドボール投げの記録（m）を表している。**

A…16，19，12，22，17，15，19，10

B…15，18，11，17，18，13，20，17，19

(1) A班の四分位数と四分位範囲（はんい）を求めなさい。

(2) B班の四分位数と四分位範囲を求めなさい。

(3) データの散らばり度合いが大きいのはどちらですか。

5 A班，B班それぞれの記録を小さい順に並べて，まず第２四分位数を求める。

Check! 自由自在

5 (1)，(2)を箱ひげ図を使って表すこともできる。箱ひげ図のかき方を確認しておこう。

STEP 3 発展問題

解答⇨別冊 p.84

重要 **1** 右の表は，35 人の生徒が 1 か月間に読んだ本の冊数を調べ，整理したものである。平均値，中央値，最頻値をそれぞれ求めなさい。ただし，わり切れない場合は，小数第 2 位を四捨五入して，小数第 1 位まで求めなさい。〔徳島〕

冊数（冊）	度数（人）
0	2
1	8
2	9
3	10
4	4
5	2
計	35

2 ある学年で 10 点満点の数学のテストを行ったところ，得点の平均値は 7.17 点，中央値は 8 点，最頻値は 8 点であった。その得点を表したヒストグラムとして最も適切なものを，次のア～カのうちから 1 つ選び，記号で答えなさい。〔東京学芸大附高〕

ア
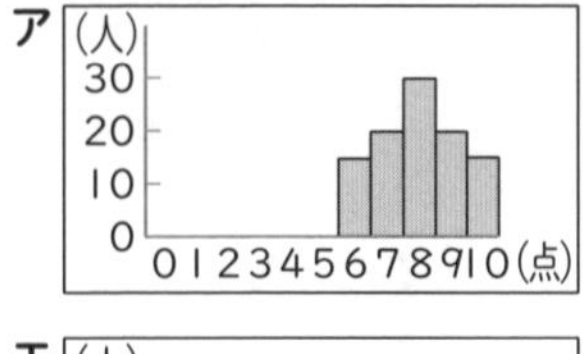

イ
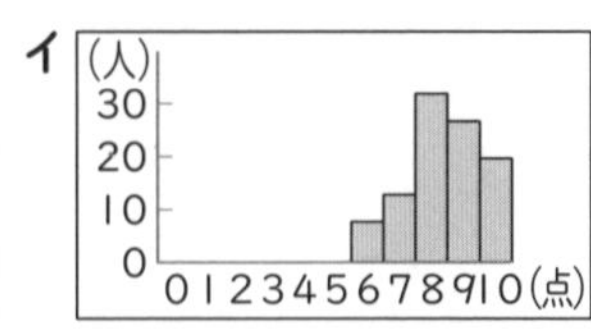

ウ
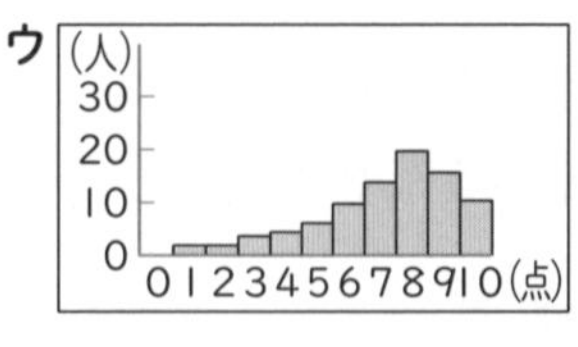

エ
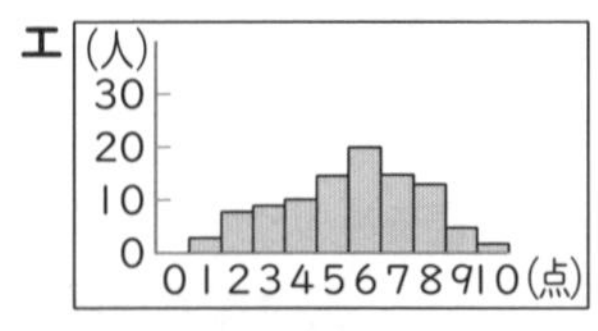

オ
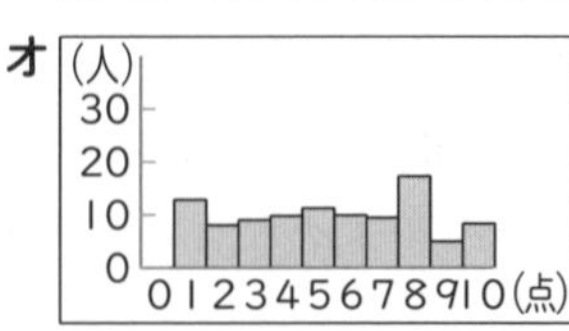

カ
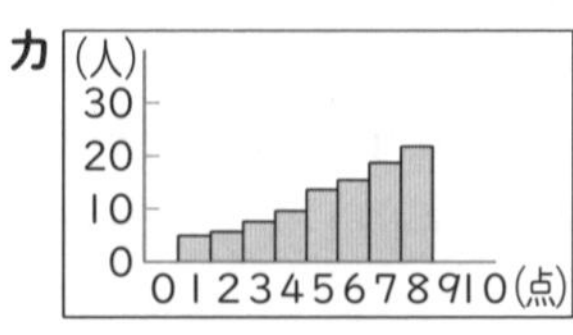

難問 **3** ある集団の生徒を対象に，1 問 10 点で 10 問(100 点満点)のテストを行った。右の表のように，テストの得点に応じて評価をつけ，評価 A, B を合格，評価 C を不合格とした。？となっている欄の人数は不明である。次のア，イ，ウがわかっている。□にあてはまる数を求めなさい。〔筑波大附高〕

評価	C				B				A		
得点(点)	0	10	20	30	40	50	60	70	80	90	100
人数(人)	4	2	5	?	?	?	7	?	5	4	1

> ア 評価 A の生徒の平均点は，評価 C の生徒の平均点より 70 点高い。
> イ 合格者の平均点は 65 点であるが，得点が 30 点の生徒も合格者にふくめると，合格者の平均点は 63 点となる。
> ウ 評価 B の中では，得点が 60 点の生徒の人数が最も少ない。

(1) 得点が 30 点の生徒の人数は □ 人である。

(2) この集団の生徒の総数は □ 人である。

(3) 得点が 70 点の生徒の人数は □ 人である。

確　率

STEP 1 まとめノート

解答⇨別冊 p.84

① 確　率（硬貨）★★

例題 1　3枚の硬貨を同時に投げるとき，1枚は表で2枚は裏となる確率を求めなさい。

解き方　3枚の硬貨をA，B，Cとして①＿＿をかくと，右のようになる。
（A，B，C：3枚の硬貨を区別する）

すべての場合の数は，

2×2×②＿＿＝③＿＿（通り）

1枚は表で2枚は裏となるのは右の図で○印のついた④＿＿通り

よって，求める確率は⑤＿＿

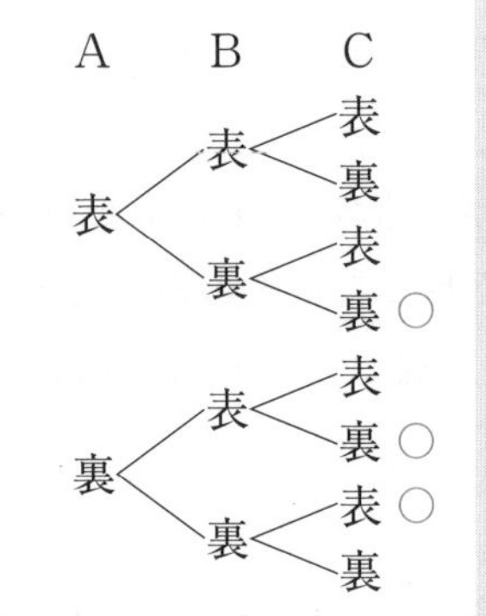

② 確　率（くじ引き）★★

例題 2　男子2人，女子3人の合計5人の中から，くじ引きで係2人を選ぶ。男子と女子が1人ずつ選ばれる確率を求めなさい。

解き方　選ばれ方は全部で，5×①＿＿÷2＝②＿＿（通り）
（÷2：並べる順序を考えない）

男子と女子が1人ずつ選ばれるのは，2×③＿＿＝④＿＿（通り）

よって，求める確率は⑤＿＿
（約分した形にする）

③ 確　率（さいころ）★★

例題 3　右の図のSの位置にコマを置き，2つのさいころを同時に投げて，出た目の数をたした数だけコマを矢印の方向に進める。2つのさいころを1回だけ投げるとき，Sから出発したコマがEで止まる確率を求めなさい。

S→A→B→C→D→E→C

解き方　目の出方は全部で，6×①＿＿＝②＿＿（通り）

Eで止まるのは和が5，③＿＿，④＿＿のときで，

(1，4)，(2，⑤＿＿)，(3，2)，(4，⑥＿＿)，(2，6)，

(3，⑦＿＿)，(4，⑧＿＿)，(5，3)，(6，2)，(5，⑨＿＿)，

(6，5)の⑩＿＿通り

よって，求める確率は⑪＿＿

Points!

▶樹形図
場合の数を求めるときは，落ちや重なりがないように樹形図をかくとよい。

▶確率
起こりうる場合が n 通りあり，どの場合が起こることも同様に確からしいとする。そのうち，ことがらAの起こる場合が a 通りあるとき，Aの起こる確率 p は，

$p=\frac{a}{n}$

▶確率の性質

ズバリ暗記
Aの起こる確率を p とすると，
- $0 \leqq p \leqq 1$
- **$p=0$ のとき，決して起こらない。**
- **$p=1$ のとき，必ず起こる。**
- **Aの起こらない確率は，$1-p$**

例題3では下のように表をつくって考えてもよい。

	1	2	3	4	5	6
1				○		
2			○			○
3		○			○	
4	○			○		
5			○			○
6		○			○	

STEP 2 実力問題

ねらわれるココが
- ○順列，組み合わせ
- ○いろいろな確率の求め方
- ○起こらない確率

解答 ⇨ 別冊 p.84

1 次の問いに答えなさい。

(1) Aさん，Bさん，Cさん，Dさんの4人がそれぞれひとり1個ずつのプレゼント a，b，c，d を持ち寄り，パーティーを行いました。これらのプレゼントを互いに交換(こうかん)して，全員が自分の持ってきたプレゼント以外のものを1個ずつ受け取るとき，この受け取り方は全部で何通りあるか求めなさい。〔埼玉〕

(2) 4人の生徒A，B，C，Dの中から，くじ引きで2人の当番を選ぶとき，AとBが同時に選ばれる確率を求めなさい。〔山梨〕

2 次の問いに答えなさい。

重要 (1) 2つのさいころを同時に投げるとき，出る目の積が6以下である確率を求めなさい。〔大阪〕

(2) 大小2つのさいころを同時に1回投げ，大きいさいころの出た目の数を a，小さいさいころの出た目の数を b とする。このとき，$2^a \times 3^b$ の値が100以下となる確率を求めなさい。〔千葉〕

3 次の問いに答えなさい。

(1) 袋(ふくろ)の中に，赤玉が2個，白玉が4個，合わせて6個の玉が入っている。この袋の中から同時に2個の玉を取り出すとき，赤玉と白玉が1個ずつである確率を求めなさい。〔東京〕

重要 (2) 赤玉2個，白玉2個，青玉1個が入った袋がある。この袋から玉を1個取り出して色を調べ，それを袋にもどしてから，また，玉を1個取り出して色を調べる。1回目と2回目に取り出した玉の色が異なる確率を求めなさい。〔愛知〕

得点UP!

1 (1) Aさんは b，c，d のプレゼントを受け取ることができる。Aさんが b を受け取るときの受け取り方を表をつくって考えるとよい。

(2) A，B，C，Dの中から2人を選ぶ選び方では，(A，B) と (B，A) は同じものである。

Check! 自由自在
順列と組み合わせの違(ちが)いに注意し，計算で求める方法を確認しておこう。

2 2つのさいころの目の出方は全部で 6×6＝36（通り）

(1) $(a,\ b)$ で $ab \leqq 6$ となる自然数 a，b を求める。

(2) 2^a は，2，4，8，16，32，64の6通りある。

3 (1) 赤玉に①，②，白玉に③，④，⑤，⑥の番号をつけて考える。

(2) 玉の色が異なる確率（←起こる確率）＝1－2回とも同色になる確率（←起こらない確率）

重要

4 次の問いに答えなさい。

(1) 右の図のように，1，2，3，4，5，6の数字が1つずつ書かれた6枚のカードがある。このカードをよくきってから1枚のカードをひき，そのカードの数字を十の位の数とし，続けて残り5枚のカードから1枚のカードをひき，そのカードの数字を一の位の数として2けたの整数をつくる。このとき，この整数が9の倍数になる確率を求めなさい。〔茨城〕

1	2	3	4	5	6

(2) 数の書いてある5枚のカード1，2，3，4，5が箱に入っている。この箱から2枚のカードを同時に取り出すとき，取り出した2枚のカードに書いてある数がともに奇数（きすう）である確率を求めなさい。〔大阪〕

4 (1) 2けたの整数が9の倍数になる場合を見つける。
(2) 1枚が1のときの樹形図は下のようになる。

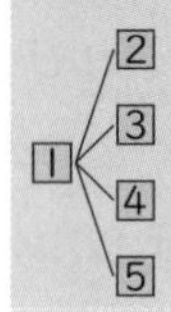

重要

5 大小2つのさいころを同時に1回投げて，出た目の数によって右の数直線上を移動する点Pがある。点Pは最初，原点（0に対応する点）にあり，大きいさいころの出た目の数だけ正の方向に進み，次に小さいさいころの出た目の数だけ負の方向に進んで止まる。たとえば，大きいさいころの出た目の数が5，小さいさいころの出た目の数が4の場合は，移動後の点Pの位置に対応する数は1である。〔鹿児島〕

P
-6 -5 -4 -3 -2 -1 0 1 2 3 4 5 6

(1) 移動後の点Pの位置に対応する数が0であるのは何通りですか。

(2) 移動後の点Pの位置に対応する数が2以上になる確率を求めなさい。

5 (1) 大小2つのさいころが同じ目になるとき，点Pは原点にもどる。
(2) 大の目−小の目≧2となる2つのさいころの目を考える。

6 右の図のように，線分ABの延長上に点Cがあり，AB=13 cm，BC=10 cmである。正しくつくられた大小2つのさいころを同時に1回投げ，出た目の和をxとする。線分AB上にAP=x cmとなるように点Pをとる。〔広島〕

A P B C

(1) 線分CPの垂直二等分線が点Bを通るとき，xの値を求めなさい。

(2) 点Aを，点Pを中心として180°回転移動した点が，線分BC上にある確率を求めなさい。

6 (1) 線分CPの垂直二等分線が点Bを通るとき，PB=BCである。
(2) 点AがBに回転移動したとすると，AP=PB
点AがCに回転移動したとすると，AP=PC
これらからxの変域を考える。

STEP 3 発展問題

解答⇨別冊 p.86

1 **1から6までの整数を1つずつ記入した6枚のカード，1，2，3，4，5，6をよくきって，同時に2枚を取り出す。** 〔長野〕

(1) 2枚とも偶数(ぐうすう)が記入してあり，1枚だけに5以上の整数が記入してある確率を求めなさい。

(2) 取り出された2枚のカードのうち，偶数が記入してあるカードの枚数を m，5以上の整数が記入してあるカードの枚数を n とするとき，$m>n$ となる確率を求めなさい。

2 重要 **右の図のように，2つの箱A，Bがあり，どちらの箱にも数字2，3，4，5，6が1つずつ書かれた5枚のカードが入っている。それぞれの箱から1枚ずつカードを取り出すとき，取り出したカードに書かれている数の積を3でわった余りが1となる確率を求めなさい。ただし，どちらの箱についても，どのカードが取り出されることも同様に確からしいものとする。** 〔都立西高〕

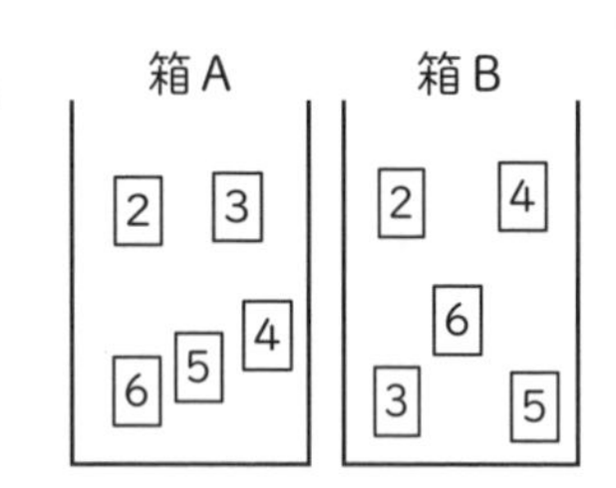

3 **さいころを2回投げて，1回目に出た目の数を a，2回目に出た目の数を b とするとき，2直線 $y=\frac{b}{a}x$，$y=2x+1$ が交わる確率を求めなさい。** 〔明治学院高〕

4 重要 **右の図のような正六角形ABCDEFがある。いま，さいころを2回投げ，1回目に出た目の数だけ点Pが，2回目に出た目の数だけ点Qが，それぞれ頂点Aを出発し反時計まわりに頂点上を移動する。次の確率を求めなさい。** 〔同志社高〕

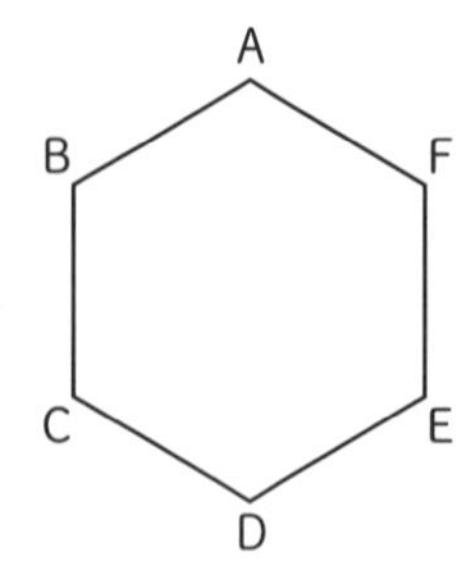

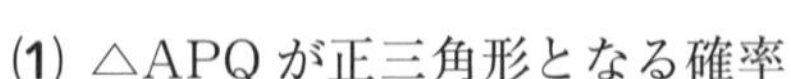

(1) △APQが正三角形となる確率

(2) △APQが直角三角形となる確率

(3) 3点A，P，Qをつないだときに三角形ができない確率

5 A，B，C，D，Eの5人を2人と3人の2つの組に分ける。このとき，AとBの2人が同じ組に入る確率を求めなさい。〔東京学芸大附高〕

重要 **6** 3枚のコインを同時に投げるとき，少なくとも1枚のコインが裏となる確率は［　　］である。また，3枚のコインを同時に投げることを3回くり返すとき，少なくとも1回はすべてのコインが表となる確率は［　　］である。［　　］にあてはまる数を求めなさい。〔灘高〕

7 6枚のカード［O］，［R］，［A］，［N］，［G］，［E］が入った袋(ふくろ)からカードを1枚ずつ合計4枚取り出し，取り出した順に左から並べていく。〔愛光高〕

(1) 並べ方は全部で何通りありますか。

(2) 並べたカードの両端(りょうたん)が［O］と［E］になっている確率を求めなさい。

(3) 並べたカードに［O］と［E］がふくまれ，しかも［O］が［E］よりも左側にある確率を求めなさい。

重要 **8** 右の図のように置かれた立方体の頂点を，点Pはさいころの出た目によって次のように移動する。頂点Aを出発し，3以下の目が出たら前後の方向に，4または5の目が出たら左右の方向に，6の目が出たら上下の方向に辺上を移動する。たとえば，さいころを2回投げて，1回目に2の目，2回目に6の目が出た場合，点Pは頂点Fにいる。〔立教新座高〕

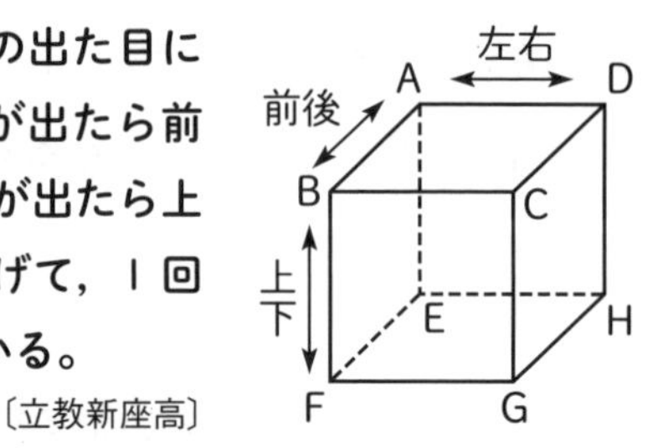

(1) さいころを2回投げるとき，点Pが頂点Cにいる確率を求めなさい。

(2) さいころを3回投げるとき，点Pが頂点Gにいる確率を求めなさい。

(3) さいころを3回投げるとき，点Pがいる確率が0である頂点はどこか，すべて求めなさい。

難問 (4) さいころを4回投げるとき，点Pが頂点Aにいる確率を求めなさい。

3 標本調査

STEP 1 まとめノート

解答⇨別冊 p.87

① 全数調査と標本調査 ★

例題 1 次の調査の中で，標本調査をすることが適切なものを**ア**～**エ**の中からすべて選び，記号を書きなさい。

ア 自転車のタイヤの寿命(じゅみょう)調査
イ 国勢調査
ウ 学校で行う生徒の健康診断調査
エ あるテレビ番組の視聴率(しちょうりつ)調査

解き方 調査の対象全部についてもれなく調べる方法を①　　調査といい，**イ**と②　　である。それに対して，調査対象の一部だけを調べて全体の特徴(とくちょう)などを推定する調べ方を③　　調査といい，**ア**と④　　である。
（③：労力や費用などから標本を調べる調査）

② 標本調査と母集団の推定 ★★

例題 2 次の問いに答えなさい。

(1) 袋(ふくろ)の中に白い碁石(ごいし)だけがたくさん入っている。この白い碁石の個数を数える代わりに，同じ大きさの黒い碁石 100 個を白い碁石の入っている袋の中に入れ，よくかき混ぜた後，その中から 50 個の碁石を無作為(むさくい)に抽出(ちゅうしゅつ)して調べたら，黒い碁石が 10 個ふくまれていた。最初に袋の中に入っていた白い碁石の個数は，およそ何個と考えられますか。

(2) ある工場で大量に製造される品物から，200 個を無作為に抽出し，品質検査を数回行ったところ，平均して 4 個が不良品だった。同じ工場で，1 日に 50000 個の品物を製造したとき，不良品は，およそ何個発生すると推定されるか求めなさい。

解き方 (1) 白い碁石の個数を x 個とすると，

x：①　　＝(50－②　　)：10　　$10x=$③　　　$x=$④
（母集団での比率）（標本での比率）

よって，およそ⑤　　個

(2) 不良品がおよそ x 個発生すると推定すると，

①　　：$x=200$：②　　　$200x=$③　　　$x=$④
（母集団での比率）（標本での比率）

よって，およそ⑤　　個

Points!

▶標本調査
時間・労力・費用などの面から全数調査が不可能であるとき，対象の一部だけを調べて全体の特徴や性質を推定することがある。このような調べ方を標本調査という。

ズバリ暗記
例題 1 の他に全数調査をするものは
・学力検査
標本調査をするものは
・野生動物の生息数調査
などがある。

▶母集団と標本
・調べようとするもとの集団全体を母集団という。
・調査のために母集団から取り出した一部の資料を標本という。
・母集団全体の個数を母集団の大きさ，標本の資料の個数を標本の大きさという。

▶標本調査と母集団の推定

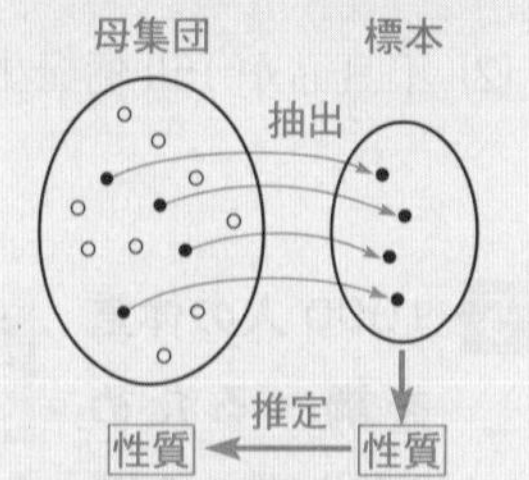

ズバリ暗記
母集団での比率
＝標本での比率

月　日

STEP 2 実力問題

ねらわれるココが
- ○全数調査と標本調査の違い
- ○標本調査と母集団の推定
- ○母集団の個数の推定

解答⇨別冊 p.88

1 ある集団のもつ傾向(けいこう)や性質を調べるときには，調査する内容の違(ちが)いによって，全数調査または標本調査を行う。標本調査を行うことが最も適しているものを，次のア～エから１つ選び，その記号を書きなさい。〔高知〕

ア 国勢調査　　**イ** 修学旅行に参加する生徒の健康調査

ウ 世論調査　　**エ** ある中学校で行う進路希望の調査

重要 **2** 袋(ふくろ)の中に赤玉と白玉があわせて1000個入っている。この袋の中から30個の玉を無作為(むさくい)に抽出(ちゅうしゅつ)し，赤玉の個数を調べた後，抽出した30個の玉をすべてもとの袋にもどす。この実験をくり返し行ったところ，赤玉の個数の平均は１回あたり６個であった。このとき，袋の中の赤玉の個数は，およそ何個と推定できますか。〔福岡〕

3 箱の中に同じ大きさのビー玉がたくさん入っている。標本調査を行い，その箱の中にあるビー玉の数を推定することにした。箱の中からビー玉を100個取り出して，その全部に印をつけてもとにもどし，よくかき混ぜた後，その箱の中からビー玉を40個取り出したところ，その中に印のついたビー玉が８個あった。この箱の中にはおよそ何個のビー玉が入っていたと考えられるか，答えなさい。〔新潟〕

4 ある工場で大量に生産される製品の中から，80個を無作為に抽出したところ，そのうち３個が不良品であった。次のことを推定しなさい。〔佐賀－改〕

(1) 10000個の製品を生産したとき，発生した不良品はおよそ何個ですか。

(2) 不良品が150個発生したとき，生産した製品はおよそ何個ですか。

重要 **5** 1000人の体重を調べるため，10人ずつの標本を20個とり出し，その標本平均を調べたところ表のようになった。全体の平均を推定しなさい。

標本平均 (kg)	43.0	43.5	44.0	44.5	45.0	45.5	計
度数 (個)	1	3	5	7	3	1	20

得点UP!

1 調査の対象となっているものについて，全部調べるのが難しいものを選ぶ。

Check! 自由自在
他に標本調査をするものにはどのようなものがあったか確認しておこう。

2 袋の中の玉の個数：袋の中の赤玉の個数
=30：6

3 箱の中のビー玉の個数：印をつけたビー玉の個数
=40：8

4 生産した製品の個数：発生した不良品の個数
=80：3

5 標本平均の平均は母集団の平均にほぼ等しい。

理解度診断テスト⑤

本書の出題範囲 pp.142～152　時間 40分　得点 /100点　理解度診断 A B C

解答⇨別冊 p.88

1 **A 中学校と B 中学校では 3 年生全員に，1 日あたりの読書時間を調査した。表は，全員の回答結果を度数分布表に整理したものである。**(25点)

階級（分）	度数（人）	
	A 中学校	B 中学校
以上　未満 0～15	9	12
15～30	17	21
30～45	10	12
45～60	ア	8
60～75	3	4
75～90	3	3
計	50	イ

(1) 表の**ア**，**イ**にあてはまる数を書きなさい。また，A 中学校の 3 年生の読書時間の最頻値(さいひんち)を求めなさい。(15点)

記述 (2) 1 日あたり 30 分以上読書している 3 年生の割合が大きいのは，A 中学校と B 中学校のどちらであるかを，表をもとに，数値を使って説明しなさい。(10点)

2 **次の問いに答えなさい。**(10点)

(1) 右の図は，ある中学校の図書委員について，1 週間に読んだ本の冊数と人数の関係を表したものである。1 人が 1 週間に読んだ本の冊数の平均値を求めなさい。〔石川〕

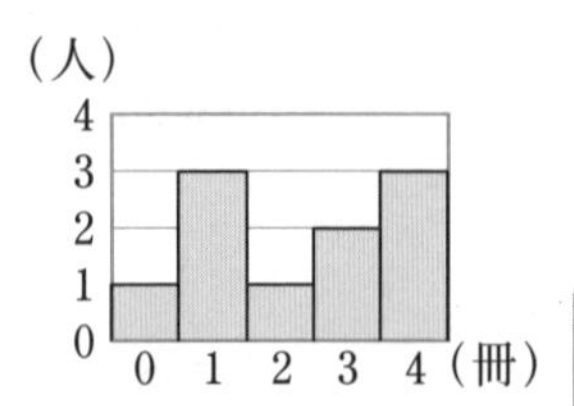

(2) 右の表は，ある中学校の 8 人の生徒 A～H の通学時間(分)を示したものである。この 8 人の通学時間の中央値(メジアン)を求めなさい。〔長崎〕

生徒	A	B	C	D	E	F	G	H
通学時間（分）	40	35	28	41	38	39	28	23

3 **次の問いに答えなさい。**(21点)

(1) 当たりくじが 2 本とはずれくじが 1 本の合計 3 本のくじが入っている箱がある。この中から A さんが 1 本ひき，それを箱にもどさずに B さんがもう 1 本ひく。このとき，2 人とも当たりくじをひく確率を求めなさい。〔岐阜〕

(2) 1 から 6 までの目のついた大，小 2 つのさいころを同時に投げたとき，大きいさいころの出た目の数をa，小さいさいころの出た目の数をbとする。このとき，$a+2b$ の値が 14 以上となる確率を求めなさい。〔新潟〕

(3) 袋(ふくろ)の中に赤玉 3 個，白玉 2 個，青玉 2 個が入っている。この袋から玉を同時に 2 個取り出すとき，取り出した玉が同じ色となる確率を求めなさい。〔東京学芸大附高〕

4 **次の問いに答えなさい。**(14点)

(1) 右の図のように，1，2，3，4，5 の数字を 1 つずつ書いた 5 枚のカードがある。この 5 枚のカードから同時に 2 枚のカードを取り出すとき，取り出した 2 枚のカードに書いてある数の積が10 未満になる確率を求めなさい。

1　2　3　4　5

〔東京〕

(2) 右の図のように，白玉 2 個，黒玉 3 個が入っている袋がある。この袋から玉を 1 個取り出して色を調べ，それを袋の中にもどすことを 2 回くり返すとき，1 回目，2 回目ともに同じ色の玉が出る確率を求めなさい。〔佐賀〕

5 **箱の中に同じ大きさの赤玉と白玉が合わせて 200 個入っている。これらの玉を箱の中でよく混ぜてから 10 個取り出し，白玉の個数を調べた後，すべて箱にもどす。この操作をくり返し行ったところ，取り出した白玉の個数の平均は 1 回あたり 4 個であった。箱の中に入っていた白玉の個数は，およそ何個と考えられるか，求めなさい。**(7点)

〔青森〕

6 **C 中学校では，3 年生 250 人全員の中から無作為に抽出した 40 人にアンケートを実施したところ，1 日あたり 30 分以上読書をしているのは，回答した 40 人のうち 16 人であった。このとき，C 中学校の 3 年生 250 人のうち，1 日あたり 30 分以上読書をしている人数は，およそ何人と推定できるか，求めなさい。**(7点)

〔福岡〕

7 **右の図のように，数字 1，2，3 を書いた箱がそれぞれ 1 箱ずつあり，数字 1，2 を書いた玉がそれぞれ 1 個ずつと数字 3 を書いた玉が 2 個ある。**

1　2　3　①　②　③　③

4 個の玉から 3 個を選んで，3 つの箱にそれぞれ 1 個ずつ入れるとき，箱の数字と中に入れた玉の数字が 3 つの箱とも異なる確率を求めなさい。(8点)

〔愛知〕

8 **箱の中に，大きさが同じで，色が白の卓球の球だけがたくさん入っている。箱の中に入っている白の球の個数を推定するために，大きさが白の球と同じで，色がオレンジの卓球の球 60 個を白の球が入っている箱に入れ，よくかき混ぜた後，その中から 50 個の球を無作為に抽出したところ，抽出した球の中にオレンジの球が6 個ふくまれていた。箱の中には，白の卓球の球がおよそ何個入っていたと推定されるか，求めなさい。**(8点)

〔熊本〕

思考力・記述問題対策
高校入試予想問題

思考力・記述問題対策

高校入試予想問題

出題傾向

※公立高校入試問題の場合。

1
どの都道府県でも出題傾向は安定している。近年，条件文が長く読解力を必要とする問題が増加している。

2
各分野から基本的な問題がバランスよく出題されているが，中には思考力を必要とする問題もある。

3
答えだけでなく，理由や答えを求める過程を要求される場合がある。

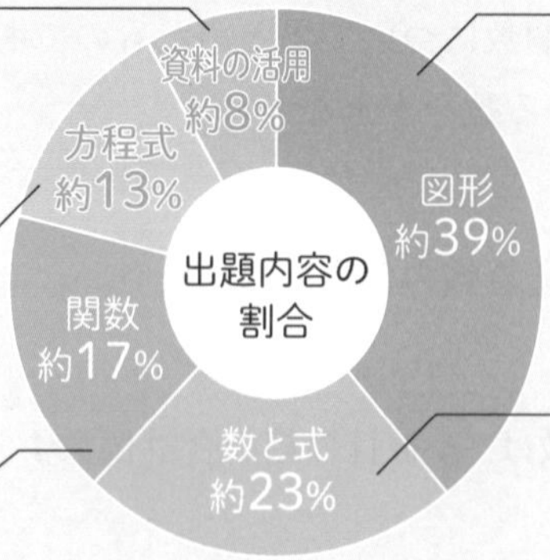

出題内容の割合：図形 約39%，数と式 約23%，関数 約17%，方程式 約13%，資料の活用 約8%

【資料の活用】
- 資料の整理や標本調査が増加した。確率の出題も依然として多い。

【方程式】
- 単に方程式の解を求める計算問題だけでなく，連立方程式の文章題がよく出題される。題材は，個数と代金・速さなど幅広い。

【関　数】
- １次関数と関数 $y=ax^2$ との融合問題かグラフの利用問題（速さと時間，動点）のどちらかがほぼ出題されるといってよい。図形の考え方が要求される問題もよく見られる。

【図　形】
- 相似と三平方の定理を組み合わせた問題がほとんどで，円との融合問題も多い。大半は長さや面積・体積を求めさせる問題だが，作図や証明問題もよく問われる。

【数と式】
- 式の計算・平方根などの計算問題が必ず冒頭に出題される。易しいものが多い。
- 規則性を見つけ，文字を使って表す問題が増加している。

合格への対策

- **入試問題に慣れよう** …教科書で公式や定理などを覚え，問題演習を繰り返そう。慣れてきたら，過去問を解いて出題傾向をつかもう。
- **計算力を高めよう** …冒頭の計算問題は速くかつ丁寧に計算しよう。途中式は省略せずに書くように習慣づけよう。
- **間違いの原因を探ろう** …間違えてしまった問題は，計算ミスなのか理解不足なのか原因を追究し，類題を解いて理解を深めよう。
- **解き方を覚えよう** …関数や図形の問題は，解き方を覚えるぐらいまで，頻出問題を重点的に解くようにしよう。

思考力・記述問題対策（規則性）

解答⇨別冊 p.90

1 **右の図１のように，同じ大きさの立方体の箱をいくつか用意し，箱を置くための十分広い空間のある倉庫に箱を規則的に置いていく。倉庫の壁（かべ）Aと壁Bは垂直に交わり，２つの壁の面と床（ゆか）の面もそれぞれ垂直に交わっている。各順番における箱の置き方は，まず１番目として，１個の箱を壁Aと壁Bの両方に接するように置く。２番目は，４個の箱を２段２列に壁Aと壁Bに接するように置く。このように，３番目は９個の箱を３段３列に，４番目は16個の箱を４段４列に置いていく。なお，いずれの順番においても箱の面と面をきっちり合わせ，箱と壁や床との間にすき間がないように置いていくものとする。**

（図１）

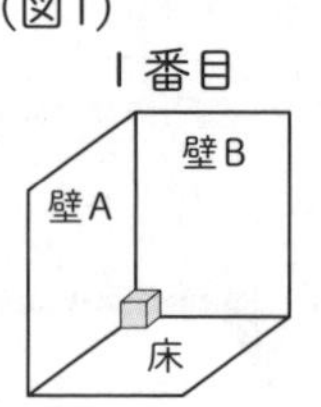

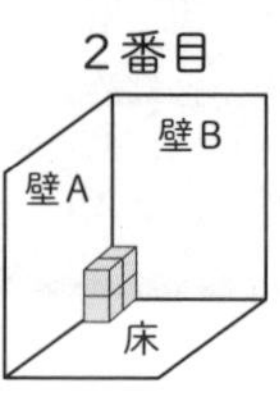

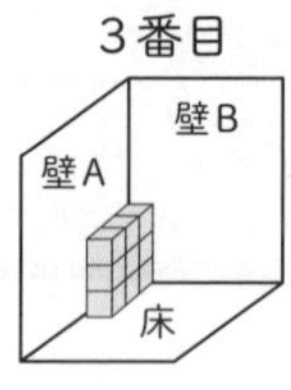

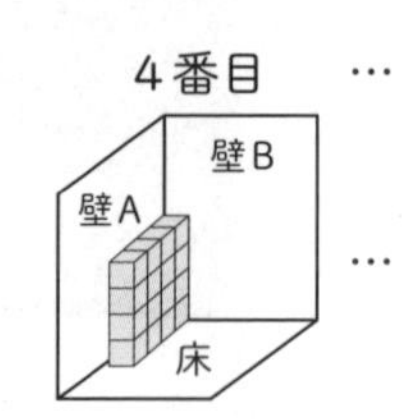

…

〔和歌山〕

(1) 各順番において，図1のように，置いた箱をすべて見わたせる方向から見たとき，それぞれの箱は1面が見えるもの，2面が見えるもの，3面が見えるもののいずれかである。表1は，上の規則にしたがって箱を置いたときの順番と，1面が見える箱の個数，2面が見える箱の個数，3面が見える箱の個数，箱の合計個数についてまとめたものである。

（表1）

順番（番目）	1	2	3	4	5	6	…	n	$n+1$	…
1面が見える箱の個数（個）	0	1	4	9	＊	＊	…	＊	＊	…
2面が見える箱の個数（個）	0	2	4	6	ア	＊	…	＊	＊	…
3面が見える箱の個数（個）	1	1	1	1	＊	＊	…	＊	＊	…
箱の合計個数（個）	1	4	9	16	＊	イ	…	＊	＊	…

＊は，あてはまる数や式を省略したことを表している。

① 表1中のア，イにあてはまる数をかきなさい。

② 8番目について，1面が見える箱の個数を求めなさい。

③ $(n+1)$番目の箱の合計個数は，n番目の箱の合計個数より何個多いか，nの式で表しなさい。

(2) 右の図2は，図1の各順番において，いくつかの箱を壁Bに接するように移動して，壁Aと壁Bにそれぞれ接する階段状の立体に並べかえたものを表している。

（図2）

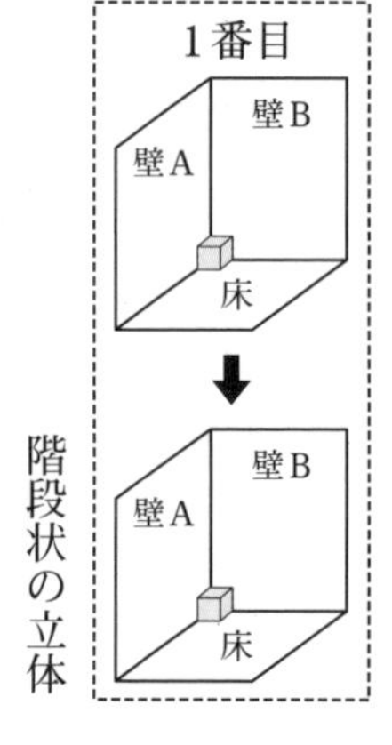

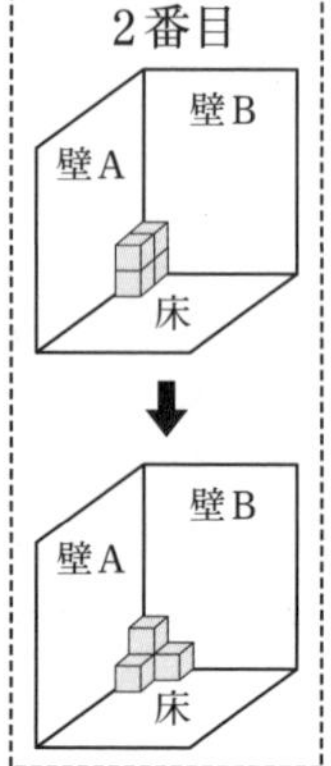

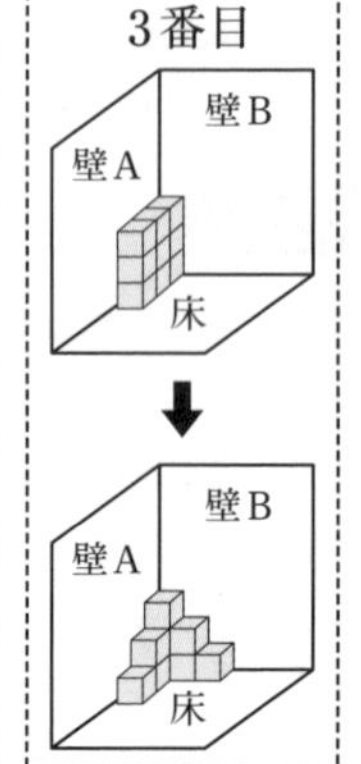

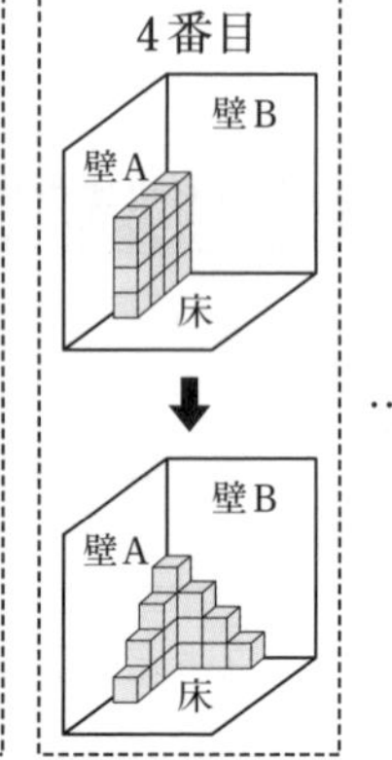

…

① 6番目について，移動した箱の個数を求めなさい。

記述

② 階段状の立体には，壁や他の箱に囲まれて見えない箱もある。表2は，各順番における階段状の立体の見えない箱の個数，見えている箱の個数，箱の合計個数についてまとめたものである。x番目のとき，見えている箱の個数が111個であった。xの値を求めなさい。ただし，答えを求める過程がわかるようにかきなさい。

（表2）

順番（番目）	1	2	3	4	5	…	x	…
見えない箱の個数（個）	0	1	2	3	*	…	*	…
見えている箱の個数（個）	1	3	7	13	*	…	111	…
箱の合計個数（個）	1	4	9	16	*	…	*	…

*は，あてはまる数や式を省略したことを表している。

2 **Aさんと B さんは，ある遊園地のアトラクションに入場するため，開始時刻前にそれぞれ並んで待っている。このアトラクションを開始時刻前から待つ人は，図のように，6人ごとに折り返しながら並び，先頭の人から順に 1，2，3，… の番号が書かれた整理券を渡される。並んでいる人の位置を図のように行と列で表すと，例えば，整理券の番号が27の人は，5行目の3列目となる。** 〔山口〕

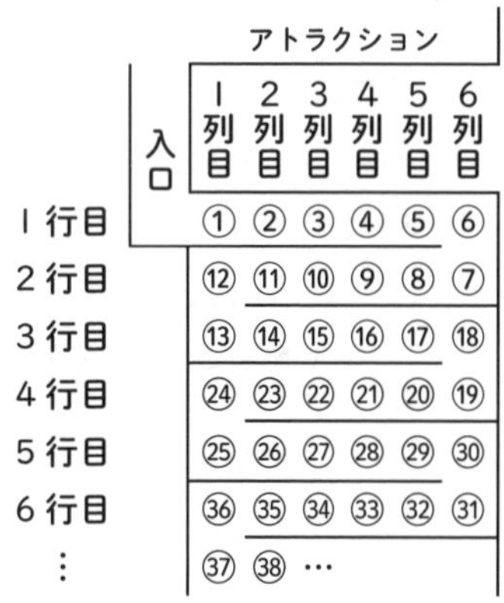

アトラクション

入口	1列目	2列目	3列目	4列目	5列目	6列目
1行目	①	②	③	④	⑤	⑥
2行目	⑫	⑪	⑩	⑨	⑧	⑦
3行目	⑬	⑭	⑮	⑯	⑰	⑱
4行目	㉔	㉓	㉒	㉑	⑳	⑲
5行目	㉕	㉖	㉗	㉘	㉙	㉚
6行目	㊱	㉟	㉞	㉝	㉜	㉛
⋮	㊲	㊳	…			

(1) Aさんの整理券の番号は75であった。Aさんは，何行目の何列目に並んでいますか。

(2) 自然数m，nを用いて偶数（ぐうすう）行目のある列を$2m$行目のn列目と表すとき，$2m$行目のn列目に並んでいる人の整理券の番号をm，nを使った式で表しなさい。また，偶数行目の5列目に並んでいるBさんの整理券の番号が，4の倍数であることを，この式を用いて説明しなさい。

思考力・記述問題対策（関数）

解答⇨別冊 p.90

1 加湿器（かしつき）は，タンクの中に入れた水を蒸気にして放出することによって室内の湿度を上げる電気製品である。詩織さんと健太さんは，［加湿器Ａの性能］をもとにタンクの水量の変化に着目した。

［加湿器Ａの性能］

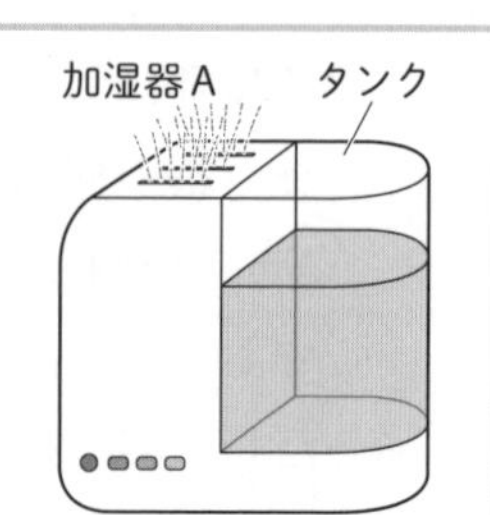

○運転方法には，強運転，中運転，弱運転の３段階があり，タンクが満水のとき，水量は4000 mLである。
○それぞれの運転方法ごとに，常に一定の水量を蒸気にして放出し，タンクの水量は一定の割合で減少する。
○タンクを満水にしてから使用したとき，
・強運転では４時間でタンクが空になる。
・中運転では５時間でタンクが空になる。
・弱運転では８時間でタンクが空になる。

加湿器Ａを使いはじめてから x 時間後のタンクの水量を y mLとする。詩織さんと健太さんは，それぞれの運転方法で y は x の１次関数であるとみなし，タンクの水量の変化について考えた。ただし，加湿器Ａは連続で使用し，一時停止はしないものとする。〔秋田〕

(1) 加湿器Ａのタンクを満水にしてから強運転で使いはじめ，使いはじめてから２時間後に弱運転に切り替えて使用したところ，使いはじめてから６時間後にタンクが空になった。

① ［詩織さんの説明１］が正しくなるように，ⓐにあてはまる数を書きなさい。

［詩織さんの説明１］

［加湿器Ａの性能］から考えると，強運転では１時間あたりにタンクの水量は［ ⓐ ］mL減少します。

② 健太さんは，タンクが空になるまでの x と y の関係を表すグラフをかいた。〔健太さんがかいたグラフ〕が正しくなるように続きをかき，完成させなさい。

〔健太さんがかいたグラフ〕

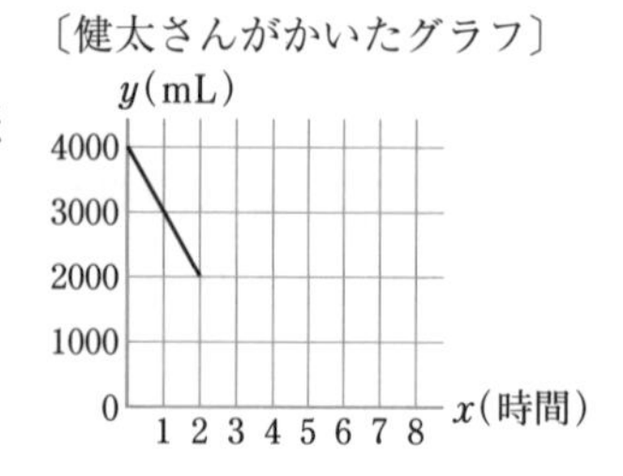

(2) 加湿器Aのタンクを満水にしてから，今度は中運転で使いはじめ，途中で弱運転に切り替えて使用したところ，使いはじめてから7時間後にタンクが空になった。健太さんと詩織さんは，弱運転に切り替えた時間を求めた。

記述 ① 健太さんは，図1～図3のグラフを用いて説明した。[健太さんの説明]が正しくなるように，ⓑに説明の続きを書き，完成させなさい。

（図1）

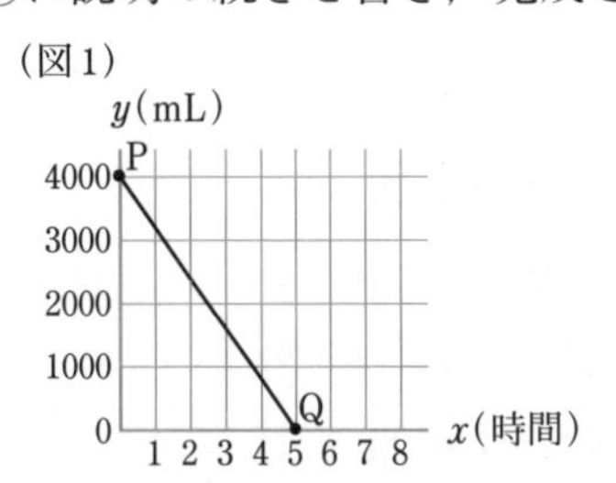

（図2）

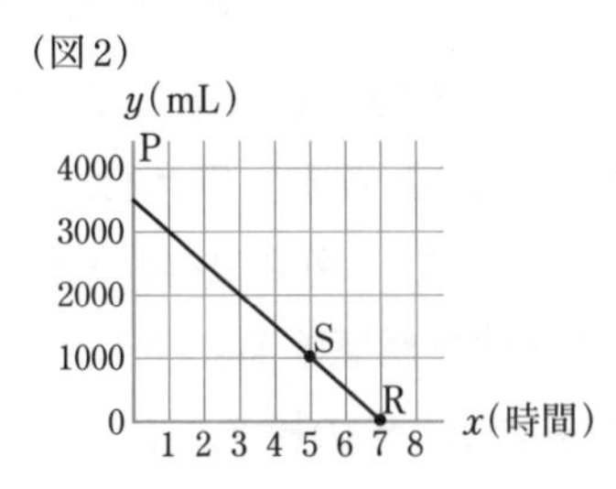

（図3）

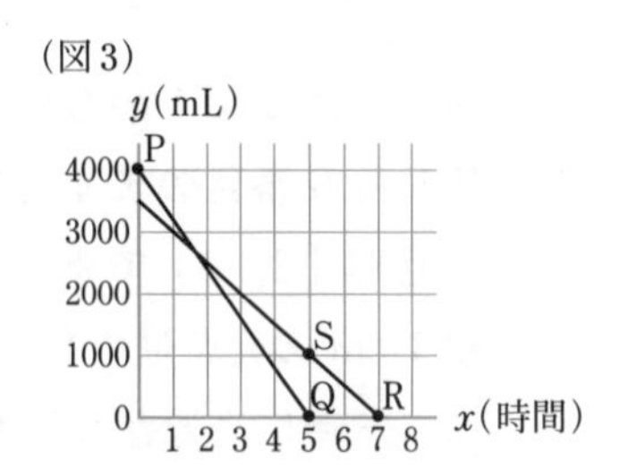

[健太さんの説明]

> 図1は，中運転で，タンクを満水にしてから空になるまで使用する場合のxとyの関係を表すグラフです。使いはじめたときの水量は4000 mLだから点P(0，4000)をとり，5時間で空になるので点Q(5，0)をとります。2点P，Qを結んで直線PQをかきます。
> 図2は，弱運転で，7時間でタンクが空になるように使用する場合のxとyの関係を表すグラフです。7時間で空になるので点R(7，0)をとります。弱運転では，1時間あたりにタンクの水量が500 mL減少するから，空になる2時間前には1000 mLの水があります。だから，点S(5，1000)をとり，2点R，Sを結んで直線RSをかきます。
> 図3は，直線PQと，直線RSを重ね合わせたものです。弱運転に切り替えた時間は，
> [　　　ⓑ　　　]を読み取るとわかります。

② [健太さんの説明]を聞いた詩織さんは，弱運転に切り替えた時間を，式をつくって求めた。[詩織さんの説明2]が正しくなるように，ⓒ，ⓓにはあてはまる式を，ⓔ，ⓕにはあてはまる数を書きなさい。

[詩織さんの説明2]

> 図3の直線PQの式は，y=[　　ⓒ　　]…㋐
> 直線RSの式は，y=[　　ⓓ　　]…㋑
> ㋐，㋑を連立方程式として解くと，弱運転に切り替えた時間は，使いはじめてから
> [　ⓔ　]時間[　ⓕ　]分後だということがわかります。

〔　　月　　日〕

思考力・記述問題対策（図形）

解答⇨別冊 p.91

1 ひろみさんは，立方体に光を当てたとき，立方体の位置を変えると，影（かげ）の形とその面積が変化することに興味を持ち，次のようなことを考えた。

図１のような１めもり１cm の方眼紙を用意して，左から a 番目，下から b 番目のます目を［a，b］と表す。例えば，○印のあるます目は［2，3］である。ここで，図２のような１辺の長さが１cm の光を通さない立方体を用意する。そして，図３のように，先端（せんたん）に光源がついた長さ２cm の棒を，［1，1］の左下の角に方眼紙と垂直になるように設置し，立方体の面 EFGH を方眼紙のます目に重ね，頂点 B が光源に最も近くなるように立方体を置いて，光源からの光によってできる影の面積を考える。ここでは，光源の大きさは考えず，光は直進するものとする。

（図１）

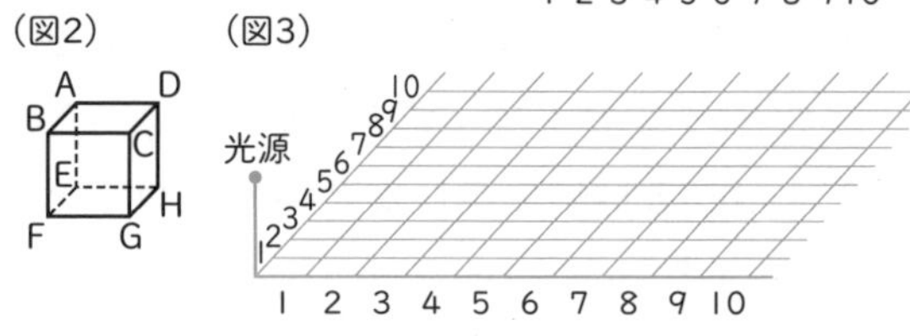

ひろみさんは，立方体の影の形が次のようにできていることに気がついた。〔兵庫〕

光源と頂点 A，C，D を通る直線をひき，方眼紙と交わる点をそれぞれ A′，C′，D′ とすると，６つの線分 A′E，EH，HG，GC′，C′D′，D′A′ で囲まれた図形が影である。例えば，立方体を［1，1］に置くと，図４のようになり，これを真上から見ると，その影は図５のようになる。

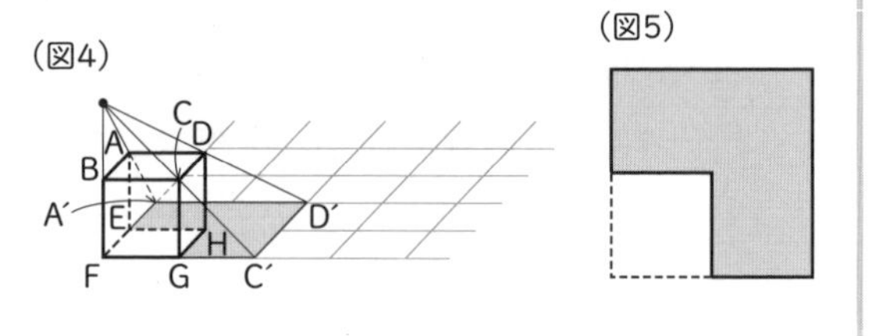

(1) 図６のように，［2，1］にこの立方体を置いた。

① 点 D′ の位置はどこか，図６の**ア**～**エ**から１つ選んで，その符号（ふごう）を書きなさい。

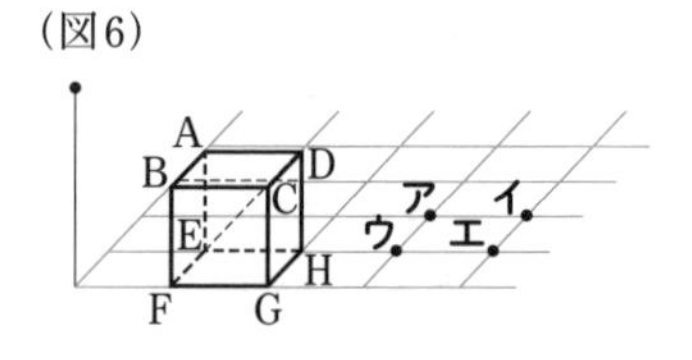

② 線分 D′A′ の長さは何 cm か，求めなさい。

(2) ［2，3］にこの立方体を置いたとき，真上から見た影はどの形か，右の**ア**～**エ**から１つ選んで，その符号を書きなさい。

ア

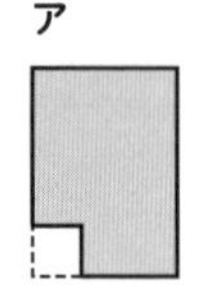

イ

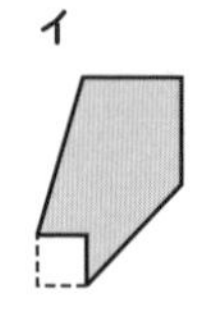

ウ

エ

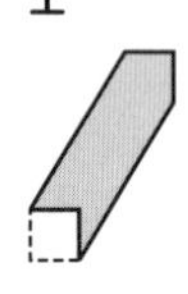

(3) ひろみさんは，立方体を置くます目によって光源からの光が当たる面に違い（ちが）があることがわかり，それぞれの影の面積について，右の表にまとめた。 (i) ， (ii) にあてはまる式の組み合わせを，あとのア～エから1つ選んで，その符号を書きなさい。

立方体を置くます目	[1，1]	$[a, 1]$ a は2以上の自然数	$[1, b]$ b は2以上の自然数	$[a, b]$ a，b はともに2以上の自然数
光が当たる面	面 ABCD	面 ABCD 面 ABFE	面 ABCD 面 BCGF	面 ABCD 面 ABFE 面 BCGF
影の面積	3 cm^2	(i) cm^2	(ii) cm^2	cm^2

ア (i) $2a^2-\frac{7}{2}$　(ii) $2b^2-\frac{7}{2}$

イ (i) $\frac{1}{8}a^2+4$　(ii) $\frac{1}{8}b^2+4$

ウ (i) $\frac{3}{2}a+\frac{3}{2}$　(ii) $\frac{3}{2}b+\frac{3}{2}$

エ (i) $4a-1$　(ii) $4b-1$

(4) ひろみさんは，立方体を置くます目が異なっても影の面積が等しくなる場合があることを見つけた。影の面積が9 cm^2 となる立方体を置くます目はどこか，右の図のあてはまるます目すべてに○印を記入しなさい。

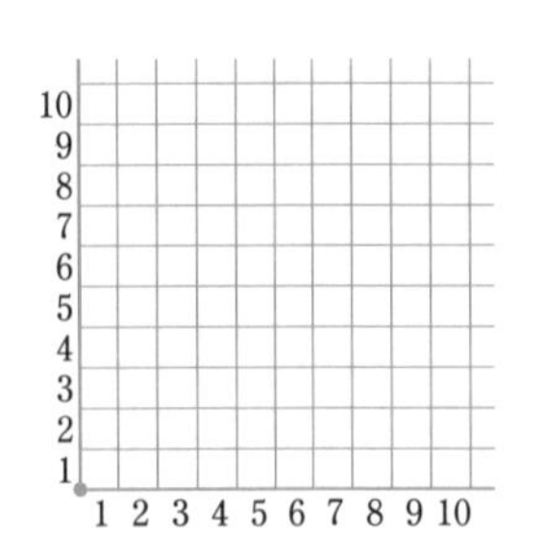

2 **図1のように，三角定規を固定し，2辺のそれぞれの中点にピンをあてるようにつける。次に，形と大きさが同じ三角定規の2辺を，図2のように，2本のピンにあてながら動かしていくとき，頂点はどのような図形の線上を動くかについて，図3をかいて考えてみた。図3で，△ABC は ∠A=60°，∠C=90°，AB=16 cm の直角三角形であり，2点P，Qはそれぞれ辺AB，ACの中点である。次に，△ABC と合同な △DEF を，辺DEが点Pを，辺DFが点Qを常に通るように動かしていく。**〔奈良〕

(図1)

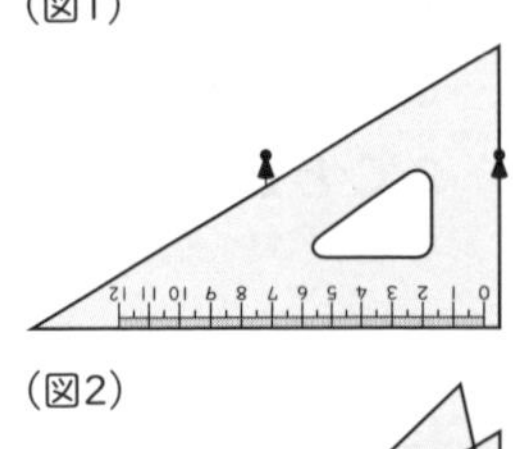

(図2)

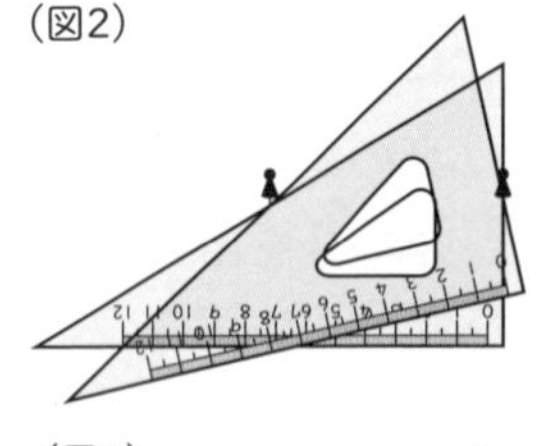

(1) 線分PQの長さを求めなさい。

(図3)

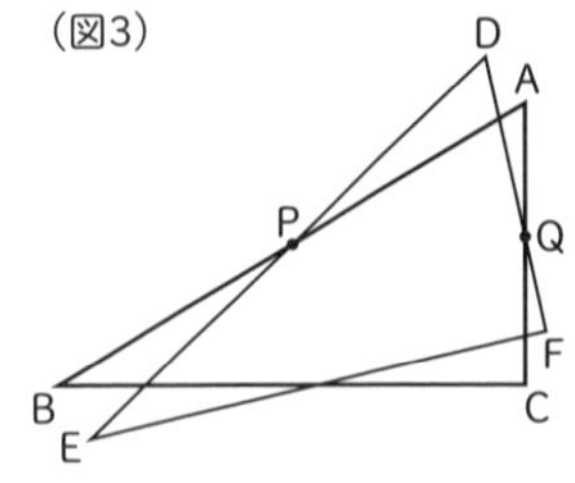

記述 (2) 頂点Dはどのような図形の線上を動くか。簡潔に説明しなさい。

(3) 辺BCが2辺DE，EFのどちらとも交わるとき，辺BCと2辺DE，EFとの交点をそれぞれG，Hとする。EH=8 cm のとき，△BGP≡△EGH を証明しなさい。

(4) 頂点Fが点Qの位置にくるとき，△ABC と △DEF の重なる部分の面積を求めなさい。

思考力・記述問題対策（データの活用）

解答⇨別冊 p.92

記述

1 右の資料は，ゆうたさんが２つの紙飛行機Ａ，Ｂをつくり，それぞれを20回ずつ飛ばして１回ごとに飛距離を記録し，ヒストグラムに表したものである。平均値は，Ａ，Ｂともに7.0ｍである。ゆうたさんは，Ａ，Ｂをもう１回ずつ飛ばすとき，より遠くまで飛ぶと考えた紙飛行機を選ぶことにした。このとき，あなたがゆうたさんなら，どちらを選びますか。上の資料をもとにして，Ａ，Ｂのどちらかを選び，その理由を１つ書きなさい。ただし，理由には，次の語群から用語を１つ選んで用いること。〔岩手〕

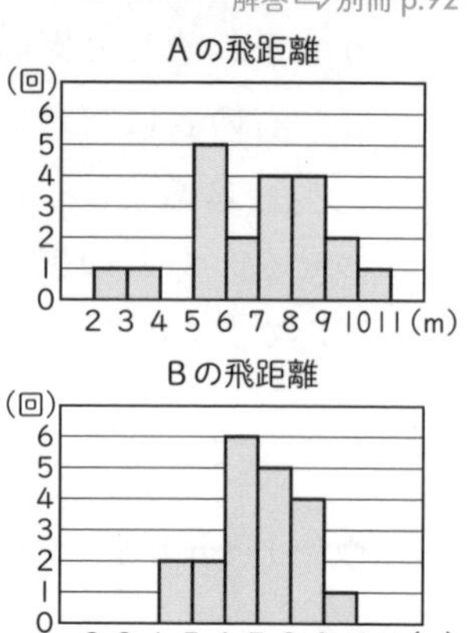

語群

中央値	最頻値	度数の合計

2 あさひさんとひなたさんの姉妹は，８月の31日間，毎日同じ時間に同じ場所で気温を測定した。測定には，右の図のような小数第２位を四捨五入した近似値が表示される温度計を用いた。２人で測定した記録を，あさひさんは表１のように階級の幅を５℃として，ひなたさんは表２のように階級の幅を２℃として，度数分布表に整理した。〔栃木〕

28.7℃

階級(℃) 以上　未満	度数(日)
20.0 ～ 25.0	1
25.0 ～ 30.0	9
30.0 ～ 35.0	20
35.0 ～ 40.0	1
計	31

（表１）

階級(℃) 以上　未満	度数(日)
24.0 ～ 26.0	1
26.0 ～ 28.0	3
28.0 ～ 30.0	6
30.0 ～ 32.0	11
32.0 ～ 34.0	9
34.0 ～ 36.0	1
計	31

（表２）

(1) ある日，気温を測定したところ，温度計には28.7℃と表示された。このときの真の値をa℃とすると，aの値の範囲を不等号を用いて表しなさい。

(2) 表１の度数分布表における，最頻値を求めなさい。

記述

(3) 表１と表２から，２人で測定した記録のうち，35.0℃以上36.0℃未満の日数が１日であったことがわかる。そのように判断できる理由を説明しなさい。

3 **さくらさんは友人と，順番にさいころを１回ずつ振って，出た目の数だけ自分のコマを進める「すごろく」で遊んでいる。ゲームは終盤まで進んでいて，さくらさんは，図１のようにゴールまであと８マスというところに到達した。このすごろくでゴールするには，ゴールにちょうど止まらなくてはならない。例えば，図１の状態からさいころを振って，１回目に６の目，２回目に５の目が出たとすると，図２のように進むため，ゴールにはならない。ただし，さいころはどの目が出ることも同様に確からしいものとする。**〔岩手〕

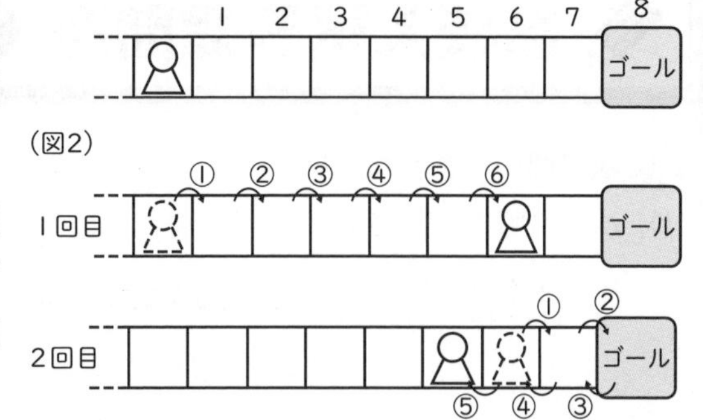

(1) さくらさんが，さいころを２回振ってゴールする目の出方は，全部で５通りある。そのうちの１通りは，１回目に２の目，２回目に６の目が出た場合で，この場合の目の出方を〔2, 6〕と表すことにする。このとき，残りの４通りの目の出方を，すべて書きなさい。

記述

(2) 図３のように，すごろくに条件が追加された。さくらさんは，「すすむ」のような有利なマスよりも，「もどる」と「やすみ」のように不利なマスの方が多く追加されたため，次のように考えた。

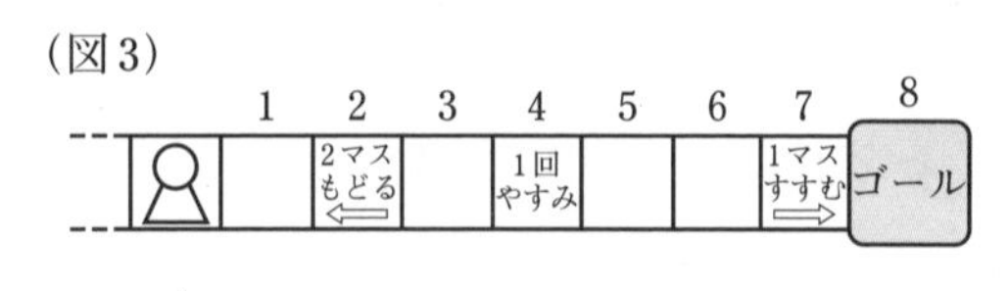

> さいころを２回振ってゴールする確率は，条件が追加される前と条件が追加された後では，条件が追加された後の方が小さくなる。

さくらさんの考え方は正しいといえるか，いえないか。どちらかを答え，その理由を確率を使って説明しなさい。

記述

4 **自然数 a，b，c，m，n について，２次式 x^2+mx+n が $(x+a)(x+b)$ または $(x+c)^2$ の形に因数分解できるかどうかは，m，n の値によって決まる。例えば，次のように，因数分解できるときと因数分解できないときがある。**

- **$m=6$，$n=8$ のとき，２次式 x^2+6x+8 は $(x+a)(x+b)$ の形に因数分解できる。**
- **$m=6$，$n=9$ のとき，２次式 x^2+6x+9 は $(x+c)^2$ の形に因数分解できる。**
- **$m=6$，$n=10$ のとき，２次式 $x^2+6x+10$ はどちらの形にも因数分解できない。**

右の図のような，１から６までの目が出るさいころがある。このさいころを２回投げ，１回目に出た目の数を m，２回目に出た目の数を n とするとき，２次式 x^2+mx+n が $(x+a)(x+b)$ または $(x+c)^2$ の形に因数分解できる確率を求めなさい。ただし，答えを求めるまでの過程も書きなさい。なお，このさいころは，どの目が出ることも同様に確からしいものとする。〔山口ー改〕

〔　　月　　日〕

高校入試予想問題 第1回

時間 40分　得点　合格70点　/100点

解答 ⇨ 別冊 p.93

1 次の問いに答えなさい。

(1) 次の計算をしなさい。

① $\dfrac{4^2\times(-3)^2}{11^2-(-13)^2}$　〔都立青山高 '20〕

② $2(x+4y)-3\left(\dfrac{1}{2}x-\dfrac{1}{3}y\right)$　〔千葉〕

(2) 次の方程式を解きなさい。

① $\dfrac{x+1}{3}+\dfrac{2}{5}x=\dfrac{1}{2}x$　〔精華高〕

② $2(x-2)^2-3(x-2)+1=0$　〔埼玉〕

(1)	①	②	(2)	①	②

2 次の問いに答えなさい。

(1) $x=\dfrac{5-4\sqrt{7}}{2}$，$y=\dfrac{5+8\sqrt{7}}{2}$ のとき，$x^2+2xy+y^2+4x-4y$ の値を求めなさい。

〔都立新宿高 '20〕

(2) 5％の食塩水がある。これに3％の食塩水400 gを混ぜてから，水を50 g蒸発させたら，4％の食塩水になった。5％の食塩水は何gあったか求めなさい。　〔神戸学院大附高〕

(3) 1往復するのにx秒かかる振り子の長さをy mとすると，$y=\dfrac{1}{4}x^2$という関係が成り立つものとする。長さ1 mの振り子は，長さ9 mの振り子が1往復する間に何往復するか，求めなさい。

〔徳島〕

振り子の長さ（糸をつるす点からおもりの中心まで）
y m
おもり
1往復x秒

(4) ある工場で同じ製品を10000個つくった。このうち300個の製品を無作為に抽出して検査すると，7個の不良品が見つかった。この結果から，10000個の製品の中にふくまれる不良品の個数はおよそ何個と考えられるか，一の位を四捨五入して答えなさい。　〔京都〕

(1)	(2)	(3)	(4)

3 **右の図のように，関数 $y=ax^2$ …㋐ のグラフと関数 $y=3x+7$ …㋑ のグラフとの交点 A があり，点 A の x 座標が -2 である。** 〔三重〕

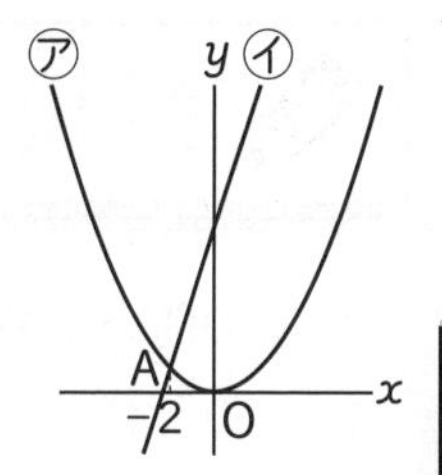

(1) a の値を求めなさい。

(2) ㋐について，x の変域が $-2 \leqq x \leqq 3$ のときの y の変域を求めなさい。

(3) ㋑のグラフと y 軸(じく)との交点を B とし，㋐のグラフ上に x 座標が 6 となる点 C をとり，四角形 ADCB が平行四辺形になるように点 D をとる。

① 点 D の座標を求めなさい。

② 点 O を通り，四角形 ADCB の面積を 2 等分する直線の式を求めなさい。ただし，原点を O とする。

(1)	(2)	(3) ①	②

4 **図 1 のように，線分 AB を直径とする円 O がある。また，線分 AB 上に点 A，B と異なる点 C をとり，線分 AC を直径とする円を円 O′ とする。点 B から円 O′ に 2 つの接線をひき，接点をそれぞれ P，Q とする。さらに，2 つの直線 BP，BQ と円 O との交点で，B 以外の点をそれぞれ D，E とする。** 〔富山〕

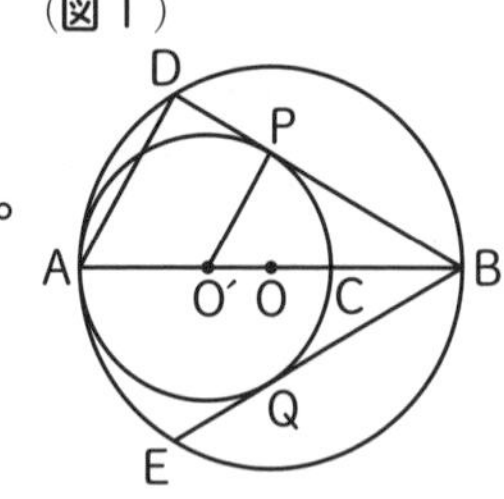
(図 1)

(1) △ABD∽△O′BP を証明しなさい。

(2) 図 2 のように，円 O の半径を 3 cm，円 O′ の半径を 2 cm とする。

① 線分 PE の長さを求めなさい。

② △CPE の面積を求めなさい。

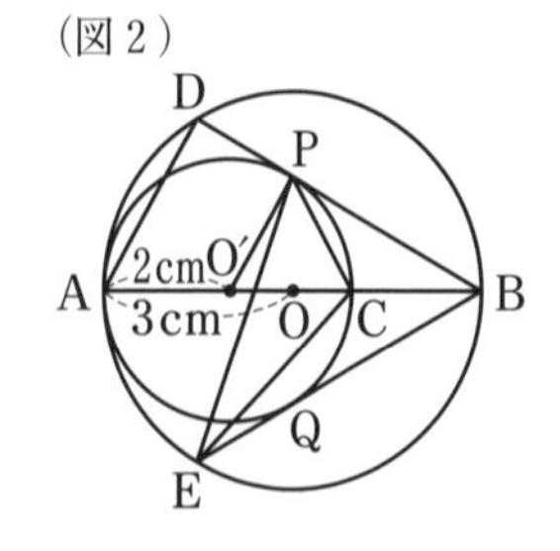
(図 2)

(1) 余白に記入しなさい。	(2) ①	②

〔　　月　　日〕

高校入試予想問題 

時間 60分　得点　　/100点　合格70点

解答 ⇨ 別冊 p.95

1 次の問いに答えなさい。

(1) 次の計算をしなさい。

① $(\sqrt{3}+1)(\sqrt{3}+5)-\sqrt{48}$　〔山形〕　② $\frac{3}{8}a^2b\div\frac{9}{4}ab^2\times(-3b)^2$　〔大阪〕

(2) 次の方程式を解きなさい。

① $\begin{cases}\frac{4x+y-5}{2}=x+0.25y-2\\ 4x+3y=-6\end{cases}$　〔都立国立高 '20〕　② $3x^2-5x+1=0$　〔埼玉〕

(1)	①	②	(2)	①	②

2 次の問いに答えなさい。

(1) 次の 2 つの条件を同時に満たす自然数 n の値を求めなさい。〔大阪〕

・$2020-n$ の値は 93 の倍数である。

・$n-780$ の値は素数である。

(2) a を定数とする。2 直線 $y=-x+a+3$，$y=4x+a-7$ の交点を関数 $y=x^2$ のグラフが通るとき，a の値を求めなさい。〔都立日比谷高 '20〕

(3) 右の図のような，半径 4 cm，中心角 90° のおうぎ形 ABC がある。線分 AC を C のほうに延長した直線上に ∠ADB＝30° となる点 D をとり，線分 BD と $\overset{\frown}{BC}$ との交点のうち，B 以外の点を E とする。$\overset{\frown}{CE}$ と線分 ED，DC とで囲まれた色のついた部分の面積を求めなさい。〔宮城〕

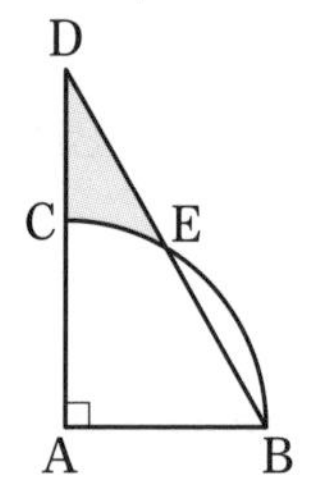

(4) 1 から 6 までの目が出る大小 1 つずつのさいころを同時に 1 回投げる。大きいさいころの出た目の数を a，小さいさいころの出た目の数を b とする。$(a+b)$ を a でわったときの余りが 1 となる確率を求めなさい。ただし，大小 2 つのさいころはともに，1 ら 6 までのどの目が出ることも同様に確からしいものとする。〔都立日比谷高 '20〕

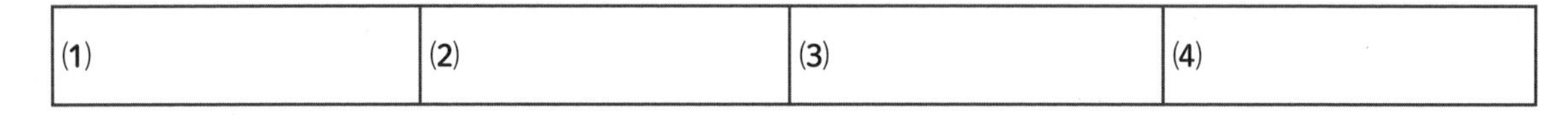

(1)	(2)	(3)	(4)

3 **右の図で，中心が四角形 ABCD の辺 AB 上にあり，辺 BC と辺 AD に接する円と辺 BC の接点 P を作図しなさい。** 〔三重〕

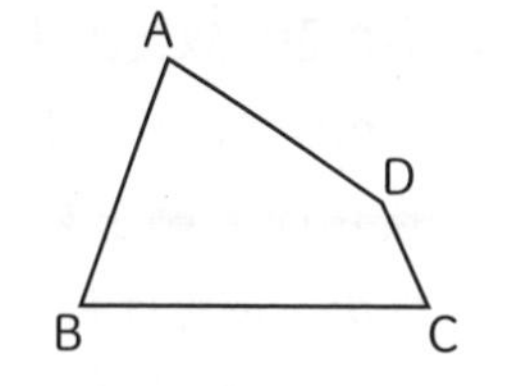

図に記入しなさい。

4 **右の表は，A 中学校の生徒 39 人と B 中学校の生徒 100 人の通学時間を調べ，度数分布表に整理したものである。** 〔岐阜〕

通学時間（分）	A 中学校（人）	B 中学校（人）
以上 未満 0～5	0	4
5～10	6	10
10～15	7	16
15～20	8	21
20～25	9	18
25～30	5	15
30～35	4	10
35～40	0	6
計	39	100

(1) A 中学校の通学時間の最頻値（さいひんち）を求めなさい。

(2) B 中学校の通学時間が 15 分未満の生徒の相対度数を求めなさい。

(3) 右の度数分布表について述べた文として正しいものを，次の**ア**～**エ**の中からすべて選び，符号（ふごう）で書きなさい。

ア A 中学校と B 中学校の，通学時間の最頻値は同じである。
イ A 中学校と B 中学校の，通学時間の中央値は同じ階級にある。
ウ A 中学校より B 中学校の方が，通学時間が 15 分未満の生徒の相対度数が大きい。
エ A 中学校より B 中学校の方が，通学時間の範囲（はんい）が大きい。

(1)	(2)	(3)

5 **図 1 のように，同じ長さの棒を使って正三角形を 1 個つくり，1 番目の図形とする。1 番目の図形の下に，1 番目の図形を 2 個置いてできる図形を 2 番目の図形，2 番目の図形の下に，1 番目の図形を 3 個置いてできる図形を 3 番目の図形とする。以下，この作業をくり返して 図形をつくっていく。** 〔富山〕

（図 1）
1番目の図形　2番目の図形　3番目の図形　4番目の図形 …

(1) 6 番目の図形は，棒を何本使うか求めなさい。

(2) 10 番目の図形に，2 番目の図形は全部で何個ふくまれているか求めなさい。例えば，4 番目の図形には，図 2 の①～③のように，2 番目の図形が全部で 6 個ふくまれている。ただし，④のように 2 番目の図形の上下の向きを逆にした図形は数えないものとする。

（図 2）
① ② ③ ④

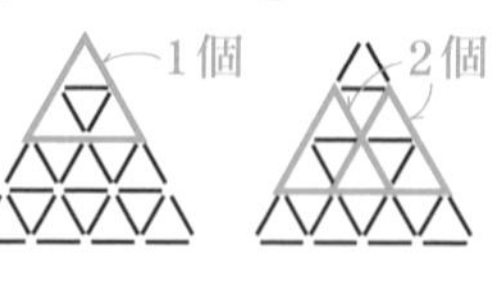

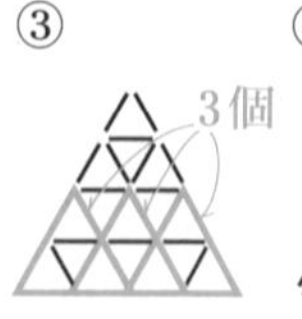

(3) 棒の総数が 234 本になるのは，何番目の図形か求めなさい。

(1)	(2)	(3)

6 **右の図の放物線は，関数 $y=2x^2$ のグラフである。3点A，B，Cは放物線上の点であり，その座標はそれぞれ(1，2)，(2，8)，(−2，8)である。また，点Pは x 軸（じく）上を，点Qは放物線上をそれぞれ動く点であり，2点P，Qの x 座標はどちらも正の数である。** 〔奈良〕

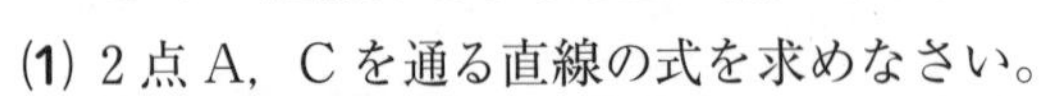

(1) 2点A，Cを通る直線の式を求めなさい。

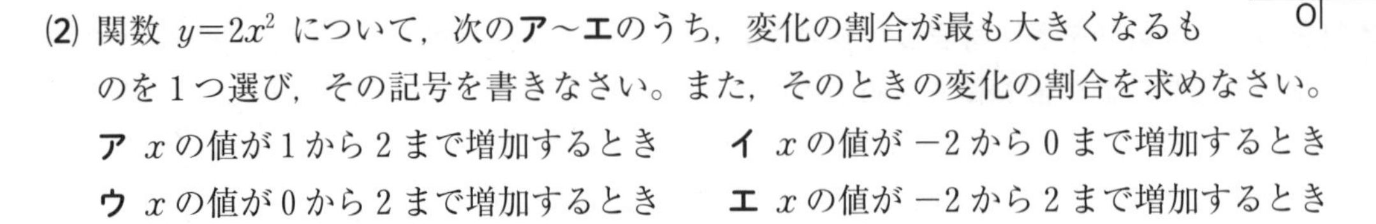

(2) 関数 $y=2x^2$ について，次の**ア**～**エ**のうち，変化の割合が最も大きくなるものを1つ選び，その記号を書きなさい。また，そのときの変化の割合を求めなさい。

ア x の値が1から2まで増加するとき　　**イ** x の値が -2 から0まで増加するとき

ウ x の値が0から2まで増加するとき　　**エ** x の値が -2 から2まで増加するとき

(3) $\angle OPA=45°$ のとき，△OPAを，x 軸を軸として1回転させてできる立体の体積を求めなさい。

(4) 四角形APQCが平行四辺形となるとき，点Pの x 座標を求めなさい。

(1)	(2)	(3)	(4)

7 **図1，図2において，立体ABCD−EFGHは四角柱である。四角形ABCDはAD//BCの台形であり，AD=4 cm，BC=8 cm，AB=DC=5 cm である。四角形EFGH≡四角形ABCDである。四角形FBCGは1辺の長さが8 cmの正方形であり，四角形EFBA，EADH，HGCDは長方形である。このとき，平面EADHと平面FBCGは平行である。** 〔大阪〕

(1) 図1において，Iは辺DC上の点であり，DI=3 cmである。Jは，辺HD上にあって線分EJの長さと線分JIの長さとの和が最も小さくなる点である。IとBとを結ぶ。Kは，Hを通り線分IBに平行な直線と辺EFとの交点である。

（図1）

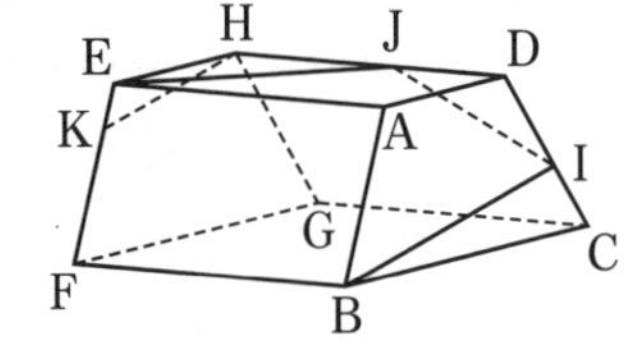

① △EJHの面積を求めなさい。

② △IBCの内角∠IBCの大きさを $a°$，△EKHの内角∠EKHの大きさを $b°$ とするとき，四角形ABIDの内角∠BIDの大きさを a，b を用いて表しなさい。

③ 線分KFの長さを求めなさい。

(2) 図2において，DとFを結ぶ。Lは，Dを通り辺EFに平行な直線と辺BCとの交点である。FとLとを結ぶ。このとき，△DFLの内角∠DLFは鈍角（どんかく）である。Mは，Aから平面DFLにひいた垂線と平面DFLとの交点である。このとき，Mは△DFLの内部にある。

（図2）

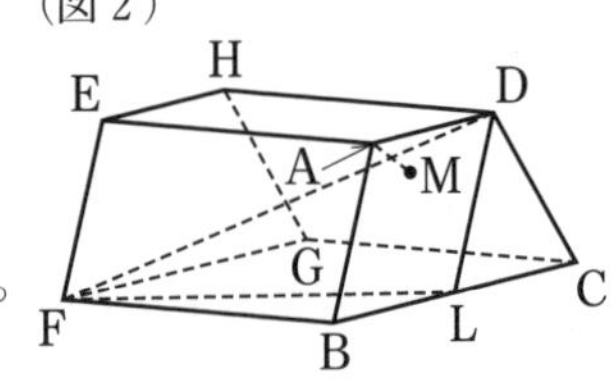

① 線分DFの長さを求めなさい。

② 線分AMの長さを求めなさい。

(1)	①	②	③	(2)	①	②

中学

自由自在 数学

問題集

From Basic to Advanced

解答解説

受験研究社

解答編

中学 自由自在問題集 数学

第1章 数と式

1 正の数・負の数

STEP 1 まとめノート

本冊⇨pp.6～7

例題1 (1) ① -5 ② -4 ③ -3 (①と②と③は順不同)
(2) ① -6 ② -2 ③ $+3$

例題2 (1) ① $+2$ ② -7 ③ 2 ④ 7 ⑤ 5 ⑥ 7 ⑦ -2
(2) ① -10 ② -1

例題3 (1) ① $-\frac{1}{3}$ ② $+$ ③ 3 ④ 1 ⑤ 12
(2) ① $-\frac{5}{6}$ ② $-$ ③ 6 ④ 5 ⑤ $-\frac{5}{4}$

例題4 (1) ① -16 ② 4 ③ -8
(2) ① $\frac{4}{5}$ ② $-\frac{27}{8}$ ③ 5 ④ 4 ⑤ 8 ⑥ 27 ⑦ $-\frac{3}{10}$

例題5 (1) ① 25 ② 36 ③ 25 ④ 18 ⑤ 7
(2) ① 4 ② -9 ③ 4 ④ $12-9$ ⑤ 3 ⑥ 12

例題6 (1) ① A ② D ③ $+4$ ④ -6 ⑤ 10
(2) ⑥ -5 ⑦ -1 ⑧ -1 ⑨ 169

STEP 2 実力問題

本冊⇨pp.8～9

1 (1) 7つ (2) ウ

2 (1) -5 (2) $-\frac{7}{15}$ (3) -9 (4) -1 (5) -42 (6) $\frac{3}{8}$ (7) $-\frac{2}{7}$ (8) -36

3 (1) 0.6 (2) 4 (3) $-\frac{1}{18}$ (4) $-\frac{2}{9}$

4 (1) -6 (2) -2 (3) 9 (4) $-\frac{3}{8}$ (5) 47 (6) 5 (7) $-\frac{23}{12}$ (8) 13

5 (1) エ (2) ア…0，イ…-4

6 11.3℃

解説

1 (1) $\frac{13}{4}=3\frac{1}{4}$ だから，絶対値が $3\frac{1}{4}$ より小さい整数は，-3，-2，-1，0，1，2，3 の7つある。

(2) ア -1，イ 5，ウ -6，エ $-\frac{2}{3}$ だから，ウの -6 が最も小さい。

2 (2) $\frac{1}{5}-\frac{2}{3}=\frac{3}{15}-\frac{10}{15}=-\frac{7}{15}$

(3) $6+(-17)-(-2)=6-17+2=6+2-17=8-17$
$=-9$

(4) $6-9-(-2)=6-9+2=-1$

(6) $\left(-\frac{1}{6}\right)\div\left(-\frac{4}{9}\right)=\left(-\frac{1}{6}\right)\times\left(-\frac{9}{4}\right)=+\frac{1\times9}{6\times4}=\frac{3}{8}$

(7) $\frac{3}{2}\div\left(-\frac{3}{4}\right)\times\frac{1}{7}=\frac{3}{2}\times\left(-\frac{4}{3}\right)\times\frac{1}{7}=-\frac{3\times4\times1}{2\times3\times7}$
$=-\frac{2}{7}$

(8) $-4\times(-3)^2=-4\times9=-36$

3 (1) $1+(-0.2)\times2=1+(-0.4)=1-0.4=0.6$

(2) $6+4\times\left(-\frac{1}{2}\right)=6+(-2)=4$

(3) $\frac{2}{3}\times\left(\frac{1}{6}-\frac{1}{4}\right)=\frac{2}{3}\times\left(\frac{2}{12}-\frac{3}{12}\right)=\frac{2}{3}\times\left(-\frac{1}{12}\right)$
$=-\frac{1}{18}$

(4) $\left(\frac{3}{4}-\frac{5}{6}\right)\times\frac{-2+4+6}{2-3+4}=\left(\frac{9}{12}-\frac{10}{12}\right)\times\frac{4+6-2}{2+4-3}$
$=\left(-\frac{1}{12}\right)\times\frac{8}{3}=-\frac{2}{9}$

4 (1) $(1-3^2)\div\frac{4}{3}=(1-9)\times\frac{3}{4}=-8\times\frac{3}{4}=-6$

(2) $8-(-5)^2\div\frac{5}{2}=8-25\times\frac{2}{5}=8-10=-2$

(3) $(-2)^2\times3+15\div(-5)=4\times3+(-3)$
$=12-3=9$

(4) $\frac{1}{6}\times\left(-\frac{3}{2}\right)^2-\frac{3}{4}=\frac{1}{6}\times\frac{9}{4}-\frac{3}{4}=\frac{3}{8}-\frac{3}{4}$
$=\frac{3}{8}-\frac{6}{8}=-\frac{3}{8}$

(5) $5\times(-2)^2-(-3)^3=5\times4-(-27)=20+27=47$

(6) $32+(-4^2)\div8-(-5)^2=32+(-16)\div8-25$

$=32+(-2)-25=32-2-25=32-27=5$

(7) $-2^4\div(-3)^2\div\frac{2}{3}-3\div(-2^2)$

$=-16\div9\times\frac{3}{2}-3\div(-4)=-16\times\frac{1}{9}\times\frac{3}{2}+\frac{3}{4}$

$=-\frac{8}{3}+\frac{3}{4}=-\frac{32}{12}+\frac{9}{12}=-\frac{23}{12}$

(8) $\{-11^2-7\times(-2)^3\}\div(-5)$

$=\{-121-7\times(-8)\}\div(-5)=(-121+56)\div(-5)$

$=(-65)\div(-5)=13$

5 (1) $ab<0$ より，a と b の符号は異なる。

$abc=ab\times c>0$ より，$c<0$

よって，**エ**

(2) 各辺の 3 つの数の和はすべて等しいから，

ア$+1+$**イ**$=$**イ**$+(-1)+2$　**ア**$+1=1$　**ア**$=0$

ア$+1+$**イ**$=$**ア**$+(-5)+2$　**イ**$+1=-3$　**イ**$=-4$

6 日曜日を基準とすると，

火曜日の気温は，$(+4.2)+0.7=+4.9$ (℃)，

水曜日は $(+4.9)-2.1=+2.8$ (℃)，

木曜日は $(+2.8)+0.3=+3.1$ (℃)，

金曜日は $(+3.1)-1.5=+1.6$ (℃)，

土曜日は $(+1.6)-5.6=-4.0$ (℃) となる。

よって，1 週間の平均気温は，

$9.5+(4.2+4.9+2.8+3.1+1.6-4.0)\div7$

$=9.5+12.6\div7=9.5+1.8=11.3$ (℃)

STEP 3 発展問題

本冊⇨pp.10～11

1 (1) $-\frac{3}{8}$　(2) $-\frac{24}{5}$　(3) $-\frac{5}{17}$　(4) $\frac{1}{3}$　(5) -1

(6) 2　(7) -2　(8) -12

2 (1) $-\frac{3}{2}$　(2) 24　(3) $-\frac{15}{4}$　(4) $\frac{41}{15}$　(5) 2

(6) $\frac{3}{20}$　(7) $\frac{29}{20}$

3 (1) **ウ，ア，イ，エ**

(2) $(a,\ b)=(-4,\ 5),\ (-3,\ 4),\ (-2,\ 3),$ $(-1,\ 2)$ **のうち 1 組**

(3) **イ，オ**　(4) **10**

4 **72 点**

5 **ア…-1，イ…-2**

解説

1 (1) $-\frac{2}{3^3}\div\left(-\frac{2}{3}\right)^2\times\left(-\frac{3}{2}\right)^2=-\frac{2}{27}\div\frac{4}{9}\times\frac{9}{4}$

$=-\frac{2}{27}\times\frac{9}{4}\times\frac{9}{4}=-\frac{3}{8}$

(2) $\left(\frac{2}{5}-\frac{3}{2}\right)\div\left(-\frac{1}{2}\right)^2\div\left(\frac{5}{4}-\frac{1}{3}\right)$

$=\left(\frac{4}{10}-\frac{15}{10}\right)\div\frac{1}{4}\div\left(\frac{15}{12}-\frac{4}{12}\right)$

$=-\frac{11}{10}\times4\div\frac{11}{12}=-\frac{11}{10}\times4\times\frac{12}{11}=-\frac{24}{5}$

(3) $\frac{-1^2}{7}\div\left(-\frac{3}{5}+\frac{5}{14}\right)\times\left(\frac{1}{2}-1\right)$

$=-\frac{1}{7}\div\left(-\frac{42}{70}+\frac{25}{70}\right)\times\left(-\frac{1}{2}\right)=-\frac{1}{7}\times\left(-\frac{70}{17}\right)\times\left(-\frac{1}{2}\right)$

$=-\frac{5}{17}$

(4) $\left(-\frac{1}{2}\right)^2\div\left(-\frac{3}{14}\right)+\frac{3}{2}=\frac{1}{4}\times\left(-\frac{14}{3}\right)+\frac{3}{2}$

$=-\frac{7}{6}+\frac{3}{2}=-\frac{7}{6}+\frac{9}{6}=\frac{2}{6}=\frac{1}{3}$

(5) $\left(-\frac{2}{5}\right)^2\times\frac{5}{4}-\frac{15}{2}\div\left(-\frac{5}{2}\right)^2$

$=\frac{4}{25}\times\frac{5}{4}-\frac{15}{2}\div\frac{25}{4}=\frac{1}{5}-\frac{15}{2}\times\frac{4}{25}$

$=\frac{1}{5}-\frac{6}{5}=-\frac{5}{5}=-1$

(6) $\left(-\frac{2}{3}\right)^3\times\frac{3}{4}-\frac{8}{9}\div\left(-\frac{2}{5}\right)=\left(-\frac{8}{27}\right)\times\frac{3}{4}+\frac{8}{9}\times\frac{5}{2}$

$=-\frac{2}{9}+\frac{20}{9}=\frac{18}{9}=2$

(7) $\frac{1}{2}\times(-2)^3+\frac{1}{15}\times9\div0.3=\frac{1}{2}\times(-8)+\frac{1}{15}\times9\div\frac{3}{10}$

$=-4+\frac{1}{15}\times9\times\frac{10}{3}=-4+2=-2$

(8) $-3^2-\left(-\frac{2}{3}\right)\div\left(-\frac{4}{3}\right)^2\times(-2)^3$

$=-9-\left(-\frac{2}{3}\right)\div\frac{16}{9}\times(-8)=-9-\frac{2}{3}\times\frac{9}{16}\times8$

$=-9-3=-12$

2 (1) $\left\{4-6\times\frac{1}{2}+(-2)^2\right\}\times\frac{1}{2}-2^2$

$=(4-3+4)\times\frac{1}{2}-4=\frac{5}{2}-4=-\frac{3}{2}$

(2) $\{4^2-3^2+(-1)^2\}\div\left\{\left(\frac{2}{3}\right)^2-\left(\frac{1}{3}\right)^2\right\}$

$=(16-9+1)\div\left(\frac{4}{9}-\frac{1}{9}\right)=8\div\frac{3}{9}=8\times3=24$

(3) $6\div\left(-\frac{3}{2}\right)-2\times\left\{0.25+\left(-\frac{1}{2}\right)^3\times3\right\}$

$=6\times\left(-\frac{2}{3}\right)-2\times\left\{\frac{1}{4}+\left(-\frac{1}{8}\right)\times3\right\}$

$=-4-2\times\left(\frac{1}{4}-\frac{3}{8}\right)=-4-2\times\left(-\frac{1}{8}\right)$

$=-4+\frac{1}{4}=-\frac{15}{4}$

(4) $3\div\frac{-3^2}{8}+\{3-7\times(-2)^2\}\times(-0.6)^3$

$=3\div\left(-\frac{9}{8}\right)+(3-7\times4)\times\left(-\frac{3}{5}\right)^3$

$=3\times\left(-\frac{8}{9}\right)+(-25)\times\left(-\frac{27}{125}\right)=-\frac{8}{3}+\frac{27}{5}$

$=-\frac{40}{15}+\frac{81}{15}=\frac{41}{15}$

(5) $\left\{\frac{(-2)^2-3}{1+2+3+4}\right\}\div\frac{1}{8}+\left(0.25+\frac{11}{4}\right)\times\frac{2}{5}$

$=\frac{4-3}{10}\times8+\left(\frac{1}{4}+\frac{11}{4}\right)\times\frac{2}{5}$

$=\frac{1}{10}\times8+3\times\frac{2}{5}=\frac{4}{5}+\frac{6}{5}=\frac{10}{5}=2$

(6) $\left\{0.125-\frac{3}{16}+\left(-\frac{1}{2}\right)^5\right\}\div\left(\frac{9}{8}-1.75\right)$

$=\left\{\frac{1}{8}-\frac{3}{16}+\left(-\frac{1}{32}\right)\right\}\div\left(\frac{9}{8}-\frac{7}{4}\right)$

$=\left(\frac{4}{32}-\frac{6}{32}-\frac{1}{32}\right)\div\left(\frac{9}{8}-\frac{14}{8}\right)$

$=\left(-\frac{3}{32}\right)\div\left(-\frac{5}{8}\right)=\frac{3}{32}\times\frac{8}{5}=\frac{3}{20}$

(7) $\left\{1-\left(-\frac{1}{4}\right)\times2.5\div\frac{25}{8}\right\}+\left\{(-0.75)\times\left(-\frac{2}{3}\right)\right\}^2$

$=\left(1+\frac{1}{4}\times\frac{5}{2}\times\frac{8}{25}\right)+\left\{\left(-\frac{3}{4}\right)\times\left(-\frac{2}{3}\right)\right\}^2$

$=\left(1+\frac{1}{5}\right)+\left(\frac{1}{2}\right)^2=\frac{6}{5}+\frac{1}{4}=\frac{24}{20}+\frac{5}{20}=\frac{29}{20}$

3 (1) **ア** $\left(-\frac{3}{5}\right)^2=\frac{9}{25}$，**イ** $\frac{3^2}{5}=\frac{9}{5}=1\frac{4}{5}$，

ウ $-\frac{3^2}{5}=-\frac{9}{5}$，**エ** $\left(-\frac{3}{5}\right)^2=\frac{25}{9}=2\frac{7}{9}$

よって，小さい順に**ウ**，**ア**，**イ**，**エ**

(2) a は負の整数で，絶対値が 5 より小さいから，

$a=-4$，-3，-2，-1

$a+b=1$ より，

a	-4	-3	-2	-1
b	5	4	3	2

(3) **ア**… b の絶対値が a の絶対値より大きいときは成り立たない。

イ…正の数から負の数をひくから，つねに成り立つ。

ウ，**エ**…正の数と負の数の積や商は必ず負の数だから，成り立たない。

オ… a^2，b^2 はともに正の数だから，a^2+b^2 も正の数になり，つねに成り立つ。

(4) $-4^2-\square\div(3-5)\times(-3)^2-5^2=4$

$-16-\square\div(-2)\times9-25=4$

$-41-\square\times\left(-\frac{1}{2}\right)\times9=4$

$\frac{9}{2}\times\square=4+41=45$　$\square=45\div\frac{9}{2}=45\times\frac{2}{9}=10$

4 5 回の合計点は，$73\times5=365$（点）

1 回目が 70 点だから，2 回目は 75 点で，3 回目から 5 回目の合計点は $365-(70+75)=220$（点）

4 回目は 3 回目よりも 8 点低く，5 回目は 4 回目よりも 2 点高いから，$(-8)+(+2)=-6$ より，

5 回目は 3 回目よりも 6 点低い。

よって，3 回目は $\{220-(-8-6)\}\div3=78$（点）だから，5 回目は $78-6=72$（点）

5 3 つの数の和は，

$\{(-3)+(-2)+(-1)+0+1+2+3+4+5\}\div3=3$

よって，**ア**は $3-(0+4)=-1$

右下の数は $3-\{4+(-3)\}=2$ より，

イは $3-(2+3)=-2$

2 文字と式

STEP 1 まとめノート

本冊⇨pp.12〜13

例題1 (1) ① $-ab$　(2) ① $4(x-y)^2$

(3) ① $-\frac{x+y}{3}$

(4) ① $-\frac{y}{6}$　② $-x+\frac{y}{6}$

例題2 (1) ① $\frac{5}{6}$　② 速さ　③ $\frac{5}{6}$　④ $\frac{5}{6}a$

(2) ① $\frac{a}{100}$　② $1-\frac{a}{100}$

③ $1000-10a$

例題3 (1) ① $3a+1$

(2) ① $2x+9$　② $5x+2$

(3) ① $4y+1$　② $-y+4$

例題4 (1) ① $42x$

(2) ① $\frac{3}{2}$　② $-9x$

(3) ① 12　② $6x+9$

例題5 (1) ① 10　② 12　③ $2x-8$

(2) ① 4　② 3　③ $3x+9$　④ $\frac{5x+13}{12}$

例題6 (1) ① $7a$　② $7a$　③ b

(2) ① $a+b$　② $a+b$　③ $<$

例題7 (1) ① -2　② 4　③ -12

(2) ① $(-4)^2$　② 8　③ $\frac{3}{8}$

STEP 2 実力問題

本冊⇨pp.14～15

1 (1) $-2abc$ (2) $-\dfrac{xy^2}{5}$ (3) $\dfrac{x}{yz}$

(4) $4a+\dfrac{7}{b}$

2 (1) (例) $b\div5-6\times c$

(2) (例) $a\times a\times b\div(x+y)$

3 (1) $3a+5b$ (円) (2) $0.75a-50$ (円)

(3) $50-\dfrac{x}{12}$ (L)

4 (1) $-6a$ (2) $-2a-3$ (3) $-3x+2$

(4) $-6x+15$

5 (1) $3a-1$ (2) $5a-2$ (3) $-x+5$ (4) $\dfrac{1}{12}x$

(5) $\dfrac{5x-11}{6}$ (6) $\dfrac{7a+3}{2}$

6 (1) $5a-4b=180$ (2) $1+2x<10$

(3) $3x+5y<20$

7 (1) 7 (2) 10

8 76

(解説)

1 (3) $x\div y\div z=x\times\dfrac{1}{y}\times\dfrac{1}{z}=\dfrac{x}{yz}$

2 (2) $x+y$ に( )をつけて表す。

3 (1) $\dfrac{a}{100}\times300+\dfrac{500}{100}\times b=3a+5b$ (円)

(2) $a\times(1-0.25)-50=0.75a-50$ (円)

(3) 1 km 走るのに $\dfrac{1}{12}$ L 使うから，$50-\dfrac{x}{12}$ (L)

4 (1) $7a+(-13a)=7a-13a=-6a$

(3) $(24x-16)\div(-8)=-\dfrac{24}{8}x+\dfrac{16}{8}=-3x+2$

(4) $\dfrac{2x-5}{3}\times(-9)=(2x-5)\times(-3)=-6x+15$

5 (1) $4(2a-1)-(5a-3)=8a-4-5a+3$

$=3a-1$

(2) $3(a+2)-2(-a+4)=3a+6+2a-8$

$=5a-2$

(3) $\dfrac{1}{2}(4x+8)-(3x-1)=2x+4-3x+1=-x+5$

(4) $\dfrac{1}{3}(x-6)-\dfrac{1}{4}(x-8)=\dfrac{1}{3}x-2-\dfrac{1}{4}x+2$

$=\dfrac{4}{12}x-\dfrac{3}{12}x=\dfrac{1}{12}x$

(5) $\dfrac{4x-1}{3}-\dfrac{x+3}{2}=\dfrac{2(4x-1)-3(x+3)}{6}$

$=\dfrac{8x-2-3x-9}{6}=\dfrac{5x-11}{6}$

(6) $\dfrac{9a-5}{2}-(a-4)=\dfrac{9a-5-2(a-4)}{2}$

$=\dfrac{9a-5-2a+8}{2}=\dfrac{7a+3}{2}$

6 (1) 出し合ったお金は $a\times5=5a$ (円)

品物の代金は $b\times4=4b$ (円)

よって，$5a-4b=180$

(2) 全体の重さは $(1+2x)$ kg

これが 10 kg より軽いから，$1+2x<10$

(3) 荷物の重さの合計は $(3x+5y)$ kg

これが 20 kg 未満だから，$3x+5y<20$

7 (1) $5x-3=5\times2-3=10-3=7$

(2) $a^2-\dfrac{1}{3}a=(-3)^2-\dfrac{1}{3}\times(-3)=9+1=10$

8 上から 1 段目の数を横にみていくと，$1=1^2$，$4=2^2$，$9=3^2$，$16=4^2$，…となっているから，n 列目には n^2 の数があることがわかる。よって，上から 1 段目で左から 9 列目の数は $9^2=81$ だから，上から 6 段目で左から 9 列目の数は

$81-6+1=76$

	1列目	2列目	3列目	4列目	…	9列目
1段目	1	4	9	16		81
2段目	2	3	8	15	…	80
3段目	5	6	7	14		79
4段目	10	11	12	13		78
5段目						77
6段目						76

STEP 3 発展問題

本冊⇨pp.16～17

1 (1) $a+3(b+c)$ (2) $\dfrac{a}{bc}-\dfrac{ab}{c}$

(3) $\dfrac{5m}{a+b}+2n+1$ (4) $\dfrac{2a}{bc}-b+3c$

2 (1) $-\dfrac{5}{6}$ (2) 6 (3) $\dfrac{7x+13}{12}$ (4) $\dfrac{5x+17}{12}$

(5) $2x$ (6) $\dfrac{12x-11}{12}$ (7) $10x$

3 (1) $\dfrac{9a+5}{20}$ 時間

(2) $\dfrac{ac-bd}{a-b}$ センチメートル

4 (例) a 個のチョコレートを b 人の生徒に 8 個ずつ分けたとき，3 個より多く余った。

5 $\dfrac{1}{5}a$ L

6 (1) 15 (2) 8 (3) -2

7 (1) 12 枚 (2) $\dfrac{4n+1}{3}$ 枚

8 7.8％増える

解説

1 (2) $a\div(b\times c)-(a\times b)\div c$

$=a\div bc-ab\div c$

$=\dfrac{a}{bc}-\dfrac{ab}{c}$

(3) $m\div(a+b)\times5-n\times(-2)+1$

$=m\times\dfrac{1}{a+b}\times5+2n+1=\dfrac{5m}{a+b}+2n+1$

(4) $a\times2\div b\div c-\{b+c\times(-3)\}$

$=2a\times\dfrac{1}{b}\times\dfrac{1}{c}-(b-3c)=\dfrac{2a}{bc}-b+3c$

2 (1) $\dfrac{1}{2}(3x-4)-\dfrac{1}{6}(9x-7)=\dfrac{3}{2}x-2-\dfrac{9}{6}x+\dfrac{7}{6}$

$=\dfrac{3}{2}x-\dfrac{3}{2}x-\dfrac{12}{6}+\dfrac{7}{6}=-\dfrac{5}{6}$

(2) $\dfrac{9(1+2x)}{2}-3\left(3x-\dfrac{1}{2}\right)=\dfrac{9}{2}+9x-9x+\dfrac{3}{2}$

$=\dfrac{9}{2}+\dfrac{3}{2}=\dfrac{12}{2}=6$

(3) $x+\dfrac{2-x}{6}-\dfrac{x-3}{4}=\dfrac{12x+2(2-x)-3(x-3)}{12}$

$=\dfrac{12x+4-2x-3x+9}{12}=\dfrac{7x+13}{12}$

(4) $1-\dfrac{x-3}{4}+\dfrac{2x-1}{3}=\dfrac{12-3(x-3)+4(2x-1)}{12}$

$=\dfrac{12-3x+9+8x-4}{12}=\dfrac{5x+17}{12}$

(5) $\dfrac{x+2}{2}+\dfrac{3x-1}{3}-\dfrac{4-3x}{6}$

$=\dfrac{3(x+2)+2(3x-1)-(4-3x)}{6}$

$=\dfrac{3x+6+6x-2-4+3x}{6}=\dfrac{12x}{6}=2x$

(6) $x-\dfrac{2x-1}{2}-\dfrac{2-3x}{3}-\dfrac{3}{4}$

$=\dfrac{12x-6(2x-1)-4(2-3x)-9}{12}$

$=\dfrac{12x-12x+6-8+12x-9}{12}=\dfrac{12x-11}{12}$

(7) $5x-3$ が5個あるので，$5x-3=A$ とおくと，

$\dfrac{1}{2}\{2(5x-3)-3(5x-3)+4(5x-3)-5(5x-3)$

$+6(5x-3)\}+6$

$=\dfrac{1}{2}(2A-3A+4A-5A+6A)+6$

$=\dfrac{1}{2}\times4A+6=2A+6=2(5x-3)+6=10x$

3 (1) 行きは $\dfrac{a}{5}$ 時間，帰りは $\dfrac{a}{4}$ 時間かかり，

$\dfrac{15}{60}=\dfrac{1}{4}$ (時間) 休けいしたから，

$\dfrac{a}{5}+\dfrac{a}{4}+\dfrac{1}{4}=\dfrac{4a+5a+5}{20}=\dfrac{9a+5}{20}$ (時間)

(2) 男子は $(a-b)$ 人で，男子の合計身長は $(ac-bd)$ センチメートルだから，男子の平均身長は $\dfrac{ac-bd}{a-b}$ センチメートル

5 $a\times\left(1-\dfrac{1}{2}\right)\times\left(1-\dfrac{1}{3}\right)\times\left(1-\dfrac{1}{4}\right)\times\left(1-\dfrac{1}{5}\right)$

$=a\times\dfrac{1}{2}\times\dfrac{2}{3}\times\dfrac{3}{4}\times\dfrac{4}{5}=\dfrac{1}{5}a$ (L)

6 (1) 負の数を代入するときは，かっこをつけて代入する。

$a^2-3ab=(-3)^2-3\times(-3)\times\dfrac{2}{3}=9+6=15$

(2) ÷を使った式になおしてから代入する。

$\dfrac{4}{x-1}=4\div(x-1)=4\div\left(\dfrac{3}{2}-1\right)=4\div\dfrac{1}{2}=4\times2=8$

(3) 与えられた式を簡単にしてから代入する。

$2(x+2)-3\left(\dfrac{2}{3}-2x\right)=2x+4-2+6x=8x+2$

$=8\times\left(-\dfrac{1}{2}\right)+2=-4+2=-2$

7 行と青色のタイルの枚数の関係を表に表す。

行目	1	2	3	4	5	…
青の枚数 (枚)	2	1	1	2	1	…

(1) 1行目から3行目までの並べ方を4行目以降もくり返す。1行目から3行目までの必要となる青色のタイルの枚数は，$2+1+1=4$ (枚)

$9\div3=3$ より，1行目から9行目までは，1行目から3行目までを3回くり返す。

よって，1行目から9行目までの必要となる青色のタイルの枚数は，$4\times3=12$ (枚)

(2) n 行目は左から3枚目が青色のタイルだから，$(n+1)$ 行目は左から2枚目が青色のタイルになる。1行目から $(n+1)$ 行目までは，1行目から3行目までを $\dfrac{n+1}{3}$ 回くり返す。

よって，1行目から $(n+1)$ 行目までの必要となる青色のタイルの枚数は，$4\times\dfrac{n+1}{3}=\dfrac{4n+4}{3}$ (枚)

$(n+1)$ 行目は青色のタイルが1枚だから，1行目から n 行目までの必要となる青色のタイルの枚数は，$\dfrac{4n+4}{3}-1=\dfrac{4n+4-3}{3}=\dfrac{4n+1}{3}$ (枚)

!ココに注意

規則的に図形を並べる問題では，実際に調べて結果を表にすると，規則を見つけやすい。

8 値上げ前の値段を a 円，売り上げ個数を b 個とすると，10％値上げ後の値段は $1.1a$ 円，売り上げ個数は $0.98b$ 個となる。
よって，値上げ前後の総売り上げ金額はそれぞれ，$a\times b=ab$（円），$1.1a\times 0.98b=1.078ab$（円）
したがって，値上げ後は，値上げ前の107.8％だから，7.8％増えている。

3 式の計算

STEP 1 まとめノート

本冊⇨pp.18～19

例題1 (1) ① $-2a$　② 4　③ $a-3b$
(2) ① $-$　② $+$　③ $-x+5y$
(3) ① $+10$　② $2a-2b$
(4) ① 2　② $\dfrac{5x-4y}{12}$

例題2 (1) ① -5　② $-15ab$
(2) ① -4　② $20x^3$
(3) ① $8ab$　② $-2b$

例題3 (1) ① x^2y　② y　③ $-\dfrac{y}{x}$
(2) ① 4　② 4　③ 2

例題4 (1) ① $8a-4b$　② b　③ b　④ -3
⑤ -13
(2) ① $4y^2$　② $4y^2$　③ $-6x^2y$
④ $-6x^2y$　⑤ $\left(-\dfrac{1}{2}\right)^2$　⑥ -6

例題5 ① $10y+x$　② $10y+x$　③ 9　④ 9
⑤ $x-y$　⑥ $x-y$　⑦ 整数

例題6 (1) ① $2a$　② 3　③ 3　④ $5-2a$
(2) ① 2　② $2S$　③ $\dfrac{2S}{3}$
④ $\dfrac{2S}{3}-b$

STEP 2 実力問題

本冊⇨pp.20～21

1 (1) $x-4y$　(2) $-5x^2+x-6$　(3) $-a+8b$
(4) $4x-3y$　(5) $5x-3y-8$　(6) $4a^2+3a-7$

2 (1) $\dfrac{3x+7y}{4}$　(2) $\dfrac{7a+10b}{6}$　(3) $\dfrac{x-3y}{10}$
(4) $\dfrac{a+b}{3}$　(5) $\dfrac{4x-3y}{5}$　(6) $\dfrac{5x+2y}{3}$

3 (1) $2x^3y$　(2) $2x^2y$　(3) $-4x$　(4) $8x^2y$
(5) $-8a^2b$　(6) $-5x$

4 (1) 17　(2) -5　(3) 60　(4) 1

5 $x+12y$

6 (1) 279
(2) $a=10x+y$，$b=10y+x$ だから，
$5a+4b=5(10x+y)+4(10y+x)$
$=50x+5y+40y+4x=54x+45y$
$=9(6x+5y)$
$6x+5y$ は整数だから，$9(6x+5y)$ は 9 の倍数である。
したがって，$5a+4b$ は 9 の倍数である。

7 (1) $a=\dfrac{b+4c}{3}$　(2) $y=\dfrac{1}{4}x-3$
(3) $a=3b-15$　(4) $h=\dfrac{V}{\pi r^2}$　(5) $a=\dfrac{7m-3b}{4}$
(6) $c=\dfrac{-3a+b}{2}$

解説

1 (1) $(2x-6y)-(x-2y)=2x-6y-x+2y$
$=x-4y$
(2) $(25x^2-5x+30)\div(-5)=-\dfrac{25x^2}{5}+\dfrac{5x}{5}-\dfrac{30}{5}$
$=-5x^2+x-6$
(3) $a+6b-2(a-b)=a+6b-2a+2b$
$=-a+8b$
(4) $-2(3x-y)+5(2x-y)=-6x+2y+10x-5y$
$=4x-3y$
(5) $2(x-3y-1)+3(x+y-2)$
$=2x-6y-2+3x+3y-6$
$=5x-3y-8$
(6) $2(a^2+2a-1)+2a^2-a-5$
$=2a^2+4a-2+2a^2-a-5$
$=4a^2+3a-7$

2 (1) $\dfrac{x+y}{4}+\dfrac{x+3y}{2}=\dfrac{x+y+2(x+3y)}{4}$
$=\dfrac{x+y+2x+6y}{4}=\dfrac{3x+7y}{4}$

！ココに注意

$\frac{x+y}{4}+\frac{x+3y}{2}$ は**計算**だから，方程式のように分母をはらって，$x+y+2(x+3y)$ としてはいけない。

(2) $\frac{3a+2b}{2}-\frac{a-2b}{3}=\frac{3(3a+2b)-2(a-2b)}{6}$

$=\frac{9a+6b-2a+4b}{6}=\frac{7a+10b}{6}$

(3) $\frac{3x-y}{2}-\frac{7x-y}{5}=\frac{5(3x-y)-2(7x-y)}{10}$

$=\frac{15x-5y-14x+2y}{10}=\frac{x-3y}{10}$

(4) $a+2b-\frac{2a+5b}{3}=\frac{3(a+2b)-(2a+5b)}{3}$

$=\frac{3a+6b-2a-5b}{3}=\frac{a+b}{3}$

(5) $x-y-\frac{x-2y}{5}=\frac{5(x-y)-(x-2y)}{5}$

$=\frac{5x-5y-x+2y}{5}=\frac{4x-3y}{5}$

(6) $2x-y-\frac{x-5y}{3}=\frac{3(2x-y)-(x-5y)}{3}$

$=\frac{6x-3y-x+5y}{3}=\frac{5x+2y}{3}$

3 (2) $18x^2y^3\div(-3y)^2=18x^2y^3\div 9y^2=2x^2y$

！ココに注意

単項式の乗除では，符号のミスが多い。まずは**符号を決定**しよう。

また，文字を約分するときは，下のように**指数を消していく**と文字の数のミスを防ぐことができる。

$\frac{\overset{2}{\cancel{18}}x^2y^{\cancel{3}}}{_1\cancel{9}\cancel{y^2}}=2x^2y$

(3) $24x^2y\div 3y\div(-2x)=-\frac{24x^2y}{3y\times 2x}=-4x$

(4) $6x^3y\times(-2y)^2\div 3xy^2=6x^3y\times 4y^2\div 3xy^2$

$=\frac{6x^3y\times 4y^2}{3xy^2}=8x^2y$

(5) $3ab^3\times\left(-\frac{2}{3}a\right)^2\div\left(-\frac{1}{6}ab^2\right)$

$=3ab^3\times\frac{4a^2}{9}\times\left(-\frac{6}{ab^2}\right)=-\frac{3ab^3\times 4a^2\times 6}{9\times ab^2}$

$=-8a^2b$

(6) $(-8x^5y^4)\div\left(-\frac{2}{3}x^3y\right)\div\left(-\frac{12}{5}xy^3\right)$

$=(-8x^5y^4)\times\left(-\frac{3}{2x^3y}\right)\times\left(-\frac{5}{12xy^3}\right)$

$=-\frac{8x^5y^4\times 3\times 5}{2x^3y\times 12xy^3}=-5x$

4 (1) $2x^2+y^3=2\times 3^2+(-1)^3=18-1=17$

(2) $3(x-2y)-(2x-5y)=3x-6y-2x+5y$

$=x-y=(-2)-3=-5$

(3) $4x^2y^3\div 8xy^2\times 6x=\frac{4x^2y^3\times 6x}{8xy^2}=3x^2y$

$=3\times(-2)^2\times 5=3\times 4\times 5=60$

(4) $6ab^2\div(-3a^2)\times 9a^2b=-\frac{6ab^2\times 9a^2b}{3a^2}=-18ab^3$

$=-18\times\frac{3}{2}\times\left(-\frac{1}{3}\right)^3=-18\times\frac{3}{2}\times\left(-\frac{1}{27}\right)=1$

5 $A-(B-3A)=A-B+3A=4A-B$

$=4(x+2y)-(3x-4y)=4x+8y-3x+4y$

$=x+12y$

6 (1) $a=15$ のとき，$b=51$ だから，

$5a+4b=5\times 15+4\times 51=75+204=279$

7 (1) $3a-b=4c$　$3a=b+4c$　$a=\frac{b+4c}{3}$

(2) $x-4y-12=0$　$-4y=-x+12$　$y=\frac{1}{4}x-3$

(3) $\frac{1}{3}a+5=b$　$\frac{1}{3}a=b-5$　$a=3b-15$

(4) $V=\pi r^2h$　左辺と右辺を入れかえて，

$\pi r^2h=V$　$h=\frac{V}{\pi r^2}$

(5) $m=\frac{4a+3b}{7}$　$\frac{4a+3b}{7}=m$

$4a+3b=7m$　$4a=7m-3b$　$a=\frac{7m-3b}{4}$

(6) $a=\frac{b-2c}{3}$　$\frac{b-2c}{3}=a$　$b-2c=3a$

$-2c=3a-b$　$c=\frac{-3a+b}{2}$

STEP 3 発展問題

本冊⇨pp.22～23

1 (1) $\frac{7a-5b}{12}$　(2) $-\frac{5x+5y}{6}$

(3) $\frac{6x-15y+19}{12}$　(4) $\frac{4x+9y}{10}\left(\frac{2}{5}x+\frac{9}{10}y\right)$

(5) $\frac{3y-6z}{4}\left(\frac{3}{4}y-\frac{3}{2}z\right)$　(6) $\frac{-x+4y+5}{6}$

2 (1) $3xy$　(2) $-\frac{3}{2}x^4$　(3) $-\frac{2}{15}x^2y$

(4) $-\frac{9x^4}{y^5}$　(5) $-\frac{1}{6}x^7y^3$　(6) $-2xy^6$

3 (1) 1　(2) 2　(3) 5

4 (1) $100a+10b+c$

(2)（もとの3けたの自然数の百の位を a，十の位を b，一の位を c とおき，a は c より大きいものとする。）**もとの数は**

$100a+10b+c$ で，入れかえてできる数は $100c+10b+a$ であるから，その差は，

$100a+10b+c-(100c+10b+a)$

$=99a-99c=99(a-c)$

$a>c$ より，$a-c$ は自然数となる。

よって，$99(a-c)$ は 99 の倍数である。

したがって，百の位の数が一の位の数より大きい 3 けたの自然数から，その数の百の位の数字と一の位の数字を入れかえてできる数をひくと，その差は 99 の倍数になる。

5 $\dfrac{21a+14b}{35}=20$，$b=\dfrac{100-3a}{2}$

6 (1) -2　(2) $\dfrac{4}{9}a^4b^2$　(3) $-\dfrac{1}{4}$　(4) $-\dfrac{9}{4}$

(5) $b=\dfrac{ac}{a-c}$

解説

1 (1) $\dfrac{3a-2b}{2}-\dfrac{2a-b}{3}+\dfrac{b-a}{4}$

$=\dfrac{6(3a-2b)-4(2a-b)+3(b-a)}{12}$

$=\dfrac{18a-12b-8a+4b+3b-3a}{12}=\dfrac{7a-5b}{12}$

(2) $\dfrac{5x-y}{2}-\dfrac{x-2y}{3}-3x-y$

$=\dfrac{3(5x-y)-2(x-2y)-6(3x+y)}{6}$

$=\dfrac{15x-3y-2x+4y-18x-6y}{6}=-\dfrac{5x+5y}{6}$

(3) $\dfrac{2x-y+1}{3}-\dfrac{2x+3y-5}{4}+\dfrac{2x-y}{6}$

$=\dfrac{4(2x-y+1)-3(2x+3y-5)+2(2x-y)}{12}$

$=\dfrac{8x-4y+4-6x-9y+15+4x-2y}{12}$

$=\dfrac{6x-15y+19}{12}$

(4) $\dfrac{4x-7y}{3}-3\times\dfrac{x-4y}{5}-\dfrac{2x-5y}{6}$

$=\dfrac{10(4x-7y)-18(x-4y)-5(2x-5y)}{30}$

$=\dfrac{40x-70y-18x+72y-10x+25y}{30}$

$=\dfrac{12x+27y}{30}=\dfrac{4x+9y}{10}$

(5) $\dfrac{x+3y-3z}{3}-\dfrac{2x-3y}{6}-\dfrac{3y+2z}{4}$

$=\dfrac{4(x+3y-3z)-2(2x-3y)-3(3y+2z)}{12}$

$=\dfrac{4x+12y-12z-4x+6y-9y-6z}{12}$

$=\dfrac{9y-18z}{12}=\dfrac{3y-6z}{4}$

(6) $\dfrac{x}{12}+1-\dfrac{y-4}{3}-\dfrac{x-4y+6}{4}$

$=\dfrac{x+12-4(y-4)-3(x-4y+6)}{12}$

$=\dfrac{x+12-4y+16-3x+12y-18}{12}$

$=\dfrac{-2x+8y+10}{12}=\dfrac{-x+4y+5}{6}$

2 (1) $\dfrac{3}{4}x^2y\times(-2xy)^2\div x^3y^2$

$=\dfrac{3x^2y}{4}\times4x^2y^2\times\dfrac{1}{x^3y^2}=3xy$

(2) $12x^3y^4\div(-2xy^2)^3\times(-x^2y)^2$

$=12x^3y^4\div(-8x^3y^6)\times x^4y^2$

$=-\dfrac{12x^3y^4\times x^4y^2}{8x^3y^6}=-\dfrac{3}{2}x^4$

(3) $\left(\dfrac{6}{5}x^2y\right)^2\div(-3xy)^3\times\dfrac{5}{2}xy^2$

$=\dfrac{36x^4y^2}{25}\div(-27x^3y^3)\times\dfrac{5xy^2}{2}$

$=-\dfrac{36x^4y^2\times5xy^2}{25\times27x^3y^3\times2}=-\dfrac{2}{15}x^2y$

(4) $\left(-\dfrac{y}{x^2}\right)^3\times\left(\dfrac{x^4}{y^2}\right)^2\div\left(-\dfrac{y^2}{3x}\right)^2$

$=\left(-\dfrac{y^3}{x^6}\right)\times\left(\dfrac{x^8}{y^4}\right)\div\left(\dfrac{y^4}{9x^2}\right)$

$=-\dfrac{y^3\times x^8\times9x^2}{x^6\times y^4\times y^4}=-\dfrac{9x^4}{y^5}$

(5) $\left(-\dfrac{3}{2}x^5y^2\right)^2\div\left(\dfrac{3}{4}xy^2\right)^3\times\left(-\dfrac{y}{2}\right)^5$

$=\dfrac{9x^{10}y^4}{4}\div\dfrac{27x^3y^6}{64}\times\left(-\dfrac{y^5}{32}\right)$

$=-\dfrac{9x^{10}y^4\times64\times y^5}{4\times27x^3y^6\times32}=-\dfrac{1}{6}x^7y^3$

(6) $(-2xy^2)^3\div\left(-\dfrac{1}{2}x^3y\div\dfrac{1}{4}x^2y\right)^2$

$=-8x^3y^6\div\left(-\dfrac{x^3y}{2}\times\dfrac{4}{x^2y}\right)^2$

$=-8x^3y^6\div(-2x)^2=-8x^3y^6\div4x^2=-2xy^6$

3 (1) $4(2a-b)-(3a-b)=8a-4b-3a+b$

$=5a-3b=5\times0.4-3\times\dfrac{1}{3}=2-1=1$

(2) $\dfrac{3x+4y}{2}-\dfrac{2x-7y}{3}=\dfrac{3(3x+4y)-2(2x-7y)}{6}$

$=\dfrac{9x+12y-4x+14y}{6}=\dfrac{5x+26y}{6}$

$=\dfrac{5\times5+26\times\left(-\dfrac{1}{2}\right)}{6}=\dfrac{25-13}{6}=\dfrac{12}{6}=2$

(3) $(-3a)^2\div(3a^2b)^3\times(-6a^5b^4)$

$=9a^2\div27a^6b^3\times(-6a^5b^4)$

$=-\dfrac{9a^2\times6a^5b^4}{27a^6b^3}=-2ab=-2\times\dfrac{1}{2}\times(-5)=5$

5 男子 21 人の距離の合計は $21a$ m，女子 14 人の距離の合計は $14b$ m である。

よって，$\dfrac{21a+14b}{35}=20$

両辺に 35 をかけて，$21a+14b=700$

$14b=700-21a$

$b=\dfrac{700-21a}{14}=\dfrac{100-3a}{2}$

6 (1) $4B-3C+2\{A-2(B-C)\}$

$=4B-3C+2(A-2B+2C)$

$=4B-3C+2A-4B+4C$

$=2A+C$

$=2(x^2-1)+(-2x^2)=-2$

(2) 左辺$=(-2ab^2)^2\times A\div\left(\dfrac{2}{3}a^3b^3\right)^3$

$=4a^2b^4\times A\div\dfrac{8}{27}a^9b^9$

$=4a^2b^4\times\dfrac{27}{8a^9b^9}\times A$

$=\dfrac{27}{2a^7b^5}\times A$

よって，$\dfrac{27}{2a^7b^5}\times A=\dfrac{6}{a^3b^3}$ より，

$A=\dfrac{6}{a^3b^3}\div\dfrac{27}{2a^7b^5}=\dfrac{6\times2a^7b^5}{a^3b^3\times27}=\dfrac{4}{9}a^4b^2$

(3) $x:y=3:2$ より，$2x=3y$

よって，$\dfrac{4x-9y}{6x+3y}=\dfrac{2\times2x-9y}{3\times2x+3y}=\dfrac{2\times3y-9y}{3\times3y+3y}$

$=\dfrac{6y-9y}{9y+3y}=\dfrac{-3y}{12y}=-\dfrac{1}{4}$

別解　$x:y=3:2$ より，$x=3k$，$y=2k$ とおく。

よって，$\dfrac{4x-9y}{6x+3y}=\dfrac{4\times3k-9\times2k}{6\times3k+3\times2k}=\dfrac{12k-18k}{18k+6k}$

$=\dfrac{-6k}{24k}=-\dfrac{1}{4}$

(4) $7x+2y=-x-5y$ より，$7x+x=-5y-2y$

$8x=-7y$

よって，$\dfrac{5x-8y}{4x+9y}=\dfrac{40x-64y}{32x+72y}=\dfrac{5\times8x-64y}{4\times8x+72y}$

$=\dfrac{5\times(-7y)-64y}{4\times(-7y)+72y}=\dfrac{-35y-64y}{-28y+72y}=\dfrac{-99y}{44y}=-\dfrac{9}{4}$

(5) $\dfrac{1}{a}+\dfrac{1}{b}=\dfrac{1}{c}$ より，$\dfrac{1}{b}=\dfrac{1}{c}-\dfrac{1}{a}$

右辺を通分して，$\dfrac{1}{b}=\dfrac{a-c}{ac}$

両辺を逆数にして，$b=\dfrac{ac}{a-c}$

! ココに注意

$\dfrac{1}{x}+\dfrac{1}{y}$ を通分すると，$\dfrac{y}{xy}+\dfrac{x}{xy}=\dfrac{x+y}{xy}$ となる。

4 多項式

STEP 1 まとめノート
本冊⇨pp.24～25

例題1 (1) ① $8a$　② $3ab+8$
(2) ① $10x$　② $18x$　③ $-10x^2+8x$

例題2 (1) ① 3　② 15
(2) ① -6　② -6　③ $x^2-2x-24$
(3) ① 7　② 7　③ $a^2-14a+49$
(4) ① $2x$　② $4x^2-1$

例題3 (1) ① x^2+2x-8　② x^2-6x+9　③ x^2+2x-8　④ $8x-17$
(2) ① A　② $a+b$　③ $a^2+2ab+b^2-25$

例題4 (1) ① $3ab$　② $3ab$　③ $a-2b+4$
(2) ① -1　② 5　③ 6　④ 5
(3) ① 5　② 5　③ $x+5$
(4) ① $3b$　② $3b$　③ $2a-3b$

例題5 (1) ① $x^2+4x-21$　② 7　③ 3
(2) ① 12　② 20　③ 4　④ 5
(3) ① 2　② 12　③ $x+y+2$　④ $x+y-12$
(4) ① $a-4$　② $a-4$　③ $3a+1$　④ $a+9$

例題6 (1) ① $x+y$　② 10000
(2) ① $2xy$　② (-1)　③ 18

STEP 2 実力問題
本冊⇨pp.26～27

1 (1) $3x^2+12xy$　(2) $-7x+9$　(3) $3a-2b$　(4) $2x^2-3x+1$

2 (1) $9a^2-9a-28$　(2) $9x^2+6x+1$　(3) $4x^2-20xy+25y^2$　(4) $16x^2-49y^2$

3 (1) $2x^2-4x+1$　(2) $-x+15$

(3) $7x^2+4x-2$　(4) $8ab$

4 (1) $a^2+2ab+b^2+a+b-6$

(2) $x^2-y^2+8y-16$

5 (1) $(x-8)(x-5)$　(2) $(a+12)(a-4)$

(3) $(x-8)(x+2)$　(4) $(t+6)(t-1)$

(5) $(x+7)^2$　(6) $(4x+3)(4x-3)$

6 (1) $2(x+5)(x-2)$　(2) $2(x-4y)^2$

(3) $(x-9)(x+2)$　(4) $(x+8y)(x-2y)$

(5) $(x+5)(x-1)$　(6) $2x(y-8)(y+4)$

7 (1) 29　(2) 180　(3) 1.21

8 (1) ① 3　② 1　(2) 104

9 (n を整数とし，小さい偶数を $2n$ とする。)

大きい偶数は $2n+2$ と表せるから，

$(2n+2)^2-(2n)^2=4n^2+8n+4-4n^2$

$=8n+4=2(4n+2)=2\{2n+(2n+2)\}$

したがって，2 つの続いた偶数では，大きい偶数の平方から小さい偶数の平方をひいた差は，はじめの 2 つの偶数の和の 2 倍に等しくなる。

解説

1 (2) $2x(3x-1)-(6x^2+5x-9)$

$=6x^2-2x-6x^2-5x+9=-7x+9$

(3) $(12a^2-8ab)\div 4a=\dfrac{12a^2}{4a}-\dfrac{8ab}{4a}=3a-2b$

(4) $(6x^3-9x^2+3x)\div 3x=\dfrac{6x^3}{3x}-\dfrac{9x^2}{3x}+\dfrac{3x}{3x}$

$=2x^2-3x+1$

2 (1) $(3a+4)(3a-7)=(3a)^2+(4-7)\times 3a+4\times(-7)$

$=9a^2-9a-28$

(2) $(3x+1)^2=(3x)^2+2\times 1\times 3x+1^2=9x^2+6x+1$

(3) $(2x-5y)^2=(2x)^2-2\times 5y\times 2x+(5y)^2$

$=4x^2-20xy+25y^2$

(4) $(4x+7y)(4x-7y)=(4x)^2-(7y)^2=16x^2-49y^2$

3 (1) $(x-2)(x+4)+(x-3)^2$

$=x^2+2x-8+x^2-6x+9=2x^2-4x+1$

(2) $(x+3)(x+5)-x(x+9)=x^2+8x+15-x^2-9x$

$=-x+15$

(3) $(2x+1)^2+3(x-1)(x+1)$

$=4x^2+4x+1+3(x^2-1)$

$=4x^2+4x+1+3x^2-3=7x^2+4x-2$

(4) $(a+2b)^2-(a-2b)^2$

$=a^2+4ab+4b^2-(a^2-4ab+4b^2)$

$=a^2+4ab+4b^2-a^2+4ab-4b^2$

$=8ab$

別解　$a+2b=A$，$a-2b=B$ とおくと，

$(a+2b)^2-(a-2b)^2=A^2-B^2$

$=(A+B)(A-B)$

$=(a+2b+a-2b)(a+2b-a+2b)$

$=2a\times 4b=8ab$

4 (1) $a+b=A$ とおくと，

$(a+b+3)(a+b-2)=(A+3)(A-2)$

$=A^2+A-6=(a+b)^2+(a+b)-6$

$=a^2+2ab+b^2+a+b-6$

(2) $(x+y-4)(x-y+4)$

$=\{x+(y-4)\}\{x-(y-4)\}$

$y-4=A$ とおくと，

$(x+A)(x-A)=x^2-A^2$

$=x^2-(y-4)^2=x^2-(y^2-8y+16)$

$=x^2-y^2+8y-16$

5 (6) $16x^2-9=(4x)^2-3^2=(4x+3)(4x-3)$

6 (1) $2x^2+6x-20=2(x^2+3x-10)$

$=2(x+5)(x-2)$

(2) $2x^2-16xy+32y^2=2(x^2-8xy+16y^2)$

$=2(x-4y)^2$

(3) $(x-6)(x+3)-4x=x^2-3x-18-4x$

$=x^2-7x-18=(x-9)(x+2)$

(4) $(x+4y)(x-4y)+6xy=x^2-16y^2+6xy$

$=x^2+6xy-16y^2=(x+8y)(x-2y)$

(5) $(x+2)^2-9=(x+2)^2-3^2$

$=\{(x+2)+3\}\{(x+2)-3\}=(x+5)(x-1)$

(6) $2xy^2-8xy-64x=2x(y^2-4y-32)$

$=2x(y-8)(y+4)$

7 (1) $(a+1)(a+23)-a(a+22)$

$=a^2+24a+23-a^2-22a=2a+23$

$=2\times 3+23=6+23=29$

(2) $x^2-3x-28=(x-7)(x+4)=(16-7)\times(16+4)$

$=9\times 20=180$

(3) $a^2-2ab+b^2=(a-b)^2=(3.42-2.32)^2$

$=1.1^2=1.21$

8 (1) $x^2-6x+10=(x^2-2\times 3\times x+3^2)+1$

$=(x-3)^2+1$

(2) $\dfrac{208^2}{105^2-103^2}=\dfrac{208^2}{(105+103)\times(105-103)}$

$=\dfrac{208^2}{208\times 2}=\dfrac{208}{2}=104$

STEP 3 発展問題

本冊 ⇨ pp.28 ～ 29

1 (1) $-15x+10y$　(2) $-\dfrac{9}{4}$

(3) $-5x^2+12xy-13y^2$ (4) $4ac$

2 (1) $b(a+c)(a-c)$ (2) $3y(x-3)^2$

(3) $(x+4)(x-2)$ (4) $(x+8)(x-3)$

3 (1) $(x-8)(x-9)$ (2) $(a-b-1)^2$

(3) $(a+b+2c)(a+b-2c)$

(4) $(x+2)(x-2)(y-3)$

(5) $(3a+2b+5c-3)(3a+2b-5c+3)$

(6) $(a-b)(a-b-2c)$

4 (1) $(x-y)(x-y+1)$

(2) $(x+6)(x-2)(x+2)^2$

5 10

6 (1) 0.16 (2) 475200

7 (1) $\frac{5}{2}$ (2) -14 (3) 13

8 34

9 まわりの長さ…$\pi(a+b)$ cm,

面積…$\frac{\pi ab}{4}$ cm^2

10 n を整数とすると，中央の数は $3n$ だから，最も小さい数は $3n-1$，最も大きい数は $3n+1$

よって，$(3n+1)^2-(3n-1)^2$

$=\{(3n+1)+(3n-1)\}\{(3n+1)-(3n-1)\}$

$=6n\times2=12n$

n は整数だから，$12n$ は 12 の倍数である。

したがって，最も大きい数の 2 乗から最も小さい数の 2 乗をひいた差は，12 の倍数になる。

11 $\begin{cases}p=5\\q=7\end{cases}$ $\begin{cases}p=13\\q=25\end{cases}$

12 ① $a^4+b^4+c^4+2a^2b^2-2b^2c^2-2c^2a^2$

② $(a+b+c)(a+b-c)(a-b+c)(a-b-c)$

解説

1 (1) $(6x^2y-4xy^2)\div\left(-\frac{2}{5}xy\right)$

$=(6x^2y-4xy^2)\times\left(-\frac{5}{2xy}\right)$

$=6x^2y\times\left(-\frac{5}{2xy}\right)-4xy^2\times\left(-\frac{5}{2xy}\right)=-15x+10y$

(2) $(a+1)(a-2)-\frac{(2a-1)^2}{4}$

$=a^2-a-2-\frac{4a^2-4a+1}{4}=a^2-a-2-a^2+a-\frac{1}{4}$

$=-\frac{9}{4}$

(3) $(2x-3y)(2x+3y)-(3x-2y)^2$

$=(4x^2-9y^2)-(9x^2-12xy+4y^2)$

$=-5x^2+12xy-13y^2$

(4) $(a+b+c)(a-b+c)-(a+b-c)(a-b-c)$

$=\{(a+c)+b\}\{(a+c)-b\}-\{(a-c)+b\}\{(a-c)-b\}$

$=(a+c)^2-b^2-\{(a-c)^2-b^2\}$

$=a^2+2ac+c^2-b^2-(a^2-2ac+c^2-b^2)=4ac$

2 (1) $a^2b-bc^2=b(a^2-c^2)=b(a+c)(a-c)$

(2) $3x^2y-18xy+27y=3y(x^2-6x+9)=3y(x-3)^2$

(3) $(2x+3)(2x-3)-(x-1)(3x+1)$

$=4x^2-9-(3x^2+x-3x-1)$

$=4x^2-9-3x^2+2x+1$

$=x^2+2x-8=(x+4)(x-2)$

(4) $(2x-3)(x+4)-(x-3)^2-6x-3$

$=2x^2+8x-3x-12-(x^2-6x+9)-6x-3$

$=2x^2+5x-12-x^2+6x-9-6x-3$

$=x^2+5x-24=(x+8)(x-3)$

3 (1) $x-6=A$ とおくと，

$(x-6)^2-5(x-6)+6$

$=A^2-5A+6=(A-2)(A-3)$

$=(x-6-2)(x-6-3)=(x-8)(x-9)$

(2) $(a-b)^2-2a+2b+1=(a-b)^2-2(a-b)+1$

$a-b=A$ とおくと，

$A^2-2A+1=(A-1)^2=(a-b-1)^2$

(3) $a^2+2ab+b^2-4c^2=(a+b)^2-(2c)^2$

$=(a+b+2c)(a+b-2c)$

! ココに注意

複雑な因数分解では，共通因数をくくり出せるように，また乗法公式を使えるように，いくつかの項を組み合わせる。組み合わせる項がとなりどうしになっていない場合もあるので注意する。

(4) $x^2y+12-4y-3x^2=x^2y-4y-3x^2+12$

$=y(x^2-4)-3(x^2-4)=(x^2-4)(y-3)$

$=(x+2)(x-2)(y-3)$

(5) $9a^2+4b^2-25c^2+12ab+30c-9$

$=(9a^2+12ab+4b^2)-(25c^2-30c+9)$

$=(3a+2b)^2-(5c-3)^2$

$=\{(3a+2b)+(5c-3)\}\{(3a+2b)-(5c-3)\}$

$=(3a+2b+5c-3)(3a+2b-5c+3)$

(6) $a(a-2b-2c)+b(b+2c)$

$=a^2-2ab-2ac+b^2+2bc$

$=a^2-2ab+b^2-2ac+2bc$

$=(a-b)^2-2c(a-b)$

$=(a-b)(a-b-2c)$

4 (1) $x^2-(2y-1)x+y(y-1)$

$=x^2-\{y+(y-1)\}x+y(y-1)$
$=(x-y)\{x-(y-1)\}=(x-y)(x-y+1)$

(2) $(x^2+4x+2)(x-2)(x+6)+2x^2+8x-24$
$=(x^2+4x+2)(x^2+4x-12)+2(x^2+4x-12)$
$=(x^2+4x-12)(x^2+4x+2+2)$
$=(x^2+4x-12)(x^2+4x+4)$
$=(x+6)(x-2)(x+2)^2$

5 $x^2+5x=A$ とおくと，
$(x^2+5x)^2+10(x^2+5x)+24=A^2+10A+24$
$=(A+4)(A+6)=(x^2+5x+4)(x^2+5x+6)$
$=(x+1)(x+4)(x+2)(x+3)$
よって，$a+b+c+d=1+4+2+3=10$

6 (1) $0.65^2+(-0.25)^2-0.65\times0.25\times2$
$=0.65^2-2\times0.25\times0.65+0.25^2$
$=(0.65-0.25)^2=0.4^2=0.16$

(2) $\{(2\times4\times6\times8\times10)^2-(1\times2\times3\times4\times5)^2\}\div31$
$=\{(2^5\times120)^2-120^2\}\div31$
$=120^2\times(32^2-1)\div31$
$=120^2\times(32+1)\times(32-1)\div31$
$=120^2\times33=14400\times33=475200$

7 (1) $a+b+a^2-4b^2-3ab$
$=a^2-3ab-4b^2+a+b$
$=(a+b)(a-4b)+(a+b)$
$=(a+b)(a-4b+1)$
$=\left(2+\frac{1}{2}\right)\times\left(2-4\times\frac{1}{2}+1\right)=\frac{5}{2}\times1=\frac{5}{2}$

(2) $\frac{y}{x}+\frac{x}{y}=\frac{y^2+x^2}{xy}=\frac{(x+y)^2-2xy}{xy}$
$=\frac{6^2-2\times(-3)}{-3}=-\frac{42}{3}=-14$

! ココに注意

式の値を求めるときによく使われる式の変形は覚えておくとよい。

① $x^2+y^2=(x+y)^2-2xy$
② $(x-y)^2=(x+y)^2-4xy$
③ $\frac{1}{x}+\frac{1}{y}=\frac{x+y}{xy}$
④ $x^2+\frac{1}{x^2}=\left(x+\frac{1}{x}\right)^2-2$

(3) $x-\frac{2}{x}=3$ より，$\left(x-\frac{2}{x}\right)^2=3^2$
$x^2-2\times\frac{2}{x}\times x+\left(\frac{2}{x}\right)^2=9$　$x^2-4+\frac{4}{x^2}=9$
$x^2+\frac{4}{x^2}=13$

8 $x^2y+xy^2+xy+3x+3y-9=0$
$xy(x+y)+xy+3(x+y)-9=0$
$x+y=-2$ を代入して，
$-2xy+xy-6-9=0$　$-xy-15=0$　$xy=-15$
よって，$x^2+y^2=(x+y)^2-2xy$
$=(-2)^2-2\times(-15)=34$

9 半円 AB の直径は $(a+b)$ cm
まわりの長さは，$\frac{1}{2}\times\{\pi(a+b)+\pi a+\pi b\}$
$=\pi a+\pi b=\pi(a+b)$(cm)
面積は，$\frac{1}{2}\times\left\{\pi\left(\frac{a+b}{2}\right)^2-\pi\left(\frac{a}{2}\right)^2-\pi\left(\frac{b}{2}\right)^2\right\}$
$=\frac{1}{2}\times\pi\left(\frac{a^2+2ab+b^2}{4}-\frac{a^2}{4}-\frac{b^2}{4}\right)$
$=\frac{1}{2}\times\pi\times\frac{ab}{2}=\frac{\pi ab}{4}$ (cm²)

11 $4p^2-q^2-51=0$　$4p^2-q^2=51$
$4p^2-q^2=(2p+q)(2p-q)$，
$51=1\times51=3\times17$ より，
$(2p+q)(2p-q)=1\times51$
$(2p+q)(2p-q)=3\times17$
p，q は自然数だから，$2p+q>2p-q$ より，
㋐ $\begin{cases}2p+q=51\\2p-q=1\end{cases}$ より，$\begin{cases}p=13\\q=25\end{cases}$
㋑ $\begin{cases}2p+q=17\\2p-q=3\end{cases}$ より，$\begin{cases}p=5\\q=7\end{cases}$

12 ① $a^2+b^2=A$ とおくと，
$(a^2+b^2-c^2)^2=(A-c^2)^2=A^2-2c^2A+c^4$
$=(a^2+b^2)^2-2c^2(a^2+b^2)+c^4$
$=a^4+2a^2b^2+b^4-2c^2a^2-2b^2c^2+c^4$
$=a^4+b^4+c^4+2a^2b^2-2b^2c^2-2c^2a^2$
② ①より，$a^4+b^4+c^4-2a^2b^2-2b^2c^2-2c^2a^2$
$=(a^2+b^2-c^2)^2-4a^2b^2$
$=(a^2+b^2-c^2)^2-(2ab)^2$
$=(a^2+b^2-c^2+2ab)(a^2+b^2-c^2-2ab)$
$=(a^2+2ab+b^2-c^2)(a^2-2ab+b^2-c^2)$
$=\{(a+b)^2-c^2\}\{(a-b)^2-c^2\}$
$=\{(a+b)+c\}\{(a+b)-c\}\{(a-b)+c\}\{(a-b)-c\}$
$=(a+b+c)(a+b-c)(a-b+c)(a-b-c)$

5 整数の性質

STEP 1 まとめノート

本冊⇨p.30

例題1 (1) ①3　②5
(2) ① $2^2\times3\times5$　②5　③15

例題2 ①3　②3　③3　④3　⑤3　⑥9

⑦3　⑧3　⑨108

例題3　①3　②42　③14　④5　⑤7
⑥14　(⑤と⑥は順不同)

STEP 2 実力問題

本冊⇨pp.31～32

1 (1) $n=21$　(2) $n=147$　(3) $n=10,\ 11$

2 (1) 最大公約数…15，最小公倍数…630
(2) 4284　(3) ① 25個　② 67個
(4) 26，54，82　(5) 24，36　(6) $\dfrac{105}{4}$

3 (1) $899=29\times31$　(2) $n=12$

4 (1) 5　(2) ア…2100，イ…4　(3) 48

5 (1) $a+8$　(2) $4a+16$
(3) $4a+16=4(a+4)$ で，a は整数より $a+4$ は整数だから，$4(a+4)$ は4の倍数である。よって，囲んだ4つの数の和は，4の倍数である。

6 855

解説

1 (1) 84を素因数分解すると，$84=2^2\times3\times7$
整数がある自然数の2乗になるためには，素因数の指数がすべて偶数になればよいから，
$n=3\times7=21$

(2) 504を素因数分解すると，$504=2^3\times3^2\times7$
よって，$504\times n$ がある整数の3乗になるためには，$n=3\times7^2=147$ であればよい。

(3) $n^2-9n=n(n-9)>0$ だから，n は10以上の自然数である。
$n=10$ のとき，$n(n-9)=10\times1=10=2\times5$ で，2，5とも素数であるから，適している。
$n=11$ のとき，$n(n-9)=11\times2$ で，11，2とも素数であるから，適している。
$n\geqq12$ のとき，$n-9\geqq3$ となり，n が素数ならば n は奇数であるから，$n-9$ は偶数である。2より大きい偶数は素数ではないから，条件に適するものはない。
よって，$n=10,\ 11$

2 (1)
$$\begin{array}{r|rrr} 3 & 45 & 90 & 105 \\ \hline 5 & 15 & 30 & 35 \\ \hline 3 & 3 & 6 & 7 \\ \hline & 1 & 2 & 7 \end{array}$$
最大公約数は，
$3\times5=15$
最小公倍数は，
$3\times5\times3\times1\times2\times7=630$

(3) 2020を素因数分解すると，$2020=2^2\times5\times101$
正の約数すべての和は，
$(1+2+2^2)\times(1+5)\times(1+101)=7\times6\times102$
$=4284$

ココに注意
$N=p^a\times q^b$ (p，q は素数) のとき，N の約数の総和は，
$(1+p+p^2+\cdots+p^a)(1+q+q^2+\cdots+q^b)$

(3) ① $100\div4=25$ (個)
② 6の倍数は，
$100\div6=16$ 余り4より，16個
4の倍数でも6の倍数でもある数，つまり，12の倍数は，$100\div12=8$ 余り4より，8個
よって，右上の図より，4の倍数でも6の倍数でもない数は，$100-(25+16-8)=67$ (個)

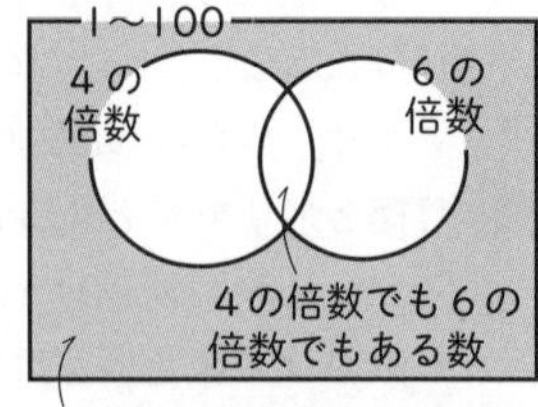

(4) 4でわると2余る数は，$4-2=2$ より，
4の倍数-2 つまり，2をたせば4の倍数になる。同様に，7でわると5余る数は，2をたせば7の倍数になるから，求める数は4と7の公倍数-2 である。4と7の公倍数は28，56，84，112…で，求める数は100以下だから，
26，54，82

(5) 最小公倍数72を素因数分解すると，$72=2^3\times3^2$
2つの自然数には，2^3 の倍数と 3^2 の倍数がふくまれていなければならないから，それらを探す。
2^3 の倍数は $2^3\times1=8$，$2^3\times3=24$，$2^3\times3^2=72$
3^2 の倍数は $3^2\times1=9$，$3^2\times2=18$，$3^2\times2^2=36$，$3^2\times2^3=72$
この中で和が60になる組み合わせは，24と36

(6) $\dfrac{128}{35}x$，$\dfrac{100}{21}x$，$\dfrac{56}{15}x$ がすべて正の整数となるには，x の分子は35と21と15の公倍数のうち最小のものだから，35と21と15の最小公倍数の105
x の分母は128と100と56の公約数のうち最大のものだから，128と100と56の最大公約数の4
よって，$x=\dfrac{105}{4}$

ココに注意
$\dfrac{B}{A}$ にかけても $\dfrac{D}{C}$ にかけても整数になる最小の分数を $\dfrac{Q}{P}$ とすると，$\dfrac{Q}{P}=\dfrac{A\text{と}C\text{の最小公倍数}}{B\text{と}D\text{の最大公約数}}$

3 (1) $899=900-1=30^2-1^2=(30-1)\times(30+1)$

$=29\times31$ で，29，31 はともに素数である。

(2) $(n-1)^2+8(n-1)-180$ は，$n-1=A$ とおくと，
$A^2+8A-180=(A+18)(A-10)$
$=(n-1+18)(n-1-10)=(n+17)(n-11)$
素数は，1 以外で，1 とその数のほかに約数がない数だから，$n-11=1$ つまり，$n=12$ でなければならない。このとき，$n+17=12+17=29$ より，与えられた式は素数となる。

4 (1) 商と余りを x とすると，求める自然数は，
$17x+x=18x$ $(0<x<17$ …①$)$ とおける。
200 より大きい自然数だから，
$200<18x$ $11\frac{1}{9}<x$ …②
x は整数だから，①，②より，$12\leqq x\leqq16$
よって，x は12，13，14，15，16 の 5 個あるから，求める自然数も 5 個ある。

(2) 2 つの自然数を A，B $(A<B)$とすると，A，B の最大公約数が 5 より，$A=5a$，$B=5b$ (ただし，a，b は互いに素，$a<b$)と表すことができる。
このとき，最小公倍数が 420 より，$5ab=420$ となり，$AB=5a\times5b=5\times5ab=5\times420=2100$
また，$ab=420\div5=84$ より，$(a,\ b)=(1,\ 84)$，$(3,\ 28)$，$(4,\ 21)$，$(7,\ 12)$ の 4 組ある。
よって，A，B の組も 4 組ある。

(3) A，B $(A>B)$ の最小公倍数が 240 だから，
$Ax=By=240$ (ただし，x，y は整数で $x<y$) と表すことができる。
$A=\frac{240}{x}$，$B=\frac{240}{y}$だから，
$AB=\frac{240}{x}\times\frac{240}{y}=\frac{240^2}{xy}=1920$
$xy=\frac{240^2}{1920}=\frac{240}{8}=30$
$x<y$ だから，$(x,\ y)=(1,\ 30)$，$(2,\ 15)$，$(3,\ 10)$，$(5,\ 6)$
よって，$(A,\ B)=(240,\ 8)$，$(120,\ 16)$，$(80,\ 24)$，$(48,\ 40)$
したがって，A と B の和が最小になるのは，$A=48$，$B=40$ のときである。

5 (1) 囲んだ右下の数は，左上の数の 8 日後だから，
$a+8$

(2) 囲んだ 4 つの数の和
=左上の数+右上の数+左下の数+右下の数
$=a+(a+1)+(a+7)+(a+8)=4a+16$

6 条件①より，百の位を 8，十の位を x，一の位を y とおき，各位の数の和を $A=8+x+y$ とする。(ただし，x と y は 0 から 9 の整数である。)
条件②より，$y=0$ または $y=5$ であり，条件③より，A は 3 の倍数になっている。
大きな数から順に x と y を代入すると，
㋐ $x=9$，$y=5$ のとき，$A=8+9+5=22$ ×
㋑ $x=9$，$y=0$ のとき，$A=8+9+0=17$ ×
㋒ $x=8$，$y=5$ のとき，$A=8+8+5=21$ ○
㋓ $x=8$，$y=0$ のとき，$A=8+8+0=16$ ×
㋔ $x=7$，$y=5$ のとき，$A=8+7+5=20$ ×
㋕ $x=7$，$y=0$ のとき，$A=8+7+0=15$ ○
㋖ $x=6$，$y=5$ のとき，$A=8+6+5=19$ ×
㋗ $x=6$，$y=0$ のとき，$A=8+6+0=14$ ×
㋘ $x=5$，$y=5$ のとき，$A=8+5+5=18$ ○
以上から，条件①～③をすべて満たす 3 けたの自然数のうち，3 番目に大きいのは 855 である。

!ココに注意

倍数の見分け方
5 の倍数は，一の位の数が 0 か 5
3 の倍数は，各位の数の和が 3 の倍数

STEP 3 発展問題

本冊⇨p.33

1 (1) $\begin{cases}s=25\\t=15\end{cases}$ $\begin{cases}s=29\\t=21\end{cases}$ $\begin{cases}s=101\\t=99\end{cases}$

(2) 24 個 (3) 24 倍

(4) **x が 3 でわり切れない正の整数であるから，n を 0 以上の整数として，**
$x=3n+1$，または $x=3n+2$
と表すことができる。
$x=3n+1$ のとき，
$x^2=(3n+1)^2=9n^2+6n+1=3(3n^2+2n)+1$
$x=3n+2$ のとき，
$x^2=(3n+2)^2=9n^2+12n+4$
$=3(3n^2+4n+1)+1$
$3n^2+2n$ と $3n^2+4n+1$ はどちらも整数だから，いずれの場合も x^2 は 3 でわると 1 余る。

2 $N=673$

3 (1) $n=15$ (2) $(m,\ n)=(2,\ 6)$，$(3,\ 5)$
(例) $n(n+1)-\{n+(n+1)\}=n^2-n-1$
$m+(m+1)+(m+2)+(m+3)+\cdots+(m+9)$
$=10\times m+(1+2+3+\cdots+9)$
$=10m+(55-10)=10m+45$
$94-(10m+45)=49-10m$

$n^2-n-1=49-10m$
$10m=50-n^2+n$
$10m=50-n(n-1)$
m は自然数だから,
$10m=50-n(n-1)\geqq 10$ より, $n\leqq 6$
$10m$ は 10 の倍数だから, $n(n-1)$ も 10 の倍数になるから, $n=5,\ 6$
$n=5$ のとき,
$10m=50-5\times(5-1)=50-20=30$ より, $m=3$
$n=6$ のとき,
$10m=50-6\times(6-1)=50-30=20$ より, $m=2$
よって, $(m,\ n)=(2,\ 6),\ (3,\ 5)$

解説

1 (1) 400 を素因数分解すると, $400=2^4\times5^2$
$s^2-t^2=400$ より, $(s+t)(s-t)=2^4\times5^2$
s, t は正の奇数だから, $s+t$, $s-t$ とも正の偶数となる。
$s+t>s-t$ を満たす数の組を考えて,

$s+t$	40	50	100	200
$s-t$	10	8	4	2

➡

s	25	29	52	101
t	15	21	48	99

このうち, $s=52$, $t=48$ の組は偶数だから, 適さない。

(2) 末尾に 0 が連続して並ぶ個数は, $1\times2\times\cdots\times100$ にふくまれる因数 $10=2\times5$ の個数になる。
1 から 100 までの自然数の中では 5 の倍数は偶数よりも少ないから, 因数 10 の個数は素因数 5 の個数と同じになる。
1 から 100 までの自然数の中に,
5 の倍数は, $100\div5=20$ (個)
5^2 の倍数は, $100\div25=4$ (個)
よって, $1\times2\times\cdots\times100$ の中に素因数 5 は $20+4=24$ (個) あるから, 末尾に 0 が連続して 24 個並ぶ。

(3) $\dfrac{a}{n}$ を約分すると正の整数になるから, a は 1 以上 20 以下のすべての素数の最小公倍数である。
1 以上 20 以下の整数で,
素数 2 は $16=2^4\leqq20$ より, 最大 4 個
素数 3 は $9=3^2\leqq20$ より, 最大 2 個
素数 5 は $5=5^1\leqq20$ より, 最大 1 個
5 より大きい素数はすべて, 最大 1 個
よって, 1 以上 20 以下の素数すべての積を b とすると, $a=b\times2^{4-1}\times3^{2-1}=2^3\times3\times b=24b$ だから, a は 1 以上 20 以下の素数すべての積の 24 倍

2 N の百の位の数を x (x は自然数) とすると, N を 100 でわった余りは $12x+1$ だから,
$N=100x+12x+1$ …①
$0<12x+1<100$ で, $(100-1)\div12=8$余り3 だから, $x=1,\ 2,\ 3,\ \cdots,\ 8$ …②
①より, $N=112x+1$ …①′
②を①′に代入して順に N を求める。
㋐ $x=1$ のとき, $N=112\times1+1=113$
$131-113=18$ ×
㋑ $x=2$ のとき, $N=112\times2+1=225$
$252-225=27$ ×
㋒ $x=3$ のとき, $N=112\times3+1=337$
$373-337=36$ ×
㋓ $x=4$ のとき, $N=112\times4+1=449$
$494-449=45$ ×
㋔ $x=5$ のとき, $N=112\times5+1=561$
$615-561=54$ ×
㋕ $x=6$ のとき, $N=112\times6+1=673$
$736-673=63$ ○
㋖ $x=7$ のとき, $N=112\times7+1=785$
$857-785=72$ ×
㋗ $x=8$ のとき, $N=112\times8+1=897$
$978-897=81$ ×
以上から, $N=673$

! ココに注意
2 つの整数 A, B があって, A を B でわったときの商を Q, 余りを R とすると,
$A=BQ+R\ (0\leqq R<B)$

3 (1) $11+12+13+\cdots+20$
$=(1+2+3+\cdots+10)+10\times10=55+100=155$
$364-155=209$ …①
(n の次が「×」の結果)−(n の次が「+」の結果) を n で表すと,
$n(n+1)-\{n+(n+1)\}=n^2+n-2n-1$
$=n^2-n-1$ …②
①, ②より, $n^2-n-1=209$
$n^2-n-210=0$
$(n-15)(n+14)=0$
$11\leqq n<20$ だから,
$n=15$
↑ n の値の求め方は, 本文 p.54 の例題 3 を参照

(2) 方程式の数が未知数の数より少なく解が無数に

ある方程式(不定方程式)で，解が自然数だから，まず m に注目して解の候補を絞る。あとは1つ1つ調べる。

6 平方根

STEP 1 まとめノート

本冊⇨pp.34～35

例題1 (1) ① 9　② -9
(2) ① 7　② 8　③ $\sqrt{7}$
(3) ① 10.24　② 3.2　③ 3

例題2 (1) ① 5　② $\sqrt{2}$
(2) ① $\sqrt{5}$　② $\sqrt{5}$　③ $\dfrac{\sqrt{10}}{5}$

例題3 (1) ① 3　② 27
(2) ① 2　② $2\sqrt{3}$

例題4 (1) ① 3　② 2　③ $\sqrt{5}$
(2) ① 5　② 3　③ 2　④ 5　⑤ 3　⑥ 6　⑦ $8\sqrt{3}$

例題5 (1) ① 2　② $\sqrt{6}$　③ $\sqrt{6}$
(2) ① 2　② $\sqrt{3}$　③ 4　④ 2　⑤ $6\sqrt{3}$
(3) ① $\sqrt{2}$　② $\sqrt{2}$　③ 6　④ 4　⑤ 2　⑥ $8-4\sqrt{3}$

例題6 (1) ① 3　② $\sqrt{6}$　③ 3　④ -3
(2) ① $x-y$　② $2\sqrt{5}$　③ $8\sqrt{5}$

例題7 ① 16　② 25　③ 4　④ 5　⑤ 4　⑥ 4

STEP 2 実力問題

本冊⇨pp.36～37

1 (1) ① $-\sqrt{5}<2<\sqrt{5}$
② $\sqrt{11}<2\sqrt{3}<\dfrac{7}{2}$
(2) 最も大きい数…ア，
最も小さい数…ウ

2 (1) 3個　(2) 7個

3 (1) $-8\sqrt{2}$　(2) $2\sqrt{6}$　(3) $\dfrac{\sqrt{6}}{2}$
(4) $\dfrac{7\sqrt{3}+\sqrt{2}}{12}$

4 (1) $2\sqrt{2}$　(2) 2　(3) $3\sqrt{3}$　(4) $\sqrt{3}+\sqrt{2}$

5 (1) $\sqrt{3}+\sqrt{5}$　(2) $3+\sqrt{2}$
(3) $10-2\sqrt{2}$　(4) 19　(5) 15　(6) 3

6 (1) 3　(2) 30

7 (1) 0.29　(2) $1795 \leqq a < 1805$
(3) $a=2$　(4) $n=15$　(5) $n=15$

解説

1 (1) ① $(\sqrt{5})^2=5$，$2^2=4$ だから，$2<\sqrt{5}$
よって，$-\sqrt{5}<2<\sqrt{5}$

② $\left(\dfrac{7}{2}\right)^2=\dfrac{49}{4}=12\dfrac{1}{4}$，$(\sqrt{11})^2=11$，
$(2\sqrt{3})^2=12$ より，$\sqrt{11}<2\sqrt{3}<\dfrac{7}{2}$

(2) $(\sqrt{26})^2=26$，$(\sqrt{(-5)^2})^2=(\sqrt{25})^2=25$，
$(2\sqrt{6})^2=24$，$\left(\dfrac{7}{\sqrt{2}}\right)^2=\dfrac{49}{2}=24\dfrac{1}{2}$
よって，$2\sqrt{6}<\dfrac{7}{\sqrt{2}}<\sqrt{(-5)^2}<\sqrt{26}$ だから，
最も大きい数は**ア**，最も小さい数は**ウ**

2 (1) $3<\sqrt{2n}<4$ の各辺をそれぞれ2乗すると，
$3^2<2n<4^2$　$9<2n<16$
よって，$4.5<n<8$
n は自然数だから，$n=5$，6，7 の3個

(2) $4<5<9$ より，$2<\sqrt{5}<3$ だから，
$-3<-\sqrt{5}<-2$
また，$16<17<25$ より，$4<\sqrt{17}<5$
よって，$-\sqrt{5}<n<\sqrt{17}$ を満たす整数 n の範囲は $-2 \leqq n \leqq 4$ だから，$n=-2$，-1，0，1，2，3，4 の7個

3 (1) $\sqrt{18}-3\sqrt{8}-\sqrt{50}=3\sqrt{2}-3\times2\sqrt{2}-5\sqrt{2}$
$=3\sqrt{2}-6\sqrt{2}-5\sqrt{2}=-8\sqrt{2}$

(2) $\dfrac{9}{\sqrt{6}}+\dfrac{\sqrt{6}}{2}=\dfrac{9\times\sqrt{6}}{\sqrt{6}\times\sqrt{6}}+\dfrac{1}{2}\sqrt{6}$
$=\dfrac{9}{6}\sqrt{6}+\dfrac{1}{2}\sqrt{6}=\dfrac{3}{2}\sqrt{6}+\dfrac{1}{2}\sqrt{6}=2\sqrt{6}$

(3) $\sqrt{24}+\sqrt{\dfrac{3}{2}}-\dfrac{12}{\sqrt{6}}=2\sqrt{6}+\dfrac{\sqrt{3}}{\sqrt{2}}-\dfrac{12\sqrt{6}}{6}$
$=2\sqrt{6}+\dfrac{\sqrt{6}}{2}-2\sqrt{6}=\dfrac{\sqrt{6}}{2}$

(4) $\dfrac{\sqrt{48}-\sqrt{8}}{3}-\dfrac{\sqrt{27}-\sqrt{18}}{4}$
$=\dfrac{4\sqrt{3}-2\sqrt{2}}{3}-\dfrac{3\sqrt{3}-3\sqrt{2}}{4}$
$=\dfrac{4(4\sqrt{3}-2\sqrt{2})-3(3\sqrt{3}-3\sqrt{2})}{12}$
$=\dfrac{16\sqrt{3}-8\sqrt{2}-9\sqrt{3}+9\sqrt{2}}{12}$
$=\dfrac{7\sqrt{3}+\sqrt{2}}{12}$

4 (1) $5\sqrt{6}\div\sqrt{3}-\sqrt{18}=5\sqrt{2}-3\sqrt{2}=2\sqrt{2}$

(2) $(\sqrt{75}-\sqrt{27})\div\sqrt{3}=\dfrac{\sqrt{75}}{\sqrt{3}}-\dfrac{\sqrt{27}}{\sqrt{3}}$

$=\sqrt{\dfrac{75}{3}}-\sqrt{\dfrac{27}{3}}=\sqrt{25}-\sqrt{9}=5-3=2$

(3) $\sqrt{6}\left(\sqrt{8}-\dfrac{1}{\sqrt{2}}\right)=\sqrt{48}-\sqrt{\dfrac{6}{2}}$

$=4\sqrt{3}-\sqrt{3}=3\sqrt{3}$

(4) $\sqrt{27}-\sqrt{2}(\sqrt{6}-1)=3\sqrt{3}-2\sqrt{3}+\sqrt{2}$

$=\sqrt{3}+\sqrt{2}$

5 (1) $(\sqrt{5}-\sqrt{3})(\sqrt{15}+4)$

$=\sqrt{5}\times(\sqrt{5}\times\sqrt{3})+4\sqrt{5}-\sqrt{3}\times(\sqrt{3}\times\sqrt{5})$
$-4\sqrt{3}$

$=5\sqrt{3}+4\sqrt{5}-3\sqrt{5}-4\sqrt{3}=\sqrt{3}+\sqrt{5}$

(2) $(\sqrt{2}+1)^2-\dfrac{\sqrt{6}}{\sqrt{3}}=2+2\sqrt{2}+1-\sqrt{2}=3+\sqrt{2}$

(3) $(3+\sqrt{2})(3-\sqrt{2})+(\sqrt{2}-1)^2$

$=9-2+(2-2\sqrt{2}+1)=9-2+3-2\sqrt{2}$

$=10-2\sqrt{2}$

(4) $(\sqrt{5}-2)^2+\sqrt{5}(\sqrt{20}+4)$

$=5-4\sqrt{5}+4+\sqrt{100}+4\sqrt{5}$

$=9-4\sqrt{5}+10+4\sqrt{5}=19$

(5) $(\sqrt{3}-\sqrt{2})^2+(\sqrt{6}-2)^2+6\sqrt{6}$

$=3-2\sqrt{6}+2+6-4\sqrt{6}+4+6\sqrt{6}$

$=15$

(6) $(\sqrt{3}-1)(\sqrt{6}+\sqrt{2})+(\sqrt{2}-1)^2$

$=(\sqrt{3}-1)\times\sqrt{2}(\sqrt{3}+1)+2-2\sqrt{2}+1$

$=\sqrt{2}\{(\sqrt{3})^2-1^2\}+3-2\sqrt{2}$

$=\sqrt{2}(3-1)+3-2\sqrt{2}$

$=2\sqrt{2}+3-2\sqrt{2}=3$

6 (1) $x^2-2x+1=(x-1)^2$

$=(\sqrt{3}+1-1)^2=(\sqrt{3})^2=3$

別解　$x=\sqrt{3}+1$ より，$x-1=\sqrt{3}$

両辺を 2 乗して，$(x-1)^2=(\sqrt{3})^2$

$x^2-2x+1=3$

よって，求める値は 3

(2) $x^2-5xy+4y^2=(x-4y)(x-y)$

$=(5\sqrt{2}+4\sqrt{3}-4\times2\sqrt{2})(5\sqrt{2}+4\sqrt{3}-2\sqrt{2})$

$=(4\sqrt{3}-3\sqrt{2})(4\sqrt{3}+3\sqrt{2})$

$=(4\sqrt{3})^2-(3\sqrt{2})^2$

$=48-18=30$

7 (1) $\sqrt{0.0814}=\sqrt{\dfrac{8.14}{100}}=\dfrac{\sqrt{8.14}}{10}=\dfrac{2.853}{10}=0.2853$

小数第 3 位を四捨五入して，0.29

(2) 10 m 未満を四捨五入して 1800 m になるのだから，$1795\leqq a<1805$

ココに注意

$1795\leqq a\leqq1804$ としてはいけない。
1804 以上 1805 未満の数もふくまれるからである。

(3) $6\div\sqrt{3}=\dfrac{6}{\sqrt{3}}=\dfrac{6\times\sqrt{3}}{\sqrt{3}\times\sqrt{3}}=\dfrac{6\sqrt{3}}{3}=2\sqrt{3}$

よって，$a=2$

(4) 540 を素因数分解すると，$540=2^2\times3^3\times5$

よって，$n=3\times5=15$ とすればよい。

このとき，$\sqrt{\dfrac{540}{15}}=\sqrt{36}=6$ となり，整数になる。

ココに注意

$\sqrt{a^mb^n}$ (a，b は素数) が整数になるためには m，n は偶数であればよい。

(5) $48=2^4\times3$ より，$\sqrt{\dfrac{48}{5}n}$ が自然数となるには，

$n=5\times3=15$ とすればよい。

STEP 3 発展問題

本冊⇨pp.38～39

1 (1) $3\sqrt{2}$　(2) 0　(3) 6　(4) $\sqrt{6}$　(5) 6
(6) $5\sqrt{3}$

2 (1) $2\sqrt{2}$　(2) 6　(3) $-\sqrt{2}$　(4) $2\sqrt{6}-5$
(5) 22

3 $5x^2y^3$

4 (1) $n=150$　(2) $n=7$

5 $a=3$，$b=1$

6 73

7 (1) 54　(2) 4　(3) $-\dfrac{1}{2}$　(4) 1740

8 (1) 29　(2) 4　(3) $5+2\sqrt{2}$

解説

1 (1) $\dfrac{6}{\sqrt{18}}-3\sqrt{2}-\dfrac{2\sqrt{7}}{\sqrt{14}}+\dfrac{6\sqrt{10}}{\sqrt{5}}$

$=\dfrac{6}{3\sqrt{2}}-3\sqrt{2}-\dfrac{2}{\sqrt{2}}+6\sqrt{2}$

$=\dfrac{2}{\sqrt{2}}-3\sqrt{2}-\dfrac{2}{\sqrt{2}}+6\sqrt{2}=3\sqrt{2}$

(2) $\dfrac{\sqrt{27}}{2}-3\sqrt{48}-\dfrac{\sqrt{735}}{\sqrt{20}}+2\sqrt{147}$

$=\dfrac{3\sqrt{3}}{2}-3\times4\sqrt{3}-\dfrac{\sqrt{147}}{\sqrt{4}}+2\times7\sqrt{3}$

$=\dfrac{3\sqrt{3}}{2}-12\sqrt{3}-\dfrac{7\sqrt{3}}{2}+14\sqrt{3}$

$=-2\sqrt{3}-12\sqrt{3}+14\sqrt{3}=0$

(3) $\dfrac{(2\sqrt{3}-3\sqrt{2})^2}{2}-\dfrac{\sqrt{6}-4}{\sqrt{2}}\times\sqrt{27}$

$=\dfrac{12-12\sqrt{6}+18}{2}-\dfrac{\sqrt{2}(\sqrt{6}-4)}{2}\times 3\sqrt{3}$

$=\dfrac{30-12\sqrt{6}-3\sqrt{6}(\sqrt{6}-4)}{2}$

$=\dfrac{30-12\sqrt{6}-18+12\sqrt{6}}{2}=6$

(4) $\dfrac{(2\sqrt{3}+1)^2-(2\sqrt{3}-1)^2}{\sqrt{32}}$

$=\dfrac{\{(2\sqrt{3}+1)+(2\sqrt{3}-1)\}\{(2\sqrt{3}+1)-(2\sqrt{3}-1)\}}{4\sqrt{2}}$

$=\dfrac{4\sqrt{3}\times 2}{4\sqrt{2}}=\dfrac{2\sqrt{3}}{\sqrt{2}}=\dfrac{2\sqrt{6}}{2}=\sqrt{6}$

! ココに注意

$(2\sqrt{3}+1)^2-(2\sqrt{3}-1)^2$ は，そのまま計算して，$(12+4\sqrt{3}+1)-(12-4\sqrt{3}+1)=8\sqrt{3}$ としてもよいが，上のように因数分解を利用するほうが簡単である。

(5) $\left(\dfrac{3}{\sqrt{3}}+2\right)(2-\sqrt{3})+\sqrt{3}\left(\sqrt{12}-\dfrac{1}{\sqrt{3}}\right)$

$=(\sqrt{3}+2)(2-\sqrt{3})+\sqrt{36}-1$

$=(2+\sqrt{3})(2-\sqrt{3})+6-1$

$=4-3+5=6$

(6) $\dfrac{24-2\sqrt{3}}{\sqrt{3}}-(\sqrt{6}+\sqrt{2})^2+\dfrac{3\sqrt{5}-2\sqrt{15}}{\sqrt{15}}+(2\sqrt{3})^2$

$=\dfrac{24\sqrt{3}-6}{3}-(6+4\sqrt{3}+2)+\dfrac{3}{\sqrt{3}}-2+12$

$=8\sqrt{3}-2-8-4\sqrt{3}+\sqrt{3}+10=5\sqrt{3}$

2 (1) $(1+\sqrt{2}+\sqrt{3})(1+\sqrt{2}-\sqrt{3})$

$=\{(1+\sqrt{2})+\sqrt{3}\}\{(1+\sqrt{2})-\sqrt{3}\}$

$=(1+\sqrt{2})^2-(\sqrt{3})^2$

$=1+2\sqrt{2}+2-3=2\sqrt{2}$

(2) $(\sqrt{3}-1)(\sqrt{7}-2)(\sqrt{3}+1)(\sqrt{7}+2)$

$=(\sqrt{3}-1)(\sqrt{3}+1)(\sqrt{7}-2)(\sqrt{7}+2)$

$=(3-1)\times(7-4)=2\times 3=6$

(3) $\dfrac{(\sqrt{2}+1)(2+\sqrt{2})(4-3\sqrt{2})}{\sqrt{2}}$

$=\dfrac{(\sqrt{2}+1)(\sqrt{2}+2)(4-3\sqrt{2})}{\sqrt{2}}$

$=\dfrac{(2+2\sqrt{2}+\sqrt{2}+2)(4-3\sqrt{2})}{\sqrt{2}}$

$=\dfrac{(4+3\sqrt{2})(4-3\sqrt{2})}{\sqrt{2}}$

$=\dfrac{16-18}{\sqrt{2}}=-\dfrac{2}{\sqrt{2}}=-\sqrt{2}$

(4) $(\sqrt{2}+\sqrt{3})^3(\sqrt{2}-\sqrt{3})^5$

$=\{(\sqrt{2}+\sqrt{3})^3(\sqrt{2}-\sqrt{3})^3\}(\sqrt{2}-\sqrt{3})^2$

$=\{(\sqrt{2}+\sqrt{3})(\sqrt{2}-\sqrt{3})\}^3(\sqrt{2}-\sqrt{3})^2$

$=(2-3)^3\times(2-2\sqrt{6}+3)$

$=-1\times(5-2\sqrt{6})=2\sqrt{6}-5$

(5) $\left(\dfrac{\sqrt{7}+\sqrt{11}}{\sqrt{2}}\right)^2-(\sqrt{7}+\sqrt{11})(\sqrt{7}-\sqrt{11})$

$+\left(\dfrac{\sqrt{7}-\sqrt{11}}{\sqrt{2}}\right)^2$

$=\dfrac{(\sqrt{7}+\sqrt{11})^2}{2}-(\sqrt{7}+\sqrt{11})(\sqrt{7}-\sqrt{11})$

$+\dfrac{(\sqrt{7}-\sqrt{11})^2}{2}$

$\sqrt{7}+\sqrt{11}=A$，$\sqrt{7}-\sqrt{11}=B$ とおくと，

$\dfrac{A^2}{2}-AB+\dfrac{B^2}{2}=\dfrac{1}{2}(A^2-2AB+B^2)$

$=\dfrac{1}{2}(A-B)^2=\dfrac{1}{2}\times\{\sqrt{7}+\sqrt{11}-(\sqrt{7}-\sqrt{11})\}^2$

$=\dfrac{1}{2}\times(\sqrt{7}+\sqrt{11}-\sqrt{7}+\sqrt{11})^2=\dfrac{1}{2}\times(2\sqrt{11})^2$

$=\dfrac{1}{2}\times 44=22$

3 $(-\sqrt{8}x^3y^2)\div\left(-\dfrac{\sqrt{72}}{5}xy\right)\times(\sqrt{3}y)^2$

$=(-\sqrt{8}x^3y^2)\times\left(-\dfrac{5}{\sqrt{72}xy}\right)\times 3y^2$

$=\dfrac{\sqrt{8}x^3y^2\times 5\times 3y^2}{\sqrt{72}xy}=\dfrac{5\times 3}{\sqrt{9}}x^2y^3=5x^2y^3$

4 (1) $\dfrac{n}{15}=a$（a は整数）とおくと，$n=15a$

$\sqrt{6n}=\sqrt{6\times 15a}=\sqrt{90a}=3\sqrt{10a}$

これが整数になる最も小さい整数 a は，$a=10$

よって，$n=150$

(2) $\dfrac{\sqrt{50-2n}}{3}$ が自然数となるのは，$\sqrt{50-2n}=3a$

（a は自然数）となるときだから，

$a=1$ のとき，$\sqrt{50-2n}=3$　$50-2n=9$　$n=\dfrac{41}{2}$

n は自然数だから，これは適さない。

$a=2$ のとき，$\sqrt{50-2n}=6$　$50-2n=36$　$n=7$

これは適する。

$a=3$ のとき，$\sqrt{50-2n}=9$ $50-2n=81$ $n=-\dfrac{31}{2}$

より，a が 3 以上のとき n は負の数になるから，適さない。

よって，$n=7$

5 $(a-2\sqrt{2})(4+3\sqrt{2})=\sqrt{2}b$

$4a+3\sqrt{2}a-8\sqrt{2}-12-\sqrt{2}b=0$

$4(a-3)+\sqrt{2}(3a-b-8)=0$

$a-3=0$，$3a-b-8=0$ となればよいから，

$a=3$，$b=1$

6 a，b，c が連続する 3 つの奇数だから，a，c を b を使って表すと，$a=b-2$，$c=b+2$ である。このとき，$a+b+c=(b-2)+b+(b+2)=3b=n^2$ とすると，

n^2 は 3 の倍数かつ奇数である。

$b<100$ だから，$n^2<300$ となり，このような n の条件を満たす最大の数は $n=15$（$15^2=225<300$ で，225 は 3 の倍数かつ奇数）である。

よって，$b=225\div3=75$ だから，$a=75-2=73$

7 (1) $\frac{1}{x^2}+\frac{1}{y^2}=\frac{y^2+x^2}{x^2y^2}=\frac{x^2+y^2}{(xy)^2}=\frac{(x+y)^2-2xy}{(xy)^2}$

$x=\sqrt{14}+\sqrt{13}$，$y=\sqrt{14}-\sqrt{13}$ より，

$x+y=(\sqrt{14}+\sqrt{13})+(\sqrt{14}-\sqrt{13})=2\sqrt{14}$

$xy=(\sqrt{14}+\sqrt{13})(\sqrt{14}-\sqrt{13})=14-13=1$

よって，$\frac{(2\sqrt{14})^2-2\times1}{1^2}=56-2=54$

(2) $(1+\sqrt{3})x=2$ の両辺を 2 乗すると，

$(1+\sqrt{3})^2x^2=4$　$(1+2\sqrt{3}+3)x^2=4$

$(2+\sqrt{3})x^2=2$

同様に，$(1-\sqrt{3})y=-2$ の両辺を 2 乗して 2 でわると，$(2-\sqrt{3})y^2=2$

よって，$(2+\sqrt{3})x^2+(2-\sqrt{3})y^2=2+2=4$

(3) $x=\sqrt{3}y-1$ …①，$y=\sqrt{3}x$ …② とする。

②を①に代入して，$x=\sqrt{3}\times\sqrt{3}x-1$

$x=3x-1$　$x=\frac{1}{2}$

これを②に代入して，$y=\frac{\sqrt{3}}{2}$

よって，$(\sqrt{3}-y)^2-\frac{2}{\sqrt{3}}(\sqrt{3}-y)-(1-x)^2$

$=\left(\sqrt{3}-\frac{\sqrt{3}}{2}\right)^2-\frac{2}{\sqrt{3}}\left(\sqrt{3}-\frac{\sqrt{3}}{2}\right)-\left(1-\frac{1}{2}\right)^2$

$=\left(\frac{\sqrt{3}}{2}\right)^2-\frac{2}{\sqrt{3}}\times\left(\frac{\sqrt{3}}{2}\right)-\frac{1}{4}=\frac{3}{4}-1-\frac{1}{4}=-\frac{1}{2}$

(4) $(x^2+2xy+y^2)^3+\left(\frac{1}{x}+\frac{1}{y}\right)^2=\{(x+y)^2\}^3+\left(\frac{x+y}{xy}\right)^2$

$x=\sqrt{3}+\sqrt{2}$，$y=\sqrt{3}-\sqrt{2}$ より，

$x+y=(\sqrt{3}+\sqrt{2})+(\sqrt{3}-\sqrt{2})=2\sqrt{3}$

$xy=(\sqrt{3}+\sqrt{2})(\sqrt{3}-\sqrt{2})=3-2=1$

よって，$\{(2\sqrt{3})^2\}^3+\left(\frac{2\sqrt{3}}{1}\right)^2=12^3+12$

$=1728+12=1740$

8 (1) $25<29<36$ より，$5<\sqrt{29}<6$

よって，$a=5$

$\sqrt{29}=5+b$ より，$b=\sqrt{29}-5$ だから，

$a^2+b(b+10)=5^2+(\sqrt{29}-5)(\sqrt{29}-5+10)$

$=25+(\sqrt{29}-5)(\sqrt{29}+5)=25+(29-25)=29$

(2) $1<3<4$ より，$1<\sqrt{3}<2$ だから，$3<5-\sqrt{3}<4$

よって，$5-\sqrt{3}$ の整数部分は，$a=3$

小数部分は，$b=(5-\sqrt{3})-3=2-\sqrt{3}$

したがって，$\frac{7a-3b^2}{2a-3b}=\frac{7\times3-3(2-\sqrt{3})^2}{2\times3-3(2-\sqrt{3})}$

$=\frac{21-3(4-4\sqrt{3}+3)}{6-6+3\sqrt{3}}=\frac{21-21+12\sqrt{3}}{3\sqrt{3}}=\frac{12\sqrt{3}}{3\sqrt{3}}$

$=4$

(3) $\frac{2}{2-\sqrt{2}}=\frac{2(2+\sqrt{2})}{(2-\sqrt{2})(2+\sqrt{2})}=\frac{2(2+\sqrt{2})}{4-2}$

$=2+\sqrt{2}$

$1<\sqrt{2}<2$ より，$3<2+\sqrt{2}<4$ だから，

$a=3$

$b=(2+\sqrt{2})-3=\sqrt{2}-1$

よって，$a+\frac{2}{b}=3+\frac{2}{\sqrt{2}-1}$

$=3+\frac{2(\sqrt{2}+1)}{(\sqrt{2}-1)(\sqrt{2}+1)}=3+\frac{2\sqrt{2}+2}{2-1}$

$=3+2\sqrt{2}+2=5+2\sqrt{2}$

! ココに注意

$\frac{1}{\sqrt{a}+\sqrt{b}}$ の分母を有理化するには，

$(x+a)(x-a)=x^2-a^2$ の公式を利用して，分母と分子に $(\sqrt{a}-\sqrt{b})$ をかける。

$\frac{1}{\sqrt{a}+\sqrt{b}}=\frac{1\times(\sqrt{a}-\sqrt{b})}{(\sqrt{a}+\sqrt{b})(\sqrt{a}-\sqrt{b})}=\frac{\sqrt{a}-\sqrt{b}}{a-b}$

理解度診断テスト ①

本冊 ⇨ pp.40 ～ 41

理解度診断　A…80 点以上，B…60～79 点，C…59 点以下

1 (1) ① -23　② $\frac{5}{12}$　③ $\sqrt{2}$　④ $8\sqrt{2}$

(2) ① $\frac{3x+y}{2}$　② $-9b$　③ $8x+1$

④ $-x^2-8x+34$

(3) ① $2y(x-6)(x+1)$　② $(x-7)(x+5)$

2 (1)（順に）-1，0，1，2　(2) $\frac{2a}{3}$ cm^2

(3) ア…$2^2\times5^3$，イ…5

3 (1) $a=4b-9$

(2) ① $b=\frac{3}{2}a-3$　② $c=4m-2a-b$

4 (1) 18　(2) 53　(3) 200　(4) 1

5 ア…$n+1$，イ…$n-1$，ウ…$4n$，エ…4

6 (1) $a=7$，$b=5$　(2) $N=37$

解説

1 (1) ① $(-3)^2+2\times(-4^2)=9+2\times(-16)=9-32$

$=-23$

② $\frac{7}{6}\div\left(-\frac{7}{2}\right)+\frac{3}{4}=\frac{7}{6}\times\left(-\frac{2}{7}\right)+\frac{3}{4}$

$=-\frac{1}{3}+\frac{3}{4}=-\frac{4}{12}+\frac{9}{12}=\frac{5}{12}$

③ $\sqrt{32}+\sqrt{18}-\sqrt{72}=4\sqrt{2}+3\sqrt{2}-6\sqrt{2}=\sqrt{2}$

④ $\sqrt{6}\times\sqrt{3}+\frac{10}{\sqrt{2}}=3\sqrt{2}+\frac{10\sqrt{2}}{2}$

$=3\sqrt{2}+5\sqrt{2}=8\sqrt{2}$

(2) ① $x-y+\frac{x+3y}{2}=\frac{2x-2y+x+3y}{2}=\frac{3x+y}{2}$

② $(-3a)^2\times2b\div(-2a^2)=9a^2\times2b\div(-2a^2)$

$=-\frac{9a^2\times2b}{2a^2}=-9b$

③ $(x+2)^2-(x-1)(x-3)$

$=x^2+4x+4-(x^2-4x+3)$

$=x^2+4x+4-x^2+4x-3=8x+1$

④ $(x-4)^2-2(x+3)(x-3)$

$=x^2-8x+16-2(x^2-9)$

$=x^2-8x+16-2x^2+18=-x^2-8x+34$

(3) ① $2x^2y-10xy-12y=2y(x^2-5x-6)$

$=2y(x-6)(x+1)$

② $(x+4)(x-6)-11=x^2-2x-24-11$

$=x^2-2x-35=(x-7)(x+5)$

2 (1) $\frac{9}{4}=2\frac{1}{4}$

$-1.98<x<2\frac{1}{4}$ を満たす整数 x は $-1\leqq x\leqq2$

だから，$x=-1,\ 0,\ 1,\ 2$

(2) 縦 1 cm，横は $\frac{2a}{3}$ cm だから，

$1\times\frac{2a}{3}=\frac{2a}{3}$ (cm²)

(3)
```
2) 500
2) 250
5) 125
5)  25
     5
```
$500=2^2\times5^3$ …**ア**

$\sqrt{500n}=10\sqrt{5n}$ より，整数となる最も小さい自然数は，$n=5$ …**イ**

3 (1) $2a+3\times6=8b$　$2a+18=8b$

$2a=8b-18$　両辺を 2 でわって，$a=4b-9$

(2) ①$3a-2b=6$　$-2b=-3a+6$

両辺を -2 でわって，$b=\frac{3}{2}a-3$

②左辺と右辺を入れかえて，$\frac{2a+b+c}{4}=m$

$2a+b+c=4m$　$c=4m-2a-b$

4 (1) $x-7y=4-7\times(-2)=4+14=18$

(2) $a^2-4b^2=(a+2b)(a-2b)$

$=(27+2\times13)\times(27-2\times13)=53\times1=53$

(3) $x^2-6x-16=(x-8)(x+2)=(18-8)\times(18+2)$

$=10\times20=200$

(4) $a(a-2)=(\sqrt{2}+1)\{(\sqrt{2}+1)-2\}$

$=(\sqrt{2}+1)(\sqrt{2}-1)=2-1=1$

5 連続する 3 つの整数のうち，真ん中の整数を n とすると，3 つの整数は小さい順に，$n-1$，n，$n+1$ となる。

よって，$(n+1)^2-(n-1)^2$

$=(n^2+2n+1)-(n^2-2n+1)=4n$

$4n$ は，真ん中の整数の 4 倍を示している。

6 (1) $2<\sqrt{a}<3$ より，$4<a<9$ …①

$ab-a=28$ より，$a(b-1)=2^2\times7$ …②

①，②を満たす自然数 a は，$a=7$

よって，$b-1=2^2=4$　$b=5$

(2) 余りを x とすると，商は $2x$ となる。

よって，$300=N\times2x+x$ $(0<x<N)$ である。

$300=x(2N+1)$，$300=2^2\times3\times5^2$ だから，

$x(2N+1)=2^2\times3\times5^2$

このとき，N は 2 けたの自然数だから，$2N+1$ は 2 けた以上である。

また，$2N+1$ は奇数だから，$2N+1$ は，3×5，5^2，3×5^2 のいずれかである。

$2N+1=3\times5$ のとき，$N=7$

N は 2 けたの自然数だから，適さない。

$2N+1=5^2$ のとき，$N=12$

$300\div12=25$ となり，適さない。

$2N+1=3\times5^2$ のとき，$N=37$

$300\div37=8$ 余り 4 より，適する。

したがって，$N=37$

第２章　方程式

1 １次方程式

STEP 1 まとめノート

本冊⇨pp.42～43

例題１ (1) ① $-4x$　② -3　③ 3　④ -24　⑤ -8
(2) ① $8x$　② $-8x$　③ -2　④ 6

例題２ (1) ① 100　② 75　③ 50　④ 75　⑤ 50　⑥ 100　⑦ 25　⑧ 100　⑨ 4
(2) ① 10　② 10　③ 10　④ 10　⑤ 2　⑥ 10　⑦ 2　⑧ -4　⑨ 2　⑩ 10　⑪ 3　⑫ 6　⑬ 2

例題３ (1) ① 3　② 2　③ 3　④ 12　⑤ 4
(2) ① 1　② 4　③ 8　④ 9　⑤ 3

例題４ ① $5000-x$　② A　③ B　④ 400　⑤ $5000-x$　⑥ $10000-2x$　⑦ 3　⑧ 9600　⑨ 3200　⑩ 3200

例題５ ① 6　② 3　③ $-$　④ -8　⑤ 8　⑥ 6　⑦ 8　⑧ 53

STEP 2 実力問題

本冊⇨pp.44～45

1 (1) $x=2$　(2) $x=\frac{5}{6}$　(3) $x=-9$　(4) $x=-\frac{9}{8}$
(5) $x=-2$　(6) $x=11$

2 (1) $a=7$　(2) $a=-2$

3 (1) $x=900$　(2) 60 cm

4 2.1 m^3

5 80 g

6 ① $6x+26=7x-4$　② 30　③ 30　④ 206
⑤ $\frac{y-26}{6}=\frac{y+4}{7}$

7 750 m

8 2800 円

解説

1 (1) $5-6x=2x-11$　$-6x-2x=-11-5$
$-8x=-16$　$x=2$

(2) $x+11=-5x+16$　$x+5x=16-11$
$6x=5$　$x=\frac{5}{6}$

(3) $3x-8=7(x+4)$　$3x-8=7x+28$
$3x-7x=28+8$　$-4x=36$　$x=-9$

(4) $4x+3(2x-3)=18x$　$4x+6x-9=18x$
$4x+6x-18x=9$　$-8x=9$　$x=-\frac{9}{8}$

(5) $\frac{2x+1}{3}=\frac{x}{2}$　両辺に 6 をかけて，
$2(2x+1)=3x$　$4x+2=3x$　$4x-3x=-2$
$x=-2$

(6) $\frac{3x+2}{5}=\frac{2x-1}{3}$　両辺に 15 をかけて，
$3(3x+2)=5(2x-1)$　$9x+6=10x-5$
$9x-10x=-5-6$　$-x=-11$　$x=11$

2 (1) 方程式に $x=-2$ を代入すると，
$a\times(-2)-3(a-2)\times(-2)=8-4\times(-2)$
$-2a+6(a-2)=8+8$　$-2a+6a-12=16$
$4a=16+12$　$4a=28$　$a=7$

(2) 方程式に $x=-7$ を代入すると，
$\frac{-7+a}{3}=2a+1$　両辺に 3 をかけて，
$-7+a=6a+3$　$a-6a=3+7$　$-5a=10$
$a=-2$

3 (1) 15 %=0.15　$0.15x=135$　$x=135\div0.15$
$x=900$

(2) 横の長さを x cm とすると，$3:4=45:x$
比例式の性質より，
$3x=4\times45$　$3x=180$　$x=60$

4 1 回に運ぶ量を x m^3 とすると，
$9+4x=1.2(4+5x)$　両辺に 10 をかけて，
$90+40x=12(4+5x)$　$90+40x=48+60x$
$40x-60x=48-90$　$-20x=-42$　$x=2.1$

5 A の重さを x g とすると，
$x+(x+30)+(x+60)+(x+90)=500$
$4x+180=500$　$4x=500-180$　$4x=320$
$x=80$

6 ① 子どもの人数が x 人だから，あめの個数を 2 通りの式で表すと，$6x+26=7x-4$　となる。
② $6x-7x=-4-26$　$-x=-30$　$x=30$
③ 子どもの人数は 30 人
④ あめの個数は，$6\times30+26=206$ (個)
⑤ あめの個数 y を用いて子どもの人数を 2 通りの式で表すと，$(y-26)$ 個のあめを 6 個ずつ分けるから，子どもの人数は $\frac{y-26}{6}$ 人
同様に，$\frac{y+4}{7}$ 人
よって，$\frac{y-26}{6}=\frac{y+4}{7}$

7 求める道のりを x m とすると，

$\frac{x}{100}+\frac{1200-x}{60}=17-2$　両辺に 300 をかけて，

$3x+5(1200-x)=15\times300$　$3x+6000-5x=4500$

$-2x=4500-6000$　$-2x=-1500$　$x=750$

8 Tシャツ 1 枚の定価を x 円とすると，

白色のTシャツを 2 枚買ったときの代金は，

$\{x+(x-980)\}$ 円

青色のTシャツを 3 枚買ったときの代金は，

$3x(1-0.45)$ 円

よって，$x+(x-980)=3x(1-0.45)$

$2x-980=3x\times0.55$　両辺に 100 をかけて，

$200x-98000=3x\times55$　$200x-98000=165x$

$200x-165x=98000$　$35x=98000$　$x=2800$

STEP 3 発展問題

本冊⇨pp.46 ～ 47

1 (1) $x=-7$　(2) $x=-\frac{1}{35}$　(3) $x=-2$

(4) $x=\frac{1}{2}$

2 (1) $x=\frac{16}{3}$　(2) $x=\frac{3}{7}$

3 $a=-14$

4 (1) 69　(2) 36　(3) 1200

5 (1) 8 分後　(2) 45 分

(3) ア…1，イ…4，ウ…5

6 61 個

7 (1) 2 %　(2) 3 %　(3) 450 g

解説

1 (1) $\frac{3x-9}{5}+7=\frac{x+10}{3}$　両辺に 15 をかけて，

$3(3x-9)+105=5(x+10)$

$9x-27+105=5x+50$　$9x-5x=50+27-105$

$4x=-28$　$x=-7$

(2) $\frac{7}{600}x+\frac{1}{3000}=0$　両辺に 3000 をかけて，

$35x+1=0$　$35x=-1$　$x=-\frac{1}{35}$

(3) $\frac{2-2x}{3}+\frac{x+5}{6}=\frac{5}{2}$　両辺に 6 をかけて，

$2(2-2x)+(x+5)=15$　$4-4x+x+5=15$

$-3x=15-4-5$　$-3x=6$　$x=-2$

(4) $\frac{7x-2}{3}-\frac{3x-1}{4}=-\frac{x-5}{12}$　両辺に 12 をかけて，

$4(7x-2)-3(3x-1)=-(x-5)$

$28x-8-9x+3=-x+5$

$28x-9x+x=5+8-3$　$20x=10$　$x=\frac{1}{2}$

2 (1) $(x+3):5=(x-2):2$

$5(x-2)=2(x+3)$　$5x-10=2x+6$

$5x-2x=6+10$　$3x=16$　$x=\frac{16}{3}$

(2) $0.4:1.2=(2x+1):(6-x)$

$0.4:1.2=1:3$ だから，$1:3=(2x+1):(6-x)$

$3(2x+1)=6-x$　$6x+3=6-x$

$6x+x=6-3$　$7x=3$　$x=\frac{3}{7}$

3 方程式に $x=4$ を代入すると，

$\frac{4-a}{2}+\frac{4+2a}{3}=1$　両辺に 6 をかけて，

$3(4-a)+2(4+2a)=6$　$12-3a+8+4a=6$

$a=6-20$　$a=-14$

4 (1) 部屋数を x 室として，生徒の人数を 2 通りの式で表すと，$4x+5=5(x-1-2)+4$

$4x+5=5x-15+4$　$4x-5x=-11-5$

$-x=-16$　$x=16$

生徒の人数は，$4\times16+5=64+5=69$ (人)

(2) 男子の生徒数を x 人とすると，女子の生徒数は $(405-x)$ 人と表すことができる。

$\frac{10}{100}x=\frac{8}{100}(405-x)$　両辺に 100 をかけて，

$10x=8(405-x)$　$10x=3240-8x$

$10x+8x=3240$　$18x=3240$　$x=180$

よって，男子の自転車通学者数は，

$180\times\frac{10}{100}=18$ (人)

女子も同数だから，自転車通学者数は，全部で $18\times2=36$ (人)

(3) 商品を x 個仕入れたとすると，

$x=\frac{1}{5}x\times2+\frac{1}{4}x+420$　両辺に 20 をかけて，

$20x=8x+5x+8400$　$20x-13x=8400$

$7x=8400$　$x=1200$

5 (1) 出発してから x 分後にはじめて追い抜くとすると，2 人の走った距離の差が 1 周分の 400 m となるから，$250x-200x=400$　$50x=400$　$x=8$

(2) A さんが学校から駅までにかかった時間を x 分とすると，

$4\times\frac{x}{60}=6\times\frac{x-15}{60}$　両辺に 60 をかけて，

$4x=6(x-15)$　$4x=6x-90$　$-2x=-90$

$x=45$

(3) 家から学校までの距離を x m とすると，家を出

てから学校がはじまるまでの時間を考えて，

$\frac{x}{70}-5=\frac{x}{100}+7$　両辺に 700 をかけて，

$10x-3500=7x+4900$　$10x-7x=4900+3500$

$3x=8400$　$x=2800$

よって，求める距離は，

$2800\text{ m}=\frac{2800}{1000}\text{ km}=\frac{14}{5}\text{ km}$

6 菓子の個数を x 個とすると，箱 A に菓子を詰めたときの残りは 7 個だから，箱 A は $\frac{x-7}{6}$ 箱ある。
また，箱 B に菓子を詰めたときの残りは 5 個だから，箱 B は $\frac{x-5}{8}$ 箱ある。

箱 A は箱 B より 2 箱多いから，$\frac{x-7}{6}=\frac{x-5}{8}+2$

両辺に 24 をかけて，$4(x-7)=3(x-5)+48$

$4x-28=3x-15+48$　$x=33+28$　$x=61$

7 (1) 食塩の重さは $200\times\frac{6}{100}=12$ (g) だから，食塩水 A の濃度は，

$\frac{12}{200+400}\times100=\frac{12}{600}\times100=2$ (%)

(2) 食塩水 B の濃度を x % とすると，食塩水 C にふくまれる食塩の重さから，

$400\times\frac{6}{100}+800\times\frac{x}{100}=(400+800)\times\frac{4}{100}$

両辺に 100 をかけて，$2400+800x=4800$

$800x=4800-2400$　$800x=2400$　$x=3$

(3) 食塩水 A を x g，食塩水 B を $(500-x)$ g 混ぜ合わせたとすると，ふくまれる食塩の重さから，

$\frac{2}{100}x+\frac{3}{100}(500-x)=\frac{3.5}{100}(500-200)$

両辺に 100 をかけて，$2x+3(500-x)=3.5\times300$

$2x+1500-3x=1050$　$-x=-450$　$x=450$

! ココに注意

食塩水の濃度 (%)$=\frac{\text{食塩の重さ}}{\text{食塩水の重さ}}\times100$ だから，

食塩の重さ＝食塩水の重さ$\times\frac{\text{食塩水の濃度 (\%)}}{100}$

食塩水を混ぜる文章題では，食塩水を混ぜる前と後でふくまれる食塩の重さは変わらないことを利用して式をつくるとよい。

2 連立方程式

STEP 1 まとめノート

本冊 ⇨ pp.48 ～ 49

例題1 (1) ① 2　② 6　③ 18　④ 7　⑤ 35　⑥ 5　⑦ 5　⑧ 5　⑨ −3
(2) ① 代入　② $3y-2$　③ 8　④ 10　⑤ 2　⑥ 2　⑦ 4

例題2 ① 12　② 3　③ 41　④ 10　⑤ $4y$　⑥ 4　⑦ 123　⑧ 16　⑨ −7　⑩ −21　⑪ 3　⑫ 3　⑬ 8

例題3 ① 5　② 5　③ $3x+y=5$　④ 2　⑤ −1

例題4 ① $3a+4b$　② 1　③ −1

例題5 ① 31　② $150y$　③ 6　④ 6　⑤ 25　⑥ 25　⑦ 6

例題6 ① 135　② 5　③ $1.2y$　④ 70　⑤ 60　⑥ 70　⑦ 63　⑧ 60　⑨ 1.2　⑩ 72

STEP 2 実力問題

本冊 ⇨ pp.50 ～ 51

1 (1) $x=3$，$y=-1$　(2) $x=3$，$y=4$
(3) $x=2$，$y=1$　(4) $x=2$，$y=1$
(5) $x=3$，$y=-\frac{1}{2}$　(6) $x=7$，$y=\frac{16}{3}$
(7) $x=-6$，$y=4$　(8) $x=3$，$y=1$

2 $a=7$，解…$x=9$，$y=3$

3 (1) 16 枚
(2) 大人 1 人の入園料…560 円，
子ども 1 人の入園料…260 円

4 昨年度の男子…110 人，
昨年度の女子…120 人

5 (例) ボールペン 1 本の値段を x 円，ノート 1 冊の値段を y 円とする。先月の売り上げ金額から，

$120y=60x+12600$　$2y=x+210$

$x=2y-210$ …①

今月のボールペンの販売数は，

$60\times(1+0.4)=84$ (本)

ノートの販売数は，$120\times(1-0.25)=90$ (冊)

先月のボールペンとノートの売り上げ金額は $(60x+120y)$ 円だから，

$84x+90y=(60x+120y)\times(1-0.1)$

$84x+90y=54x+108y$　$30x=18y$

$5x=3y$ …②

①，②より，$5(2y-210)=3y$

$10y-1050=3y$　$7y=1050$　$y=150$

これを①に代入して，$x=2\times150-210$　$x=90$

よって，ボールペン 1 本は 90 円，ノート 1 冊は 150 円

6 (例) 太一さんの家から図書館までの道のりを x km，真二さんの家から図書館までの道のりを y km とすると，

$$\begin{cases} x+y=2 & \cdots① \\ \dfrac{x}{12}-\dfrac{y}{4}=\dfrac{5}{60} & \cdots② \end{cases}$$

②×12　$x-3y=1$ …③

①−③より，$4y=1$　$y=\dfrac{1}{4}$

これを①に代入して，$x+\dfrac{1}{4}=2$　$x=\dfrac{7}{4}$

よって，太一さんの家から図書館までの道のりは $\dfrac{7}{4}$ km，真二さんの家から図書館までの道のりは $\dfrac{1}{4}$ km

7 (1) $\begin{cases} y+2x=x+28 \\ 150x+150y+150\times0.8\times2x \\ \quad +100(120-3x-y)=14000 \end{cases}$

(2) $x=15$，$y=13$

解説

1 (1)〜(7)で，上の式を①，下の式を②とする。

(1) ①×5−②

$$\begin{array}{rr} & 5x+10y=5 \\ -) & 5x+9y=6 \\ \hline & y=-1 \end{array}$$

これを①に代入して，$x-2=1$　$x=3$

(2) ①×3+②

$$\begin{array}{rr} & 15x-3y=33 \\ +) & x+3y=15 \\ \hline & 16x=48 \quad x=3 \end{array}$$

これを②に代入して，$3+3y=15$　$y=4$

(3) ①を②に代入して，$2(3y-1)-y=3$

$6y-2-y=3$　$5y=5$　$y=1$

これを①に代入して，$x=3\times1-1$　$x=2$

(4) ②を①に代入して，$x+2(3x-5)=4$

$x+6x-10=4$　$7x=14$　$x=2$

これを②に代入して，$y=3\times2-5=1$

(5) ①より，$x-2x+2y=-4$　$-x+2y=-4$ …③

②より，$3x+3y+3+y=10$　$3x+4y=7$ …④

③×2−④

$$\begin{array}{rr} & -2x+4y=-8 \\ -) & 3x+4y=7 \\ \hline & -5x=-15 \quad x=3 \end{array}$$

これを③に代入して，$-3+2y=-4$　$y=-\dfrac{1}{2}$

(6) ①×10　$5x-3y=19$ …③

②×3　$2x+3y=30$ …④

③+④ より，$7x=49$　$x=7$

これを④に代入して，$14+3y=30$　$y=\dfrac{16}{3}$

(7) ①×6　$3(x+y)-2x=6$　$3x+3y-2x=6$

$x+3y=6$ …③

③−② より，$y=4$

これを②に代入して，$x+8=2$　$x=-6$

(8) $\dfrac{x-y}{2}=\dfrac{x+y}{4}=1$ より，

$\begin{cases} \dfrac{x-y}{2}=1 \\ \dfrac{x+y}{4}=1 \end{cases}$　整理すると，$\begin{cases} x-y=2 & \cdots① \\ x+y=4 & \cdots② \end{cases}$

①+② より，$2x=6$　$x=3$

これを①に代入して，$3-y=2$　$y=1$

2 $x:y=3:1$ より，$x=3y$

$x-y=6$ に代入して，$2y=6$　$y=3$

これを $x=3y$ に代入して，$x=9$

よって，$x=9$，$y=3$ を $2x+y=3a$ に代入して，

$18+3=3a$　$3a=21$　$a=7$

3 (1) 80 円切手を x 枚，90 円切手を y 枚買ったとすると，$\begin{cases} x=2y & \cdots① \\ 80x+90y=2000 & \cdots② \end{cases}$

②÷10　$8x+9y=200$

これに①を代入して，$16y+9y=200$

$25y=200$　$y=8$

これを①に代入して，$x=2\times8$　$x=16$

別解　90 円切手を x 枚買ったとすると，80 円切手は $2x$ 枚買ったから，$80\times2x+90x=2000$

$250x=2000$　$x=8$

よって，80 円切手は，$2\times8=16$ (枚)

(2) 大人 1 人の入園料を x 円，子ども 1 人の入園料を y 円とすると，

$$\begin{cases} 2x+3y=1900 & \cdots① \\ 3x+4y=2720 & \cdots② \end{cases}$$

①×3−②×2 より，$y=260$

これを①に代入して，$2x+780=1900$

$2x=1120$　$x=560$

4 昨年度の男子を x 人，女子を y 人とすると，

$\begin{cases} x+y=230 & \cdots① \\ 0.1x-0.05y=5 & \cdots② \end{cases}$

②×100　$10x-5y=500$　$2x-y=100$ …③

①+③より，$3x=330$　$x=110$

これを①に代入して，$110+y=230$　$y=120$

7 (1) ①，②，④より，2 日目に販売した個数から，

$y+2x=x+28$ …㋐

①，②，③，⑤より，3 日間の売り上げ代金は，

1 日目が $150x$ 円，

2 日目が $\{150y+150\times(1-0.2)\times2x\}$ 円，

3 日目が $100(120-x-2x-y)$ 円だから，

$150x+150y+150\times0.8\times2x+100(120-3x-y)$

$=14000$ …㋑

(2) ㋐より，$x+y=28$ …㋒

㋑より，

$150x+150y+240x+12000-300x-100y$

$=14000$

$90x+50y=2000$　$9x+5y=200$ …㋓

㋓−㋒×5 より，$4x=60$　$x=15$

これを㋒に代入して，$15+y=28$　$y=13$

STEP 3 発展問題

本冊⇨pp.52 ～ 53

1 (1) $x=-1$，$y=-5$　(2) $x=\frac{5}{3}$，$y=1$

(3) $x=\frac{4}{3}$，$y=-\frac{1}{2}$　(4) $x=2$，$y=1$

(5) $x=\frac{3}{7}$，$y=-\frac{11}{28}$　(6) $x=5$，$y=-2$

2 7 個

3 (1) 2 km

(2) $\begin{cases} \frac{x}{12}+\frac{y}{4}=\frac{10}{60} \\ \left(\frac{y}{12}+\frac{x}{4}\right)+\frac{8}{60}=\frac{2}{4} \end{cases}$

本屋から図書館までの道のり…3.6 km

4 $a=340$，$b=120$

5 (1) 72 人　(2) ① $y=-x+56$

② $x=32$，$y=24$

6 (1) $x=\frac{5}{6}$，$y=\frac{15}{7}$　(2) $x=\frac{1}{2}$，$y=\frac{3}{2}$

7 (1) $y=7x$　(2) 36 km　(3) 10 分

解説

1 (1)～(5)で，上の式を①，下の式を②とする。

(1) ①×2　$6x-(y-1)=0$　$6x-y=-1$ …③

②より，$6x+y=-11$ …④

③+④より，$12x=-12$　$x=-1$

これを③に代入して，$-6-y=-1$　$y=-5$

(2) ①より，$9x-8y=7$ …③

②より，$6x=5(y+1)$　$6x-5y=5$ …④

③×2−④×3 より，$-y=-1$　$y=1$

これを④に代入して，$6x-5=5$　$x=\frac{5}{3}$

(3) ①×8　$8x-(4y+3)=14(x+y)-2$

整理して，$6x+18y=-1$ …③

②より，$3x-2y=5$ …④

③−④×2 より，$22y=-11$　$y=-\frac{1}{2}$

これを④に代入して，$3x+1=5$　$x=\frac{4}{3}$

(4) ①×24　$3(5x-2)-8(y-4)=48$

整理して，$15x-8y=22$ …③

②より，$6x-2+12y-21=1$

整理して，$x+2y=4$ …④

③+④×4 より，$19x=38$　$x=2$

これを④に代入して，$2+2y=4$　$y=1$

(5) ①×6　$3(3x+2)-(8y+7)=6$

整理して，$9x-8y=7$ …③

②×20　$6x+4(y+1)=5$

整理して，$6x+4y=1$ …④

③+④×2 より，$21x=9$　$x=\frac{3}{7}$

これを④に代入して，$6\times\frac{3}{7}+4y=1$　$y=-\frac{11}{28}$

(6) $\frac{x+y-1}{4}=\frac{x-y-4}{6}=\frac{2x+y-7}{2}$ より，

$\begin{cases} \frac{x+y-1}{4}=\frac{2x+y-7}{2} & \cdots① \\ \frac{x-y-4}{6}=\frac{2x+y-7}{2} & \cdots② \end{cases}$

①×4　$x+y-1=2(2x+y-7)$

整理して，$3x+y=13$ …③

②×6　$x-y-4=3(2x+y-7)$

整理して，$5x+4y=17$ …④

③×4−④より，$7x=35$　$x=5$

これを③に代入して，$3\times5+y=13$　$y=-2$

2 みかんの個数を x 個，りんごの個数を y 個とすると，かきの個数は，$(15-x-y)$ 個となる。

$\begin{cases} x+y=2(15-x-y) & \cdots① \\ 30x+60y+80(15-x-y)=790 & \cdots② \end{cases}$

①を整理して，$x+y=10$ …③

②を整理して，$5x+2y=41$ …④

④−③×2 より，$3x=21$　$x=7$

3 (1) 図書館から2人が出会ったところまで，Bさんは自転車に乗っていて，時速12kmで10分かかっているから，$12\times\frac{10}{60}=2$ (km)

(2) 整理すると，右の図のようになる。

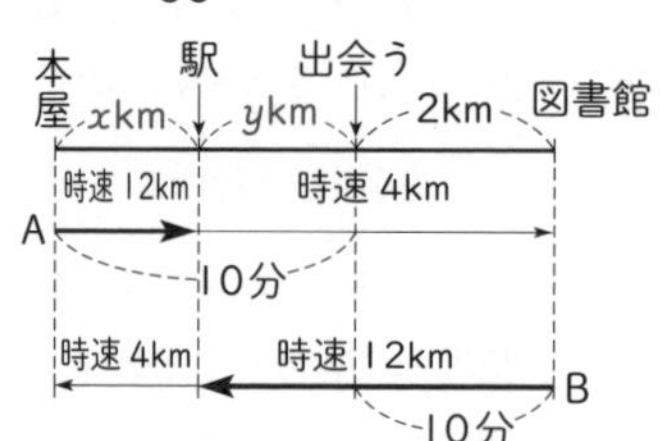

Aさんは本屋から2人が出会ったところまで10分かかるから，$\frac{x}{12}+\frac{y}{4}=\frac{10}{60}$

整理して，$x+3y=2$ …①

次に，Aさんは2人が出会ってから図書館に着くまで $\frac{2}{4}$ 時間かかっているから，2人が出会ってからBさんが本屋に着くまでの時間を考えると，

$\left(\frac{y}{12}+\frac{x}{4}\right)+\frac{8}{60}=\frac{2}{4}$

整理して，$15x+5y=22$ …②

①×15−② より，$40y=8$　$y=0.2$

これを①に代入して，$x+0.6=2$　$x=1.4$

よって，本屋から図書館までの道のりは，

$x+y+2=1.4+0.2+2=3.6$ (km)

4 食塩水について方程式をつくると，

$a+b+2b=300+400$　$a+3b=700$ …①

ふくまれている食塩について方程式をつくると，

$\frac{6}{100}a+\frac{7}{100}b+\frac{8}{100}\times2b=300\times\frac{4}{100}+400\times\frac{9}{100}$

両辺に100をかけて整理すると，

$6a+23b=4800$ …②

②−①×6 より，$5b=600$　$b=120$

これを①に代入して，$a+360=700$　$a=340$

5 (1) A中学校の人数を a 人とすると，

$a+\frac{1}{2}a+\frac{1}{3}a=60+72$　$\frac{11}{6}a=132$　$a=72$

(2) 各校の人数は，

Bmade中学が

$72\times\frac{1}{2}=36$ (人)

C中学が

$72\times\frac{1}{3}=24$ (人) である。

	男子	女子	計
A中学	x	$72-x$	72
B中学	y	$36-y$	36
C中学	$60-x-y$	$x+y-36$	24
計	60	72	132

さらに，各校の男子，女子の人数を x, y を用いて表すと，上の表のようになる。

① $(72-x)+(60-x-y)=y+(x+y-36)$ だから，

$132-2x-y=x+2y-36$　$3y=-3x+168$

よって，$y=-x+56$ …㋐

② $y:(72-x)=3:5$ より，$5y=3(72-x)$

$5y=216-3x$　$3x+5y=216$ …㋑

㋑に㋐を代入して，$3x+5(-x+56)=216$

$-2x=-64$　$x=32$

これを㋐に代入して，$y=-32+56=24$

6 (1) $x+\frac{1}{6}=A$, $y-\frac{1}{7}=B$ とおくと，

$\begin{cases}2A+3B=8 & \cdots① \\ 3A-2B=-1 & \cdots②\end{cases}$

①×2+②×3 より，$13A=13$　$A=1$

これを①に代入して，$2+3B=8$　$B=2$

よって，$x+\frac{1}{6}=1$　$x=\frac{5}{6}$

$y-\frac{1}{7}=2$　$y=\frac{15}{7}$

(2) $\frac{1}{x+y}=A$, $\frac{1}{x-y}=B$ とおくと，

$\begin{cases}2A+3B=-2 & \cdots① \\ 2A-B=2 & \cdots②\end{cases}$

①−② より，$4B=-4$　$B=-1$

これを②に代入して，$2A+1=2$　$A=\frac{1}{2}$

よって，$\frac{1}{x+y}=\frac{1}{2}$ より，$x+y=2$ …③

$\frac{1}{x-y}=-1$ より，$x-y=-1$ …④

③+④ より，$2x=1$　$x=\frac{1}{2}$

これを③に代入して，$\frac{1}{2}+y=2$　$y=\frac{3}{2}$

! ココに注意

分母に文字があるとき，$\frac{1}{x+y}=A$, $\frac{1}{x-y}=B$ とおき，A と B を求め，それから x と y を求める。

7 (1) 通常の上りの速さは毎時 $(y-x)$ km，通常の下りの速さは毎時 $(y+x)$ km だから，AB間の距離について式をつくると，

$(y-x)\times2=(y+x)\times1.5$　$4(y-x)=3(y+x)$

$4y-4x=3y+3x$　$y=7x$

! ココに注意

静水時の船の速さ，流れの速さをそれぞれ x km, y km とすると，

上りの速さは，毎時 $(x-y)$ km

下りの速さは，毎時 $(x+y)$ km

(2) (1)より，通常の上りの速さは毎時

$y-x=7x-x=6x$ (km) だから，増水時の上りの

速さは毎時 $(6x-3)$ km である。

2 時間 24 分$=2\frac{24}{60}$ 時間$=2.4$ 時間だから，AB 間の距離について式をつくると，

$6x\times2=(6x-3)\times2.4$　$x=(6x-3)\times0.2$

$x=1.2x-0.6$　$-0.2x=-0.6$　$x=3$

よって，AB 間の距離は　$6\times3\times2=36$ (km)

(3) 増水時の下りの速さは毎時

$(y+x)+3=(7x+x)+3=8x+3$ (km) だから，

増水時の下りにかかった時間は，

$\frac{36}{8x+3}=\frac{36}{8\times3+3}=\frac{36}{27}=\frac{4}{3}$ (時間)

よって，$1.5-\frac{4}{3}=\frac{1}{6}$ (時間)$=10$ 分

3 2次方程式

STEP 1 まとめノート

本冊⇨pp.54 ～ 55

例題1 (1) ① $\sqrt{6}$　② 3　③ $\sqrt{6}$

(2) ① 7　② $\frac{7}{4}$　③ $\frac{\sqrt{7}}{2}$　④ 1　⑤ $\frac{\sqrt{7}}{2}$

例題2 ① -7　② 代入　③ 2　④ -7　⑤ -7
⑥ 4　⑦ 7　⑧ 17

例題3 (1) ① 7　② 6　③ 7　④ 6　⑤ 7
⑥ -6

(2) ① 7　② 0　③ 7

(3) ① $x-3$　② $x-3$　③ 3

(4) ① x^2+x-6　② x^2-x-6　③ 3
④ 2　⑤ 3　⑥ -2

例題4 ① -3　② -3　③ 6　④ $x^2-6x-27$
⑤ 3　⑥ 9　⑦ 9　⑧ 9

例題5 ① $x+1$　② $x+1$　③ x^2+x-20
④ 5　⑤ 4　⑥ 5　⑦ 4　⑧ 5
⑨ -4　⑩ 4　⑪ 5　⑫ 5　⑬ -4
⑭ 4　⑮ 5

例題6 ① $x+7$　② $x-1$　③ $x-1$
④ $x^2-9x-52$　⑤ 13　⑥ 4　⑦ 13
⑧ 8　⑨ 13　⑩ 13

STEP 2 実力問題

本冊⇨pp.56 ～ 57

1 (1) $x=1\pm\sqrt{7}$　(2) $x=1$，$x=-13$

(3) $x=\frac{-3\pm\sqrt{29}}{2}$　(4) $x=\frac{3\pm\sqrt{21}}{6}$

(5) $x=-5$，$x=2$　(6) $x=0$，$x=4$

2 (1) $x=\frac{-3\pm\sqrt{5}}{2}$　(2) $x=7$，$x=-2$

(3) $x=\frac{3\pm\sqrt{5}}{2}$　(4) $x=\frac{5\pm\sqrt{33}}{4}$

(5) $x=0$，$x=3$　(6) $x=-1$，$x=-6$

3 (1) $x=\frac{-1+\sqrt{3}}{2}$

(2) $x=-1$

(3) ① $a=6$　② $x=-3$

4 イ

5 (1) 最も大きい数…$x+2$，
2 番目に大きい数…$x+1$

(2) (例) $(x+2)(x+1)=6x+20$

$x^2+3x+2=6x+20$　$x^2-3x-18=0$

$(x-6)(x+3)=0$　$x=6$，$x=-3$

x は自然数だから，$x=-3$ は適さない。

よって，$x=6$ より，3 つの自然数は 6，7，8

6 $x(50-x)=600$

7 $3-\sqrt{3}$ (m)

8 8 cm

9 5 m

解説

1 (1) $(x-1)^2=7$　$x-1=\pm\sqrt{7}$　$x=1\pm\sqrt{7}$

(2) $(x+6)^2+1=50$　$(x+6)^2=49$　$x+6=\pm7$

$x=-6\pm7$　$x=-6+7=1$，$x=-6-7=-13$

(3) $x^2+3x-5=0$　解の公式を用いて，

$x=\frac{-3\pm\sqrt{3^2-4\times1\times(-5)}}{2\times1}=\frac{-3\pm\sqrt{9+20}}{2}$

$=\frac{-3\pm\sqrt{29}}{2}$

(4) $3x^2-3x-1=0$　解の公式を用いて，

$x=\frac{-(-3)\pm\sqrt{(-3)^2-4\times3\times(-1)}}{2\times3}=\frac{3\pm\sqrt{21}}{6}$

(5) $x^2+3x-10=0$　$(x+5)(x-2)=0$

$x=-5$，$x=2$

(6) $x^2-4x=0$　$x(x-4)=0$　$x=0$，$x=4$

2 (1) $x(x+5)=2x-1$　$x^2+5x=2x-1$

$x^2+3x+1=0$　解の公式を用いて，

$x=\frac{-3\pm\sqrt{3^2-4\times1\times1}}{2\times1}=\frac{-3\pm\sqrt{5}}{2}$

(2) $x(x-3)=2(x+7)$　$x^2-3x=2x+14$

$x^2-5x-14=0$　$(x-7)(x+2)=0$

$x=7$，$x=-2$

(3) $(x+1)(x-3)=x-4$　$x^2-2x-3=x-4$

$x^2-3x+1=0$　解の公式を用いて，

$x=\frac{-(-3)\pm\sqrt{(-3)^2-4\times1\times1}}{2\times1}=\frac{3\pm\sqrt{5}}{2}$

(4) $(x+1)(x-1)=5x-x^2$　$x^2-1=5x-x^2$

$2x^2-5x-1=0$　解の公式を用いて，

$x=\frac{-(-5)\pm\sqrt{(-5)^2-4\times2\times(-1)}}{2\times2}=\frac{5\pm\sqrt{33}}{4}$

(5) $(x+2)^2=7x+4$　$x^2+4x+4=7x+4$

$x^2-3x=0$　$x(x-3)=0$　$x=0$，$x=3$

(6) $(x+2)(x-3)=2x(x+3)$

$x^2-x-6=2x^2+6x$　$x^2+7x+6=0$

$(x+1)(x+6)=0$　$x=-1$，$x=-6$

3 (1) $(2x+1)^2-3=0$　$(2x+1)^2=3$

$2x+1=\pm\sqrt{3}$　$2x=-1\pm\sqrt{3}$　$x=\frac{-1\pm\sqrt{3}}{2}$

よって，大きいほうの解は $x=\frac{-1+\sqrt{3}}{2}$

(2) $2(x+3)=(x-1)^2$　$2x+6=x^2-2x+1$

$x^2-4x-5=0$　$(x-5)(x+1)=0$

$x=5$，$x=-1$

よって，負の解は $x=-1$

(3) ① 2 次方程式 $x(x+1)=a$ に $x=2$ を代入すると，$2\times3=a$　$a=6$

② もとの 2 次方程式は　$x(x+1)=6$

$x^2+x-6=0$　$(x+3)(x-2)=0$　$x=-3$，$x=2$

よって，もう 1 つの解は $x=-3$

4 2 次方程式 $x^2+2x-2=0$ の解は，解の公式を用いて，$x=\frac{-2\pm\sqrt{2^2-4\times1\times(-2)}}{2\times1}$

$=\frac{-2\pm\sqrt{12}}{2}=\frac{-2\pm2\sqrt{3}}{2}=-1\pm\sqrt{3}$

$1<\sqrt{3}<2$ だから，$0<-1+\sqrt{3}<1$ である。

もう 1 つの解 $-1-\sqrt{3}$ は，$-2<-\sqrt{3}<-1$ より，

$-3<-1-\sqrt{3}<-2$ だから，**イ**

6 縦の長さを x cm とすると，まわりの長さが 100 cm だから，

縦の長さ+横の長さ$=100\div2=50$ (cm)

よって，横の長さは $(50-x)$ cm と表される。

このとき，$x(50-x)=600$ である。

7 縦の長さを x m とすると，横の長さは $(6-x)$ m，

長方形の面積は 6 m^2 だから，

$x(6-x)=6$　$6x-x^2=6$　$x^2-6x+6=0$

解の公式を用いて，

$x=\frac{-(-6)\pm\sqrt{(-6)^2-4\times1\times6}}{2\times1}=\frac{6\pm\sqrt{12}}{2}$

$=\frac{6\pm2\sqrt{3}}{2}=3\pm\sqrt{3}$

縦の長さが横の長さより短いから，$0<x<3$ より，

$3+\sqrt{3}$ は適さない。

よって，$x=3-\sqrt{3}$ より，縦の長さは $(3-\sqrt{3})$ m

8 AC$=x$ cm とする。

$x^2+(13-x)^2$

$=x(13-x)+49$

$x^2+169-26x+x^2$

$=13x-x^2+49$

$3x^2-39x+120=0$　$x^2-13x+40=0$

$(x-5)(x-8)=0$　$x=5$，$x=8$

AC>CB より，$x=5$ は適さない。

よって，$x=8$ より，AC の長さは 8 cm

9 小さい花だんの縦の長さを x m とすると，横の長さは $(14-x)$ m

大きい花だんの縦と横の長さは，どちらも小さい花だんの縦と横の長さよりも 2 m ずつ長いから，

縦の長さは $(x+2)$m，横の長さは $(16-x)$ m

よって，花だんの面積の関係から，

$(x+2)(16-x)=2x(14-x)-13$

$16x-x^2+32-2x=28x-2x^2-13$

$x^2-14x+45=0$　$(x-9)(x-5)=0$　$x=9$，$x=5$

小さい花だんの縦の長さは横の長さよりも短いから，$0<x<7$ より，$x=9$ は適さない。

したがって，$x=5$ より，小さい花だんの縦の長さは 5 m

STEP 3 発展問題

本冊⇨pp.58 ～ 59

1 (1) $x=0$，$x=-5$　(2) $x=\frac{6\pm\sqrt{2}}{2}$

(3) $x=5$，$x=-2$　(4) $x=-4\pm4\sqrt{2}$

(5) $x=6$，$x=-2$　(6) $x=5\pm2\sqrt{10}$

2 (1) 5，6　(2) $x=2$

3 (1) $a=-3$，$b=-18$　(2) $2+\sqrt{14}$

4 (1) $a=2$，$b=1$　(2) $x=-26$

5 $a=3$，$b=6$ のとき，$x=3$

$a=4$，$b=3$ のとき，$x=2$

6 4 時間後

7 (1) $8\left(1-\frac{x}{100}\right)$ %

(2) (例) (1)の食塩水には $8\left(1-\frac{x}{100}\right)$ g の食塩がふくまれていて，$2x$ g の食塩水をくみ出すとき，その中の食塩は

$2x\times\frac{8\left(1-\frac{x}{100}\right)}{100}$ g

よって，$2x$ g の水を入れてできる食塩水にふくまれる食塩は，

$8\left(1-\frac{x}{100}\right)-2x\times\frac{8\left(1-\frac{x}{100}\right)}{100}$

$=8\left(1-\frac{x}{100}\right)\left(1-\frac{2x}{100}\right)$ (g)

これが 3 %の食塩水 100 g にふくまれる食塩の量に等しいから，

$8\left(1-\frac{x}{100}\right)\left(1-\frac{2x}{100}\right)=100\times\frac{3}{100}$

$\frac{x}{100}=X$ とおくと，$8(1-X)(1-2X)=3$

$16X^2-24X+5=0$　$(4X)^2-6\times(4X)+5=0$

$(4X-5)(4X-1)=0$　$X=\frac{5}{4}$，$X=\frac{1}{4}$

$0\leqq x\leqq 100$ だから，$0\leqq X\leqq 1$ より，

$X=\frac{5}{4}$ は適さない。

したがって，$X=\frac{1}{4}$　$\frac{x}{100}=\frac{1}{4}$　$x=25$

8 (1) $(x,\ y)=\left(\frac{1}{5},\ \frac{9}{5}\right)$，$\left(\frac{6}{5},\ \frac{4}{5}\right)$

(2) $x=-\sqrt{2}$，$x=\sqrt{3}-\sqrt{2}$

9 (1) $x=150$　(2) $y=2$

解説

1 (1) $(x+5)^2-2x-10=3x+15$

$x^2+10x+25-2x-10-3x-15=0$

$x^2+5x=0$　$x(x+5)=0$　$x=0$，$x=-5$

(2) $(2x-5)^2=2(3x-7)(x-3)$

$4x^2-20x+25=2(3x^2-9x-7x+21)$

$4x^2-20x+25=6x^2-32x+42$

$2x^2-12x+17=0$　解の公式を用いて，

$x=\frac{-(-12)\pm\sqrt{(-12)^2-4\times2\times17}}{2\times2}=\frac{12\pm\sqrt{8}}{4}$

$=\frac{12\pm2\sqrt{2}}{4}=\frac{6\pm\sqrt{2}}{2}$

(3) $x+1=X$ とおくと，$X^2-5X-6=0$

$(X-6)(X+1)=0$　$X=6$，$X=-1$

$x+1=6$ より $x=5$，$x+1=-1$ より $x=-2$

(4) $\left(3-\frac{1}{2}x\right)^2=(x-1)(x+4)+1$

$9-3x+\frac{1}{4}x^2=x^2+3x-4+1$

$\frac{3}{4}x^2+6x-12=0$　$x^2+8x-16=0$

解の公式を用いて，

$x=\frac{-8\pm\sqrt{8^2-4\times1\times(-16)}}{2\times1}=\frac{-8\pm\sqrt{128}}{2}$

$=\frac{-8\pm8\sqrt{2}}{2}=-4\pm4\sqrt{2}$

(5) $\frac{(x-2)(x+4)}{4}=\frac{(x-1)(x+6)}{6}$

$3(x-2)(x+4)=2(x-1)(x+6)$

$3(x^2+2x-8)=2(x^2+5x-6)$

$3x^2+6x-24=2x^2+10x-12$　$x^2-4x-12=0$

$(x-6)(x+2)=0$　$x=6$，$x=-2$

(6) $\sqrt{2}x^2-10\sqrt{2}x=(6-\sqrt{6})(3\sqrt{2}+\sqrt{3})$

$\sqrt{2}x^2-10\sqrt{2}x$

$=(\sqrt{2}\times3\sqrt{2}-\sqrt{2}\times\sqrt{3})(3\sqrt{2}+\sqrt{3})$

$\sqrt{2}x^2-10\sqrt{2}x=\sqrt{2}(3\sqrt{2}-\sqrt{3})(3\sqrt{2}+\sqrt{3})$

両辺を $\sqrt{2}$ でわると，

$x^2-10x=(3\sqrt{2}-\sqrt{3})(3\sqrt{2}+\sqrt{3})$

$x^2-10x=18-3$　$x^2-10x-15=0$

解の公式を用いて，

$x=\frac{-(-10)\pm\sqrt{(-10)^2-4\times1\times(-15)}}{2\times1}$

$=\frac{10\pm\sqrt{160}}{2}=\frac{10\pm4\sqrt{10}}{2}=5\pm2\sqrt{10}$

2 (1) 連続した 2 つの自然数を x，$x+1$ とすると，

$x^2+(x+1)^2=5\{x+(x+1)\}+6$

$x^2+x^2+2x+1=10x+5+6$

$2x^2-8x-10=0$　$x^2-4x-5=0$

$(x-5)(x+1)=0$　$x=5$，$x=-1$

x は自然数だから，$x=-1$ は適さない。

よって，$x=5$ より，2 つの自然数は 5，6

(2) $(x+6)^2=6(x+2)+40$

$x^2+12x+36=6x+12+40$　$x^2+6x-16=0$

$(x+8)(x-2)=0$　$x=-8$，$x=2$

$x>0$ より，$x=-8$ は適さない。

よって，$x=2$

3 (1) 2 次方程式 $x^2-x-2=0$ の解は，

$(x-2)(x+1)=0$　$x=2$，$x=-1$

よって，$x^2+ax+b=0$ の 2 つの解は，

$2\times3=6$，$-1\times3=-3$

これらをそれぞれ代入して，$36+6a+b=0$ …①，

$9-3a+b=0$ …②

①，②より，$a=-3$，$b=-18$

別解　$x=6$，$x=-3$ を解にもつ x^2 の係数が 1 である 2 次方程式は $(x-6)(x+3)=0$ だから，

左辺を展開して，$x^2-3x-18=0$

これと $x^2+ax+b=0$ の係数を比べて，

$a=-3$，$b=-18$

(2) 2 次方程式 $x^2-8x+2=0$ を解の公式を用いて解くと，

$x=\dfrac{-(-8)\pm\sqrt{(-8)^2-4\times1\times2}}{2\times1}=\dfrac{8\pm\sqrt{56}}{2}$

$=\dfrac{8\pm2\sqrt{14}}{2}=4\pm\sqrt{14}$

よって，大きいほうの解は $x=4+\sqrt{14}$

$3<\sqrt{14}<4$ より，$7<4+\sqrt{14}<8$ だから，$a=7$

$b=(4+\sqrt{14})-7=\sqrt{14}-3$

よって，$ab+b^2=b(a+b)=(\sqrt{14}-3)(\sqrt{14}+4)$

$=14+\sqrt{14}-12=2+\sqrt{14}$

4 (1) 2 次方程式 $x^2+(a^2-b^2)x+2=0$ に $x=-1$ を代入して，$1-(a^2-b^2)+2=0$　$a^2-b^2=3$

$(a+b)(a-b)=3$

a，bは自然数で $a>b$ だから，

$a+b>a-b>0$ となり，$\begin{cases}a+b=3\\a-b=1\end{cases}$

よって，$a=2$，$b=1$

(2) 2 次方程式 $2x^2+2c^3dx-cd^3=50$ に $x=2$ を代入して，$8+4c^3d-cd^3=50$

$4c^3d-cd^3=42$　$cd(4c^2-d^2)=42$

$cd(2c+d)(2c-d)=42$

$d>c$ より，$c-d<0$ だから，

$2c-d=c+c-d<c$

よって，$2c+d>d>c>2c-d$ となる。

ここで，42 を素因数分解すると，$42=2\times3\times7$ だから，$2c-d=1$，$c=2$，$d=3$，$2c+d=7$ とわかる。

2 次方程式に $c=2$，$d=3$ を代入して，

$2x^2+48x-54=50$　$x^2+24x-52=0$

$(x-2)(x+26)=0$　$x=2$，$x=-26$

したがって，もう 1 つの解は $x=-26$

5 2 次方程式 $x^2+ax-ab=0$ に $x=-6$ を代入して，

$36-6a-ab=0$　$6a+ab=36$

$a(b+6)=36$

かけて 36 になる 2 数の組み合わせは，

(1，36)，(2，18)，(3，12)，(4，9)，(6，6)

a，b は自然数で $1\leqq a\leqq6$，$7\leqq b+6\leqq12$ より，

$b+6=12$ のとき，$b=6$，$a=3$ …㋐

$b+6=9$ のとき，$b=3$，$a=4$ …㋑

㋐のとき，$x^2+3x-18=0$　$(x+6)(x-3)=0$

$x=-6$，$x=3$

よって，もう 1 つの解は $x=3$

㋑のとき，$x^2+4x-12=0$　$(x+6)(x-2)=0$

$x=-6$，$x=2$

よって，もう 1 つの解は $x=2$

6 PとQがすれ違う地点をCとし，求める時間を x 時間後とする。このとき，

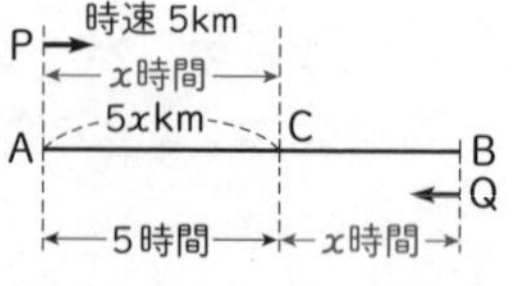

Pは，AC間を時速 5 km で x 時間進むから，AC間の距離は $5x$ km

また，Q はこの AC 間を 5 時間かけて進むから，

Q の速さは，時速 $\dfrac{5x}{5}=x$ (km)

Q はAB間の 36 km を時速 x km で $(x+5)$ 時間かけて進むから，

$x(x+5)=36$　$x^2+5x-36=0$

$(x+9)(x-4)=0$　$x=-9$，$x=4$

$x>0$ だから，$x=-9$ は適さない。

よって，$x=4$ より，4 時間後に 2 人はすれ違う。

7 (1) 8 %の食塩水 100 g には，$100\times\dfrac{8}{100}=8$ (g) の食塩がふくまれるから，この食塩水 x g の中には，食塩は $x\times\dfrac{8}{100}=\dfrac{8}{100}x$ (g) ふくまれる。

よって，食塩水 x g をくみ出し，x g の水を入れた食塩水にふくまれる食塩は，

$8-\dfrac{8}{100}x=8\left(1-\dfrac{x}{100}\right)$ (g)

したがって，この食塩水の濃度は，

$\dfrac{8\left(1-\dfrac{x}{100}\right)}{100}\times100=8\left(1-\dfrac{x}{100}\right)$ (%)

8 (1) $\begin{cases}(x+y)^2-4(x+y)+4=0 & \cdots①\\(3x-2y)^2+(3x-2y)=6 & \cdots②\end{cases}$

①について，$x+y=X$ とおくと，

$X^2-4X+4=0$　$(X-2)^2=0$　$X=2$

よって，$x+y=2$ …③

②について，$3x-2y=Y$ とおくと，

$Y^2+Y-6=0$　$(Y+3)(Y-2)=0$

$Y=-3$，$Y=2$

よって，$3x-2y=-3$ …④　または，

$3x-2y=2$ …⑤

したがって，

③，④より，$\begin{cases}x+y=2\\3x-2y=-3\end{cases}$ を解くと，

$x=\dfrac{1}{5}$，$y=\dfrac{9}{5}$

また，③，⑤より，$\begin{cases}x+y=2\\3x-2y=2\end{cases}$ を解くと，

$x=\dfrac{6}{5}$，$y=\dfrac{4}{5}$

(2) $(x+\sqrt{2}+\sqrt{3})^2-3\sqrt{3}(x+\sqrt{2}-2\sqrt{3})-21=0$

$(x+\sqrt{2}+\sqrt{3})^2-3\sqrt{3}(x+\sqrt{2})+18-21=0$

$(x+\sqrt{2}+\sqrt{3})^2-3\sqrt{3}(x+\sqrt{2})-3=0$

$x+\sqrt{2}=X$ とおくと，

$(X+\sqrt{3})^2-3\sqrt{3}X-3=0$

$X^2+2\sqrt{3}X+3-3\sqrt{3}X-3=0$　$X^2-\sqrt{3}X=0$

$X(X-\sqrt{3})=0$　$(x+\sqrt{2})(x+\sqrt{2}-\sqrt{3})=0$

$x=-\sqrt{2}$，$x=\sqrt{3}-\sqrt{2}$

9 (1) 1日目に売れた個数は $\frac{2}{10}x$ 個，2日目に売れた個数は，$\left(1-\frac{2}{10}\right)x\times\frac{3}{8}=\frac{4}{5}x\times\frac{3}{8}=\frac{3}{10}x$ (個)

だから，売れ残っていた個数に着目して，

$x-\frac{2}{10}x-\frac{3}{10}x=75$　$10x-2x-3x=750$

$5x=750$　$x=150$

(2) 定価は，$375\times\left(1+\frac{6}{10}\right)=600$ (円) であり，

2日目の売価は，$600\left(1-\frac{y}{10}\right)$ 円

3日目の売価は，$600\left(1-\frac{y}{10}\right)\left(1-\frac{2y}{10}\right)$ 円

(1)より，$x=150$ だから，1日目に売った個数は $\frac{2}{10}\times150=30$ (個) で，2日目は $\frac{3}{10}\times150=45$ (個)，3日目は75個売ったことになる。

売り上げ−仕入れ値=利益 だから，

$\left\{600\times30+600\left(1-\frac{y}{10}\right)\times45\right.$

$\left.+600\left(1-\frac{y}{10}\right)\left(1-\frac{2y}{10}\right)\times75\right\}-375\times150=4950$

$18000+27000-2700y$

$+45000\left(1-\frac{3y}{10}+\frac{2y^2}{100}\right)-56250=4950$

$90000-2700y-13500y+900y^2-61200=0$

$900y^2-16200y+28800=0$　$y^2-18y+32=0$

$(y-2)(y-16)=0$　$y=2$，$y=16$

$0<2y<10$ より，$0<y<5$ だから，$y=16$ は適さない。

よって，$y=2$

理解度診断テスト ②

本冊⇨pp.60～61

理解度診断 A…80点以上，B…60～79点，C…59点以下

1 (1) ① $x=2$　② $x=\frac{3}{2}$

(2) ① $x=-1$，$y=2$　② $x=-4$，$y=-3$

③ $x=1$，$y=-2$　④ $x=-3$，$y=7$

(3) ① $x=2\pm\sqrt{5}$　② $x=1\pm\sqrt{2}$

③ $x=\frac{-9\pm\sqrt{21}}{10}$　④ $x=9$，$x=-2$

⑤ $x=\frac{-5\pm\sqrt{37}}{2}$　⑥ $x=\frac{3\pm\sqrt{29}}{2}$

2 (1) $a=-7$　(2) $a=3$，$b=2$

(3) $a=-5$，$b=-6$

3 (1) 160円

(2) (例) 1，2年生の実行委員を x 人，3年生の実行委員を y 人とする。

$\begin{cases} x+y=28 & \cdots① \\ 3x=5y-4 & \cdots② \end{cases}$

②より，$3x-5y=-4$ …③

①×3−③　$3x+3y=84$

$\underline{-)\ 3x-5y=-4}$

$8y=88$　$y=11$

これを①に代入して，$x+11=28$　$x=17$

よって，赤い花は $3\times17=51$ (個)，

白い花は $5\times11=55$ (個)

(3) 8

4 (例) 昨日売れたシュークリームの個数を x 個，ショートケーキの個数を y 個とする。

$\begin{cases} x+y=250 & \cdots① \\ 0.1x-0.1y=-1 & \cdots② \end{cases}$

②×10　$x-y=-10$ …③

①+③より，$2x=240$　$x=120$

これを①に代入して，$120+y=250$　$y=130$

よって，昨日売れたシュークリームは120個，ショートケーキは130個

5 (1) ① $2x$　② $x+5$

(2) (例) $2x^2=(x+5)^2-1$　$2x^2=x^2+10x+25-1$

$x^2-10x-24=0$　$(x-12)(x+2)=0$

$x=12$，$x=-2$

$x>0$ より，$x=-2$ は適さない。

よって，$x=12$ より，長方形の縦の長さは12 cm

解説

1 (1) ① $2x+5=-4x+17$　$2x+4x=17-5$

$6x=12$　$x=2$

② $\frac{4x+3}{3}=-2x+6$　両辺に3をかけて，

$4x+3=-6x+18$　$4x+6x=18-3$

$10x=15$　$x=\frac{3}{2}$

(2) ①〜④で，上の式を㋐，下の式を㋑とする。

① ㋐+㋑×2

$$\begin{array}{rl} & x-2y=-5 \\ +) & 6x+2y=-2 \\ \hline & 7x \quad\quad =-7 \end{array}$$

$x=-1$

これを㋑に代入して，$-3+y=-1$　$y=2$

② ㋑を㋐に代入すると，$3x-2(3x+9)=-6$

$3x-6x-18=-6$　$-3x=12$　$x=-4$

これを㋑に代入して，$y=-12+9$　$y=-3$

③ ㋐より，$3x-5=2y+2$　$3x-2y=7$ …㋒

㋑より，$5x-10=3y+1$　$5x-3y=11$ …㋓

㋒×3−㋓×2

$$\begin{array}{rl} & 9x-6y=21 \\ -) & 10x-6y=22 \\ \hline & -x \quad\quad =-1 \end{array}$$

$x=1$

これを㋒に代入して，$3-2y=7$　$y=-2$

④ ㋐×10−㋑×6

$$\begin{array}{rl} & 10x+2y=-16 \;\cdots㋒ \\ -) & 3x+2y=\;\;5 \;\cdots㋓ \\ \hline & 7x \quad\quad =-21 \end{array}$$

$x=-3$

これを㋓に代入して，$-9+2y=5$　$y=7$

(3) ① $(x-2)^2=5$　$x-2=\pm\sqrt{5}$　$x=2\pm\sqrt{5}$

② $x^2-2x-1=0$　解の公式を用いて，

$x=\frac{-(-2)\pm\sqrt{(-2)^2-4\times1\times(-1)}}{2\times1}=\frac{2\pm\sqrt{8}}{2}$

$=\frac{2\pm2\sqrt{2}}{2}=1\pm\sqrt{2}$

③ $5x^2+9x+3=0$　解の公式を用いて，

$x=\frac{-9\pm\sqrt{9^2-4\times5\times3}}{2\times5}=\frac{-9\pm\sqrt{21}}{10}$

④ $(x-6)(x+3)=4x$　$x^2-3x-18=4x$

$x^2-7x-18=0$　$(x-9)(x+2)=0$

$x=9$，$x=-2$

⑤ $(x+2)^2=-x+7$　$x^2+4x+4=-x+7$

$x^2+5x-3=0$　解の公式を用いて，

$x=\frac{-5\pm\sqrt{5^2-4\times1\times(-3)}}{2\times1}=\frac{-5\pm\sqrt{37}}{2}$

⑥ $(x+1)(x-3)=x+2$　$x^2-2x-3=x+2$

$x^2-3x-5=0$　解の公式を用いて，

$x=\frac{-(-3)\pm\sqrt{(-3)^2-4\times1\times(-5)}}{2\times1}$

$=\frac{3\pm\sqrt{29}}{2}$

2 (1) 方程式に $x=5$ を代入して，$15+a=8$

$a=-7$

(2) $\begin{cases} ax-by=-12 \\ bx+ay=5 \end{cases}$ に解 $x=-2$，$y=3$ を代入して

整理すると，$\begin{cases} 2a+3b=12 & \cdots① \\ 3a-2b=5 & \cdots② \end{cases}$

①×2+②×3

$$\begin{array}{rl} & 4a+6b=24 \\ +) & 9a-6b=15 \\ \hline & 13a \quad\quad =39 \end{array}$$

$a=3$

これを①に代入して，$6+3b=12$　$b=2$

(3) $x^2-x-12=0$　$(x-4)(x+3)=0$

$x=4$，$x=-3$

よって，$x^2+ax+b=0$ の 2 つの解は，$4+2=6$，$-3+2=-1$ である。

これらをそれぞれ代入して，

$36+6a+b=0$ …①，$1-a+b=0$ …②

①，②より，$a=-5$，$b=-6$

3 (1) りんご 1 個の値段を x 円とすると，持っているお金に着目して，

$7x-120=6x+40$　$x=160$

(3) ある自然数を x とすると，$x^2=2x+48$

$x^2-2x-48=0$　$(x-8)(x+6)=0$

$x=8$，$x=-6$

x は自然数だから，$x=-6$ は適さない。

よって，$x=8$ より，ある自然数は 8

5 (1) ① 長方形の縦の長さを x cm とするとき，横の長さは縦の長さの 2 倍だから，$2x$ cm

② 正方形の 1 辺の長さは，長方形の縦の長さより 5 cm 長いから，$(x+5)$ cm

1 比例と反比例

STEP 1 まとめノート

本冊⇨pp.62～63

例題1 (1) ① 比例定数 ② −8 ③ −8 ④ 2 ⑤ −4 ⑥ $-4x$ ⑦ 代入 ⑧ −4 ⑨ 12
(2) ⑩ −4 ⑪ 直線

例題2 (1) ① 2 ② 2 ③ −12 ④ −12 ⑤ 曲線
(2) ① 4 ② 2 ③ 8 ④ −8 ⑤ −2 ⑥ −2 ⑦ −1 ⑧ 8

例題3 (1) ① −6 ② −3 ③ $-3x$ ④ 代入 ⑤ 6 ⑥ 6
(2) ① 2 ② $\frac{3}{4}$ ③ $\frac{3}{4}$ ④ 2

例題4 (1) ① 対称 ② 3 ③ −2 ④ 3 ⑤ $\frac{3}{2}$ ⑥ 6
(2) ⑦ 6 ⑧ $-\frac{3}{2}$ ⑨ $-\frac{3}{2}$

STEP 2 実力問題

本冊⇨pp.64～65

1 (1) $y=-12$ (2) $a=\frac{2}{3}$ (3) $y=4$

2 イ，オ

3 (1) 12個 (2) 16個

4 80 cm^2

5 (1) $y=\frac{80}{x}$ (2) $\frac{4}{3}$倍

6 $y=\frac{6}{x}$

7 (例) 点Eの x 座標が a で，点B，D，Eの x 座標は等しいから，$B\left(a, \frac{1}{a}\right)$，$D\left(a, \frac{3}{a}\right)$
同様に，点Eの y 座標が b で，点A，C，Eの y 座標は等しいから，$A\left(\frac{1}{b}, b\right)$，$C\left(\frac{3}{b}, b\right)$
よって，
$AC=\frac{3}{b}-\frac{1}{b}=\frac{2}{b}$，$BD=\frac{3}{a}-\frac{1}{a}=\frac{2}{a}$
AC=BD だから，$\frac{2}{b}=\frac{2}{a}$　$a=b$
したがって，点Eの x 座標と y 座標は等しくなる。

解説

1 (1) $y=ax$ に $x=2$，$y=8$ を代入して，
$8=2a$　$a=4$
$y=4x$ に $x=-3$ を代入して，
$y=4\times(-3)=-12$

(2) 反比例では，xy=一定の数 だから，表から，
$-9a=-3\times2$　$-9a=-6$　$a=\frac{2}{3}$

(3) x の変域が正のとき，y の変域も正となっているから，反比例の式を $y=\frac{a}{x}$ とすると，$a>0$
よって，$2\leqq x\leqq6$ で，x が増加するとき y は減少するから，$x=2$ のとき $y=6$ である。
$y=\frac{a}{x}$ に代入して，$6=\frac{a}{2}$　$a=6\times2=12$
$y=\frac{12}{x}$ に $x=3$ を代入して，$y=\frac{12}{3}=4$

! ココに注意
x の変域と y の変域から比例定数を求めるときは，まずはそれぞれの変域に注目して，比例定数の符号を決める。わかりにくい場合はグラフをかいてみるとよい。

2 ア～オについて，y を x の式で表すと，
ア…$y=150x$　イ…$y=\frac{1000}{x}$　ウ…$y=20-x$
エ…$y=\frac{x}{15}$　オ…$y=\frac{25}{x}$
よって，イとオが反比例である。

3 (1) $y=\frac{a}{x}$ に $x=12$，$y=-1.5$ を代入して，
$-1.5=\frac{a}{12}$　$a=-18$ より，$y=-\frac{18}{x}$
x 座標と y 座標がともに整数であるのは，x 座標が 18 の約数のときである。x が負のときも考えると，x は 1，2，3，6，9，18，−1，−2，−3，−6，−9，−18 の 12個

(2) $y=\frac{a}{x}$ に $x=-6$，$y=-4$ を代入して，
$-4=-\frac{a}{6}$　$a=24$ より，$y=\frac{24}{x}$
24の約数は 1，2，3，4，6，8，12，24 の 8個あり，負のときも考えて，$8\times2=16$ (個)

4 重さ x g の厚紙の面積を y cm^2 とすると，y は x に比例する。$y=ax$ とおき，$x=20$，
$y=20\times20=400$ を代入して，$400=20a$　$a=20$
よって，$y=20x$
この式に $x=4$ を代入して，$y=20\times4=80$ (cm^2)

5 (1) $xy=80$ より，$y=\frac{80}{x}$ …①

(2) BC=20 m より，①に $y=20$ を代入して，

$20=\frac{80}{x}$　$x=80\div20$　$x=4$

まわりの長さは $(20+4)\times2=48$ (m) …②

同様に，①に $x=\mathrm{AB}=10$ を代入して，$y=8$

まわりの長さは，$(10+8)\times2=36$ (m) …③

よって，②，③より，$\frac{48}{36}=\frac{4}{3}$ (倍)

6 反比例の式を $y=\frac{a}{x}$ とすると，点 A，B の x 座標はそれぞれ 3，−1 だから，$\mathrm{A}\left(3,\ \frac{a}{3}\right)$，$\mathrm{B}(-1,\ -a)$

A の y 座標が B の y 座標より 8 大きいから，

$\frac{a}{3}-(-a)=8$　$\frac{4}{3}a=8$　$a=6$

よって，$y=\frac{6}{x}$

STEP 3 発展問題

本冊⇨pp.66 ～ 67

1 (1) $z=2$　(2) $x=17$　(3) $\frac{8}{7}\leqq y\leqq\frac{8}{5}$

2 (1) 45　(2) 1

3 $\frac{3}{2}$

4 (1) ㋐ $y=2x$　㋑ $y=\frac{8}{x}$　(2) 3 cm^2

5 (1) A(3，6)，$a=2$　(2) $\frac{9}{2}$，$-\frac{9}{2}$

6 (1) $\mathrm{R}\left(\frac{8}{9}a,\ \frac{4}{9}a\right)$　(2) 3：5：4

解説

1 (1) y は x に反比例し，$x=2$ のとき $y=4$ より，

$y=\frac{8}{x}$ で，z は y に比例し，$y=4$ のとき

$z=-1$ より，$z=-\frac{1}{4}y$ である。

よって，$x=-1$ のとき $y=-8$ だから，

$z=-\frac{1}{4}\times(-8)=2$

(2) $y+7$ と $x-5$ の積は一定だから，

$(y+7)(x-5)=a$ とおき，$x=2$，$y=5$ を代入すると，$a=12\times(-3)=-36$

よって，$(y+7)(x-5)=-36$

この式に，$y=-10$ を代入して，$-3(x-5)=-36$

$x-5=12$　$x=17$

(3) $y=\frac{a}{x}$ とする。

$x=2$ のとき $y=\frac{a}{2}$，$x=4$ のとき $y=\frac{a}{4}$

x の値が 2 から 4 まで増加するとき，y の値は 2 減少するから，$\frac{a}{4}-\frac{a}{2}=-2$　$a-2a=-8$　$a=8$

よって，$y=\frac{8}{x}$ で，$5\leqq x\leqq7$ より，

$x=5$ のとき $y=\frac{8}{5}$，$x=7$ のとき $y=\frac{8}{7}$

したがって，$\frac{8}{7}\leqq y\leqq\frac{8}{5}$

2 (1) ①の式を $y=\frac{a}{x}$ とおくと，P(3，8) を通るから，

$a=8\times3=24$ より，$y=\frac{24}{x}$

この式に $x=12$ を代入して，$y=2$ だから，

Q(12，2)

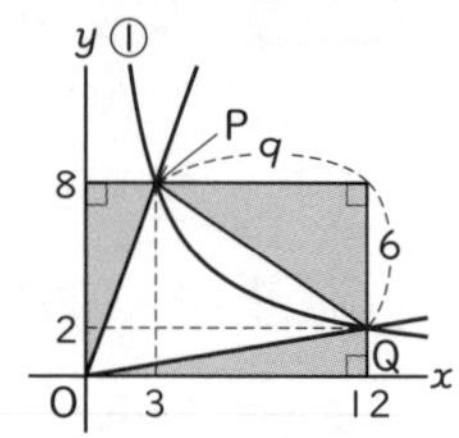

右の図のように，三角形 OPQ の面積は，長方形から色のついた 3 つの直角三角形の面積をひけばよいから，

$\triangle\mathrm{OPQ}=8\times12-\frac{1}{2}\times3\times8-\frac{1}{2}\times12\times2-\frac{1}{2}\times9\times6$

$=96-12-12-27=45$

(2) $y=\frac{a}{x}$ に $x=-2$，$y=-1$ を代入して，$a=2$

よって，$y=\frac{2}{x}$

点 P の x 座標を t とすると，$\mathrm{P}\left(t,\ \frac{2}{t}\right)$

このとき，点 Q と P の y 座標は等しいから，

$\mathrm{Q}\left(0,\ \frac{2}{t}\right)$

$t>0$ のとき，$\triangle\mathrm{OPQ}=\frac{1}{2}\times t\times\frac{2}{t}=1$

$t<0$ のとき，$\triangle\mathrm{OPQ}=\frac{1}{2}\times(-t)\times\left(-\frac{2}{t}\right)=1$

! ココに注意

図では点 P が $t>0$ でかいてあるが，グラフは 2 つあるので，$t<0$ の場合も考える必要がある。このとき，PQ の長さは $-t$ である。

3 点 A の x 座標を t $(t>0)$ とすると，$\mathrm{A}\left(t,\ \frac{10}{t}\right)$で，

CD=6 より，$\mathrm{B}\left(t+6,\ \frac{10}{t+6}\right)$となる。

AC=5BD より，$\frac{10}{t}=5\times\frac{10}{t+6}$　$10(t+6)=50t$

$t+6=5t \quad t=\dfrac{3}{2}$

$t>0$ より，これは適するから，点 A の x 座標は $\dfrac{3}{2}$

4 (1) ㋐ $y=ax$ とする。これに $x=2$，$y=4$ を代入すると，$4=2a \quad a=2$　よって，$y=2x$

㋑ $y=\dfrac{b}{x}$ とする。これに $x=2$，$y=4$ を代入すると，$4=\dfrac{b}{2} \quad b=8$　よって，$y=\dfrac{8}{x}$

(2) Q の y 座標は 2 で，$y=2x$ のグラフ上にあるから，$y=2$ を代入して，
$2=2x \quad x=1$
よって，Q(1, 2)
また，点 R の y 座標も 2 で，$y=\dfrac{8}{x}$ のグラフ上にあるから，$y=2$ を代入して，$2=\dfrac{8}{x} \quad x=4$
よって，R(4, 2)
したがって，三角形 PQR の底辺は，
QR=4−1=3 (cm)，高さは 4−2=2 (cm) だから，
面積は，$\dfrac{1}{2}\times3\times2=3$ (cm²)

5 (1) $y=\dfrac{18}{x}$ に $y=6$ を代入して，$x=3$
よって，A(3, 6)
また，点 A は① $y=ax$ のグラフ上にもあるから，$x=3$，$y=6$ を代入して，$6=3a \quad a=2$

(2) 右の図で，長方形 OBAC の面積は，
$6\times3=18$
三角形 OPQ の面積を S，辺 OQ に対する高さを h とすると，

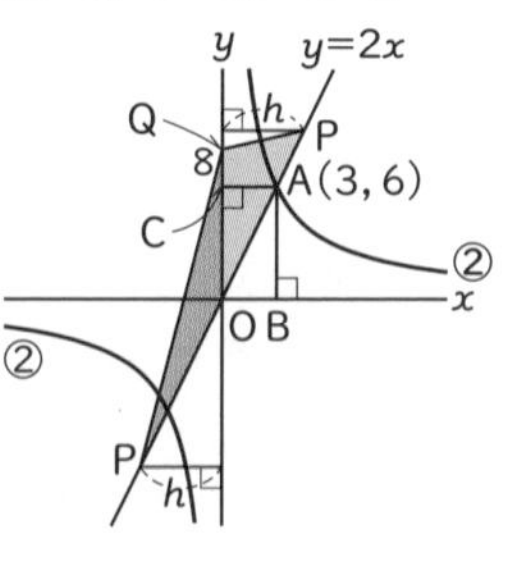

$S=\dfrac{1}{2}\times8\times h=4h$

$S=18$ のとき $4h=18$ より，$h=\dfrac{9}{2}$

点 P の x 座標が正のとき，$x=h$ より，$x=\dfrac{9}{2}$

点 P の x 座標が負のとき，$x=-h$ より，$x=-\dfrac{9}{2}$

6 (1) P の y 座標は a より，$y=3x$ に $y=a$ を代入して，$a=3x$

$x=\dfrac{1}{3}a$ だから，$\mathrm{P}\left(\dfrac{1}{3}a,\ a\right)$

よって，$\mathrm{B}\left(\dfrac{1}{3}a+t,\ a\right)$ より，$\mathrm{R}\left(\dfrac{1}{3}a+t,\ a-t\right)$

R は $y=\dfrac{1}{2}x$ 上の点だから，$x=\dfrac{1}{3}a+t$，

$y=a-t$ を代入して，$a-t=\dfrac{1}{2}\left(\dfrac{1}{3}a+t\right)$

$2a-2t=\dfrac{1}{3}a+t \quad -3t=-\dfrac{5}{3}a \quad t=\dfrac{5}{9}a$

したがって，R の座標は $\left(\dfrac{1}{3}a+\dfrac{5}{9}a,\ a-\dfrac{5}{9}a\right)$ より，$\mathrm{R}\left(\dfrac{8}{9}a,\ \dfrac{4}{9}a\right)$

(2) 右の図のように，P から x 軸に垂線をひき，x 軸との交点を Q とする。
三角形 PBR は
PB=BR,
∠PBR=90° の直角二等辺三角形だから，三角形 RCE も RC=EC の直角二等辺三角形である。

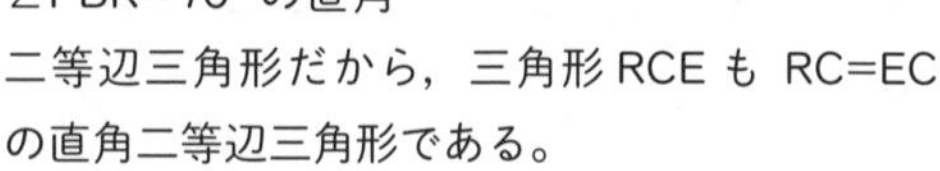

ここで，FO，PQ，RCは平行だから，
FP：PR：RE=OQ：QC：CE
$=\dfrac{1}{3}a:\dfrac{5}{9}a:\dfrac{4}{9}a=3:5:4$

! ココに注意

三角形 ABC の辺 AB，AC 上の点をそれぞれ D，E とするとき，DE//BC ならば，
・AD：AB=AE：AC=DE：BC
・AD：DB=AE：EC

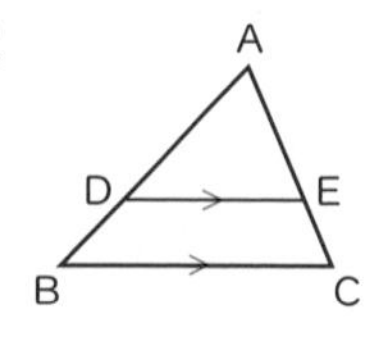

2　1次関数

STEP 1　まとめノート

本冊 ⇨ pp.68 ～ 69

例題1
(1) ① x　② 2
(2) ③ −3　④ −3　⑤ 2　⑥ 2
⑦ −1　⑧ −3　⑨ −1　⑩ 直線

例題2
(1) ① −2　② −2　③ 3　④ −2
⑤ 5　⑥ $-2x+5$
(2) ① $3a+b$　② $9a+b$
③ $\dfrac{4}{3}$　④ −1　⑤ $\dfrac{4}{3}x-1$
(3) ① −1　② −　③ 1　④ 3
⑤ $-x+3$

例題3 (1) ① 交点　② $2x-y$　③ $x+y$
④ 2　⑤ 8　⑥ 2　⑦ 8
(2) ⑧ 中点　⑨ -2　⑩ 10　⑪ 4
⑫ 4　⑬ -4　⑭ -4　⑮ 4
⑯ -16　⑰ 16　⑱ $-4x+16$

例題4 (1) ① t　② $-2t+6$　③ $-2t+6$
(2) ④ t　⑤ t　⑥ $-2t+6$　⑦ 2　⑧ 2
⑨ 2　⑩ 2

STEP 2 実力問題

本冊⇨pp.70～73

1 9

2 (1) $y=4x-7$　(2) $y=-\frac{7}{3}x+\frac{2}{3}$
(3) $y=-\frac{2}{5}x+\frac{4}{5}$

3 (1) $1 \leqq y \leqq 6$　(2) $a=-\frac{1}{2}$, $b=5$

4 $-1 \leqq b \leqq 5$

5 (1) $y=\frac{1}{4}x+\frac{9}{2}$　(2) $a=-2$

6 (1) C$(-2,\ 8)$　(2) 80　(3) $y=\frac{4}{3}x+\frac{32}{3}$
(4) 76

7 $a=-\frac{11}{3}$, -2, 1

8 (1) $y=-\frac{3}{4}x+15$　(2) Q$(-4a+20,\ 3a)$
(3) 10

9 (1) $S=3$　(2) $S=\frac{1}{3}k-1$

10 (1) ウ　(2) $y=\frac{45}{2}$

11 (1) 右の図
(2) $50<a<70$

12 (1) ア…18，イ…30
(2) ① $y=3x$
② $y=2x$
(3) 1 分 20 秒後，14 分 20 秒後

解説

1 y の増加量＝変化の割合×x の増加量 だから，
$\frac{3}{4} \times 12=9$

2 (1) 変化の割合が 4 だから，求める 1 次関数の式を $y=4x+b$ として，$x=5$，$y=13$ を代入すると，
$13=4 \times 5+b$　$b=-7$
よって，$y=4x-7$

(2) 傾きは $\frac{-4-3}{2-(-1)}=-\frac{7}{3}$ より，求める直線は
$y=-\frac{7}{3}x+b$ とおける。
$x=-1$，$y=3$ を代入して，
$3=-\frac{7}{3} \times (-1)+b$　$b=\frac{2}{3}$
よって，$y=-\frac{7}{3}x+\frac{2}{3}$

別解　$y=ax+b$ に $x=-1$，$y=3$ を代入して，
$3=-a+b$ …①
同様に，$x=2$，$y=-4$ を代入して，
$-4=2a+b$ …②
①，②を連立方程式として解いて，
$a=-\frac{7}{3}$，$b=\frac{2}{3}$
よって，$y=-\frac{7}{3}x+\frac{2}{3}$

(3) $y=3x-6$ と x 軸との交点の座標は，
$0=3x-6$　$x=2$ より，$(2,\ 0)$
求める直線は直線 $y=-\frac{2}{5}x+2$ に平行だから，
傾きが等しく，$y=-\frac{2}{5}x+b$ とおける。
$x=2$，$y=0$ を代入して，$0=-\frac{2}{5} \times 2+b$
$b=\frac{4}{5}$
よって，$y=-\frac{2}{5}x+\frac{4}{5}$

3 (1) $x=-3$ のとき，$y=-(-3)+3=6$
$x=2$ のとき，$y=-2+3=1$
よって，$1 \leqq y \leqq 6$

(2) $a<0$ より，x の値が増加するとき y の値は減少するから，$x=-4$ のとき $y=b$，$x=6$ のとき $y=0$ をとる。
よって，$b=-4a+3$ …①，$0=6a+3$ …②
①，②を連立方程式として解いて，
$a=-\frac{1}{2}$，$b=5$

! ココに注意

$y=ax+b$ のグラフの変域は，a の符号によって x と y の組み合わせが異なる。

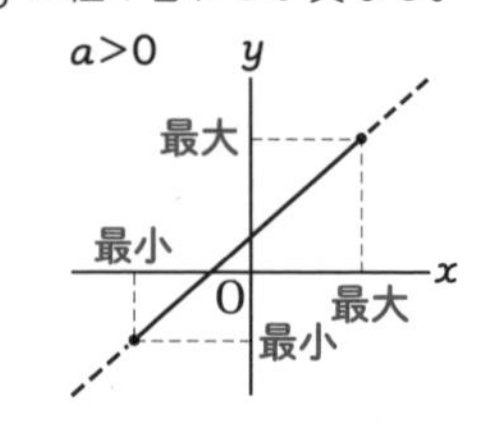

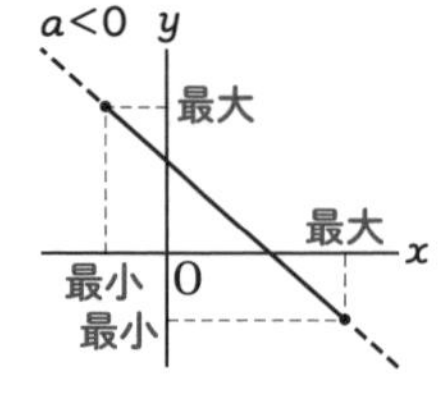

4 直線が点 A(2, 1) を通るとき $y=x+b$ に $x=2$, $y=1$ を代入して, $1=2+b$　$b=-1$
同様に, 点 B(−1, 4) を通るとき, $4=-1+b$
$b=5$
よって, $-1 \leqq b \leqq 5$

5 (1) 2 直線の交点は, 連立方程式 $\begin{cases} y=2x+1 \\ y=-\dfrac{1}{2}x+6 \end{cases}$
を解いて, $x=2$, $y=5$
求める直線を $y=\dfrac{1}{4}x+b$ として, $x=2$, $y=5$
を代入すると, $5=\dfrac{1}{4}\times2+b$　$b=\dfrac{9}{2}$
よって, $y=\dfrac{1}{4}x+\dfrac{9}{2}$

(2) $2x-3y+6=0$ より, $3y=2x+6$　$y=\dfrac{2}{3}x+2$
よって, y 軸と (0, 2) で交わるから, $x=0$, $y=2$ を $3x+y+a=0$ に代入して,
$2+a=0$　$a=-2$

6 (1) ①, ②を連立方程式として解いて,
$x=-2$, $y=8$
よって, C(−2, 8)

(2) ①の式に $y=0$ を代入して, $0=\dfrac{1}{2}x+9$
$x=-18$ より, A(−18, 0)
同様に, ②より, B(2, 0)
よって, $AB=2-(-18)=20$, C の y 座標が 8 だから,
$\triangle ABC=\dfrac{1}{2}\times20\times8=80$

(3) 線分 AB の中点を M とすると, 点 C と点 M を通る直線 MC が △ABC の面積を 2 等分する。
点 M の x 座標は $\dfrac{-18+2}{2}=-8$, y 座標は 0 だから, M(−8, 0)
よって, 直線 MC の傾きは $\dfrac{8-0}{-2-(-8)}=\dfrac{4}{3}$ だから, $y=\dfrac{4}{3}x+b$ として, $x=-8$, $y=0$ を代入すると, $0=\dfrac{4}{3}\times(-8)+b$　$b=\dfrac{32}{3}$
したがって, 求める直線の式は $y=\dfrac{4}{3}x+\dfrac{32}{3}$

(4) D の y 座標は②の切片と等しいから, D(0, 4)
よって, 四角形 ODCA=△ABC−△OBD
$=80-\dfrac{1}{2}\times2\times4=76$

7 $y=x-6$ …①, $y=-2x+3$ …②
より, 連立方程式として解いて, $x=3$, $y=-3$
よって, 交点は (3, −3) である。
三角形ができないのは,
㋐ $y=ax+8$ …③ が交点 (3, −3) を通るとき,
$-3=3a+8$　$a=-\dfrac{11}{3}$
㋑ ③が①と平行になるとき, 傾きが等しいから,
$a=1$
㋒ ③が②と平行になるとき, $a=-2$
以上から, $a=-\dfrac{11}{3}$, -2, 1

8 (1) 傾きは $\dfrac{0-12}{20-4}=-\dfrac{3}{4}$ だから, $y=-\dfrac{3}{4}x+b$
として, $x=20$, $y=0$ を代入すると,
$0=-\dfrac{3}{4}\times20+b$　$b=15$
よって, $y=-\dfrac{3}{4}x+15$

(2) 直線 OA の式は $y=3x$ で, これに $x=a$ を代入して, $y=3a$
よって, P(a, $3a$)
PQ//RS より, 点 Q の y 座標も $3a$ だから,
$y=-\dfrac{3}{4}x+15$ に $y=3a$ を代入して,
$3a=-\dfrac{3}{4}x+15$
x について解くと, $\dfrac{3}{4}x=-3a+15$　$x=-4a+20$
よって, Q($-4a+20$, $3a$)

(3) $PR=3a$, $PQ=(-4a+20)-a=-5a+20$
PR=PQ より, $3a=-5a+20$　$a=\dfrac{5}{2}$
よって, 点 S の x 座標は $-4a+20$ だから,
$-4\times\dfrac{5}{2}+20=10$

9 (1) $k=10$ のとき, $y=-\dfrac{3}{4}x+10$
y が整数となるには, x は 4 の倍数であればよい。
$y>0$ となるときの x の値は, 4, 8, 12 の 3 通りあるから, $S=3$

(2) $k=3n$ (n は自然数) とすると, $y=-\dfrac{3}{4}x+3n$ と表される。
この式に, $y=0$ を代入すると, $0=-\dfrac{3}{4}x+3n$
x について解くと, $x=4n$
$y>0$ になるには, $x<4n$ であればよい。
よって, $0<x<4n$ を満たし, 4 の倍数である x の値の個数は $(n-1)$ 個だから, $S=n-1$

したがって，$k=3n$ だから，$n=\frac{1}{3}k$ より，

$S=\frac{1}{3}k-1$

10 (1) 点 P が CD 上にあるとき，$y=\frac{1}{2}\times5\times13=\frac{65}{2}$ で一定である。

よって，**ウ**か**エ**であるが，BC>CD だから，**ウ**

(2) 点 P が CD 上にあるとき，$y=\frac{65}{2}>30$

$x=8$ のとき $y=30$ で，$x=9$ のとき $y<30$ だから，$x=8$ のときの点 P は AD 上にある。

このとき，$y=30$ より，$\frac{1}{2}\times5\times\text{AP}=30$　AP=12

8 秒間に点 P は $13+10+(13-12)=24$ (cm) 進むから，速さは毎秒 $\frac{24}{8}=3$ (cm)

よって，$x=9$ のとき，AP=12−3=9 (cm) だから，$y=\frac{1}{2}\times5\times9=\frac{45}{2}$

11 (1) 家から店まで分速 100 m で歩いたから，かかった時間は，400÷100=4 (分)

店から駅までは分速 150 m で走ったから，かかった時間は，(700−400)÷150=2 (分)

よって，店には，10−(4+2)=4 (分) いたことになる。

(2) 右の図で，弟が㋐で表されるグラフより速く進まないと兄を追い越すことができず，㋑で表されるグラフより遅く進まないと兄が再び弟を追い越すことができないから，㋐から㋑までの間に弟のグラフがあればよい。

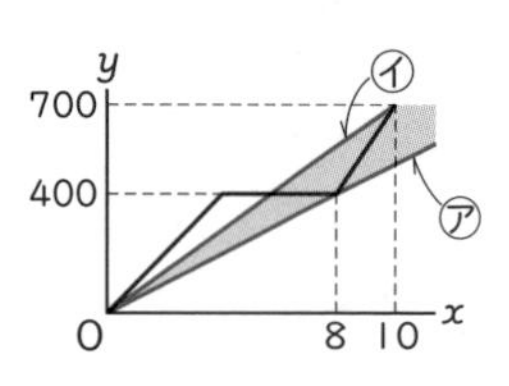

よって，弟の分速はグラフの傾きと同じだから，

$\frac{400}{8}<a<\frac{700}{10}$　$50<a<70$

12 (1) $0\leqq y\leqq30$ つまり，$0\leqq x\leqq10$ のとき，y は x に比例するから，

$y=ax$ より，$30=10a$　$a=3$　$y=3x$

$x=6$ を代入して，$y=3\times6=18$

よって，**ア**…18

$x=10$ のとき，

B の面積は A の面積の 2 倍だから，

B 側の水面の高さは，30÷2=15 (cm)

$x\geqq10$ のとき，

B 側の水面の高さが 15 cm から 30 cm になるまでは，a，b 両方の水が入るから，

A の面積：B の面積=1：2 より，

10÷2=5 (分) かかる。

よって，10+5=15 (分)　つまり $x=15$ のとき，$y=30$ だから，**イ**…30

(2) ① (1)より，$y=3x$

② (1)より，$x=15$ のとき，$y=30$

求める直線の傾きは $\frac{40-30}{20-15}=2$ だから，

$y=2x+b$ に $x=15$，$y=30$ を代入して，

$30=2\times15+b$　$b=0$

よって，$y=2x$

(3) B 側の水面の高さを z cm とする。

㋐ $0\leqq x\leqq10$ のとき，$y=3x$，$z=\frac{3}{2}x$

$y-z=3x-\frac{3}{2}x=2$　$\frac{3}{2}x=2$　$x=\frac{4}{3}$

これは適する。

よって，1 分 20 秒後

㋑ $10\leqq x\leqq15$ のとき，$y=30$，

$z=3(x-10)+15=3x-15$

$y-z=30-(3x-15)=45-3x=2$　$3x=43$

$x=\frac{43}{3}$

これは適する。

よって，14 分 20 秒後

以上から，1 分 20 秒後，14 分 20 秒後

STEP 3 発展問題

本冊⇨pp.74～75

1 (1) $m=1$　(2) $m=-\frac{3}{2}$，$n=-4$

(3) $(a,\ b)=\left(\frac{3}{2},\ -1\right)$，$\left(-\frac{3}{2},\ 2\right)$

2 $a=10$

3 (1) $\text{D}\left(-\frac{6}{7},\ -\frac{16}{7}\right)$，$\frac{22}{7}$　(2) $\text{P}\left(-\frac{5}{8},\ 0\right)$

(3) $\frac{712}{147}\pi$

4 $y=\frac{1}{7}x-3$

5 (1) $m=1$　(2) 3：10　(3) $m=\frac{19}{24}$

6 (1) **右の図**

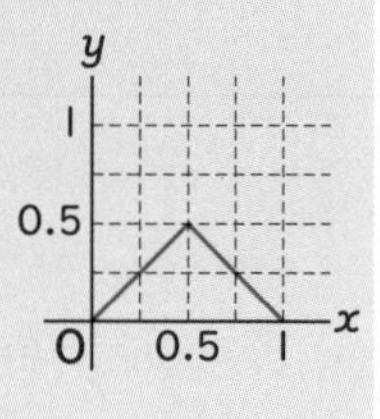

(2) $(0,\ 0)$，$\left(\frac{1}{3},\ \frac{1}{3}\right)$，$\left(\frac{2}{3},\ \frac{1}{3}\right)$，$(1,\ 0)$

(3) $n=13$

解説

1 (1) 2 点 (2, 1), (3, −2) を通る直線の傾きは

$\frac{-2-1}{3-2}=-3$ だから，直線の式を $y=-3x+b$

として，$x=2$, $y=1$ を代入すると，

$1=-3\times2+b$　$b=7$

よって，$y=-3x+7$

$(m, 4)$ もこの直線上にあるから，$x=m$, $y=4$

を代入して，$4=-3m+7$　$m=1$

(2) 2 つの異なる 1 次関数で，y の変域が一致するのは右の図のように $m<0$ となるときである。

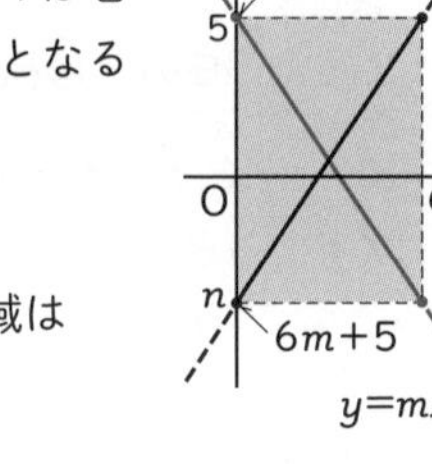

$0\leqq x\leqq6$ のとき，

$y=\frac{3}{2}x+n$ の y の変域は

$n\leqq y\leqq n+9$

$y=mx+5$ の y の変域は $6m+5\leqq y\leqq5$

よって，$\begin{cases}n=6m+5\\n+9=5\end{cases}$ を解いて，$n=-4$, $m=-\frac{3}{2}$

(3) $a>0$ の場合，$x=-2$ のとき $y=-4$, $x=4$ のとき $y=5$ である。

それぞれを $y=ax+b$ に代入して，

$\begin{cases}-4=-2a+b\\5=4a+b\end{cases}$ より，$a=\frac{3}{2}$, $b=-1$

これは $a>0$ を満たす。

同様に，$a<0$ の場合，$x=-2$ のとき $y=5$, $x=4$ のとき $y=-4$ である。

よって，$\begin{cases}5=-2a+b\\-4=4a+b\end{cases}$ より，$a=-\frac{3}{2}$, $b=2$

これは $a<0$ を満たす。

2 右の図のように，点 B と点 Q は一致し，その座標は (0, −6)

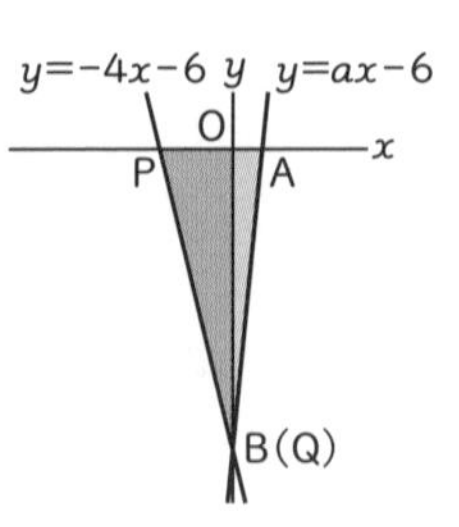

$y=-4x-6$ に $y=0$ を代入して，$0=-4x-6$

$x=-\frac{3}{2}$ より，$P\left(-\frac{3}{2}, 0\right)$

また，$y=ax-6$ に $y=0$ を代入して，$0=ax-6$

$x=\frac{6}{a}$ より，$A\left(\frac{6}{a}, 0\right)$

△OAB と △OPQ は底辺をそれぞれ OA, OP とすると，高さが OB で共通だから，

OA : OP=△OAB : △OPQ=2 : 5

$\frac{6}{a}:\frac{3}{2}=2:5$　$\frac{30}{a}=3$　$a=10$

3 (1) $y=-2x-4$ に $y=0$ を代入して，

$0=-2x-4$　$x=-2$ より，A(−2, 0)

また，B(0, −4) より，C(0, −2)

よって，直線 n の式は $y=\frac{1}{3}x-2$

交点 D の座標は，連立方程式 $\begin{cases}y=-2x-4\\y=\frac{1}{3}x-2\end{cases}$ を

解いて，$x=-\frac{6}{7}$, $y=-\frac{16}{7}$

よって，$D\left(-\frac{6}{7}, -\frac{16}{7}\right)$

四角形 OADC=△OAD+△OCD

$=\frac{1}{2}\times2\times\frac{16}{7}+\frac{1}{2}\times2\times\frac{6}{7}=\frac{22}{7}$

(2) $\triangle APD=\frac{1}{2}\times\frac{22}{7}=\frac{11}{7}$ となればよい。

点 P の x 座標を t ($t<0$) とすると，

$AP=t-(-2)=t+2$ だから，

$\triangle APD=\frac{1}{2}\times(t+2)\times\frac{16}{7}=\frac{11}{7}$　$8(t+2)=11$

$t=-\frac{5}{8}$

これは $t<0$ を満たす。

よって，$P\left(-\frac{5}{8}, 0\right)$

(3) D から x 軸に平行な直線をひき，y 軸との交点を Q とすると，

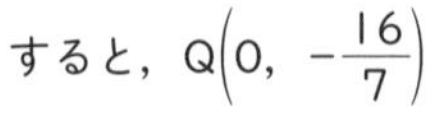
$Q\left(0, -\frac{16}{7}\right)$

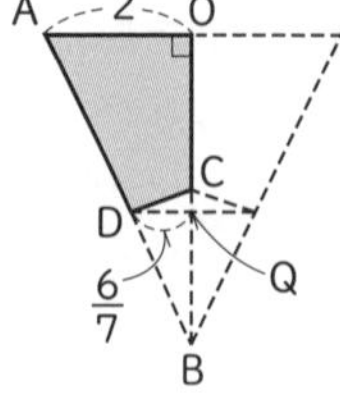

求める立体の体積は，△OAB を 1 回転させてできる円錐から △CDQ を 1 回転させてできる円錐と △BDQ を 1 回転させてできる円錐をひけばよいから，

$\frac{1}{3}\times\pi\times2^2\times4-\left\{\frac{1}{3}\times\pi\times\left(\frac{6}{7}\right)^2\times CQ\right.$

$\left.+\frac{1}{3}\times\pi\times\left(\frac{6}{7}\right)^2\times QB\right\}$

$=\frac{16}{3}\pi-\frac{1}{3}\times\left(\frac{6}{7}\right)^2\pi\times CB$

$=\frac{16}{3}\pi-\frac{1}{3}\times\left(\frac{6}{7}\right)^2\pi\times2$

$=\frac{16}{3}\pi-\frac{24}{49}\pi=\frac{712}{147}\pi$

4 交点 B は連立方程式 $\begin{cases}y=-\frac{1}{3}x+2\\y=-2x-3\end{cases}$ を解いて，

$x=-3$, $y=3$ より，B(−3, 3)

また，C(0，−3)

$y=-\frac{1}{3}x+2$ に $y=0$ を代入して，$0=-\frac{1}{3}x+2$

$x=6$ より，D(6，0)

同様に，$\mathrm{E}\left(-\frac{3}{2},\ 0\right)$

よって，$\triangle\mathrm{DEC}=\frac{1}{2}\times\left\{6-\left(-\frac{3}{2}\right)\right\}\times3=\frac{45}{4}$ より，

$\triangle\mathrm{ABC}=3\triangle\mathrm{DEC}=3\times\frac{45}{4}=\frac{135}{4}$

ここで，$\mathrm{A}\left(t,\ -\frac{1}{3}t+2\right)$ とし，直線①と y 軸との交点を F とすると，F(0，2) より，

$\triangle\mathrm{ABC}=\triangle\mathrm{FBC}+\triangle\mathrm{FAC}$

$=\frac{1}{2}\times\{2-(-3)\}\times3+\frac{1}{2}\times\{2-(-3)\}\times t$

$=\frac{15}{2}+\frac{5}{2}t=\frac{135}{4}$

$t=\frac{21}{2}$　$-\frac{1}{3}\times\frac{21}{2}+2=-\frac{3}{2}$

よって，$\mathrm{A}\left(\frac{21}{2},\ -\frac{3}{2}\right)$

直線 CA の傾きは，C(0，−3) より，

$\left\{-\frac{3}{2}-(-3)\right\}\div\frac{21}{2}=\frac{3}{2}\times\frac{2}{21}=\frac{1}{7}$ だから，

求める直線の式は，$y=\frac{1}{7}x-3$

5 (1) 正方形の面積を 2 等分する直線は対角線の交点，すなわち対角線 BD の中点 M を通ればよい。

$\mathrm{M}\left(\frac{1+6}{2},\ \frac{3+4}{2}\right)$ より，$\mathrm{M}\left(\frac{7}{2},\ \frac{7}{2}\right)$

よって，$y=mx$ に $x=\frac{7}{2}$，$y=\frac{7}{2}$ を代入して，

$\frac{7}{2}=\frac{7}{2}m$　$m=1$

! ココに注意

平行四辺形(長方形，ひし形，正方形をふくむ)の面積を 2 等分する直線は，対角線の交点を通る。

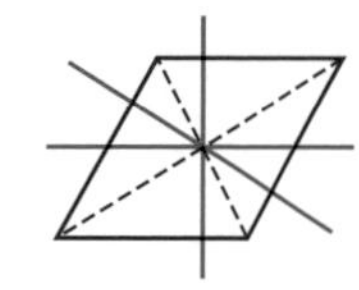

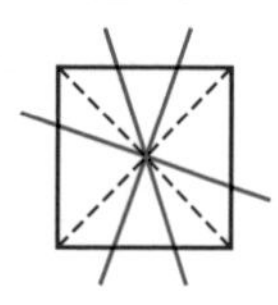

(2) 直線 AB の傾きは $\frac{6-3}{3-1}=\frac{3}{2}$ だから，

直線 $y=\frac{3}{2}x$ と直線 AB は平行である。

ここで，$y=\frac{3}{2}x$ と直線 BC との交点を E とすると，$a:b=\mathrm{BE}:\mathrm{EC}$ となる。

直線 BC の傾きは $\frac{1-3}{4-1}=-\frac{2}{3}$ だから，

$y=-\frac{2}{3}x+b$ として，$x=1$，$y=3$ を代入すると，

$3=-\frac{2}{3}\times1+b$　$b=\frac{11}{3}$

よって，直線 BC の式は $y=-\frac{2}{3}x+\frac{11}{3}$

これと $y=\frac{3}{2}x$ を連立方程式として解いて，

$x=\frac{22}{13}$

よって，E の x 座標は $\frac{22}{13}$

BE と EC の比をそれぞれ x 座標の差の比として考えると，

$\mathrm{BE}:\mathrm{EC}=\left(\frac{22}{13}-1\right):\left(4-\frac{22}{13}\right)=\frac{9}{13}:\frac{30}{13}=3:10$

(3) 右の図のように，BC，AD 上に F，G をとる。

$a:b=2:1$ のとき，

長方形 ABFG=台形 GFPQ

=台形 QPCD となればよい。

そのとき，GQ=PC，QD=FP となるから，

GQ+QD=FP+PC=2BF が成り立つ。

よって，BF：FC=1：2 となればよい。

F の x 座標は

$1+(4-1)\times\frac{1}{3}=2$，

y 座標は

$1+(3-1)\times\frac{2}{3}=\frac{7}{3}$

よって，$\mathrm{F}\left(2,\ \frac{7}{3}\right)$

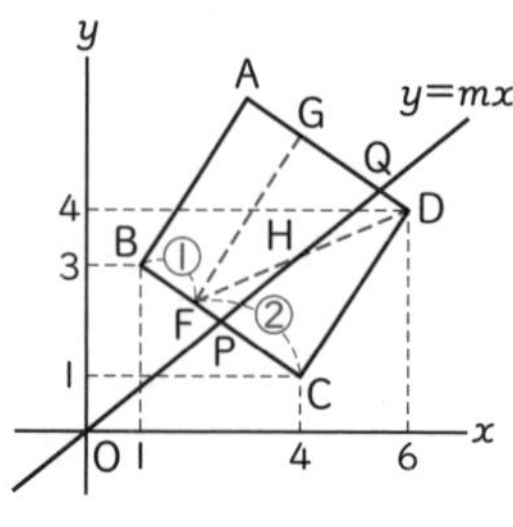

台形 GFPQ=台形 QPCD となるには，直線 $y=mx$ が長方形 GFCD の面積を 2等分すればよいから，直線 $y=mx$ は長方形 GFCD の対角線の交点，すなわち対角線 FD の中点 H を通ればよい。

H の x 座標は $\frac{2+6}{2}=4$，

y 座標は $\left(\frac{7}{3}+4\right)\div2=\frac{19}{6}$

よって，$\mathrm{H}\left(4,\ \frac{19}{6}\right)$

したがって，$y=mx$ は H を通るから，$x=4$，$y=\frac{19}{6}$ を代入して，$\frac{19}{6}=4m$　$m=\frac{19}{24}$

6 (1) $y=$【x】は，$0\leqq x\leqq0.5$ のとき $y=x$ となり，

$0.5 \leqq x \leqq 1$ のとき $y=1-x$ となる。

(2) (1)のグラフに $y=【2x】$ のグラフを重ねると右の図のようになる。

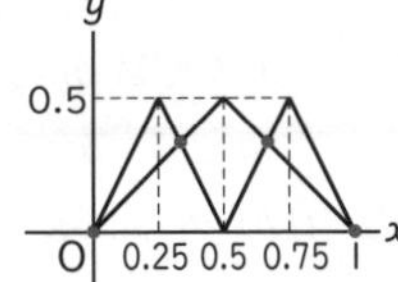

$0 \leqq x \leqq 0.25$ において，$y=x$ と $y=2x$ の共有点は $(0,\ 0)$

$0.25 \leqq x \leqq 0.5$ において，$y=x$ と $y=1-2x$ の共有点は $\left(\dfrac{1}{3},\ \dfrac{1}{3}\right)$

$0.5 \leqq x \leqq 0.75$ において，$y=1-x$ と $y=2x-1$ の共有点は $\left(\dfrac{2}{3},\ \dfrac{1}{3}\right)$

$0.75 \leqq x \leqq 1$ において，$y=1-x$ と $y=2-2x$ の共有点は $(1,\ 0)$

(3) 右の図のように，

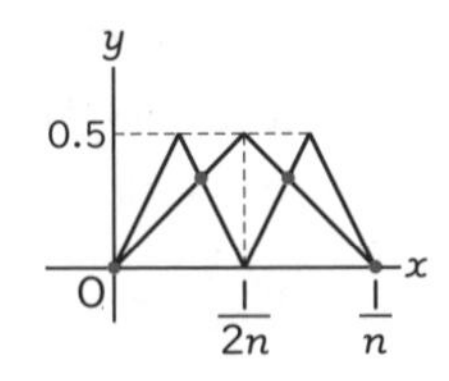

$0 \leqq x \leqq \dfrac{1}{n}$ において，

$y=【nx】$ と $y=【2nx】$ の共有点は 4 個ある。

同様に，$\dfrac{1}{n} \leqq x \leqq \dfrac{2}{n}$，$\dfrac{2}{n} \leqq x \leqq \dfrac{3}{n}$，…，$\dfrac{n-1}{n} \leqq x \leqq 1$ の各区間でも，共有点は 4 個ずつある。

よって，$0 \leqq x \leqq 1$ の n 個の区間において，共有点が 40 個あるとき，

$x=\dfrac{1}{n}$，$\dfrac{2}{n}$，…，$\dfrac{n-1}{n}$ は 2 回ずつ数えることになるから，

$4n-(n-1)=40$　$n=13$

3 関数 $y=ax^2$

STEP 1 まとめノート

本冊⇨pp.76 ～ 77

例題1 ① 2　② 2　③ −3　④ −3　⑤ −3
⑥ 16　⑦ ±4

例題2 (1) ① 0　② 0　③ 0　④ −3　⑤ 18
⑥ 0　⑦ 18
(2) ① <　② 4　③ 4　④ −2

例題3 ① −18　② −2　③ −2−(−18)
④ 16　⑤ 4

例題4 (1) ① $-x+6$　② $x-2$　③ 9　④ 4
(2) ⑤ 6　⑥ OCB　⑦ 2　⑧ 15
(3) ⑨ 2　⑩ −3　⑪ 2　⑫ $-\dfrac{7}{4}$
⑬ $\dfrac{15}{4}$　⑭ $-\dfrac{7}{4}x+\dfrac{15}{4}$

例題5 ① OP　② 1　③ x　④ 交点
⑤ $x-2$　⑥ 2　⑦ 4　⑧ 2　⑨ 2
⑩ 2

STEP 2 実力問題

本冊⇨pp.78 ～ 81

1 ア，エ

2 (1) $a=-3$，$b=0$
(2) $a=\dfrac{3}{4}$　(3) $0 \leqq y \leqq \dfrac{3}{2}$，$a=\dfrac{3}{8}$

3 (1) 4　(2) $a=3$

4 (1) $a=\dfrac{1}{2}$　(2) $y=-x+4$　(3) 12
(4) $y=-5x$

5 (1) 2　(2) A$(-2,\ 2)$　(3) $y=-3x+8$
(4) 24　(5) $y=5x$

6 $y=x-4$

7 (1) $y=-\dfrac{3}{4}x+5$　(2) $a=\dfrac{8}{9}$

8 (1) $a=\dfrac{1}{3}$　(2) ① $-\dfrac{1}{3}t^2+\dfrac{16}{3}$
② $t=-5+\sqrt{31}$

9 (1) $a=\dfrac{1}{4}$
グラフは右の図
(2) $\dfrac{9}{4}$ m

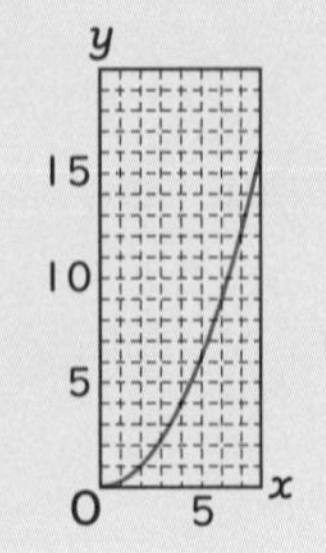

10 (1) $y=18$　(2) ① $y=2x^2$　② $y=16x-32$
(3) 5 秒後，11 秒後

解説

1 関数 $y=ax^2$ $(a<0)$ のグラフは，右の図のようになっている。
よって，正しいのは，
アとエ

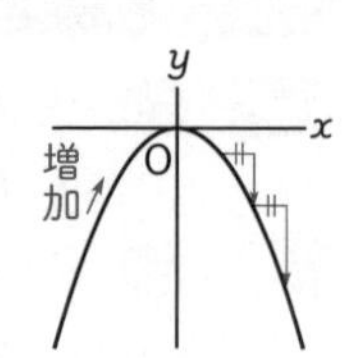

2 (1) $y=-\frac{1}{3}x^2$ のグラフは下に開いているから，
$x=0$ のとき y は最大で $y=b$，$x=3$ のとき y は最小で $y=a$ である。
よって，$a=-\frac{1}{3}\times3^2=-3$，$b=-\frac{1}{3}\times0^2=0$

ココに注意
$y=ax^2$ の x の変域に 0 がふくまれているときの y の変域は，
㋐ $a>0$ のとき，最小値 0 をとる。
㋑ $a<0$ のとき，最大値 0 をとる。

(2) y の変域が $0\leqq y\leqq12$ より，
$a>0$
このとき，関数 $y=ax^2$ のグラフは右の図のようになる。
よって，$y=ax^2$ に $x=-4$，
$y=12$ を代入して，$12=a\times(-4)^2$　$a=\frac{3}{4}$

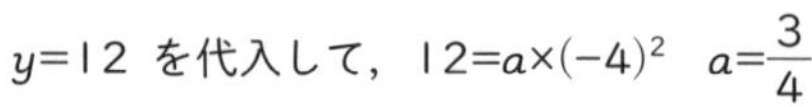

(3) 2 つの関数の x と y の変域が一致するとき，右の図のようになる。
①の式で，$x=1$ のとき，
$y=\frac{3}{2}$
$x=-2$ のとき，$y=0$
よって，①の y の変域は，$0\leqq y\leqq\frac{3}{2}$
また，$y=ax^2$ で，$x=-2$ のとき $y=\frac{3}{2}$ だから，
$\frac{3}{2}=a\times(-2)^2$　$a=\frac{3}{8}$

3 (1) $x=3$ のとき $y=3$，$x=9$ のとき $y=27$
よって，変化の割合は $\frac{27-3}{9-3}=4$
別解　関数 $y=ax^2$ で x の値が p から q まで増加するときの変化の割合は，$a(p+q)$ で表されるから，$\frac{1}{3}\times(3+9)=4$

(2) 関数 $y=\frac{1}{2}x^2$ の変化の割合は $\frac{1}{2}\times(1+5)=3$
1 次関数 $y=ax+2$ の変化の割合は a
よって，$a=3$

4 (1) $A(-4,\ 16a)$，$B(2,\ 4a)$ と表されるから，
直線 AB の傾きは $\frac{4a-16a}{2-(-4)}=-2a$
また，直線 AB は $y=-x$ と平行だから，傾きは -1
よって，$-2a=-1$　$a=\frac{1}{2}$
(2) (1)より，$A(-4,\ 8)$，$B(2,\ 2)$ で直線 AB の傾きが -1 だから，求める直線の式を $y=-x+b$ とおいて，$x=2$，$y=2$ を代入すると，
$2=-2+b$　$b=4$
よって，$y=-x+4$
別解　放物線と交わる直線の公式
$y=a(p+q)x-apq$ を使う。
$a=\frac{1}{2}$，$p=-4$，$q=2$ より，
$y=\frac{1}{2}\times(-4+2)x-\frac{1}{2}\times(-4)\times2$
$y=-x+4$
(3) 直線 AB と y 軸との交点を C とすると，$C(0,\ 4)$
$\triangle OAB=\triangle OAC+\triangle OBC$
$=\frac{1}{2}\times4\times4+\frac{1}{2}\times4\times2=12$
(4) 求める直線は原点と線分 AB の中点Mを通る。
$M\left(\frac{-4+2}{2},\ \frac{8+2}{2}\right)$ より，$M(-1,\ 5)$
$y=mx$ に $x=-1$，$y=5$ を代入して，
$5=-m$　$m=-5$
よって，$y=-5x$

5 (1) 点 B の x 座標が 2 だから，$y=\frac{1}{2}x^2$ に $x=2$ を代入して，$y=\frac{1}{2}\times2^2=2$
(2) 点 C の座標が $(4,\ 8)$ となり，AB//DC//x 軸 より，点 A の y 座標は点 B の y 座標と等しく 2 である。
よって，点 A は y 軸について点 B と対称な点だから，$A(-2,\ 2)$
(3) $B(2,\ 2)$，$D(0,\ 8)$ を通る直線の傾きは $\frac{2-8}{2-0}=-3$，
切片は 8 だから，$y=-3x+8$
(4) $AB=2-(-2)=4$，AB を底辺としたときの高さは，$8-2=6$
よって，$4\times6=24$
(5) 求める直線は，平行四辺形の対角線の交点，す

なわち線分ACの中点Mを通る。

$M\left(\frac{-2+4}{2}, \frac{2+8}{2}\right)$ より，M(1，5)

よって，$y=5x$

6 点Aの座標は，A(2，−2)

△OAC：△OAB=1：3 だから，

△OAC：△OBC=1：2

△OAC と △OBC は底辺が OC で等しいから，

AとC，BとCの x 座標の差の比は

△OAC：△OBC に等しく，1：2 となる。

よって，点Bの x 座標は −4

放物線と交わる直線の公式を使って，

$y=-\frac{1}{2}\times(-4+2)x-\left(-\frac{1}{2}\right)\times(-4)\times2=x-4$

7 (1) A(2，−1) より，点Dの x 座標は 2

$x=2$ を $y=2x^2$ に代入して，$y=8$

よって，D(2，8) だから，線分 AD の中点は，

$\left(2, \frac{-1+8}{2}\right)$ より，$\left(2, \frac{7}{2}\right)$

求める直線の式を $y=-\frac{3}{4}x+b$ として，$x=2$，

$y=\frac{7}{2}$ を代入すると，$\frac{7}{2}=-\frac{3}{4}\times2+b$　$b=5$

したがって，$y=-\frac{3}{4}x+5$

(2) 直線 EB と直線 CD が平行になることはないから，直線 ED と直線 BC が平行になるときの a の値を求める。E(−2，4a)，D(2，8) だから，

ED の傾きは，$\frac{8-4a}{2-(-2)}=\frac{8-4a}{4}=2-a$

また，B(−3，−2)，C(2，4a) だから，

BC の傾きは，$\frac{4a-(-2)}{2-(-3)}=\frac{4a+2}{5}$

よって，$2-a=\frac{4a+2}{5}$　$a=\frac{8}{9}$

8 (1) 点Aは㋑のグラフ上にあって，x 座標が −6 だから，$y=12$ より，A(−6，12)

Aは㋐のグラフ上にもあるから，$y=ax^2$ に $x=-6$，$y=12$ を代入して，$12=a\times(-6)^2$

$a=\frac{1}{3}$

(2) ① 点Bの座標は，x 座標が 4 だから，

$y=\frac{1}{3}x^2$ に $x=4$ を代入して，$y=\frac{16}{3}$

よって，$B\left(4, \frac{16}{3}\right)$

また，点Cは $y=-2x$ のグラフ上にあり，x 座標が −1 だから，C(−1，2)

直線 BC の傾きは $\dfrac{\frac{16}{3}-2}{4-(-1)}=\dfrac{\frac{10}{3}}{5}=\frac{10}{3}\div5=\frac{2}{3}$

だから，直線 BC の式を $y=\frac{2}{3}x+b$ として，

$x=-1$，$y=2$ を代入すると，$2=\frac{2}{3}\times(-1)+b$

$b=\frac{8}{3}$

よって，直線 BC の式は $y=\frac{2}{3}x+\frac{8}{3}$ だから，

$P\left(t, \frac{2}{3}t+\frac{8}{3}\right)$ とおける。

$PQ=\frac{2}{3}t+\frac{8}{3}$ で，PQ を底辺としたときの

△BPQ の高さは $4-t$ だから，

$\triangle BPQ=\frac{1}{2}\times\left(\frac{2}{3}t+\frac{8}{3}\right)\times(4-t)$

$=\frac{1}{2}\times\frac{2}{3}(t+4)(4-t)=\frac{1}{3}(4+t)(4-t)$

$=\frac{1}{3}(16-t^2)=-\frac{1}{3}t^2+\frac{16}{3}$

② 右の図のように，点Dを $y=\frac{2}{3}x+\frac{8}{3}$ 上に x 座標が −6 となるようにとる。

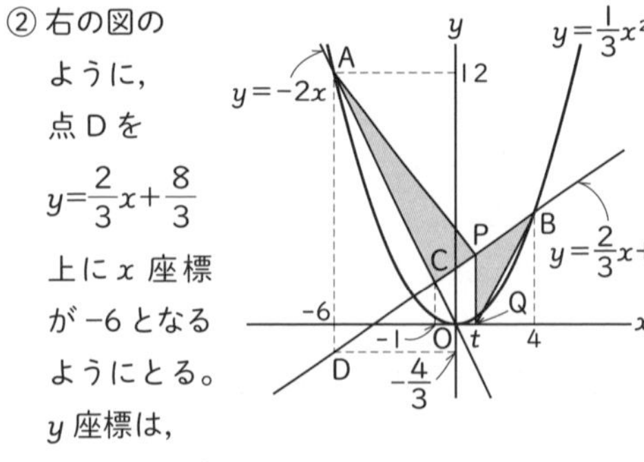

y 座標は，

$\frac{2}{3}\times(-6)+\frac{8}{3}=-\frac{4}{3}$

よって，$D\left(-6, -\frac{4}{3}\right)$

△ACP=△ADP−△ADC

$=\frac{1}{2}\times\left\{12-\left(-\frac{4}{3}\right)\right\}\times\{t-(-6)\}$

$-\frac{1}{2}\times\left\{12-\left(-\frac{4}{3}\right)\right\}\times\{-1-(-6)\}$

$=\frac{1}{2}\times\left(12+\frac{4}{3}\right)\times\{(t+6)-5\}=\frac{1}{2}\times\frac{40}{3}\times(t+1)$

$=\frac{20}{3}(t+1)$

①より，$\triangle BPQ=-\frac{1}{3}t^2+\frac{16}{3}$ だから，

△ACP=2△BPQ より，

$\frac{20}{3}(t+1)=2\left(-\frac{1}{3}t^2+\frac{16}{3}\right)$

$20(t+1)=2(-t^2+16)$　$20t+20=-2t^2+32$

$2t^2+20t-12=0 \quad t^2+10t-6=0$

解の公式を用いて，$t=\dfrac{-10\pm\sqrt{10^2-4\times1\times(-6)}}{2\times1}$

$=\dfrac{-10\pm\sqrt{124}}{2}=\dfrac{-10\pm2\sqrt{31}}{2}=-5\pm\sqrt{31}$

$-1<t<4$ より，$t=-5+\sqrt{31}$

9 (1) $y=ax^2$ に，$x=2$，$y=1$ を代入して，

$1=a\times2^2 \quad a=\dfrac{1}{4}$

(2) 1 往復にかかる時間は，$30\div10=3$（秒）だから，

$y=\dfrac{1}{4}x^2$ に $x=3$ を代入して，$y=\dfrac{9}{4}$

10 (1) $y=\dfrac{1}{2}\times6\times6=18$

(2) ① $y=\dfrac{1}{2}\times2x\times2x=2x^2$

② 重なった部分は台形になる。

FC$=2x$ cm，ED$=(2x-8)$ cm だから，

$y=\dfrac{1}{2}\times(2x+2x-8)\times8=16x-32$

(3) 台形 ABCD の面積は，$\dfrac{1}{2}\times(8+16)\times8=96$ (cm^2)

だから，$96\div2=48$ (cm^2) になるときの x の値を求める。

$4\leqq x\leqq8$ のとき，(2)②より，$y=16x-32$ だから，これに $y=48$ を代入して，$48=16x-32 \quad x=5$

次に，頂点 A と頂点 H が重なるのは $x=12$ のときだから，$8\leqq x\leqq12$ のとき，

EA$=$FB$=(2x-16)$ cm より，

AH$=8-(2x-16)=(-2x+24)$ cm

BG$=16-(2x-16)=(-2x+32)$ cm

よって，$y=\dfrac{1}{2}\times\{(-2x+24)+(-2x+32)\}\times8$

$=4(-4x+56)=-16x+224$

これに $y=48$ を代入して，$48=-16x+224$

$x=11$

以上から，5 秒後と 11 秒後

STEP 3 発展問題

本冊⇨pp.82～83

1 (1) ① 3 ② -4 (2) $\dfrac{3}{2}$

(3) ① $\left(\dfrac{5}{3},\ \dfrac{2}{3}\right)$ ② $\dfrac{6}{25}$ (4) $-\dfrac{1}{6}<a<\dfrac{1}{4}$

2 (1) $y=-\dfrac{3}{4}x-\dfrac{1}{2}$ (2) A$\left(\dfrac{8}{3},\ \dfrac{16}{9}\right)$

(3) 27 個

3 (1) C$\left(4,\ \dfrac{16}{3}\right)$ (2) P$\left(-4,\ \dfrac{32}{3}\right)$ (3) 36

4 (1) $a=\dfrac{1}{2}$ (2) D$\left(\dfrac{1}{2},\ \dfrac{1}{2}\right)$

(3) $\dfrac{1\pm\sqrt{3}}{2}$，$\dfrac{1\pm\sqrt{15}}{2}$

5 (1) $2(p+q)$ (2) $y=7x$

解説

1 (1) y の変域が一致するとき，

$b<0$ だから，右の図のようになる。

$y=bx+8$ は，$x=2$ のとき，

$y=0$ になる。

よって，$0=2b+8 \quad b=-4$

だから，$y=-4x+8$

$x=-1$ を代入して，$y=12$

$y=ax^2$ に $x=2$，$y=12$ を代入して，$12=4a$

$a=3$

別解 $-1\leqq x\leqq2$ のとき，

$y=ax^2$ の変域は $0\leqq y\leqq4a$ …①

$y=bx+8$ の変域は $x=-1$ のとき $y=-b+8$，

$x=2$ のとき $y=2b+8$

$b<0$ だから，$2b+8<-b+8$ より，

$2b+8\leqq y\leqq-b+8$ …②

よって，①，②より，$\begin{cases}2b+8=0\\-b+8=4a\end{cases}$

これを解いて，$a=3$，$b=-4$

(2) 1 次関数 $y=-5ax+1$ の変化の割合は $-5a$

関数 $y=2ax^2$ の変化の割合は $-2a(a+1)$

よって，$-2a(a+1)=-5a \quad -2a^2-2a=-5a$

$2a^2-3a=0 \quad a(2a-3)=0 \quad a=0,\ a=\dfrac{3}{2}$

$a>0$ より，$a=\dfrac{3}{2}$

(3) 直線 ℓ の式は，$y=x-1$

また，直線 m の傾きは $\dfrac{0-2}{3-(-1)}=-\dfrac{1}{2}$ だから，

$y=-\dfrac{1}{2}x+b$ として，$x=-1$，$y=2$ を代入すると，$2=\dfrac{1}{2}+b \quad b=\dfrac{3}{2}$

よって，m の式は $y=-\dfrac{1}{2}x+\dfrac{3}{2}$

ℓ，m の交点は，連立方程式 $\begin{cases}y=x-1\\y=-\dfrac{1}{2}x+\dfrac{3}{2}\end{cases}$ を

解いて，$x=\frac{5}{3}$，$y=\frac{2}{3}$

よって，$P\left(\frac{5}{3},\ \frac{2}{3}\right)$

点 P が $y=ax^2$ 上にあるから，$\frac{2}{3}=a\times\left(\frac{5}{3}\right)^2$

$a=\frac{6}{25}$

(4) $y=\frac{1}{2}x$ で，

$x=-3$ のとき，

$y=-\frac{3}{2}$

$x=2$ のとき，

$y=1$

よって，両端の点の座標は $A\left(-3,\ -\frac{3}{2}\right)$，$B(2,\ 1)$ である。

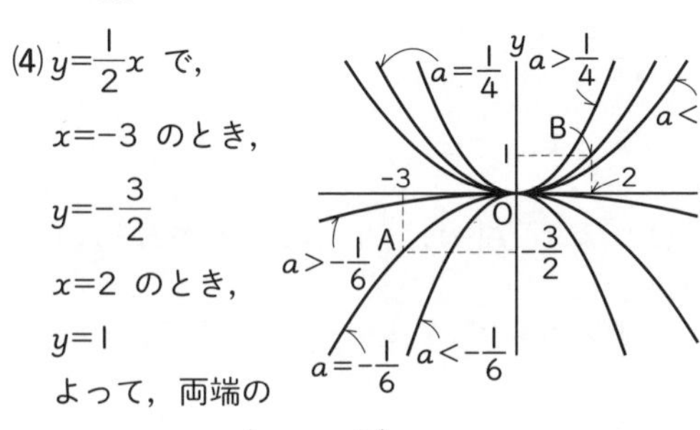

点 A を $y=ax^2$ が通るとき，$-\frac{3}{2}=a\times(-3)^2$

$9a=-\frac{3}{2}$　$a=-\frac{1}{6}$ …①

点 B を $y=ax^2$ が通るとき，$1=a\times2^2$

$4a=1$　$a=\frac{1}{4}$ …②

したがって，①，②より，$-\frac{1}{6}<a<\frac{1}{4}$

2 (1) 点 A の x 座標が 2 のとき，点 B の x 座標は -2 だから，y 座標は $y=\frac{1}{4}\times(-2)^2=1$ となり，

$B(-2,\ 1)$

点 D の x 座標は点 A の x 座標と等しく 2 だから，y 座標は $y=-\frac{1}{2}\times2^2=-2$ となり，

$D(2,\ -2)$

直線 BD の傾きは $\frac{-2-1}{2-(-2)}=-\frac{3}{4}$ だから，直線 BD の式を $y=-\frac{3}{4}x+b$ として，$x=-2$，$y=1$ を代入すると，$1=-\frac{3}{4}\times(-2)+b$　$b=-\frac{1}{2}$

よって，直線 BD の式は $y=-\frac{3}{4}x-\frac{1}{2}$

(2) $A\left(a,\ \frac{1}{4}a^2\right)$，$B\left(-a,\ \frac{1}{4}a^2\right)$，$D\left(a,\ -\frac{1}{2}a^2\right)$ であり，

四角形 ABCD が正方形となるとき，

AB=AD だから，

$a-(-a)=\frac{1}{4}a^2-\left(-\frac{1}{2}a^2\right)$　$2a=\frac{3}{4}a^2$

$3a^2-8a=0$　$a(3a-8)=0$

$a=0$，$a=\frac{8}{3}$　$a>0$ より，$a=\frac{8}{3}$

点 A の y 座標は $\frac{1}{4}a^2=\frac{1}{4}\times\left(\frac{8}{3}\right)^2=\frac{16}{9}$

よって，$A\left(\frac{8}{3},\ \frac{16}{9}\right)$

(3) $a=8$ のとき，$A(8,\ 16)$ だから，直線 AO の式は，$y=2x$

$x=0,\ 1,\ 2,\ \cdots,\ 8$ のときの $y=2x$，$y=\frac{1}{4}x^2$ の値を表にすると，下のようになる。

x	0	1	2	3	4	5	6	7	8
$y=\frac{1}{4}x^2$	0	$\frac{1}{4}$	1	$2\frac{1}{4}$	4	$6\frac{1}{4}$	9	$12\frac{1}{4}$	16
$y=2x$	0	2	4	6	8	10	12	14	16

よって，条件を満たす点は，右の図のようになるから，点の個数は，

$1+2+4+4+5+4+4+2+1$

$=27$（個）

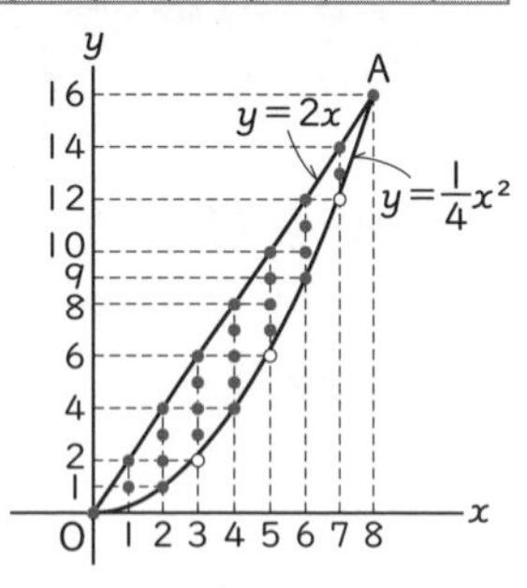

3 (1) 点 A の x 座標が -6 だから，y 座標は $y=12$

よって，$A(-6,\ 12)$

直線 AC の式を $y=ax+8$ として，$x=-6$，$y=12$ を代入すると，

$12=a\times(-6)+8$　$a=-\frac{2}{3}$

よって，直線 AC の式は $y=-\frac{2}{3}x+8$

点 C は $y=\frac{1}{3}x^2$ と直線 AC の交点だから，

連立方程式 $\begin{cases} y=\frac{1}{3}x^2 \\ y=-\frac{2}{3}x+8 \end{cases}$ を解いて，

$\frac{1}{3}x^2=-\frac{2}{3}x+8$　$x^2=-2x+24$

$x^2+2x-24=0$　$(x-4)(x+6)=0$

$x=4$，$x=-6$

点 C の x 座標は正だから，$x=4$ で，y 座標は

$y=\frac{1}{3}\times4^2=\frac{16}{3}$

したがって，$C\left(4,\ \frac{16}{3}\right)$

(2) △OCA
=△OCP+△OAP
四角形 OCPB
=△OCP+△OBP
△OCA=四角形 OCPB
より，△OAP=△OBP
である。

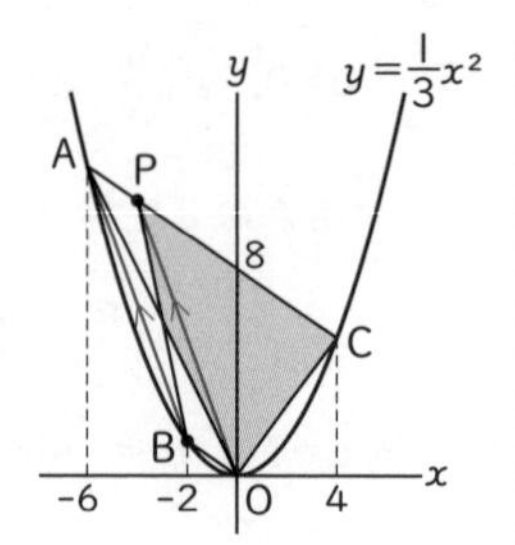

OP が共通だから，BA//OP となる。

点 B の x 座標は -2 だから，y 座標は $y=\frac{4}{3}$

よって，$B\left(-2,\ \frac{4}{3}\right)$

直線 AB の傾きは $\dfrac{\frac{4}{3}-12}{-2-(-6)}=\dfrac{-\frac{32}{3}}{4}=-\frac{8}{3}$ だから，直線 OP の式は $y=-\frac{8}{3}x$

点 P は直線 AC と直線 OP の交点だから，

連立方程式 $\begin{cases} y=-\frac{2}{3}x+8 \\ y=-\frac{8}{3}x \end{cases}$ を解いて，

$x=-4$，$y=\frac{32}{3}$

したがって，$P\left(-4,\ \frac{32}{3}\right)$

ココに注意

等積変形
右の図のように，△ABC と △DBC は底辺が共通で高さが等しいから，面積は等しくなる。

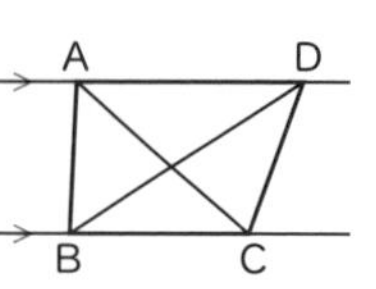

この問題では，2 つの図形の面積の関係から平行線を見つけているが，自分で平行線をひいて同じ面積の図形に変形させる問題もあるので注意しよう。

(3) 直線 OB の傾きは

$\dfrac{0-\frac{4}{3}}{0-(-2)}=\dfrac{-\frac{4}{3}}{2}=-\frac{2}{3}$

だから，OB//PA である。
また，BA//OP でもあるから，
四角形 OPAB は平行四辺形である。
よって，点 D は対角線 OA の中点で，
△OPD=△APD
また，3 点 A，P，C の x 座標から，
AP：PC=$\{-4-(-6)\}:\{4-(-4)\}=1:4$ より，

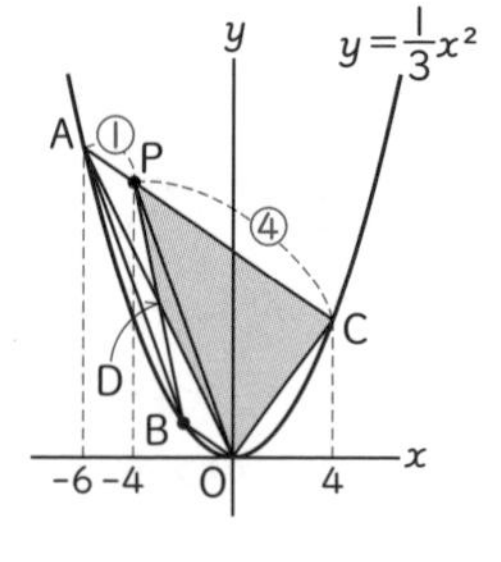

$\triangle APD=\frac{1}{2}\triangle OAP=\frac{1}{2}\times\left(40\times\frac{1}{1+4}\right)=4$

したがって，
四角形 OCPD=△OCA−△APD
=40−4=36

4 (1) 点 A，B の x 座標がそれぞれ -1，2 だから，
$A(-1,\ a)$，$B(2,\ 4a)$ となり，直線 AB の傾きは，
$\dfrac{4a-a}{2-(-1)}=a$

よって，$a=\frac{1}{2}$

(2) (1)より，$A\left(-1,\ \frac{1}{2}\right)$，$B(2,\ 2)$ である。

直線 AB の式を $y=\frac{1}{2}x+b$ として，$x=2$，$y=2$ を代入すると，$2=\frac{1}{2}\times2+b$　$b=1$

よって，直線 AB の式は，$y=\frac{1}{2}x+1$ だから，
$C(0,\ 1)$
また，直線 OB の式は $y=x$

$\triangle OAB=\triangle OCA+\triangle OCB=\frac{1}{2}\times1\times(1+2)=\frac{3}{2}$

点 D は直線 OB 上にあるから，$D(t,\ t)$ とおくと，

$\triangle OCA+\triangle OCD=\frac{1}{2}\triangle OAB$ より，

$\frac{1}{2}\times1\times(1+t)=\frac{1}{2}\times\frac{3}{2}$　$1+t=\frac{3}{2}$　$t=\frac{1}{2}$

したがって，$D\left(\frac{1}{2},\ \frac{1}{2}\right)$

(3) 右の図のように，求める点 P は，全部で 4 つある。そのうちの 2 つは $y=\frac{1}{2}x^2$ と，点 D を通り直線 AB に平行な直線 ℓ との交点である。

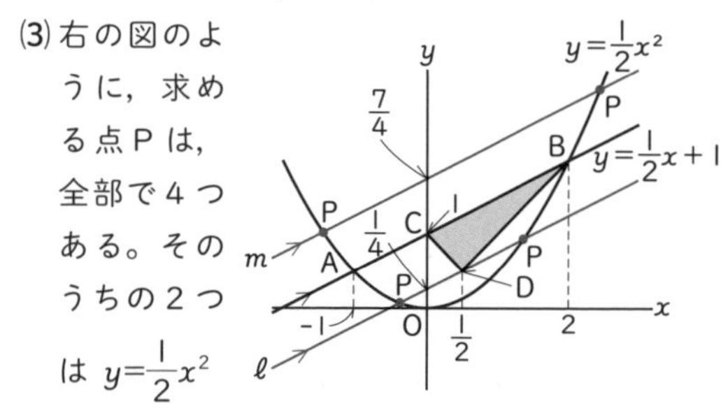

直線 ℓ の式を $y=\frac{1}{2}x+c$ として，$x=\frac{1}{2}$，$y=\frac{1}{2}$ を代入すると，$\frac{1}{2}=\frac{1}{2}\times\frac{1}{2}+c$　$c=\frac{1}{4}$

よって，直線 ℓ の式は $y=\frac{1}{2}x+\frac{1}{4}$

$y=\frac{1}{2}x^2$ と連立させて，$\frac{1}{2}x^2=\frac{1}{2}x+\frac{1}{4}$
$2x^2=2x+1$　$2x^2-2x-1=0$

解の公式を用いて，

$x=\frac{-(-2)\pm\sqrt{(-2)^2-4\times2\times(-1)}}{2\times2}=\frac{2\pm\sqrt{12}}{4}$

$=\frac{2\pm2\sqrt{3}}{4}=\frac{1\pm\sqrt{3}}{2}$

さらに，残りの2つは $y=\frac{1}{2}x^2$ と，直線ABについて，直線ℓと対称な直線 m との交点である。

直線ℓは直線ABを y 軸方向に下へ $1-\frac{1}{4}=\frac{3}{4}$ だけ平行移動したものだから，直線 m は直線ABを y 軸方向に上へ $\frac{3}{4}$ だけ平行移動したものである。

すなわち，直線 m の切片は $1+\frac{3}{4}=\frac{7}{4}$ になる。

よって，直線 m の式は $y=\frac{1}{2}x+\frac{7}{4}$

$y=\frac{1}{2}x^2$ と連立させて，$\frac{1}{2}x^2=\frac{1}{2}x+\frac{7}{4}$

$2x^2=2x+7$　$2x^2-2x-7=0$

解の公式を用いて解くと，$x=\frac{1\pm\sqrt{15}}{2}$

以上から，点Pの x 座標は $\frac{1\pm\sqrt{3}}{2}$，$\frac{1\pm\sqrt{15}}{2}$

5 (1) P$(p,\ 2p^2)$，Q$(q,\ 2q^2)$ より，傾きは，

$\frac{2p^2-2q^2}{p-q}=\frac{2(p^2-q^2)}{p-q}=\frac{2(p+q)(p-q)}{p-q}=2(p+q)$

(2) m の傾きが4だから，$2(p+q)=4$

$p+q=2$ …①

また，m の傾きは正だから，PとQのそれぞれの y 座標 $2p^2$，$2q^2$ は $2p^2>2q^2$

差が16だから，$2p^2-2q^2=16$　$p^2-q^2=8$

$(p+q)(p-q)=8$

①を代入して，$2(p-q)=8$　$p-q=4$ …②

①，②より，$p=3$，$q=-1$

よって，P(3, 18)，Q(−1, 2) だから，

m の式を $y=4x+b$ として，$x=-1$，$y=2$ を代入すると，$2=4\times(-1)+b$　$b=6$

m の式は $y=4x+6$

また，m//OA より，直線OAの式は $y=4x$

点Aは $y=2x^2$ と $y=4x$ の交点だから，

$2x^2=4x$　$2x^2-4x=0$　$2x(x-2)=0$

$x=0,\ 2$　$x>0$ だから，$x=2$

よって，A(2, 8)

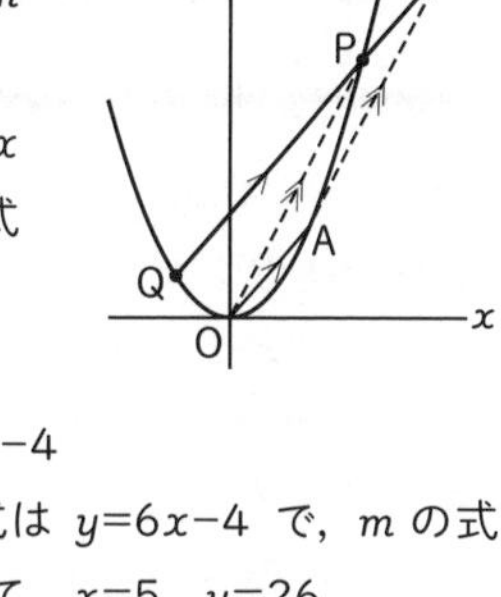

ここで，Aを通り直線OPに平行な直線と m との交点をBとする。

直線OPの式は $y=6x$ だから，直線ABの式を $y=6x+c$ として，$x=2$，$y=8$ を代入すると，$8=6\times2+c$　$c=-4$

よって，直線ABの式は $y=6x-4$ で，m の式 $y=4x+6$ と連立させて，$x=5$，$y=26$

つまり，B(5, 26)

このとき，△OPA=△OPB となるから，

四角形OAPQ=△OBQ

よって，原点Oを通り，四角形OAPQの面積，すなわち△OBQの面積を2等分する直線は，線分QBの中点Mを通ればよい。

Q(−1, 2)，B(5, 26) より，

$M\left(\frac{-1+5}{2},\ \frac{2+26}{2}\right)$ だから，M(2, 14)

したがって，求める直線は $y=\frac{14}{2}x=7x$

理解度診断テスト ③

本冊 ⇨ pp.84 ～ 86

理解度診断　A…80点以上，B…60～79点，C…59点以下

1 (1) $y=9$　(2) $a=-12$

2 (1) $y=2x-5$　(2) -1

(3) $a=2\sqrt{2}$　(4) $A\left(\frac{4}{3},\ \frac{26}{3}\right)$

3 (1) $a=2$，変化の割合…8

(2) Bの y 座標…$\frac{9}{4}$，ℓの式…$y=\frac{1}{2}x+\frac{3}{4}$

4 (1) $y=-\frac{1}{2}x-2$　(2) 6　(3) $\frac{6}{5}$，$-\frac{6}{5}$

5 (1) (−6, 9)　(2) (0, 3)　(3) $\frac{9}{2}$

6 (1) 右の図

(2) 6分後

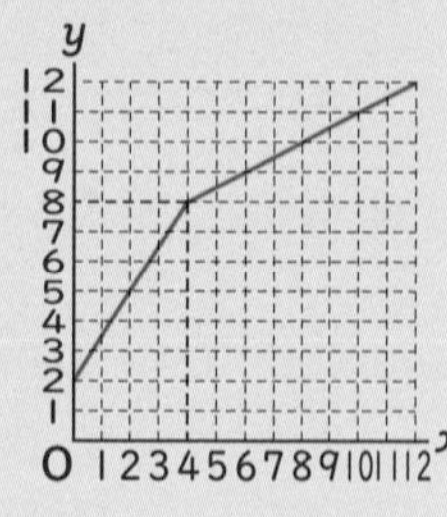

7 (1) $x=1$ のとき $y=1$，

$x=4$ のとき $y=12$

(2) 8秒後　(3) ウ

(4) $x=\sqrt{6}$，$\frac{22}{3}$

解説

1 (1) y は x に比例するから，$y=ax$ とおく。

$x=2$, $y=-6$ を代入して，$-6=2a$　$a=-3$
よって，$y=-3x$ に $x=-3$ を代入して，$y=9$

(2) $y=\dfrac{a}{x}$ に $x=4$, $y=-3$ を代入して，$-3=\dfrac{a}{4}$

$a=(-3)\times4=-12$

2 (1) 傾きが 2 だから，この 1 次関数の式を
$y=2x+b$ として，$x=1$, $y=-3$ を代入すると，
$-3=2\times1+b$　$b=-5$
よって，$y=2x-5$

(2) $3x-5y=5$ を y について解くと，

$-5y=-3x+5$　$y=\dfrac{3}{5}x-1$

よって，y 軸上の切片は -1 である。

(3) 面積が a だから，$a>0$
$y=ax+4$ と x 軸との交点は $y=0$ を代入して，

$0=ax+4$　$x=-\dfrac{4}{a}$

図形の面積は，右の図のようになるから，

$\dfrac{1}{2}\times\dfrac{4}{a}\times4=\dfrac{8}{a}$

$\dfrac{8}{a}=a$ より，$a^2=8$

$a>0$ だから，$a=\sqrt{8}=2\sqrt{2}$

(4) 直線 ℓ の傾きは $\dfrac{6-0}{0-(-3)}=2$，切片は 6 だから，

直線 ℓ の式は $y=2x+6$

また，直線 m の傾きは $\dfrac{0-10}{10-0}=-1$，切片は 10

だから，直線 m の式は $y=-x+10$

交点 A は連立方程式 $\begin{cases} y=2x+6 \\ y=-x+10 \end{cases}$ を解いて，

$x=\dfrac{4}{3}$, $y=\dfrac{26}{3}$

よって，$\mathrm{A}\left(\dfrac{4}{3},\ \dfrac{26}{3}\right)$

3 (1) $x=0$ のとき $y=0$, $x=-4$ のとき $y=32$ だから，$32=a\times(-4)^2$　$a=2$
よって，$y=2x^2$
変化の割合は $2\times(1+3)=8$

(2) 点 B の x 座標は 3 だから，$y=\dfrac{1}{4}x^2$ に $x=3$ を

代入して，$y=\dfrac{1}{4}\times3^2=\dfrac{9}{4}$

直線 ℓ の式は，放物線と交わる直線の公式を使って，

$y=\dfrac{1}{4}\times(-1+3)x-\dfrac{1}{4}\times(-1)\times3=\dfrac{1}{2}x+\dfrac{3}{4}$

4 (1) 放物線と交わる直線の公式を使って，

$y=-\dfrac{1}{4}\times(-2+4)x-\left(-\dfrac{1}{4}\right)\times(-2)\times4=-\dfrac{1}{2}x-2$

(2) (1)より，直線 AB と y 軸が交わる点の座標は
$(0,\ -2)$

よって，$\triangle\mathrm{OAB}=\dfrac{1}{2}\times2\times(2+4)=6$

(3) $\mathrm{C}(0,\ -2)$である。
点 P の x 座標を t とする。

$t>0$ のとき，$\triangle\mathrm{OCP}=\dfrac{1}{2}\times2\times t=t$

$\triangle\mathrm{OCP}=\dfrac{1}{5}\triangle\mathrm{OAB}$ だから，$t=\dfrac{1}{5}\times6$　$t=\dfrac{6}{5}$

同様に，$t<0$ のとき，

$\triangle\mathrm{OCP}=\dfrac{1}{2}\times2\times(-t)=-t$

$-t=\dfrac{1}{5}\times6$　$t=-\dfrac{6}{5}$

よって，$t=\dfrac{6}{5}$, $-\dfrac{6}{5}$

5 (1) 点 A の x 座標が -6 だから，$y=\dfrac{1}{4}x^2$ に

$x=-6$ を代入して，$y=\dfrac{1}{4}\times(-6)^2=9$

よって，$\mathrm{A}(-6,\ 9)$

(2) 点 B の x 座標が 2 だから，y 座標は $y=1$
よって，$\mathrm{B}(2,\ 1)$
AC+CB が最小となるのは，3 点 A，C，B が一直線に並ぶときである。直線 AB の傾きは

$\dfrac{1-9}{2-(-6)}=-1$ だから，直線 AB の式を

$y=-x+b$ として，$x=2$, $y=1$ を代入すると，
$1=-2+b$　$b=3$
よって，直線 AB の式は $y=-x+3$ だから，
$\mathrm{C}(0,\ 3)$

(3) $\mathrm{A}(-6,\ 9)$ より，$\mathrm{D}(0,\ 9)$
$\mathrm{B}(2,\ 1)$ より，$\mathrm{E}(0,\ 1)$
△ACD，△CEB をそれぞれ y 軸を軸として 1 回転させたときにできる立体 S，T は，右の図のような円錐になる。

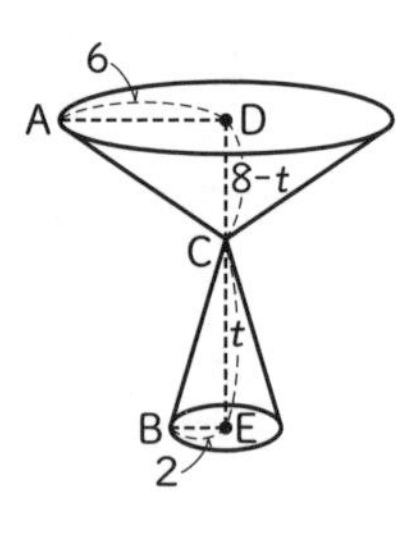

D と E の x 座標の差は $9-1=8$ より，CE の長さを t とすると，$\mathrm{DC}=8-t$

S の体積は，$\dfrac{1}{3}\times\pi\times6^2\times(8-t)$,

T の体積は，$\dfrac{1}{3}\times\pi\times2^2\times t$ より，

$\frac{1}{3}\times\pi\times6^2\times(8-t)=7\times\left(\frac{1}{3}\times\pi\times2^2\times t\right)$

$6^2\times(8-t)=7\times2^2\times t$　$36\times(8-t)=28t$　$t=\frac{9}{2}$

6 (1) $0\leqq x\leqq4$ のとき，$y=1.5x+2$

$x=4$ のとき，$y=8$

$4\leqq x$ のとき，グラフの傾きは $1.5-1=0.5$ だから，$y=0.5x+b$ として，$x=4$，$y=8$ を代入して，$8=0.5\times4+b$　$b=6$

よって，$y=0.5x+6$

$y=12$ を代入して，$12=0.5x+6$　$x=12$

したがって，グラフは3点 (0，2)，(4，8)，(12，12) を結ぶ折れ線である。

(2) 水そうBについての式は，$y=1.5x$ であり，このグラフと(1)のグラフは，$4\leqq x\leqq12$ で交わる。

連立方程式 $\begin{cases}y=1.5x\\y=0.5x+6\end{cases}$ を解くと，$x=6$

よって，6分後

7 (1) $x=1$ のとき，右の図のように，点Pは辺AB上，点Qは辺AD上にある。

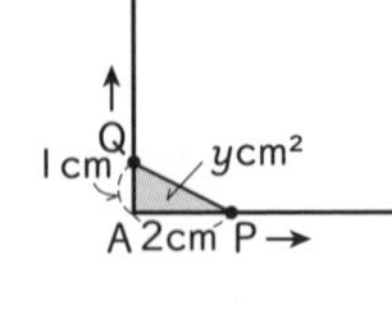

$AP=2\times1=2$ (cm)，

$AQ=1\times1=1$ (cm)

より，$y=\frac{1}{2}\times2\times1=1$

$x=4$ のとき，右の図のように，点Pは辺BC上，点Qは辺AD上にある。

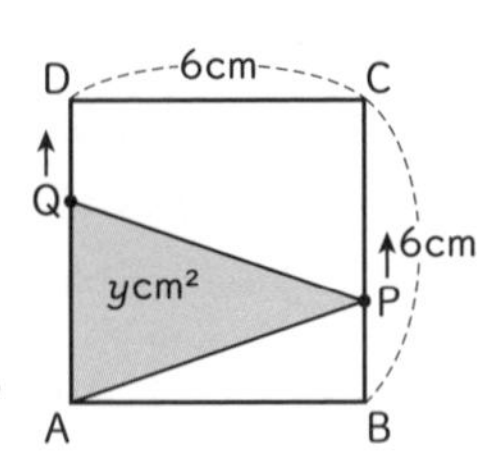

$AQ=1\times4=4$ (cm) より，

$y=\frac{1}{2}\times4\times6=12$

(2) t 秒後に出会うとすると，$2t+t=6\times4$

$t=8$

よって，8秒後

(3) $0\leqq x\leqq3$ のとき，$AP=2\times x=2x$ (cm)，

$AQ=1\times x=x$ (cm) より，$y=\frac{1}{2}\times2x\times x=x^2$

$3\leqq x\leqq6$ のとき，$AQ=1\times x=x$ (cm) より，

$y=\frac{1}{2}\times6\times x=3x$

$6\leqq x\leqq8$ のとき，右の図のように，点P，Qは辺CD上にある。

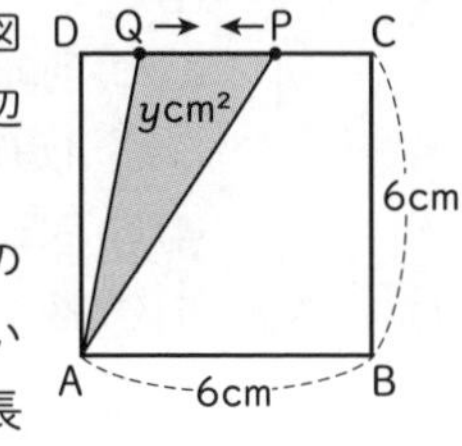

PQの長さは，正方形のまわりの長さ−(Pの動いた長さ+Qの動いた長さ) だから，

$PQ=6\times4-(2x+x)=24-3x$ (cm) より，

$y=\frac{1}{2}\times(24-3x)\times6=3(24-3x)=-9x+72$

よって，グラフは**ウ**

(4) $0\leqq x\leqq3$ のとき，$y=x^2$ より，$0\leqq y\leqq9$

よって，$x^2=6$ より，$x=\pm\sqrt{6}$

$x>0$ より，$x=\sqrt{6}$

$3\leqq x\leqq6$ のとき，$y=3x$ より，$9\leqq y\leqq18$

よって適さない。

$6\leqq x\leqq8$ のとき，$y=-9x+72$ より，$0\leqq y\leqq18$

よって $-9x+72=6$ より，$x=\frac{22}{3}$

以上から，$x=\sqrt{6}$，$\frac{22}{3}$

1 平面図形

STEP 1 まとめノート

本冊⇨pp.88 ～ 89

例題1 (1) ① // (2) ② ⊥
(3) ③ DC ④ DC ⑤ 4
(4) ⑥ B ⑦AB ⑧BC
⑨∠ABC (∠CBA, ∠B)

例題2 (1) ① ウ ② オ
(2) ③ 回転 ④ ウ ⑤ エ
(3) ⑥ 180 ⑦ オ
(4) ⑧ DE ⑨ エ

例題3 (1) ① 接点 ②垂直 ③ OA ④ OA
⑤ 垂線 ⑥ 接線
(2) ① CP ② 距離 ③ 垂直二等分線
④ CBP ⑤ 二等分線 ⑥ 交点

例題4 ① 垂線 ② 90 ③ NBCO ④ OCM
⑤ △NBM ⑥ 12 ⑦ 90
⑧ 4 ⑨ 4 ⑩ 4π ⑪ 32
⑫ $4\pi+16$

STEP 2 実力問題

本冊⇨pp.90 ～ 91

1 (1) A′(−1, 3), B′(−4, 0)
(2) 平行四辺形

2 (1)

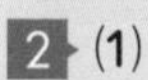

(2)

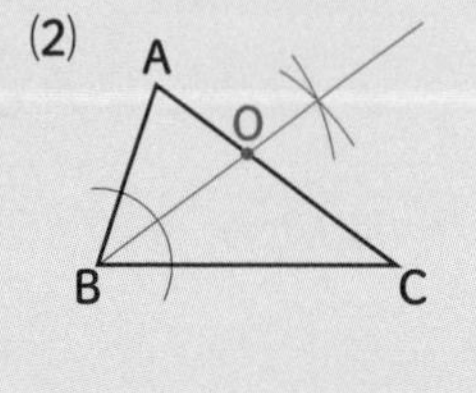

(3)

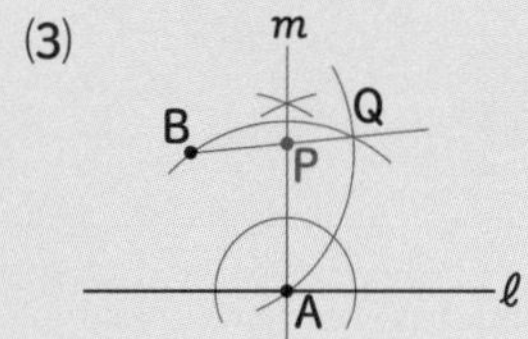

3 8 cm

4 (1) まわりの長さ…$2\pi+12$ (cm),
面積…6π cm^2
(2) まわりの長さ…6π cm, 面積…2π cm^2

5 (1) $25\pi-50$ (cm^2) (2) 25 cm^2
(3) $16\pi+96$ (cm^2) (4) 24 cm^2

6 $36\pi-72$ (cm^2)

7 $3\pi+27$ (cm)

解説

1 (1) 点Aは (1, 2) → (1, −2) → (−3, −1) → (−1, 3), 点Bは (4, 5) → (4, −5) → (0, −4) → (−4, 0) のように移動する。

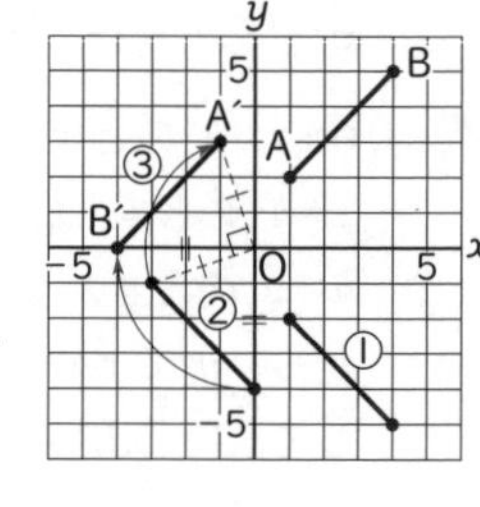

(2) 線分 A′B′ を右へ 5, 上へ 2 だけ平行移動させると, 線分 BA に重なるから, 四角形 A′B′AB は平行四辺形である。

2 (1) 2点A, Bまでの距離が等しいから, 線分ABの垂直二等分線をひく。また, 2辺OX, OYまでの距離が等しいから, ∠XOYの二等分線をひく。その交点がPである。
(2) 2辺AB, BCまでの距離が等しいから, ∠ABCの二等分線をひく。それと辺ACとの交点がOである。
(3) ℓ上の点Aを通る垂線 m をひく。2点A, Bを中心とし, 半径がABの円をそれぞれかき, その交点の1つをQとする。このとき, AB=AQ=BQ だから, △ABQは正三角形となり, ∠ABQ=60°
よって, BQと m の交点がPである。

3 右の図のように接点をP, Q, Rとすると,
AQ=AP=2 cm,
BR=BP=5−2=3 (cm)
CQ=CR=9−3=6 (cm)
よって, AC=AQ+CQ=2+6=8 (cm)

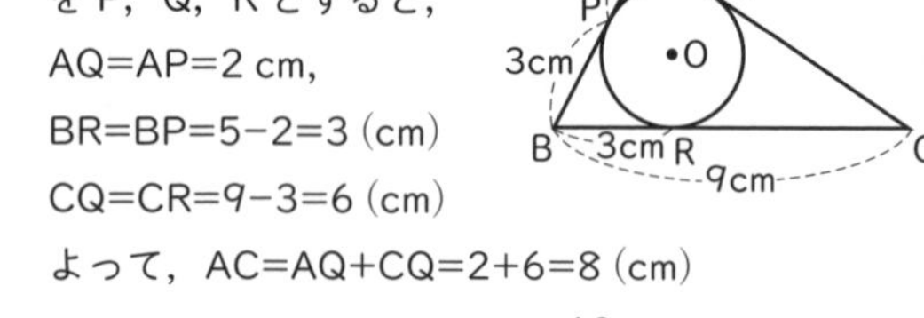

4 (1) まわりの長さは, $2\pi\times6\times\frac{60}{360}+6\times2$
$=2\pi+12$ (cm)
面積は, $\pi\times6^2\times\frac{60}{360}=6\pi$ (cm^2)
(2) まわりの長さは, $(6\pi+4\pi+2\pi)\div2=6\pi$ (cm)
面積は, $(\pi\times3^2-\pi\times2^2-\pi\times1^2)\div2$
$=4\pi\div2=2\pi$ (cm^2)

5 (1) 右の図のように, 面積の等しい部分を移動させると, 色のついた部分の面積は, $\frac{1}{4}$ 円から直角二等辺三角形をひいたものになる。
よって,
$\pi\times10^2\times\frac{1}{4}-\frac{1}{2}\times10\times10=25\pi-50$ (cm^2)

(2) 右の図のように，面積の等しい部分を移動させると，色のついた部分の面積は正方形を4等分した直角二等辺三角形の面積になる。

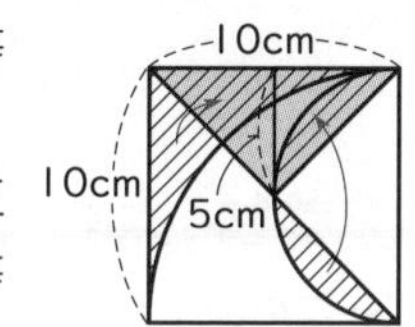

よって，$\frac{1}{2}\times10\times5=25$ (cm^2)

(3) 右の図のように，面積の等しい部分を移動させると，色のついた部分の面積は，$\frac{1}{4}$円と△BEF をたしたものになる。

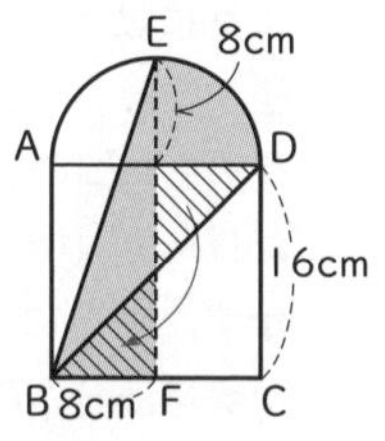

よって，$\pi\times8^2\times\frac{1}{4}+\frac{1}{2}\times8\times(16+8)$

$=16\pi+96$ (cm^2)

(4) 求める面積は，半径3cmの半円と半径4cmの半円と直角三角形をたしたものから，半径5cmの半円をひいたものになる。

よって，

$\pi\times3^2\times\frac{1}{2}+\pi\times4^2\times\frac{1}{2}+\frac{1}{2}\times6\times8-\pi\times5^2\times\frac{1}{2}$

$=\pi\times(3^2+4^2-5^2)\times\frac{1}{2}+24=0+24=24$ (cm^2)

! ココに注意

(4)では，色のついた部分の面積は直角三角形の面積と等しくなる。

6 ㋐+長方形の面積−㋑=$\frac{1}{4}$円の面積 だから，

㋐−㋑=$\frac{1}{4}$円の面積−長方形の面積

$=\pi\times12^2\times\frac{1}{4}-6\times12=36\pi-72$ (cm^2)

7 右の図のように，補助線をひくと，内側に1辺が3×3=9 (cm) の正三角形ができる。3つのおうぎ形の中心角は 360°−(90°×2+60°)=120° だから，3つ合わせると，直径3cmの1つの円になる。

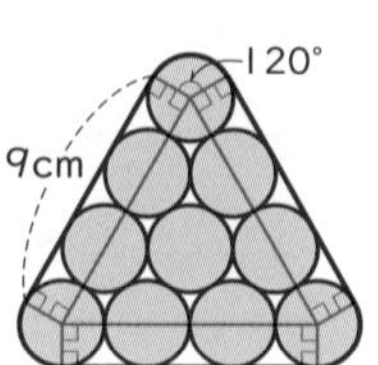

よって，求める長さは，9×3+3π=3π+27 (cm)

STEP 3 発展問題

本冊⇨pp.92～93

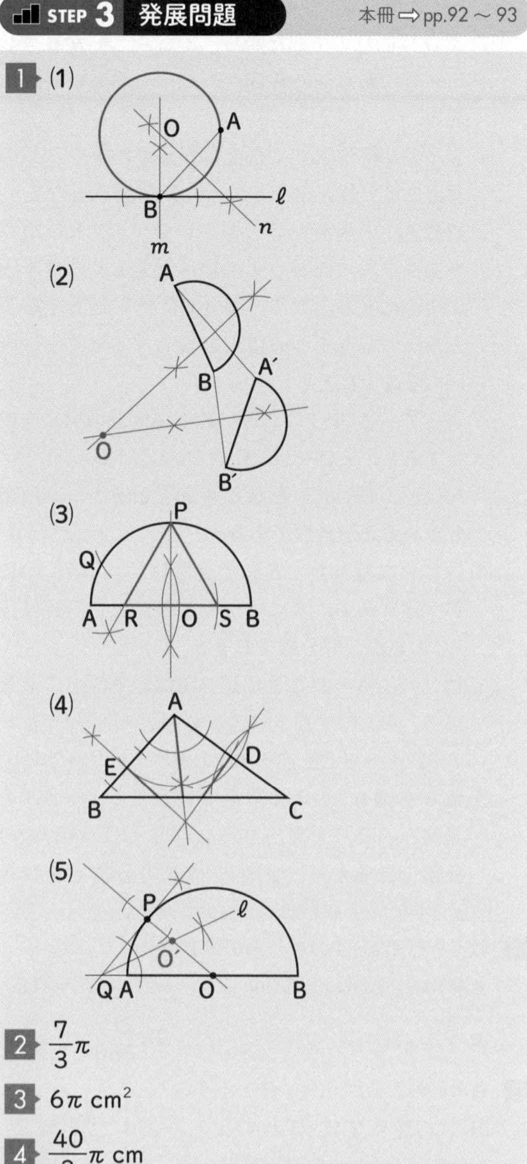

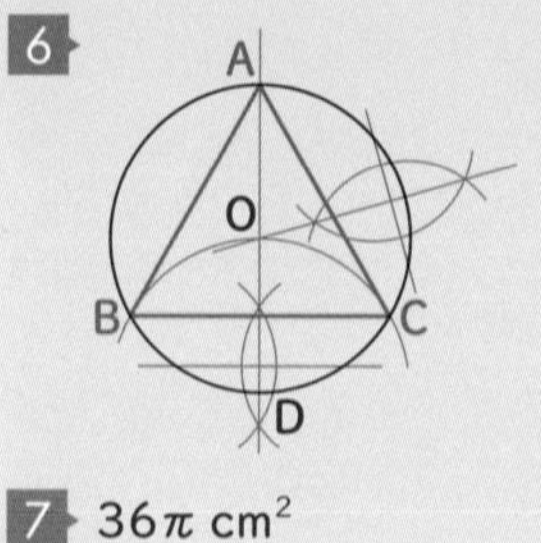

解説

1 (1) ℓ 上の点Bを通る垂線 m をひく。次に，線分ABの垂直二等分線 n をひく。m と n の交点が円の中心Oとなるから，半径をOAとして，円をかけばよい。

(2) 点Oは回転の中心だから，2点A，A′から等しい距離にあり，2点B，B′からも等しい距離にある。
よって，線分AA′の垂直二等分線と線分BB′の垂直二等分線をひくと，その交点がOとなる。

(3) 線分ABの垂直二等分線をひき，ABとの交点をO，半円の弧との交点をPとする。Oは半円の中心になる。次に，線分OPを1辺とする正三角形のもう1つの頂点をQとすると，Qは半円の弧の上にある。
よって，∠QPOの二等分線とABとの交点をRとすると，∠OPR=30° より，∠PRO=60°
AB上に PR=RS となる点Sをとると，△PRSが求める正三角形である。

(4) はじめに折ったときにできる線は∠BACの二等分線である。次に折ったときにできる線は辺ACの垂直二等分線である。
はじめに折ったときに辺ABは辺AC上にくるので，ACの中点をDとすれば，AD=AE となるAB上の点Eを通るABの垂線も折り目である。

(5) 点Pを通り，OPに垂直な直線をひき，ABの延長との交点をQとする。QP，QOは円O′の接線であるから，∠PQOの二等分線 ℓ をひき，ℓ とOPの交点をO′とすればよい。

2 おうぎ形OABCの中心角の大きさは，
∠AOB+∠BOQ+∠COQ=90°+60°+60°=210°
よって，弧ABCの長さは，$2\pi\times2\times\frac{210}{360}=\frac{7}{3}\pi$

3 右の図のように，OP，OQと円O′の交点をR，Sとすると，R，Sは弧AOを3等分する点になる。

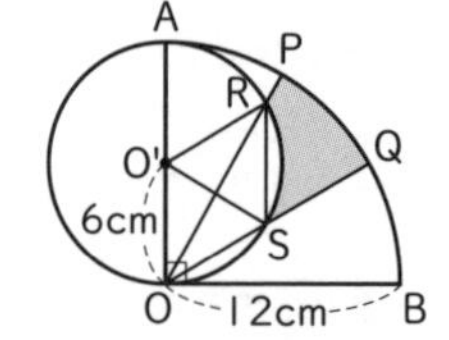

△O′RSは正三角形になり，
∠OO′S=∠RSO′=60° より，錯角が等しいから，AO//RS
よって，△O′RS=△ORS だから，求める面積は，おうぎ形OPQの面積からおうぎ形O′RSの面積をひいたものである。
よって，$\pi\times12^2\times\frac{30}{360}-\pi\times6^2\times\frac{60}{360}$
$=12\pi-6\pi=6\pi$ (cm²)

4 求める長さは，右の図の色のついた半径4cmのおうぎ形の弧の部分の和になる。

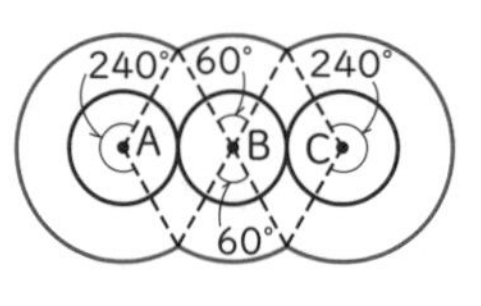

よって，$2\pi\times4\times\frac{240}{360}\times2+2\pi\times4\times\frac{60}{360}\times2$
$=16\pi\times\frac{300}{360}=\frac{40}{3}\pi$ (cm)

5 右の図1のように，60°だけ矢印の方向に転がすと，Pは色のついた実線部分のように動き，その長さは半径1cm，中心角60°のおうぎ形の弧の長さである。次に，矢印の方向に60°だけ転がすときは，Pは回転の中心になるから動かず，さらに60°だけ転がすとき，Pは色のついた実線部分と同じ長さだけ動く。

(図1)
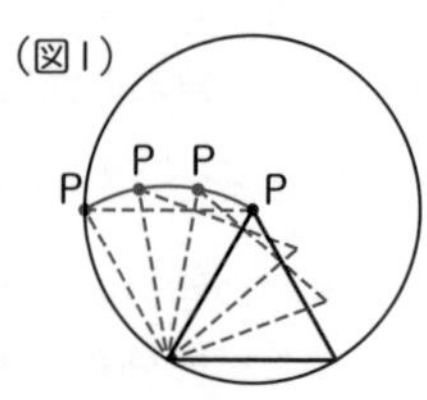

よって，正三角形がもとの位置に戻るまでに，Pは右の図2の色のついた部分のように動くから，求める長さは，
$2\pi\times1\times\frac{60}{360}\times4=\frac{4}{3}\pi$ (cm)

(図2)
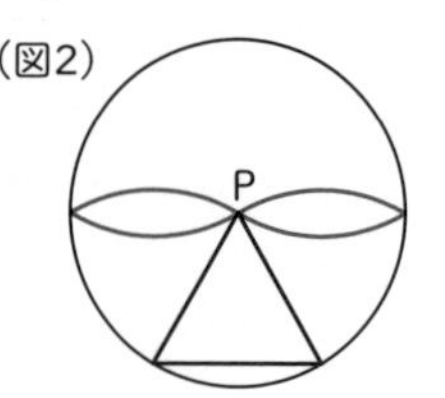

6 次の手順で作図する。
① 円の1つの弦を定める。
② その弦の垂直二等分線をひき，円との交点をA，Dとする。
③ 別の弦を定め，その弦の垂直二等分線をひき，線分ADとの交点をOとする。
④ 点Dを中心として，点Oを通る円をかき，もとの円との2つの交点をB，Cとする。
⑤ 3点A，B，Cを結び，三角形ABCをかく。

7 求める面積は下の図1の斜線部分になる。
図2のように補助線をひくと，赤くぬった部分の面積は黒くぬった部分の面積と等しいから，平行移動させることができる。
よって，求める面積は半径6cmの $\frac{1}{4}$ 円が4つ分，すなわち半径6cmの円1つ分となるから，
$\pi\times6^2=36\pi$ (cm²)

(図1)
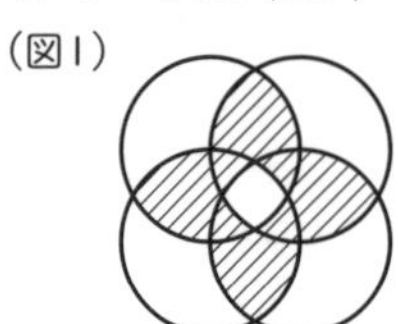

(図2)
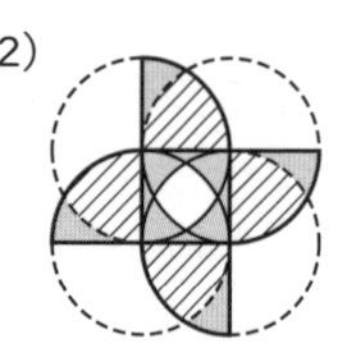

2 空間図形

STEP 1 まとめノート　本冊⇨pp.94～95

例題1 (1) ① BE　② CF (①と②は順不同)
(2) ③ DF　④ EF (③と④は順不同)
(3) ⑤ BC　⑥ AC (⑤と⑥は順不同)
(4) ⑦ ABC　⑧ DEF
(⑦と⑧は順不同)
(5) ⑨ BEFC　⑩ ADFC
(⑨と⑩は順不同)

例題2 (1) ① L　② N (①と②は順不同)
③ ED
(2) ④ 12　⑤ FI　⑥ 5　⑦ 12
⑧ 5　⑨ 7　⑩ 7

例題3 ① 6　② 5　③ 4　④ 96　⑤ $\frac{1}{3}$
⑥ 48

例題4 ① 3　② 135　③ 8　④ 3　⑤ 24π
⑥ 3　⑦ 9π　⑧ 24π　⑨ 9π
⑩ 33π

例題5 ① 円柱　② 円錐　③ 10　④ 12
⑤ 1200π　⑥ π　⑦ 6　⑧ 200π
⑨ 1200π　⑩ 200π　⑪ 1000π

STEP 2 実力問題　本冊⇨pp.96～99

1 ウ
2 (1) 4 本　(2) 辺 CF　(3) ③
3 イ
4 (1) ウ，オ　(2)

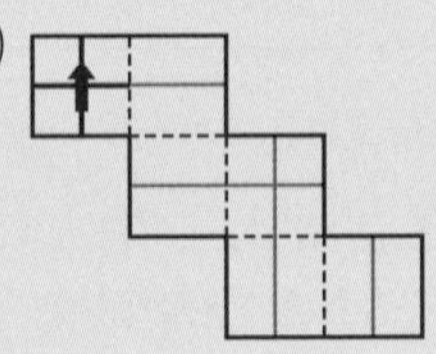

5 (1) 18 cm^3　(2) 63π cm^3　(3) イ
6 ア…3，イ…36π
7 (1) 320π cm^3　(2) 48 個
8 (1) 60°　(2) ① ウ　② 6 cm
9 56π cm^2
10 (1) 24π cm　(2) 12 cm　(3) 48π cm^2
11 (1) 39π cm^2　(2) $180\pi-120$ (cm^3)

(解説)

1 右の図のような直方体の辺や面を使って考える。

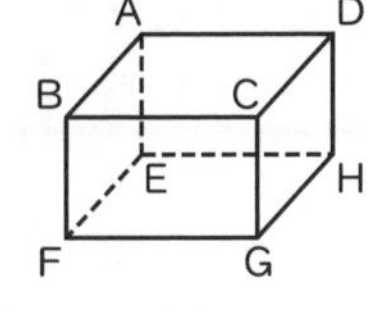

ア 面 ABCD に対して，辺 EF と辺 EH は平行であるが，この 2 つの辺は平行ではない。
イ 面 ABCD に対して，面 ABFE と面 DCGH は垂直であるが，この 2 つの面は垂直ではない。
ウ 辺 AB に対して，平行な直線である EF とDC は平行である。これは他の辺でもいえる。
エ 辺 AB に対して，面 BFGC と面 AEHD は垂直であるが，この 2 つの面は垂直ではない。

ココに注意
正しくないことを示すには，正しくない例 (反例という) を 1 つあげればよい。

2 (1) 右の図で，辺 AB と交わる辺は辺 AD，辺 AE，辺 BC，辺 BF で，平行な辺は辺 DC，辺 EF，辺 HG だから，残りの辺は，辺 DH，辺 CG，辺 EH，辺 FG の 4 本

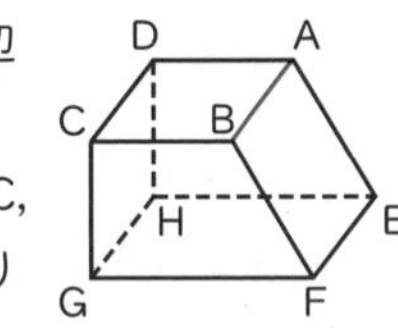

(2) 見取図は右のようになる。辺 AB と平行でなく，交わらない辺は辺 CF である。

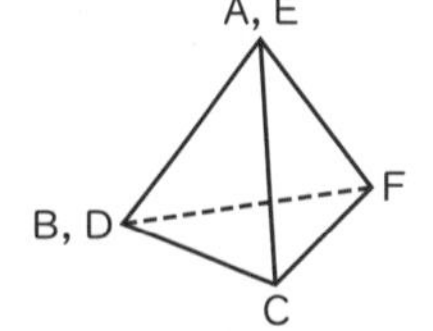

(3) ① 点 C は A，B，D を通る平面上にない。
② 点 D は右の図のように，A，B，C を通る平面上にない。

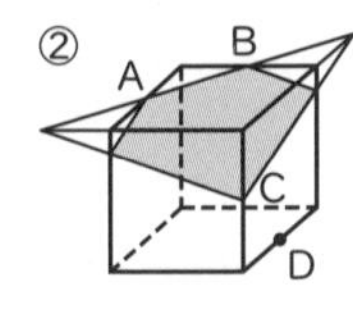

③ 4 点 A，B，C，D は右の図のように同じ平面上にある。

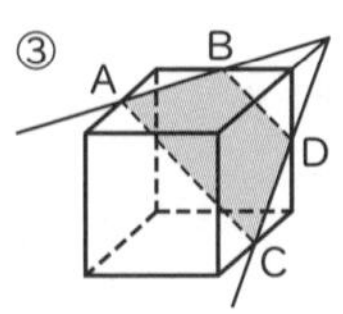

④ 点 D は A，B，C を通る平面上にない。

3 三角柱の平面図は三角形で，立面図は長方形だから，イ

4 (1) 辺 AB をふくまない面の中から辺 AB に平行なものを答える。右の図のように面ウを底面にして見取図をかくと，ウ，オが辺 AB に平行であることがわかる。

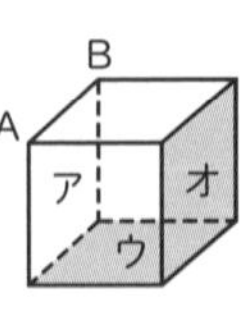

(2) 右の図1のように頂点を定めて展開図にかき入れると，図2のようになる。

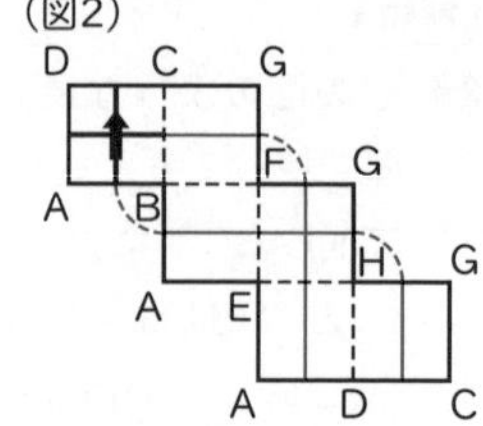

5 (1) できる立体は三角柱である。

$\left(\frac{1}{2}\times3\times4\right)\times3=18$ (cm^3)

(2) 底面の円の半径を r cm とすると，$2\pi r=6\pi$

$r=3$

よって，円柱の体積は，$(\pi\times3^2)\times7=63\pi$ (cm^3)

(3) 4 つの立体の体積は，それぞれ，

ア $\frac{1}{3}\times\pi a^2\times a=\frac{\pi}{3}a^3$ (cm^3)

イ $\frac{1}{3}\times(2a)^2\times a=\frac{4}{3}a^3$ (cm^3)

ウ a^3 cm^3

エ $\pi\times\left(\frac{a}{2}\right)^2\times a=\frac{\pi}{4}a^3$ (cm^3)

$\pi=3.14\cdots$ であるから，**イ**が最大である。

6 球の半径を r cm とすると，$4\pi r^2=36\pi$　$r^2=9$

r にあてはまる数は 3，-3 があり，$r>0$ だから，

$r=3$

体積は，$\frac{4}{3}\pi\times3^3=36\pi$ (cm^3)

7 (1) 水の体積は，$\pi\times8^2\times5=320\pi$ (cm^3)

(2) ビー玉の半径は 1 cm だから，体積は $\frac{4}{3}\pi$ cm^3

上昇した水の体積は，$\pi\times8^2\times1=64\pi$ (cm^3) だから，ビー玉の個数は，

$64\pi\div\frac{4}{3}\pi=64\pi\times\frac{3}{4\pi}=48$ (個)

8 (1) おうぎ形の中心角を $a°$ とすると，

$2\pi\times6\times\frac{a}{360}=2\pi\times1$ より，$a=60$

よって，60°

(2) ① 最も短くなるのは，線分 AA′ になるときだから，**ウ**

② **ウ**の図で △PAA′ は ∠APA′=60° より，正三角形になる。

よって，AA′=PA=6 cm

! ココに注意

円錐の公式①

右の図のように，母線の長さを R，底面の半径を r，側面のおうぎ形の中心角を $a°$ とすると，

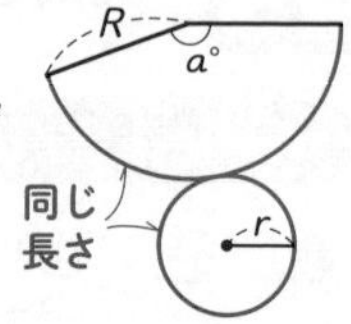

$2\pi r=2\pi R\times\frac{a}{360}$ より，

$r=R\times\frac{a}{360}$　変形して，$a=360\times\frac{r}{R}$

9 できる立体は右の図のようになる。

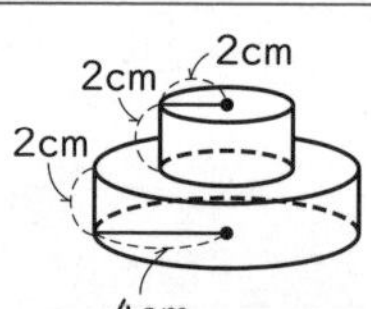

$\pi\times4^2\times2+2\times4\pi+2\times8\pi$

$=32\pi+8\pi+16\pi=56\pi$ (cm^2)

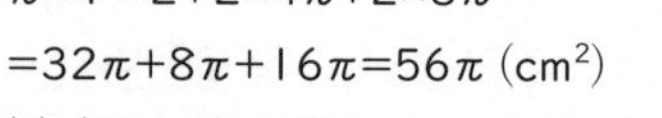

10 (1) 底面である半径 4 cm の円が 3 回転した長さになるから，$(2\pi\times4)\times3=24\pi$ (cm)

(2) 母線の長さを x cm とすると，半径 x cm の円周と(1)で求めた長さが等しいから，$2\pi x=24\pi$

$x=12$

(3) 求める面積は半径 12 cm の円の面積の $\frac{1}{3}$ と等しいから，$\pi\times12^2\times\frac{1}{3}=48\pi$ (cm^2)

! ココに注意

円錐の公式②

右の図のように，母線の長さを R，底面の半径を r，側面積を S とすると，

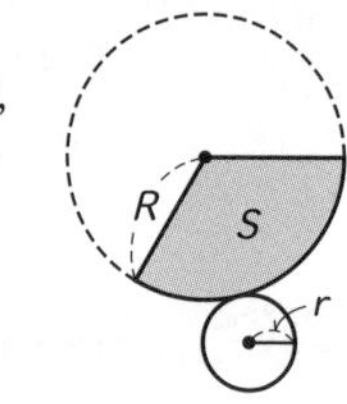

$S=\pi R^2\times\frac{2\pi r}{2\pi R}=\pi R^{\cancel{2}}\times\frac{\cancel{2\pi}r}{\cancel{2\pi R}}=\pi Rr$

この公式を使えば，側面のおうぎ形の中心角を求めなくても，側面積を求めることができる。

(3)では，この公式を使って，

$\pi\times12\times4=48\pi$ (cm^2) と簡単に求められる。

11 (1) $\overset{\frown}{DE}$ の長さは，$2\pi\times12\times\frac{1}{4}=6\pi$ (cm)

求める面積は，半径が 13 cm，弧の長さが 6π cm のおうぎ形の面積だから，

$\frac{1}{2}\times6\pi\times13=39\pi$ (cm^2)

(2) 求める立体は図 1 の立体から，底面が △DCE で高さが CO の三角錐を取り除いたものである。

三角錐 O-DCE の体積は，

$\frac{1}{3}\times\left(\frac{1}{2}\times12\times12\right)\times5=120$ (cm^3)

よって，求める立体の体積は，

$\pi\times12^2\times\frac{1}{4}\times5-120=180\pi-120$ (cm^3)

STEP 3 発展問題　本冊⇨pp.100～101

1 イ，エ

2 (1) $\frac{75}{8}$ cm^2　(2) $\frac{5}{3}$ cm

3 (1) 1：2　(2) **立体イが 18 cm^2 大きい**

4 60°

5 (1)

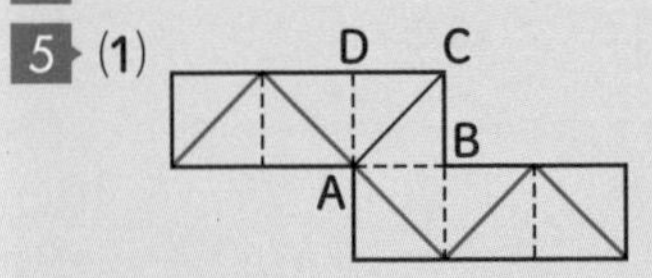

(2) 3：1

6 25 cm^3

7 (1) 8　(2) 12

8 $\frac{5}{6}$ cm

解説

1 **ア**，**ウ**について，右の直方体で考えると，

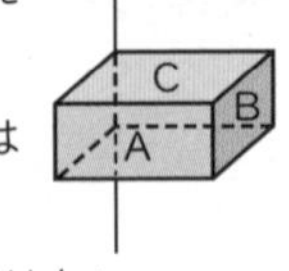

ア A//ℓ，B//ℓ であるが，A//B ではない。

ウ A⊥C，B⊥C であるが，A//B ではない。

よって，**ア**と**ウ**はつねに成り立つとはいえない。

2 (1) $5^2-\left(\frac{1}{2}\times\frac{5}{2}\times5\right)\times2-\frac{1}{2}\times\frac{5}{2}\times\frac{5}{2}=\frac{75}{8}$ (cm^2)

(2) 展開図を組み立てると，底面が直角二等辺三角形で，高さが 5 cm の三角錐ができる。

その体積は $\frac{1}{3}\times\frac{25}{8}\times5=\frac{125}{24}$ (cm^3)

一方，底面を △ABC としたときの高さを h cm とすると，(1)より，三角錐の体積は

$\frac{1}{3}\times\frac{75}{8}\times h=\frac{25}{8}h$ (cm^3) と表せる。

よって，$\frac{25}{8}h=\frac{125}{24}$　$h=\frac{5}{3}$

3 (1) 三角錐 B-ADC と三角錐 B-CFD で，△ADC と △CFD は合同だから面積は等しく，高さが等しいから，2 つの体積は等しくなる。

同様に，三角錐 D-BCF と三角錐 D-BFE で，△BCF と △BFE は面積が等しく，高さが等しいから，2 つの体積は等しくなる。

ここで，三角錐 B-CFD と三角錐 D-BCF は同一の立体だから，求める体積の比は，

1：(1+1)=1：2

(2) 2 つの立体で，△ABC=△DEF，

△ADC=△FCD，△ADB=△EBD である。

また，△DBC は共通な部分だから，立体**イ**のほうが立体**ア**よりも長方形 BEFC の分だけ大きい。

よって，立体**イ**が 3×6=18 (cm^2) 大きい。

4 右の図のように，

∠ADK=∠EDK=90°，

∠DEK=45° となる点Kをとる。このとき，△DAE，△DEK，△DAK は合同な直角二等辺三角形である。

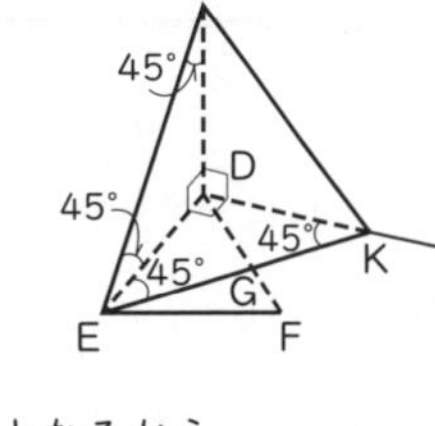

よって，△AEK は正三角形となるから，

∠AEG=∠AEK=60°

5 (1) 展開図に頂点の記号をかき入れ，対角線をひくと，右の図のようになる。

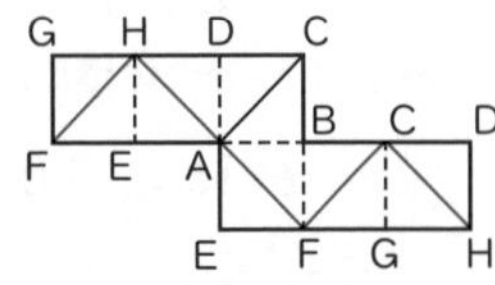

(2) 四面体 C-AFH は，立方体から三角錐 A-EFH，C-GHF，H-ACD，F-ABC を取り除いたものである。

これら 4 つの三角錐の体積はすべて等しく，

$\frac{1}{3}\times\frac{1}{2}\times4^2\times4=\frac{4^3}{6}$ (cm^3)

よって，四面体 C-AFH の体積は，

$4^3-\frac{4^3}{6}\times4=4^3-\frac{2}{3}\times4^3=\frac{4^3}{3}$ (cm^3) だから，

求める体積の比は，$4^3:\frac{4^3}{3}=1:\frac{1}{3}=3:1$

6 右の図のように，点 C を通り，底面 DEF に平行な平面と辺 AD，BE との交点をそれぞれ G，H とする。

求める体積は，三角柱 GHC-DEF の体積と四角錐C-AGHB の体積をたしたものだから，

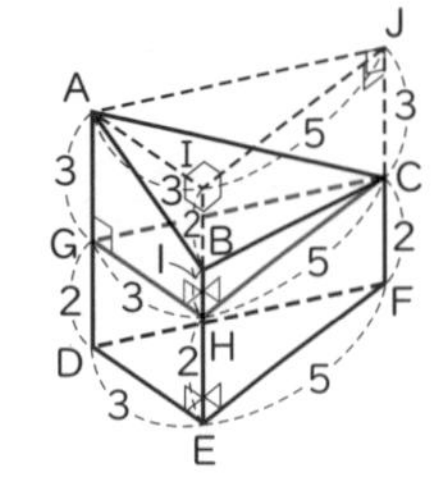

$\left(\frac{1}{2}\times3\times5\right)\times2+\frac{1}{3}\times\left\{\frac{1}{2}\times(3+1)\times3\right\}\times5$

$=15+10=25$ (cm^3)

別解　柱体をななめに切った立体の体積は，

底面積×高さの平均 で求められるから，

$\frac{1}{2}\times3\times5\times\frac{5+3+2}{3}=\frac{15}{2}\times\frac{10}{3}=25$ (cm^3)

7 (1) 面 IJKL は立方体を 2 つの立体に分け，他の面も同様に分けるから，2×2×2=8 (個) に分けられる。

(2) さらに面 DEG で切断すると，右の図のように，４つの立方体が２つの立体に分けられるから，４個増える。
よって，$8+4=12$（個）の立体に分けられる。

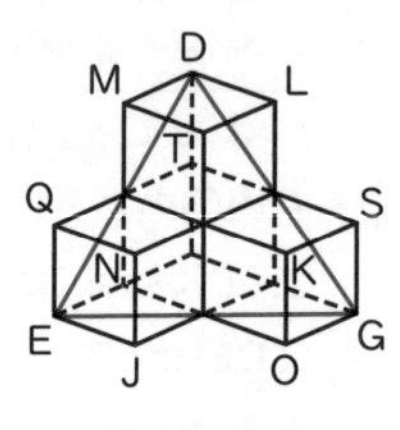

8 $AP=10\times\frac{2}{3}=\frac{20}{3}$ (cm)，

$BQ=10\times\frac{3}{4}=\frac{15}{2}$ (cm)

平面 PQR によって分けられた立体の１つ分の体積は，

$\frac{1}{2}\times4\times6\times10\times\frac{1}{2}=60$ (cm^3)

ここで，右の図のように，頂点 A をふくむ立体について，点 R を通り底面に平行な平面 RST で，三角柱 ABC-STR と底面 PQTS が台形の四角錐 R-PQTS に分ける。

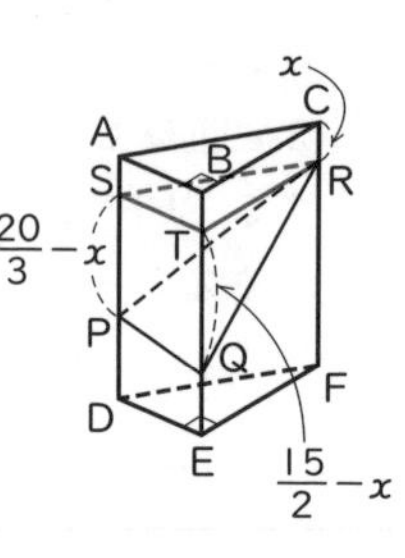

CR の長さを x cm とおくと，

$SP=\frac{20}{3}-x$ (cm)，$TQ=\frac{15}{2}-x$ (cm) となるから，

分けられた立体の１つ分の体積は，

$\frac{1}{2}\times4\times6\times x+\frac{1}{3}\times\left\{\frac{1}{2}\times\left(\frac{20}{3}-x+\frac{15}{2}-x\right)\times4\right\}\times6$

$=12x+4\times\left(\frac{85}{6}-2x\right)=4x+\frac{170}{3}$ と表される。

これが，60 cm^3 に等しいから，$4x+\frac{170}{3}=60$

これを解いて，$x=\frac{5}{6}$

別解　２つの立体の底面は △ABC と △DEF で面積は等しい。
高さも等しくなれば，体積も等しくなるので，
AP+BQ+CR=DP+EQ+FR
CR の長さを x cm とおくと，$FR=10-x$ (cm)

$\frac{20}{3}+\frac{15}{2}+x=\frac{10}{3}+\frac{5}{2}+(10-x)$

$\frac{85}{6}+x=\frac{95}{6}-x$　$2x=\frac{10}{6}$　$x=\frac{5}{6}$

3 図形の角と合同

STEP 1 まとめノート

本冊⇨pp.102 ～ 103

例題1 (1) ① 対頂角　② 30　③ 45　④ 30
⑤ 45　⑥ 105
(2) ① 平行　② 錯角　③ 45　④ 20
⑤ 55

例題2 (1) ① 外角　② 内角　③ 20　④ 80
⑤ 115　⑥ 80　⑦ 35
(2) ① 180　② 180　③ 132
④ $a°+b°$　⑤ 132
⑥ 66　⑦ 180　⑧ 66　⑨ 114

例題3 (1) ① 2　② 2　③ 5　④ 7　⑤ 七
(2) ① 360　② 360　③ 72

例題4 (1) ① BO　② DO　③ BD
(2) ④ BO　⑤ DO　⑥ ∠BOD
⑦ 2 組の辺とその間の角
⑧ △BOD　⑨ BD

例題5 ① △EMC　② 仮定　③ CM
④ 対頂角　⑤ ∠EMC　⑥ 錯角
⑦ ∠ECM
⑧ 1 組の辺とその両端の角
⑨ △EMC

STEP 2 実力問題

本冊⇨pp.104 ～ 107

1 (1) 77°　(2) 140°　(3) 45°　(4) 88°

2 (1) $x=b+c-a$　(2) 140°

3 (1) 130°　(2) 70°

4 (1) 540°　(2) 1800°

5 (1) 14°　(2) 19°　(3) 85°

6 (1) 180°　(2) 540°

7 (1) 84°　(2) 33°　(3) 140°

8 合同な三角形…△ABE
合同条件…1 組の辺とその両端の角がそれぞれ等しい。

9 ア 3 組の辺がそれぞれ等しい。
ウ 2 組の辺とその間の角がそれぞれ等しい。

10 ア…BQ，イ…QPB，ウ…180

11 △ABF と △DEC において，
△ABC≡△DEF より，
AB=DE　…①

$\angle ABF=\angle DEC$ …②
$BC=EF$ …③
また，$BF=BC-CF$，$EC=EF-CF$ だから，
③より，$BF=EC$ …④
よって，①，②，④より，2 組の辺とその間の角がそれぞれ等しいから，
$\triangle ABF \equiv \triangle DEC$

12 $\triangle AGD$ と $\triangle CFE$ において，
仮定より，$AD=CE$ …①
$AB /\!/ FC$ より，錯角は等しいから，
$\angle DAG=\angle ECF$ …②
$GD /\!/ BF$ より，同位角は等しいから，
$\angle GDA=\angle BED$ …③
対頂角は等しいから，$\angle BED=\angle FEC$ …④
③，④より，$\angle GDA=\angle FEC$ …⑤
よって，①，②，⑤より，1 組の辺とその両端の角がそれぞれ等しいから，
$\triangle AGD \equiv \triangle CFE$

（解説）

1 (1) 折れたところで，ℓ，m に平行な直線をひく。
平行線の錯角は等しいから，
$\angle x=45^\circ+32^\circ=77^\circ$

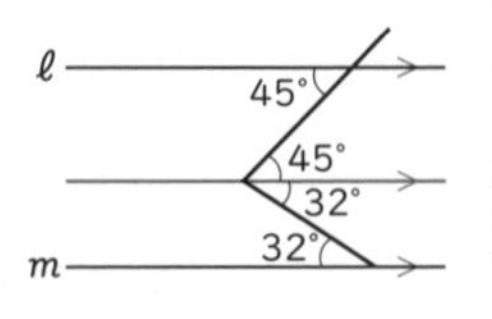

(2) $\angle x=180^\circ-(60^\circ-20^\circ)=140^\circ$
(3) 右の図から，
$49^\circ+\angle x=51^\circ+43^\circ$
$\angle x=94^\circ-49^\circ=45^\circ$

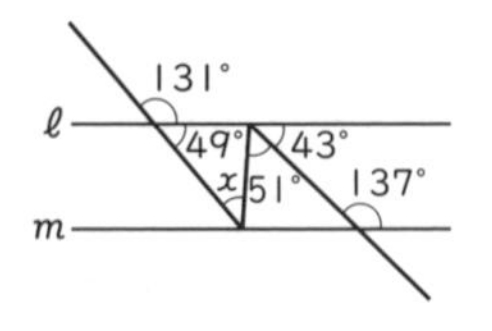

(4) $\angle x=(110^\circ-47^\circ)+25^\circ$
$=63^\circ+25^\circ=88^\circ$

2 (1) $\triangle ADC$ で，$\angle EAD=\angle ADC+\angle ACD$
だから，$x+a=b+c$ $x=b+c-a$
(2) $\triangle ABC$ と $\triangle AEC$ は合同だから，
$\angle ACB=\angle ACE=20^\circ$
平行線の錯角は等しいから，
$\angle DFC=\angle BCF=20^\circ\times 2=40^\circ$
よって，$\angle x=180^\circ-40^\circ=140^\circ$

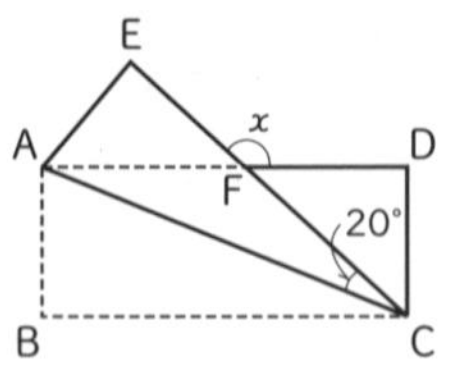

3 (1) $\angle ABP=\angle a$，$\angle ACP=\angle b$ とすると，
$\triangle ABC$ で，$80^\circ+2(\angle a+\angle b)=180^\circ$ より，
$\angle a+\angle b=50^\circ$
よって，$\triangle PBC$ で，
$\angle x=180^\circ-(\angle a+\angle b)=180^\circ-50^\circ=130^\circ$
(2) $\angle DBC=\angle a$，$\angle DCB=\angle b$ とすると，
$\triangle DBC$ で，$\angle a+\angle b=180^\circ-125^\circ=55^\circ$ より，
$2\angle a+2\angle b=2(\angle a+\angle b)=110^\circ$
よって，$\triangle ABC$ で，
$\angle x=180^\circ-2(\angle a+\angle b)=70^\circ$

4 (1) $180^\circ\times(5-2)=540^\circ$
(2) $360^\circ\div 30^\circ=12$ より，正十二角形だから，
$180^\circ\times(12-2)=1800^\circ$

5 (1) 右の図のように，平行線 ℓ をひく。
正五角形の 1 つの内角は，
$180^\circ\times(5-2)\div 5=108^\circ$ だから，
$\angle x=180^\circ-(108^\circ+58^\circ)=14^\circ$

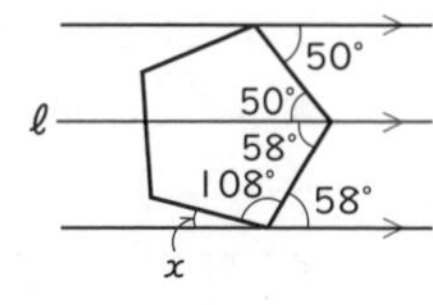

(2) 正五角形の 1 つの内角は 108° だから，
$\angle OAB=180^\circ-(108^\circ+55^\circ)=17^\circ$
$\angle OCB=180^\circ-108^\circ=72^\circ$
よって，四角形 OABC で，
$\angle x+17^\circ+72^\circ=108^\circ$ $\angle x=19^\circ$
(3) 右の図のように，平行線 p，q をひく。正六角形の 1 つの内角は，
$180^\circ\times(6-2)\div 6=120^\circ$
だから，

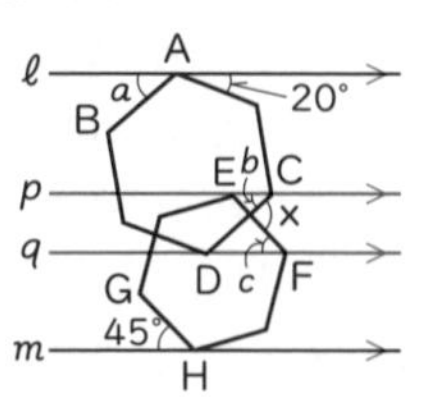

$\angle a=180^\circ-(120^\circ+20^\circ)=40^\circ$
$\ell /\!/ p$，$AB /\!/ CD$ より，$\angle b=\angle a=40^\circ$
同様に，$q /\!/ m$，$EF /\!/ GH$ より，$\angle c=45^\circ$
よって，$\angle x=40^\circ+45^\circ=85^\circ$

6 (1) 右の図のように記号をつけると，
$\triangle ACF$ で，
$\angle AFE=\angle a+\angle c$
また，$\triangle BDG$ で，
$\angle DGE=\angle b+\angle d$

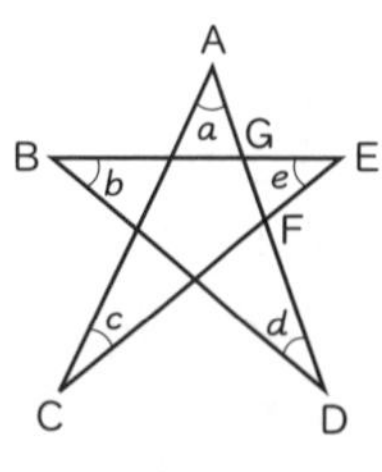

よって，印のついた角の和は，$\triangle EFG$ の内角の和と等しいから，180°
(2) 右の図のように記号をつけ，C と D を結ぶと，
$\angle a+\angle b=\angle c+\angle d$
よって，印のついた角の和は，五角形 ABCDE の内角の和と等しいから，540°

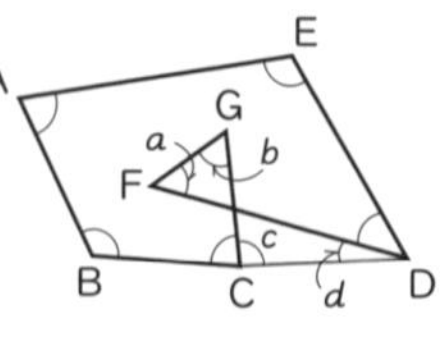

7 (1) $\angle BFC=180^\circ-122^\circ=58^\circ$
$\triangle BAF$ で，$\angle BAF=58^\circ-32^\circ=26^\circ$
$\triangle ABC \equiv \triangle BED$ より，$\angle BAC=\angle EBD=26^\circ$

よって，△BCF で，∠FCD=26°+58°=84°

(2) 右の図のように，

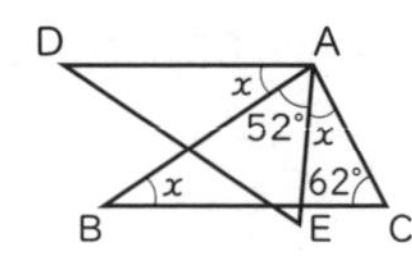

∠ABC=∠x とすると，
DA//BC より，錯角は等しいから，∠DAB=∠x とおける。
△ABC≡△ADE だから，
∠BAC=∠DAE より，
∠BAE+∠EAC=∠DAB+∠BAE
よって，∠EAC=∠DAB=∠x
△ABC で，∠x+(52°+∠x)+62°=180°
2∠x=66°　∠x=33°

(3) △ABC で，∠A=180°−(30°+80°)=70°
△ADE で，∠ADE+∠AED=180°−70°=110°
△ADE≡△A′DE だから，
∠A′DE+∠A′ED=110°
よって，∠ADA′+∠AEA′=110°×2=220° より，
∠a+∠ADA′+∠b+∠AEA′=180°×2=360°
∠a+∠b+220°=360°
したがって，∠a+∠b=140°

8 △ACD と △ABE で，∠A は共通だから，合同条件「1 組の辺とその両端の角がそれぞれ等しい。」が成り立つ。

9 イとエは，あてはまる合同条件がない。

STEP 3 発展問題

本冊⇨pp.108〜109

1 (1) 110°　(2) 36°

2 34°

3 ∠ABC=51°，∠ACB=69°

4 1080°

5 ∠x=94°，∠y=79°

6 **△ABD と △CBP において，**
仮定より，BA=BC　…①，BD=BP　…②
正三角形の 1 つの内角は 60° だから，
∠ABD=60°+∠CBD　…③
∠CBP=60°+∠CBD　…④
③，④より，∠ABD=∠CBP　…⑤
①，②，⑤より，2 組の辺とその間の角がそれぞれ等しいから，△ABD≡△CBP
よって，∠BAD=∠BCP　…⑥
また，△ABC は正三角形だから，
∠ABC=∠BAD　…⑦
⑥，⑦より，∠ABC=∠BCP
錯角が等しいから，AB//CP

7 **△ABD と △FBD において，**
BD は共通　…①
仮定より，
∠ABD=∠FBD=$\frac{1}{2}$∠B　…②
△BHD の外角より，
∠BDA=∠DBH+90°=$\frac{1}{2}$∠B+90°　…③
DF//AC より，同位角は等しいから，
∠BDF=∠BEC　…④
△ABE の外角より，
∠BEC=∠ABE+90°=$\frac{1}{2}$∠B+90°　…⑤
③，④，⑤より，
∠BDA=∠BDF　…⑥
①，②，⑥より，1 組の辺とその両端の角がそれぞれ等しいから，△ABD≡△FBD
よって，DA=DF

8 **(1) (例) x 軸について点 P と対称な点を P′ とすると，∠AOP=∠AOP′**
よって，∠AOB+∠AOP=∠AOB+∠AOP′
=∠BOP′　…①
ここで，P′B を結ぶと，
△OP′C′ と △P′BB′ において，
仮定より，OC′=P′B′　…②
P′C′=BB′　…③
∠OC′P′=∠P′B′B=90°　…④
②，③，④より，2 組の辺とその間の角がそれぞれ等しいから，
△OP′C′≡△P′BB′
よって，OP′=P′B
また，∠OP′C′+∠BP′B′=∠OP′C′+∠P′OC′
=180°−90°=90° より，
∠OP′B=180°−90°=90° だから，△OP′B は P′O=P′B の直角二等辺三角形である。
よって，∠BOP′=45°　…⑤
①，⑤より，∠AOB+∠AOP=45°

(2) Q(7，1)，R(4，3)

解説

1 (1) 右の図で，

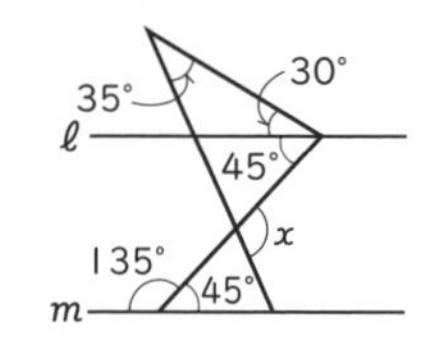

180°−135°=45°
よって，

$\angle x=35^\circ+(30^\circ+45^\circ)$
$=110^\circ$

(2) 右の図のように平行線をひく。

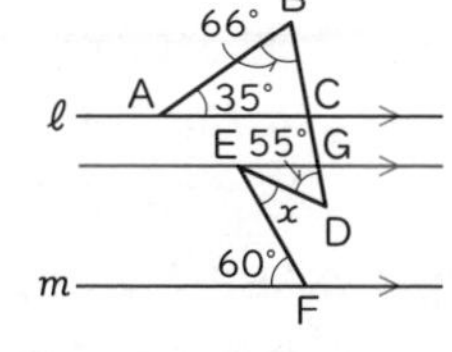

$\angle ACG=35^\circ+66^\circ$
$=101^\circ$ より，
$\angle EGD=101^\circ$
$\angle GED=180^\circ-(55^\circ+101^\circ)=24^\circ$
$\angle GEF=60^\circ$ だから，$\angle x=60^\circ-24^\circ=36^\circ$

2 右の図の △ABC で，

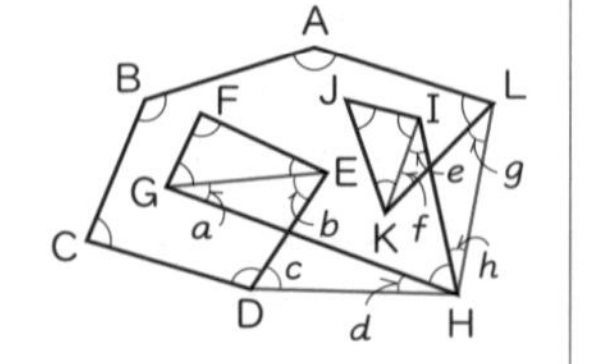

$\angle DAE=43^\circ+56^\circ=99^\circ$
△ADE で，
$\angle AEF=99^\circ+45^\circ=144^\circ$
四角形EFGHで，
$\angle x=360^\circ-(144^\circ+135^\circ+47^\circ)=34^\circ$

3 $\angle SBC=\angle x$，$\angle QCB=\angle y$ とすると，
△QBC で，$2\angle x+\angle y=180^\circ-123^\circ=57^\circ$ …①
また，△SBC で，
$\angle x+2\angle y=180^\circ-117^\circ=63^\circ$ …②
①，②より，連立方程式を解いて，
$\angle x=17^\circ$，$\angle y=23^\circ$
よって，$\angle ABC=3\angle x=51^\circ$，
$\angle ACB=3\angle y=69^\circ$

4 右の図のように記号をつけ，D と H，H と L，E と G，I と K を結ぶと，

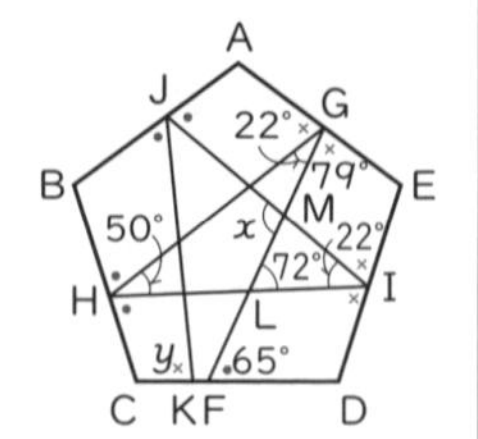

$\angle a+\angle b=\angle c+\angle d$，
$\angle e+\angle f=\angle g+\angle h$
よって，印のついた角の和は，六角形 ABCDHL と △EFG，△IJK の内角の和と等しいから，
$720^\circ+180^\circ\times2=1080^\circ$

5 正五角形の 1 つの内角は，
108°
四角形 EDFG で，
$\angle FGE$
$=360^\circ-(108^\circ\times2+65^\circ)$
$=79^\circ$
入射角と反射角は等しいから，
$\angle AGH=\angle FGE=79^\circ$
ここで，四角形 ABHG と四角形 EDFG の内角を比べて，$\angle GHB=\angle GFD=65^\circ$
同様に，$\angle CHI=\angle GHB=65^\circ$ より，
$\angle HID=\angle AGH=79^\circ$，
$\angle EIJ=\angle HID=79^\circ$ より，$\angle IJA=\angle CHI=65^\circ$
よって，$\angle BJK=\angle IJA=65^\circ$ より，
$\angle y=\angle EIJ=79^\circ$
次に，線分 FG と HI，IJ との交点をそれぞれ L，M とすると，$\angle HGL=180^\circ-79^\circ\times2=22^\circ$，
$\angle GHL=180^\circ-65^\circ\times2=50^\circ$ より，
△GHL で，$\angle ILM=22^\circ+50^\circ=72^\circ$
また，$\angle LIM=\angle HGL=22^\circ$ だから，
△ILM で，$\angle x=72^\circ+22^\circ=94^\circ$

8 (2) x 軸について点 B，点 C，点 R と対称な点をそれぞれ点 B′，点 C′，点 R′ とすると，(1)より，
$\angle AOQ+\angle AOR=45^\circ$

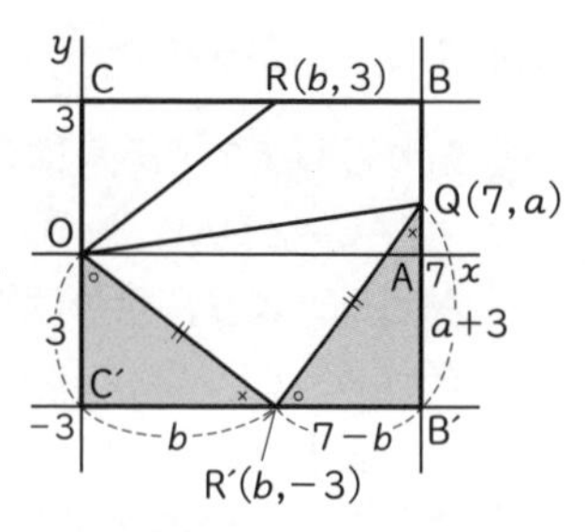

となるには，△OR′C′ と △R′QB′ が合同な直角三角形となればよい。
Q(7，a)，R(b，3) とすると，OC′=R′B′ より，
$3=7-b$ $b=4$
よって，R(4，3)
また，C′R′=B′Q より，$b=a+3$
$4=a+3$ $a=1$
よって，Q(7，1)

4 三角形と四角形

STEP 1 まとめノート

本冊⇨pp.110 ~ 111

例題1 ① $a^2>0$ ② $a>0$ ③ (例) $a=-1$

例題2 (1) ① BC ② 底角 ③ ∠CBD
④ ∠DCB
⑤ 1 組の辺とその両端の角
⑥ △CBD ⑦ CD

例題3 ① ∠POQ ② ∠PQO ③ 90
④ PO ⑤ 斜辺と 1 つの鋭角
⑥ △POQ ⑦ PQ

例題4 (1) ① DCO ② 70 ③ 70 ④ 70
⑤ 二等辺 ⑥ OB ⑦ 8
(2) ① 110 ② 70 ③ 2 ④ 35
⑤ 35 ⑥ 110 ⑦ 94 ⑧ 35
⑨ 94 ⑩ 51

例題5 ① BF ② BC ③ 中点 ④ BF

⑤ 1 組の対辺が平行でその長さが等しい

例題6　① PQ　② DBQ　③ AB　④ DBQ　⑤ DAQ

STEP 2 実力問題

本冊⇨pp.112～113

1 (1) 33°　(2) 52°

2 (1) 51°　(2) $b=90-\frac{a}{2}$

3 折り返してできる角は等しいから,
∠FAC=∠DAC　…①
AD//BC より, 錯角は等しいから,
∠FCA=∠DAC　…②
①, ②より, ∠FAC=∠FCA
よって, 2 つの角が等しいから, △AFC は二等辺三角形である。

4 △ABP と △CAQ において,
仮定より, AB=CA　…①
∠APB=∠CQA=90°　…②
ここで, △ABPで,
∠ABP=90°−∠BAP　…③
また, ∠CAQ=90°−∠BAP　…④
③, ④より, ∠ABP=∠CAQ　…⑤
よって, ①, ②, ⑤より, 直角三角形の斜辺と 1 つの鋭角がそれぞれ等しいから,
△ABP≡△CAQ
したがって, AP=CQ

5 イ

6 (1) △AOP と △COQ において, 平行四辺形の対角線はそれぞれの中点で交わるから,
OA=OC　…①
対頂角は等しいから,
∠AOP=∠COQ　…②
仮定から, AD//BC より, 錯角は等しいから, ∠OAP=∠OCQ　…③
よって, ①, ②, ③より, 1 組の辺とその両端の角がそれぞれ等しいから,
△AOP≡△COQ
(2) △OAE と △OCF において,
仮定より, OE=OF　…①
平行四辺形の対角線はそれぞれの中点で交わるから, OA=OC　…②
対頂角は等しいから,
∠AOE=∠COF　…③
よって, ①, ②, ③より, 2 組の辺とその間の角がそれぞれ等しいから,
△OAE≡△OCF

7 △ABE と △BCG において,
四角形 ABCD は正方形だから,
AB=BC　…①
∠ABE=∠BCG=90°　…②
ここで, △ABF で,
∠BAE=90°−∠ABF　…③
また, ∠CBG=90°−∠ABF　…④
③, ④より, ∠BAE=∠CBG　…⑤
よって, ①, ②, ⑤より, 1 組の辺とその両端の角がそれぞれ等しいから,
△ABE≡△BCG

8 (例) 点 D を通り, 対角線 AC に平行な直線と半直線 BA との交点を P とすればよい。

(解説)

1 (1) AB=AC より, ∠B=(180°−30°)÷2=75°
$\ell /\!/ m$ より, 頂点Bを通り, ℓ, m に平行な直線をひくと, 錯角は等しいから,
∠B=42°+∠x　∠x=∠B−42°=75°−42°=33°
(2) BE=BC より, ∠BCE=∠BEC=64°
AD//BC より, ∠DEC=∠BCE=64°
よって, △CDE で, 64°×2+∠x=180°
∠x=52°

2 (1) AD//BC より, 錯角は等しいから,
∠ADF=∠DFC=52°
よって, ∠EDF=52°−26°=26°
DE=DF より, ∠DFE=(180°−26°)÷2=77°
したがって, ∠EFB=180°−(52°+77°)=51°
(2) AD//BC より, 錯角は等しいから,
∠PBC=∠APB=a°
よって, ∠QBC=$\frac{a^\circ}{2}$ だから,
△QBC で, $b^\circ=180^\circ-\left(90^\circ+\frac{a^\circ}{2}\right)=90^\circ-\frac{a^\circ}{2}$

5 イの逆「四角形 ABCD の 4 つの内角の大きさがすべて等しければ, 四角形ABCDは長方形である」は正しい。
ア, **ウ**, **エ**について, 次のような反例がある。
ア ∠A=∠C であるが, 四角形 ABCD は平行四辺形ではない。

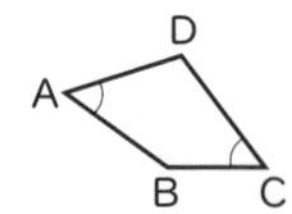

ウ AC⊥BD であるが，四角形 ABCD はひし形ではない。

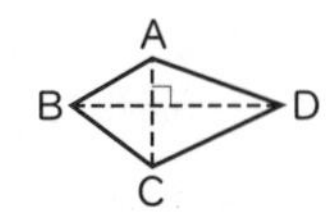

エ AB=BC=CD=DA であるが，四角形 ABCD は正方形ではない。

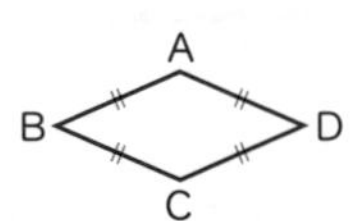

8 四角形 ABCD
=△ABC+△ACD
また，△PBC
=△ABC+△ACP
よって，△ACD=△ACP
となればよいから，AC を三角形の底辺と考えて，点 D を通り AC に平行な直線と半直線 BA との交点が P である。

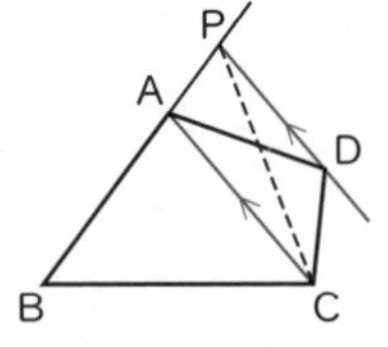

STEP 3 発展問題

本冊⇨pp.114～115

1 $\frac{180^\circ}{7}$

2 33°

3 △BFG と △DFG において，
線分 EF は対角線 BD の垂直二等分線だから，
BG=DG …①
∠BGF=∠DGF=90° …②
また，FG は共通 …③
①，②，③より，2 組の辺とその間の角がそれぞれ等しいから，△BFG≡△DFG
よって，∠BFG=∠DFG …④
また，AD//BC より，錯角は等しいから，
∠BFG=∠DEG …⑤
④，⑤より，∠DFG=∠DEG
2 つの角が等しいから，△DEF は二等辺三角形である。
したがって，DE=DF

4 △AIE と △BGE において，
正方形の対角線の性質より，EA=EB …①，
∠IEA=∠GEB=90° …②
②より，∠EAI=90°−∠AIE …③
また，△ BHI で，
∠EBG=90°−∠HIB …④
対頂角は等しいから，∠AIE=∠HIB …⑤
③，④，⑤より，∠EAI=∠EBG …⑥
よって，①，②，⑥より，1 組の辺とその両端の角がそれぞれ等しいから，
△AIE≡△BGE
したがって，AI=BG

5 △ABF と △ACE において，
△ABC は正三角形だから，AB=AC …①
仮定より，BF=BD …②
平行四辺形の対辺はそれぞれ等しいから，
BD=CE …③
②，③より，BF=CE …④
ここで，∠ABF=180°−∠ABC
=180°−60°=120° …⑤
BD//CE より，錯角は等しいから，
∠ECB=∠ABC=60°
よって，∠ACE=∠ACB+∠ECB
=60°+60°=120° …⑥
⑤，⑥より，∠ABF=∠ACE …⑦
したがって，①，④，⑦より，2 組の辺とその間の角がそれぞれ等しいから，
△ABF≡△ACE

6 平行四辺形の対辺は平行でその長さが等しいから，AD//BC …①
AD=BC …②
DH：HA=BF：FC=2：3 だから，②より，
AH=FC …③
四角形 AFCH は，①，③より，AH//FC，
AH=FC だから，1 組の対辺が平行でその長さが等しいので，平行四辺形となる。
よって，AF//HC
つまり，PQ//SR …④
同様に，四角形 EBGD も平行四辺形となり，
PS//QR …⑤ が示される。
したがって，④，⑤より，2 組の対辺が平行だから，四角形 PQRS は平行四辺形である。

7 (1) ア，ウ (2) $\frac{16}{5}$ 倍

8 △ABE と △DAP において，
仮定より，∠ABE=∠DAP=90° …①
AB=DA …②
∠EAB=90°−∠DAH …③
また，△AHD で，∠AHD=90° より，
∠PDA=90°−∠DAH …④
③，④より，∠EAB=∠PDA …⑤
①，②，⑤より，1 組の辺とその両端の角がそれぞれ等しいから，△ABE≡△DAP

よって，BE=AP
仮定より，AP=AQ だから，BE=AQ
また，BC=AD より，BC−BE=AD−AQ
だから，EC=QD
EC//QD より，四角形 QECD は，1 組の対辺が平行でその長さが等しいから，平行四辺形であり，∠ECD=∠QDC=90° でもあるから，長方形である。

9 △OCM と △ODM において，
OM は共通　…①
M は弦 AB の中点だから，OM⊥AB となり，
∠OMC=∠OMD=90°　…②
仮定より，AM=BM，AC=BD より，
CM=DM　…③
①，②，③より，2 組の辺とその間の角がそれぞれ等しいから，△OCM≡△ODM
よって，OC=OD　…④
次に，△OCE と △ODF において，
円 O の半径だから，OE=OF　…⑤
直線 CE，DF は円 O の接線だから，
∠OEC=∠OFD=90°　…⑥
④，⑤，⑥より，直角三角形の斜辺と他の 1 辺がそれぞれ等しいから，
△OCE≡△ODF
したがって，∠OCE=∠ODF

解説

1 ∠BAC=∠x とすると，
∠DEA=∠x だから，
△ADE で，∠BDE=2∠x
同様に，△ABE で，
∠BEC=3∠x より，
∠BCA=∠CBA=3∠x で，
△ABC の内角の和から，

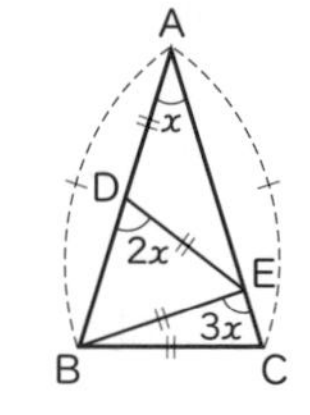

∠x+3∠x+3∠x=180°　∠x=$\frac{180°}{7}$
よって，∠EBC=3∠x−2∠x=∠x より，
∠EBC=$\frac{180°}{7}$

2 DE=DC より，
∠DEC=∠DCE
同様に，EB=EC より，
∠EBC=∠ECB
また，AD//BC より，錯角は等しいから，
∠DEC=∠ECB
つまり，∠DEC=∠DCE=∠EBC=∠ECB
∠BCD=∠BAD=98° だから，
∠ECB=∠EBC=98°÷2=49°
また，∠ABC=180°−∠EAB
=180°−98°=82°
よって，∠ABE=82°−49°=33°

7 (1) **ア** △EGD と△FGB において，
AD=BC，ED=$\frac{3}{4}$AD，FB=$\frac{3}{4}$BC より，
ED=FB　…①
AD//BC より，錯角は等しいから，
∠GED=∠GFB　…②
∠GDE=∠GBF　…③
①，②，③より，1 組の辺とその両端の角がそれぞれ等しいから，△EGD≡△FGB
イ △AGD=$\frac{4}{3}$△EGD より，
△ABD=2△AGD=$\frac{8}{3}$△EGD
ウ **ア**より，△EGD≡△FGB だから，DG=BG
よって，点 G は対角線 BD の中点だから，対角線 AC 上にある。
エ AB=BC のとき，四角形 ABCD はひし形になり，AC⊥BD であるが，EF⊥BD ではない。
(2) (1)の**イ**より，四角形 ABGE=△ABD−△EGD
=$\frac{8}{3}$△EGD−△EGD=$\frac{5}{3}$△EGD
▱ABCD=2△ABD=$\frac{16}{3}$△EGD
よって，$\frac{16}{3}$△EGD÷$\frac{5}{3}$△EGD=$\frac{16}{3}$×$\frac{3}{5}$
=$\frac{16}{5}$（倍）

9 **! ココに注意**
① 円の弦の垂直二等分線は，その円の中心を通る。
② 円の中心から弦にひいた垂線は，その弦を 2 等分する。

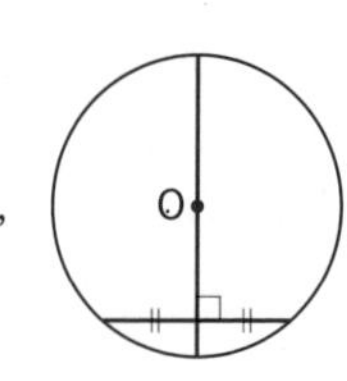

5 相似な図形

STEP 1 まとめノート　本冊⇨pp.116～117

例題1 (1) ① △CDE　② ∠CED　③ DE
④ 1　⑤ 2 組の辺の比とその間の角
⑥ △CDE　⑦ 3　⑧ 6
(2) ① △EBD　② ∠BED　③ ∠EBD
④ 2 組の角　⑤ △EBD　⑥ ED
⑦ 1　⑧ 3　⑨ 1　⑩ 12

例題2 ① ∠CEA　② ∠BAD　③ ∠BAD
④ ∠BAD　⑤ ∠BAD　⑥ ∠CAE
⑦ 2 組の角　⑧ △CAE

例題3 (1) ① 6　② 9　③ 6　④ 6　⑤ 36
⑥ 4
(2) ① DC　② 5　③ BD　④ 8
⑤ 6　⑥ $\frac{15}{4}$

例題4 ① 中点　② 中点連結　③ 4　④ D
⑤ 中点　⑥ 中点連結　⑦ 4　⑧ 16
⑨ 12

例題5 (1) ① B　② 2 乗　③ 3　④ 4
⑤ 9：16
(2) ① 3 乗　② 8　③ 27　④ 8
⑤ 27　⑥ 540

STEP 2 実力問題　本冊⇨pp.118～121

1 (例) 当時の身長を x cm とすると,
x：208=3.5：6.5
$6.5x=728$　$x=112$
よって, 112 cm

2 (1) $x=\frac{26}{9}$　(2) $x=\frac{12}{7}$

3 (1) 40°
(2) △ACE と △BCF において,
仮定より, ∠ACE=∠BCF　…①
∠CAE=∠ADC+∠ACD=2∠ADC　…②
∠CBF=∠ACB=∠BCF+∠ACE
=2∠ACE　…③
仮定より, ∠ADC=∠ACE　…④
②, ③, ④より, ∠CAE=∠CBF　…⑤
①, ⑤より, 2 組の角がそれぞれ等しいから, △ACE∽△BCF

4 △ABD と △ACE において,
△ABC∽△ADE より, AB：AD=AC：AE
よって, AB：AC=AD：AE　…①
△ABC と △ADEは直角二等辺三角形だから,
∠BAC=∠DAE=45°
∠DAB=180°−45°=135°　…②
∠EAC=180°−45°=135°　…③
②, ③より, ∠DAB=∠EAC　…④
①, ④より, 2 組の辺の比とその間の角がそれぞれ等しいから, △ABD∽△ACE

5 AE=$\frac{26}{7}$, AF=$\frac{26}{5}$

6 (1) $x=4$　(2) $x=6$

7 $\frac{14}{3}$ cm

8 $\frac{10}{3}$ cm

9 18°

10 $\frac{3}{2}$ cm

11 四角形 DBCE の対角線 DC をひく。
△BCD で, 2 点 F, G はそれぞれ線分 DB, 辺 BC の中点だから, 中点連結定理より,
FG//DC, FG=$\frac{1}{2}$DC　…①
同様に, △ECD で IH//DC, IH=$\frac{1}{2}$DC　…②
①, ②より, FG//IH, FG=IH
よって, 1 組の対辺が平行でその長さが等しいから, 四角形 FGHI は平行四辺形である。

12 5：1：4

13 3：1

14 (1) 4：9　(2) 8：27

15 5 cm

16 10：3

17 (1) $\frac{15}{2}$ cm　(2) $\frac{31}{9}a$ cm^2

(解説)

2 (1) 平行線によってできる 2 つの三角形は相似である。
2：7=x：(13−x)　$7x=2(13-x)$　$x=\frac{26}{9}$

(2) 右の図で，

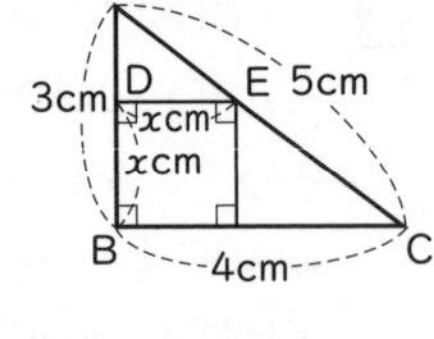

△ADE∽△ABC だから，

AD：AB＝DE：BC より，

$(3-x):3=x:4$

よって，$x=\dfrac{12}{7}$

3 (1) ∠ACF＝∠BCF＝35°

AB＝AC より，∠ABC＝∠ACB＝35°×2＝70°

よって，△ABC で，∠BAC＝180°−70°×2＝40°

5 △EBD と △DCF において，

仮定より，∠EBD＝∠DCF＝60° …①

∠EDC は，△EBD の外角だから，

∠EDC＝∠DEB＋60° …②

△AEF≡△DEF だから，

∠EAF＝∠EDF＝60°

∠EDC＝∠FDC＋60° …③

②，③より，∠DEB＝∠FDC …④

①，④より，2 組の角がそれぞれ等しいから，

△EBD∽△DCF

BE＝x とおくと，

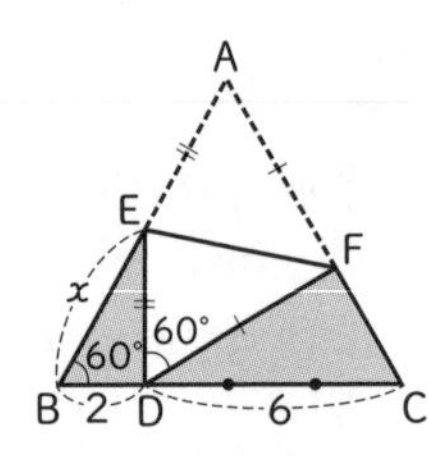

DE＝AE＝$8-x$，

BE：CD＝BD：CF より，

$x:6=2:$CF だから，

$\text{CF}=\dfrac{12}{x}$

よって，$\text{DF}=\text{AF}=\text{AC}-\text{CF}=8-\dfrac{12}{x}$

BE：CD＝DE：FD もいえるから，

$x:6=(8-x):\left(8-\dfrac{12}{x}\right)$ より，$8x-12=6(8-x)$

$x=\dfrac{30}{7}$

よって，$\text{AE}=8-\dfrac{30}{7}=\dfrac{26}{7}$，$\text{AF}=8-12\div\dfrac{30}{7}=\dfrac{26}{5}$

6 (1) BC//DE より，

AE：EC＝AD：DB＝6：3＝2：1

DC//FE より，AF：FD＝AE：EC＝2：1

$x:(6-x)=2:1$　$x=4$

(2) △AEC で，2 点 D，F はそれぞれ 2 辺 AE，AC の中点だから，中点連結定理より，

DF//EC，$\text{DF}=\dfrac{1}{2}\text{EC}=\dfrac{1}{2}\times4=2$

△BDG で，点 E は辺 BD の中点で EC//DG だから，DG＝2EC＝2×4＝8

よって，$x=8-2=6$

7 右の図で，点Fを通り辺 AB に平行な直線と線分EG，BC との交点をそれぞれ H，I とする。

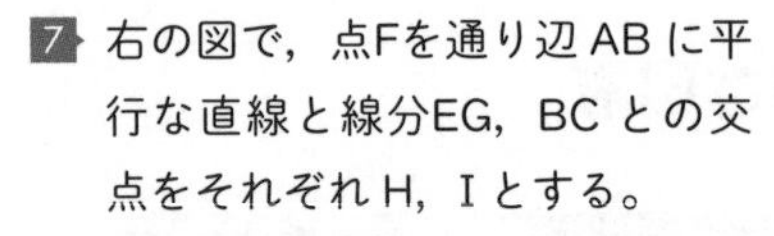

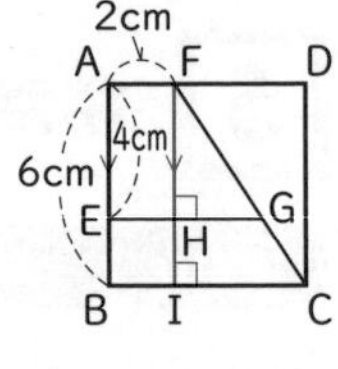

EH＝BI＝AF＝2 cm

HG：IC＝FH：FI＝AE：AB

＝4：6＝2：3

よって，$\text{HG}=\dfrac{2}{3}\text{IC}=\dfrac{2}{3}\times(6-2)=\dfrac{8}{3}$ (cm) だから，

$\text{EG}=\text{EH}+\text{HG}=2+\dfrac{8}{3}=\dfrac{14}{3}$ (cm)

8 点 F を通り辺 CB に平行な直線をひき，辺 AB との交点を H とすると，

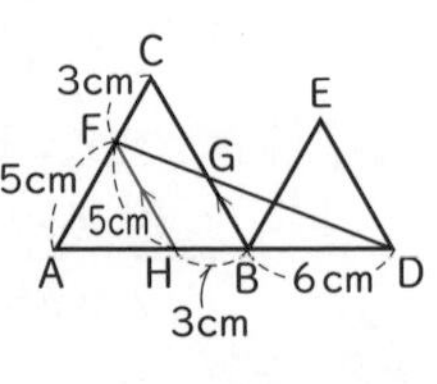

HF//BG

HF＝FA＝5 cm,

BH＝3 cm

BG：HF＝DB：DH より，

BG：5＝6：(6＋3)　$\text{BG}=\dfrac{10}{3}$ cm

9 △DAB，△BCD で，

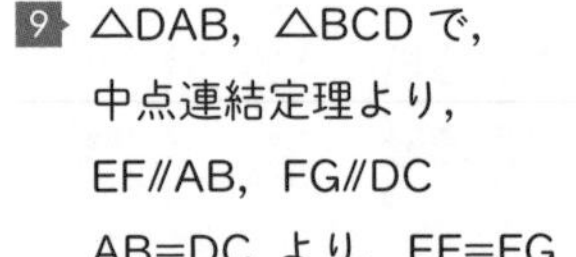

中点連結定理より，

EF//AB，FG//DC

AB＝DC より，EF＝FG

△FGE は二等辺三角形だから，∠FEG＝∠FGE

∠EFD＝∠ABD＝20°,

∠BFG＝∠BDC＝56° より，

∠DFG＝180°−∠BFG＝124°

∠EFG＝∠EFD＋∠DFG＝144° より，

∠FEG＝(180°−∠EFG)÷2＝18°

10 AD//MN//BC で，点 M は辺 AB の中点だから，点 P，Q，N はそれぞれ DB，AC，DC の中点である。

よって，△ABC，△BAD で中点連結定理を用いると，

$\text{MQ}=\dfrac{7}{2}$ cm，MP＝2 cm だから，

$\text{PQ}=\text{MQ}-\text{MP}=\dfrac{7}{2}-2=\dfrac{3}{2}$ (cm)

12 点 G は △ABC の重心だから，BD＝DC，

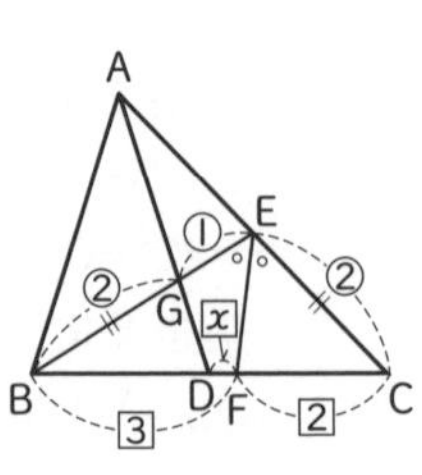

BG：GE＝2：1

また，EF は ∠BEC の二等分線だから，

BF：FC＝BE：EC

$=\dfrac{3}{2}\text{BG}:\text{BG}=3:2$

BF：DF=3：x とおくと，BD=DC だから，

$3-x=x+2 \quad x=\dfrac{1}{2}$

よって，BD：DF：FC=$(3-x)$：x：2

$=\left(3-\dfrac{1}{2}\right)：\dfrac{1}{2}：2=5：1：4$

13 $\dfrac{AP}{AB}=\dfrac{2}{3}$ より，AP：AB=2：3

$\dfrac{CR}{CA}=\dfrac{2}{3}$ だから，

CR：CA=2：3 より，

AR：AC=1：3

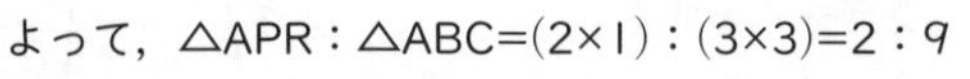

よって，△APR：△ABC=(2×1)：(3×3)=2：9

同様に，△BQP：△ABC=(2×1)：(3×3)=2：9

△CRQ：△ABC=(2×1)：(3×3)=2：9

よって，△ABC：△PQR=9：(9−2×3)=9：3

=3：1

14 (1) △ABC と △DEF の相似比は，4：6=2：3

だから，面積比は，$2^2：3^2=4：9$

(2) 三角錐 AEFG と三角錐 ABCD は相似な立体で，

相似比が AE：AB=2：(2+1)=2：3 より，

体積比は，$2^3：3^3=8：27$

15 対角線 AC とBD の交点をOとする。△DAC で，点 F，G はそれぞれ辺 DC，DA の中点だから，中点連結定理より，

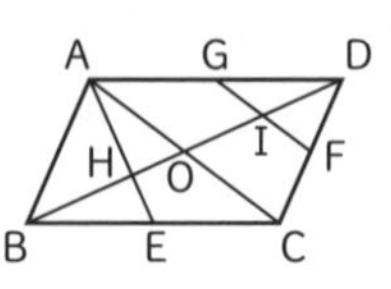

GF//AC

よって，DO=6 cm，DI：DO=1：2 だから，

$DI=6\times\dfrac{1}{2}=3$ (cm)

また，△AHD∽△EHB より，

DH：BH=AD：EB=2：1 だから，

$DH=12\times\dfrac{2}{2+1}=8$ (cm)

よって，HI=DH−DI=8−3=5 (cm)

16 右の図のように，2 直線 AB と DE の交点をHとする。

△AHD∽△CDE より，

AH：CD=AD：CE

平行四辺形の対辺は等しいから，AD=BC=BE+EC

よって，AH：CD=(BE+EC)：CE=5：3

また，△AHG∽△FDG より，

$AG：FG=AH：FD=AH：\dfrac{1}{2}CD=5：\dfrac{3}{2}$

よって，AG：GF=10：3

別解　右の図のように，F を通り BC に平行な直線と DE の交点をHとする。

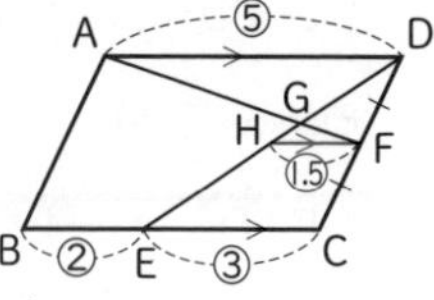

△DCE で，FH//CE，

F は CD の中点だから，$FH=\dfrac{1}{2}CE$

△ADG∽△FHG より，AG：FG=AD：FH

よって，AG：GF=5：1.5=10：3

17 (1) △AFD∽△EFB より，

AF：EF=AD：EB=(3+2)：3=5：3

AE=AB=12 cm より，

$AF=\dfrac{5}{5+3}AE=\dfrac{5}{8}\times12=\dfrac{15}{2}$ (cm)

(2) 右の図のように，D と E を結ぶ。

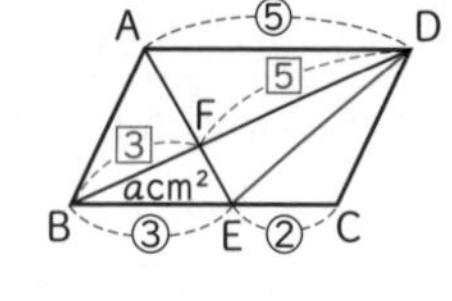

BF：FD=3：5 だから，

$△DEF=\dfrac{5}{3}△BEF$

$=\dfrac{5}{3}a$ (cm²)

また，BE：EC=3：2 だから，

$△DEC=\dfrac{2}{3}△DBE=\dfrac{2}{3}\times\left(\dfrac{5}{3}a+a\right)=\dfrac{16}{9}a$ (cm²)

よって，四角形 CDFE=△DEF+△DEC

$=\dfrac{5}{3}a+\dfrac{16}{9}a=\dfrac{31}{9}a$ (cm²)

STEP 3 発展問題

本冊⇨pp.122～123

1 1：3

2 (1) 3：4　(2) 7：2

3 5：18

4 NP：BQ＝4：9，PR：RM＝8：15

5 $y=\dfrac{4}{3}x-4$

6 (1) **正六角形**　(2) 7：17

7 (1) ① 2：5　② $\dfrac{12}{5}$ cm

(2) ① $\dfrac{3}{2}$ cm²　② $\dfrac{4}{3}$ cm

解説

1 角の二等分線の定理より，

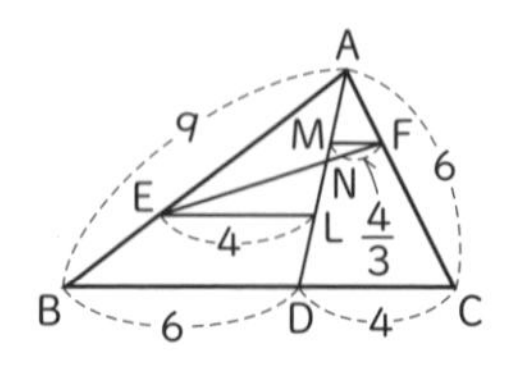

BD：DC=AB：AC

=9：6=3：2 だから，

$BD=10\times\dfrac{3}{3+2}=6$,

DC=10−6=4

EL：BD=2：(2+1)=2：3 より，

$EL=6\times\frac{2}{3}=4$

MF：DC=1：(1+2)=1：3 より，

$MF=4\times\frac{1}{3}=\frac{4}{3}$

MF//EL より，MN：NL=MF：EL

$=\frac{4}{3}：4=1：3$

! ココに注意

角の二等分線の定理

右の図で AD が ∠A の二等分線のとき，BD：DC=AB：AC である。

└BA：AE

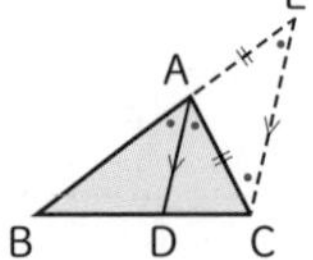

2 (1) 右の図のように，点 D から線分 BE に平行な直線をひき，AC との交点を G とする。

BD：DC=2：1 だから，

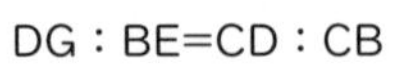

DG：BE=CD：CB

=1：(1+2)=1：3

また，BF：FE=6：1 より，

$FE：DG=\left(3\times\frac{1}{6+1}\right)：1=\frac{3}{7}：1=3：7$

よって，AF：FD=3：(7−3)=3：4

(2) C と F を結ぶと面積比は，

△CDF：△CDA=FD：AD=4：(3+4)=4：7

△CDA：△CBA=CD：CB=1：(1+2)=1：3

よって，$\triangle CDF=\frac{4}{7}\triangle CDA=\frac{4}{7}\times\frac{1}{3}\triangle ABC$

$=\frac{4}{21}\triangle ABC$ …①

AF：FD=3：4 より，

△FBC：△ABC=4：(3+4)=4：7 だから，

$\triangle FBC=\frac{4}{7}\triangle ABC$ …②

次に BF：FE=6：1 より，

△CEF：△FBC=1：6 だから，

$\triangle CEF=\frac{1}{6}\triangle FBC$ …③

②，③より，

$\triangle CEF=\frac{1}{6}\times\frac{4}{7}\triangle ABC=\frac{2}{21}\triangle ABC$ …④

①，④より，

四角形 CEFD=△CDF+△CEF

$=\frac{4}{21}\triangle ABC+\frac{2}{21}\triangle ABC=\frac{2}{7}\triangle ABC$

したがって，△ABC：四角形 CEFD

$=1：\frac{2}{7}=7：2$

3 △BFG∽△DEG で，面積比が

$S_1：S_2=1：4=1^2：2^2$ だから，相似比は 1：2

よって，DE：EA=DE：BF=2：1

また，△DEG∽△DAB で，相似比は

2：(2+1)=2：3 だから，

$S_2：S_3=2^2：(3^2-2^2)=4：5$

よって，$S_3：S_4=5：(4+5)\times2=5：18$

4 右の図のように，

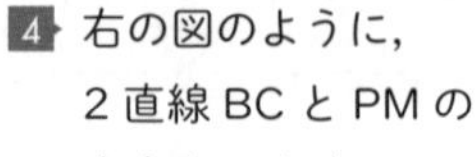

2 直線 BC と PM の交点を E とする。

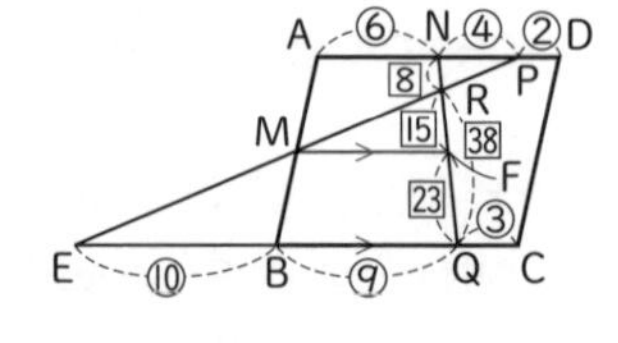

点 M が AB の中点だから，

△PMA≡△EMB となり，EB=AP

AP：PD=5：1，BQ：QC=3：1 で，AD=BC

だから，AD，BCを 6 と 4 の最小公倍数の⑫にすると，AP：PD=⑩：②，BQ：QC=⑨：③

また，AN：ND=⑥：⑥ より，

NP=ND−PD=⑥−②=④

よって，NP：BQ=4：9

次に，△RPN∽△REQ で，

RN：RQ=PN：EQ=4：(10+9)=4：19

点 M を通り，AD に平行な直線をひき，NQ との交点を F とする。

点 F は NQ の中点だから，NF：FQ=1：1

4+19=23，1+1=2 より，NQ を 23 と 2 の最小公倍数の[46]にすると，

RN：RQ=[8]：[38]，NF：FQ=[23]：[23] より，

NR：RF：FQ=[8]：([23]−[8])：[23]=[8]：[15]：[23]

したがって，PR：RM=NR：RF=8：15

5 A，P から x 軸に垂線をひき，x 軸との交点をそれぞれ M, N とすると，

BN：BM=BP：BA

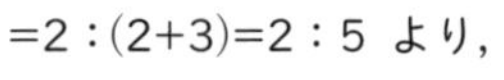

=2：(2+3)=2：5 より，

$BN=\frac{2}{5}BM=\frac{2}{5}\times\{5-(-3)\}=\frac{16}{5}$

よって，P，N の x 座標は $5-\frac{16}{5}=\frac{9}{5}$

また，PN：AM=2：5 より，

$PN=\frac{2}{5}AM=\frac{2}{5}\times6=\frac{12}{5}$

よって，$P\left(\frac{9}{5},\ \frac{12}{5}\right)$

また，直線 OP の式は $\frac{12}{5}\div\frac{9}{5}=\frac{4}{3}$ より，$y=\frac{4}{3}x$

OP//QR より，直線 QR の傾きは $\frac{4}{3}$ …①

OA//QP より，OQ：QB=AP：PB=3：2 で，

B(5，0) だから，Q の x 座標は $5\times\frac{3}{3+2}=3$

よって，Q(3，0) …②

①，②より，直線 QR の式を $y=\frac{4}{3}x+b$ とおくと，

$x=3$，$y=0$ を代入して，

$0=4+b$　$b=-4$

したがって，$y=\frac{4}{3}x-4$

6 (1) 切り口と辺 FG，辺 GH の交点を点 N，O とすると，切り口は正六角形 JINOLK となる。

(2) 右の図のように，直線 AE と直線 LK，直線 IJ の交点を P，辺 CG の中点を Q とし，AB=2a とおく。

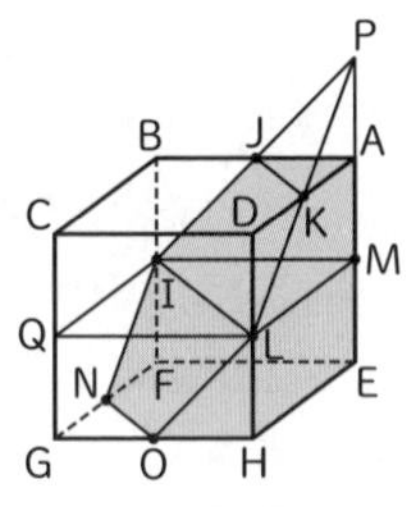

三角錐 P-ILM の体積は，PM=2a だから，

$\frac{1}{3}\times\triangle MIL\times PM$

$=\frac{1}{3}\times\frac{1}{2}\times2a\times2a\times2a=\frac{4}{3}a^3$

三角錐 P-JKA と 三角錐 P-ILM は相似な立体で，相似比が 1：2 だから，体積の比は

$1^3：2^3=1：8$ より，

三角錐 P-JKA の体積は，

$\frac{4}{3}a^3\times\frac{1}{8}=\frac{1}{6}a^3$

よって，立体 AJK-MIL の体積は，

$\frac{4}{3}a^3-\frac{1}{6}a^3=\frac{7}{6}a^3$

直方体 IQLM-FGHE の体積は，

$2a\times2a\times a=4a^3$

立体 GNO-QIL と立体 AJK-MIL は合同だから，立体 ILM-NOHEF の体積は，

$4a^3-\frac{7}{6}a^3=\frac{17}{6}a^3$

よって，求める体積の比は，

$\frac{7}{6}a^3：\frac{17}{6}a^3=7：17$

7 (1) ① △ABC∽△QPC で，AB：QP=BC：PC

$3：QP=6：4.5$　$QP=\frac{9}{4}$ cm

△ABC∽△SBR で，AB：SB=BC：BR

$3：SB=6：3$　$SB=\frac{3}{2}$ cm

$AS=AB-SB=\frac{3}{2}$ cm

$\triangle ASQ=\frac{1}{2}\times AS\times BP=\frac{1}{2}\times\frac{3}{2}\times\frac{3}{2}=\frac{9}{8}$ (cm²)

四角形 BPQS は SB//QP の台形だから，

面積は，$\frac{1}{2}\times(SB+QP)\times BP=\frac{1}{2}\times\left(\frac{3}{2}+\frac{9}{4}\right)\times\frac{3}{2}$

$=\frac{45}{16}$ (cm²)

よって，求める比は，$\frac{9}{8}：\frac{45}{16}=2：5$

② どちらの図形も高さが共通で等しいので，

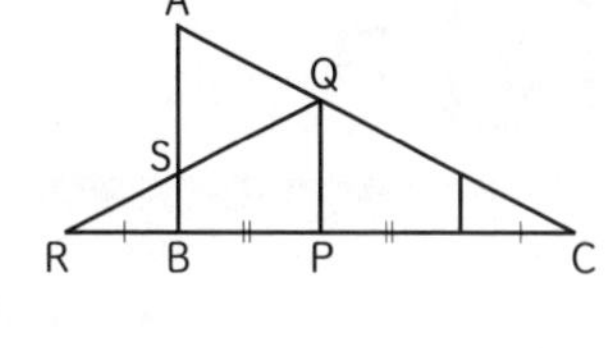

AS=SB+QP …①

になればよい。

BP=x とおくと，PC=6−x より，

$QP=\frac{1}{2}(6-x)$

RB=6−2x より，

$SB=\frac{1}{2}(6-2x)=3-x$

$AS=AB-SB=3-(3-x)=x$

よって，①より，

$x=(3-x)+\frac{1}{2}(6-x)$　$x=BP=\frac{12}{5}$ cm

(2) ① 点 Q が AB 上に移った点を Q′ とする。△ASQ において，

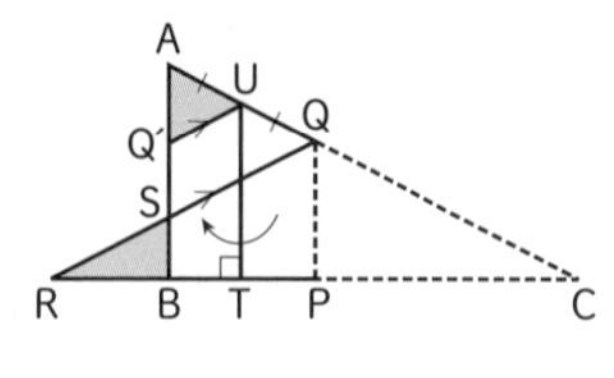

UQ′//QS，$AU=\frac{1}{2}AQ$ だから，$AQ'=\frac{1}{2}AS$

BT=1 cm より，BP=2 cm

(1)②より，AS＝BP=2 cm　AQ′=1 cm

よって，$\triangle AQ'U=\frac{1}{2}\times1\times1=\frac{1}{2}$ (cm²)

また，SB=3−BP=1 (cm)

RB=6−2BP=2 (cm)

よって，$\triangle SBR=\frac{1}{2}\times2\times1=1$ (cm²)

したがって，求める面積は，$\frac{1}{2}+1=\frac{3}{2}$ (cm²)

② BP=x とおくと，

$AQ'=\frac{1}{2}x$，$BT=\frac{1}{2}x$，$SB=3-x$，$RB=6-2x$

とおける。

△AQ′U+△SBR=1 (cm²) より，

$\frac{1}{2}$×AQ′×BT+$\frac{1}{2}$×RB×SB=1 (cm²)

$\frac{1}{2}\times\frac{1}{2}x\times\frac{1}{2}x+\frac{1}{2}\times(6-2x)\times(3-x)=1$

$\frac{9}{8}x^2-6x+9=1$

$9x^2-48x+64=0$　$(3x-8)^2=0$　$x=\frac{8}{3}$

よって，BT=$\frac{1}{2}\times\frac{8}{3}=\frac{4}{3}$ (cm)

6 円

STEP 1 まとめノート　本冊⇨pp.124～125

例題1 (1)① 半径　② 二等辺　③ 25　④ 25　⑤ 130　⑥ $\frac{1}{2}$　⑦ 65

(2)① 90　② 直角　③ 90　④ 50　⑤ 錯角　⑥ BOC　⑦ $\frac{1}{2}$　⑧ 25　⑨ BAC　⑩ 75

例題2 ① 5　② 2　③ 144　④ 円周角　⑤ $\frac{1}{2}$　⑥ 144　⑦ 72　⑧ 1　⑨ $\frac{1}{2}$　⑩ 72　⑪ 36　⑫ 72　⑬ 36　⑭ 72

例題3 ① 100　② 32　③ 68　④ BDC　⑤ 逆　⑥ 円周　⑦ 円周角　⑧ 円周角　⑨ 143　⑩ 37

例題4 ① DA　② DFA　③ 90　④ 直径　⑤ 90　⑥ DAF　⑦ DAF　⑧ FDA　⑨ 斜辺と1つの鋭角　⑩ DF

STEP 2 実力問題　本冊⇨pp.126～127

1 イ

2 (1) 59°　(2) 53°　(3) 95°　(4) 92°

3 (1) 117°　(2) 48°

4 52°

5 (1) △ABD と △ACF において，
仮定より，AB=AC　…①
また，∠DAB=∠BCA=60°　…②
AF//BC より，錯角は等しいから，
∠FAC=∠BCA　…③
②，③より，∠DAB=∠FAC　…④
$\overset{\frown}{AE}$ に対する円周角だから，
∠ABD=∠ACF　…⑤
①，④，⑤より，1組の辺とその両端の角がそれぞれ等しいから，
△ABD≡△ACF
よって，AD=AF

(2) $\frac{16}{9}\pi$ cm

6 △AGH と △BAE において，
△AGE は AE=AG の二等辺三角形だから，
∠AGE=∠AEG　…①
BA//EF より，錯角は等しいから，
∠AEG=∠BAE　…②
①，②より，∠AGE=∠BAE だから，
∠AGH=∠BAE　…③
また，$\overset{\frown}{AB}=\overset{\frown}{BC}$ より，∠ADE=∠BAE　…④
②，④より，∠AEG=∠ADE
よって，∠AEH=∠ADE　…⑤
ここで，∠GHA=∠AEH+∠EAH
=∠AEH+∠EAD　…⑥
また，∠AEB=∠ADE+∠EAD　…⑦
⑤，⑥，⑦より，∠GHA=∠AEB　…⑧
したがって，③，⑧より，2組の角がそれぞれ等しいから，
△AGH∽△BAE

7 (1) △ABH と △ACD において，
$\overset{\frown}{BC}=\overset{\frown}{CD}$ より，∠BAH=∠CAD　…①
$\overset{\frown}{AD}$ に対する円周角は等しいから，
∠ABH=∠ACD　…②
①，②より，2組の角がそれぞれ等しいから，
△ABH∽△ACD

(2) $\frac{1+\sqrt{5}}{2}$

解説

1 ア $\angle x=\frac{1}{2}\times110°=55°$

イ 右の図のように O と C を結ぶと，
∠BOC=2∠BAC=40°
∠COD=140°−40°=100°

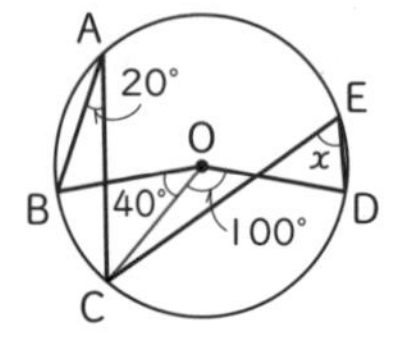

だから，

$\angle x=\frac{1}{2}\angle COD=50^\circ$

ウ 1つの弧に対する円周角は等しいから，

$\angle x=55^\circ$

エ 円に内接する四角形の対角の和は 180° だから，

$\angle x=180^\circ-120^\circ=60^\circ$

2 (1) B と E を結ぶと，BD は直径だから，

$\angle BED=90^\circ$

また，$\overset{\frown}{BC}$ の円周角だから，$\angle BAC=\angle BEC$

よって，$\angle x=90^\circ-31^\circ=59^\circ$

(2) O と C を結ぶと，$\angle AOC=2\angle D=2\times56^\circ=112^\circ$

OB と OC は半径だから，△OBCは二等辺三角形である。

よって，$\angle BOC=112^\circ-38^\circ=74^\circ$ より，

$\angle x=(180^\circ-74^\circ)\div2=53^\circ$

(3) $\angle CAD=\angle CBD=50^\circ$

AC=AD より，$\angle ACD=(180^\circ-50^\circ)\div2=65^\circ$

BC//ℓ より，錯角は等しいから，$\angle ACB=30^\circ$

よって，$\angle x=65^\circ+30^\circ=95^\circ$

(4) 円周角の定理より，$\angle ABC=40^\circ\div2=20^\circ$

OD=OB より，

$\angle ODB=\angle OBD=20^\circ+36^\circ=56^\circ$

よって，△DBE で，$\angle x=36^\circ+56^\circ=92^\circ$

3 (1) 1つの円で，円周角の大きさは弧の長さに比例するから，△AED で，

$\angle EAD=\angle CAD=18^\circ\times\frac{4}{2}=36^\circ$

$\angle ADE=\angle ADB=18^\circ\times\frac{3}{2}=27^\circ$

よって，$\angle AED=180^\circ-(36^\circ+27^\circ)=117^\circ$

(2) $\angle BOE=180^\circ-36^\circ=144^\circ$

$\overset{\frown}{BD}=\frac{2}{3}\overset{\frown}{BE}$ より，1つの円で，中心角の大きさは弧の長さに比例するから，

$\angle BOD=144^\circ\times\frac{2}{3}=96^\circ$

よって，$\angle BFD=\frac{1}{2}\angle BOD=\frac{1}{2}\times96^\circ=48^\circ$

4 $\angle BAC=\angle BDC=58^\circ$ だから，円周角の定理の逆より，4点 A，B，C，D は同じ円周上にある。

よって，$\angle DAC=\angle DBC$

△BCD で，$\angle DBC=180^\circ-(70^\circ+58^\circ)=52^\circ$ より，

$\angle y=52^\circ$

別解　円周角の定理の逆より，四角形 ABCD は円に内接するから，$\angle BAD+\angle BCD=180^\circ$

よって，$\angle y=180^\circ-(58^\circ+70^\circ)=52^\circ$

5 (2) (1)より，$\angle DAF=60^\circ$，AD=AF だから，

△ADF は正三角形である。

よって，$\angle ADF=60^\circ$

△FDC で，$\angle FCD=60^\circ-28^\circ=32^\circ$ より，

$\angle AOE=2\angle ACE=2\times32^\circ=64^\circ$

したがって，求める長さは，

$2\pi\times5\times\frac{64}{360}=\frac{16}{9}\pi$ (cm)

7 (2) △HBC で，$\overset{\frown}{AB}=\overset{\frown}{CD}$ より，

$\angle HCB=\angle HBC$ だから，△HBCは HB=HC の二等辺三角形である。

また，△ABH で，A，B，C，D，E は円周上を5等分する点だから，$\angle BAH=180^\circ\times\frac{1}{5}=36^\circ$，

$\angle ABH=180^\circ\times\frac{2}{5}=72^\circ$

よって，$\angle AHB=180^\circ-(36^\circ+72^\circ)=72^\circ$ より，

△ABH は AB=AH の二等辺三角形である。

ここで，AC=x とすると，AH=AB=1 より，

BH=CH=$x-1$ と表せる。

また，CD=AB=1

(1)より，△ABH∽△ACD だから，

AB : AC=BH : CD　$1:x=(x-1):1$

$x(x-1)=1$　$x^2-x-1=0$

解の公式を用いて，$x=\frac{1\pm\sqrt{5}}{2}$

$x>0$ より，$x=\frac{1+\sqrt{5}}{2}$

よって，AC=$\frac{1+\sqrt{5}}{2}$

STEP 3 発展問題

本冊⇨pp.128 ～ 129

1 (1) 110°　(2) 82°　(3) 26°　(4) 57°　(5) 25°　(6) 60°

2 (1) $\angle x=45^\circ$，$\angle y=95^\circ$

(2) $\angle x=81^\circ$，$\angle y=49^\circ$

(3) $\angle x=60^\circ$，$\angle y=59^\circ$

3 100°

4 72°

5 (1) 9　(2) 5 : 27　(3) 47 : 81

6 仮定より，$\angle ADE=\angle AFE=90^\circ$ だから，点 D，F はともに線分AEを直径とする円周上にある。

よって，4点A，D，E，F は同一円周上にある。…①

△BCE と △BDE において,
仮定より，$\angle BCE=\angle BDE=90°$　…②
$BC=BD$　…③
共通な辺だから，$BE=BE$　…④
②，③，④より，直角三角形の斜辺と他の1辺がそれぞれ等しいから,
$\triangle BCE\equiv\triangle BDE$
合同な三角形の対応する角だから,
$\angle CEB=\angle DEB$　…⑤
△ABE と △FDE において,
$\angle AEB=180°-\angle CEB$　…⑥
$\angle FED=180°-\angle DEB$　…⑦
⑤，⑥，⑦より，$\angle AEB=\angle FED$　…⑧
①より，$\overset{\frown}{DE}$ に対する円周角だから,
$\angle BAE=\angle DFE$　…⑨
⑧，⑨より，2組の角がそれぞれ等しいから,
$\triangle ABE\backsim\triangle FDE$

7 (1) 60°
(2) △OAP と△BDC において,
OA//BC より，平行線の錯角は等しいから，$\angle AOP=\angle OPB$　…①
また，OP//BD より，平行線の錯角は等しいから，$\angle DBC=\angle OPB$　…②
①，②より，$\angle AOP=\angle DBC$　…③
さらに，PA は円 O の接線だから,
$\angle OAP=90°$　…④
BC は円 P の直径だから,
$\angle BDC=90°$　…⑤
④，⑤より，$\angle OAP=\angle BDC$　…⑥
③，⑥より，2組の角がそれぞれ等しいから，$\triangle OAP\backsim\triangle BDC$
(3) 1：3

解説

1 (1) $\angle AEB=\angle ACB=34°$
AF//BE より，$\angle FAE=\angle AEB=34°$
$\angle FDE=\angle FAE=34°$
よって，△DEG で,
$\angle x=34°+42°+34°=110°$
(2) A と B，B と C を結ぶ。

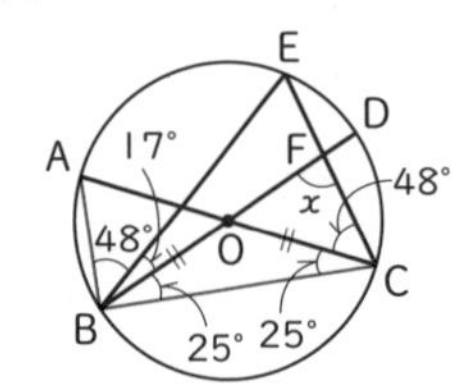

$\angle ABE=\angle ACE=48°$
AC は直径だから,
$\angle ABC=90°$
△OBCは二等辺三角形だから,
$\angle OBC=\angle OCB=90°-(48°+17°)=25°$
BD と EC の交点を F とすると,
△FBCで，$\angle x=180°-(48°+25°\times2)=82°$
(3) B と E を結ぶと,
$\angle EBC=\angle EAC=36°$ だから,
$\angle EBA=36°+28°=64°$
$\angle EDA=\angle EBA=64°$
また，$\angle BAC=90°$
DE とBA の交点を F とすると，AC//DE より,
$\angle DFA=\angle BAC=90°$
よって，△DFA で,
$\angle x=180°-(90°+64°)=26°$
(4) O と A を結ぶと，AC は円 O の接線だから,
$\angle OAC=90°$
△ODC で，DC=DO だから,
$\angle OCD=(180°-132°)\div2=24°$
よって，△AOC で,
$\angle AOC=180°-(90°+24°)=66°$
△OAB は二等辺三角形だから,
$\angle x=(180°-66°)\div2=57°$
(5) A と E を結ぶと，$\angle AED=90°$ より,
$\angle AEB=90°-65°=25°$
$\overset{\frown}{AB}=\overset{\frown}{BC}$ より，$\angle AEB=\angle BAC$ だから,
$\angle x=\angle AEB=25°$
(6) 右の図のように，円 O_1 と円 O_2 の交点をそれぞれ A，B とすると,

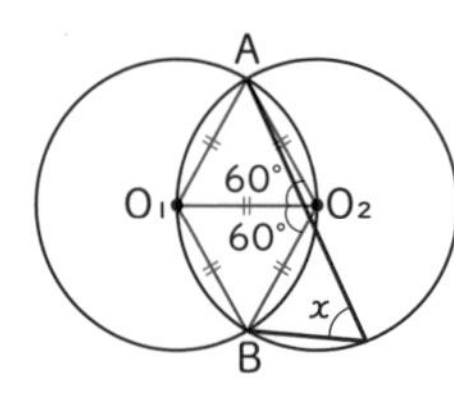

$O_1A=O_1O_2=O_1B=O_2A=O_2B$ より,
$\triangle O_1AO_2$，$\triangle O_1BO_2$ は正三角形になる。
よって，$\angle AO_2O_1=\angle BO_2O_1=60°$ だから,
$\angle AO_2B=60°\times2=120°$
したがって，円 O_2 において,
$\angle x=\frac{1}{2}\angle AO_2B=60°$

2 (1) 右の図の △FAB で,

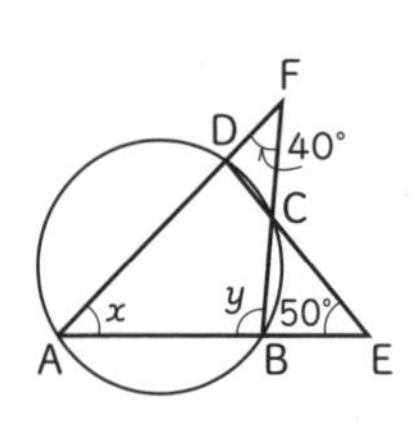

$\angle x+\angle y+40°=180°$
$\angle x+\angle y=140°$　…①
四角形 ABCD は円に内接しているから,
$\angle BCE=\angle DAB=\angle x$
△CBEで，$\angle x+50°=\angle y$　…②
①，②より，連立方程式を解いて,
$\angle x=45°$，$\angle y=95°$

(2) AD∥BC より，∠CAD=∠ACB

よって，$\overset{\frown}{AB}=\overset{\frown}{DC}$ より，AB=DC だから，台形 ABCD は等脚台形である。

∠ABC=∠DCB より，∠x=∠y+32°　…①

また，△ABC で，∠x+∠y=130°　…②

①，②より，連立方程式を解いて，

∠x=81°，∠y=49°

別解　AD∥BC より，∠CAD=∠ACB=∠y

四角形ABCD は円に内接しているから，

∠BAD+∠BCD=180°

(50°+∠y)+(∠y+32°)=180°　∠y=49°

△ABC で，∠x=180°−(50°+49°)=81°

(3) $\overset{\frown}{AFE}$ の円周角より，∠ABE=∠ADE=80°

AD と BE の交点を G とすると，△ABG で，

∠x=180°−(40°+80°)=60°

$\overset{\frown}{BCD}$ の円周角より，∠BED=∠BAD=40°

四角形CDEF は円に内接しているから，

∠DCF+∠DEF=180°

∠y+(81°+40°)=180°　∠y=59°

3 AB∥CD∥EF より，∠ABC=∠BCD=22°，

∠CDE=∠DEF=21°

$\overset{\frown}{CE}:\overset{\frown}{EG}=3:1$ より，∠EFG=21°×$\frac{1}{3}$=7°

よって，∠x=2×(∠ABC+∠CDE+∠EFG)

=2×(22°+21°+7°)=100°

4 B と C を結ぶ。

∠ACB=x とすると，

$\overset{\frown}{AB}:\overset{\frown}{BC}:\overset{\frown}{CD}$

=1：2：3 より，

∠BAC=2x，

∠CBE=∠CBD=3x となる。

△ABE は二等辺三角形だから，

∠ABE=∠AEB=∠BCE+∠CBE=x+3x=4x

よって，△ABE で，2x+4x×2=180°　x=18°

したがって，∠ABE=4×18°=72°

5 (1) △ACD∽△ABE より，

CE=x とすると，

AC：AB=AD：AE

3：4=9：(x+3)

よって，x=9

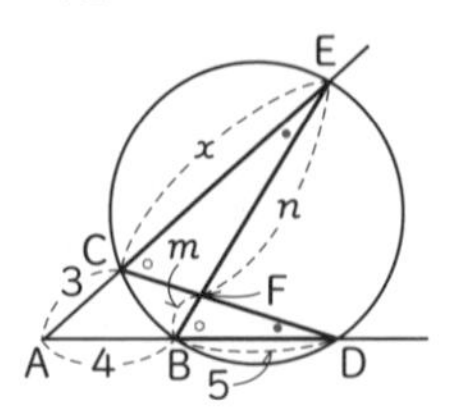

(2) BF=m，EF=n とすると，

△FBD∽△FCE，BD：CE=5：9 より，

BF：CF=5：9　m：CF=5：9　CF=$\frac{9}{5}m$

同様に，EF：DF=9：5 より，DF=$\frac{5}{9}n$

△ACD∽△ABE より，

CD：BE=AC：AB=3：4 だから，

$\left(\frac{9}{5}m+\frac{5}{9}n\right):(m+n)=3:4$

$4\left(\frac{9}{5}m+\frac{5}{9}n\right)=3(m+n)$

整理して，

$\frac{3}{5}m=\frac{1}{9}n$ より，27m=5n　m：n=5：27

よって，BF：EF=m：n=5：27

! ココに注意

右の図のような図形で，

$\frac{BP}{PC}\times\frac{CQ}{QA}\times\frac{AR}{RB}=1$

が成り立つ。

この定理をメネラウスの定理という。

この定理を使って(2)を解くと，

$\frac{4+5}{5}\times\frac{BF}{FE}\times\frac{9}{3}=1$　$\frac{27BF}{5EF}=1$　27BF=5EF

BF：EF=5：27

(3) B と C を結ぶ。

△ACB=S とすると，

△ACB：△BCE=AC：CE=3：9=1：3 より，

△BCE=3△ACB=3S

また，△CFB：△CFE

=BF：EF=5：27 より，

△CFB=$\frac{5}{5+27}$△BCE

=$\frac{5}{32}$×3S=$\frac{15}{32}S$

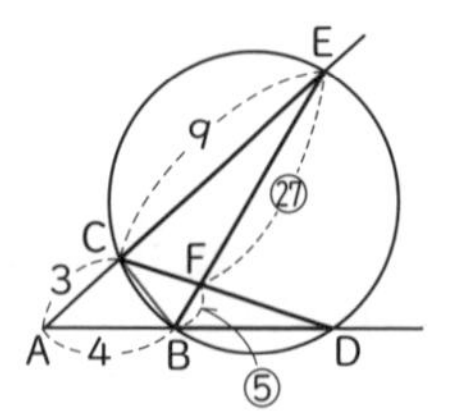

同様に，△CFE=$\frac{27}{32}$△BCE=$\frac{81}{32}S$

よって，四角形 ABFC：△CFE

=(△ACB+△CFB)：△CFE

=$\left(S+\frac{15}{32}S\right):\frac{81}{32}S=\frac{47}{32}S:\frac{81}{32}S$=47：81

7 (1) △OAP は，OP=2OA

∠OAP=90° だから，正三角形を頂角の二等分線で分けたうちの 1 つ分となる。

よって，∠AOP=60°

(3) 接線 PB′ と円 O との接点を A′ とすると，

∠OA′P=90°

△OAP と△OA′P において，共通な辺だから，

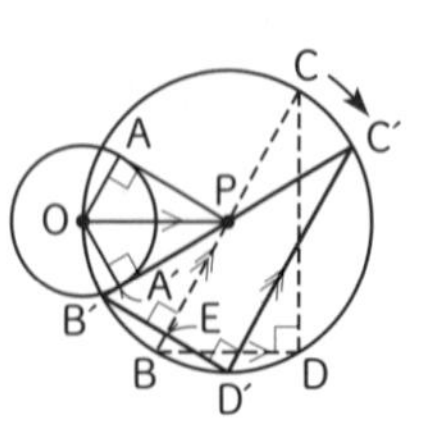

OP=OP
∠OAP=∠OA′P=90°
円 O の半径だから，OA=OA′
直角三角形で，斜辺と他の 1 辺がそれぞれ等しいから，
△OAP≡△OA′P　…①
また，(1)，(2)より，∠CBD=∠POA=60°
OP//BD だから，∠OPB=∠CBD=60° で，
∠OPB′=∠OPA=180°−(90°+60°)=30° より，
∠B′PE=60°−30°=30°
ここで，△OA′P と △B′EP において，
円 P の半径だから，OP=B′P
∠POA′=∠PB′E=60°
∠OPA′=∠B′PE=30°
1 組の辺とその両端の角がそれぞれ等しいから，
△OA′P≡△B′EP　…②
よって，∠PEB′=∠PA′O=90° で，
∠C′D′B′=90° だから，PE//C′D′ が成り立ち，
△B′EP∽△B′D′C′
相似比は B′P：B′C′=1：2 だから，
△B′EP：△B′D′C′=1^2：2^2=1：4
①，②より，△OAP≡△B′EP だから，
△OAP：四角形 ED′C′P
=△B′EP：四角形 ED′C′P
=1：(4−1)=1：3

7 三平方の定理

STEP 1 まとめノート　本冊⇨pp.130～131

例題1 (1) ① $\sqrt{2}$　② 2　③ $6\sqrt{2}$　④ $\sqrt{3}$　⑤ 3　⑥ $4\sqrt{3}$　⑦ $8\sqrt{3}$
(2) ① 6　② 2　③ 60　④ $3\sqrt{3}$　⑤ $3\sqrt{3}$　⑥ $18\sqrt{3}$

例題2 (1) ① −2　② 1　③ $\sqrt{41}$
(2) ① 3　② $\sqrt{7}$　③ 2　④ $2\sqrt{7}$

例題3 (1) ① 2　② 5　③ $3\sqrt{5}$
(2) ① 7　② 7　③ $7\sqrt{3}$

例題4 ① 直角　② 4　③ $2\sqrt{5}$　④ $2\sqrt{5}$　⑤ $\dfrac{128\sqrt{5}}{3}$

例題5 ① 6　② 2　③ 120　④ AA′　⑤ $\dfrac{\sqrt{3}}{2}$　⑥ $3\sqrt{3}$　⑦ AA′　⑧ 2　⑨ $6\sqrt{3}$

STEP 2 実力問題　本冊⇨pp.132～135

1 6

2 (1) $x=3$，$y=3\sqrt{3}-3$
(2) $x=6$，$y=3\sqrt{6}$

3 (1) 12 cm^2　(2) $25\sqrt{3}$ cm^2

4 (1) $2\sqrt{10}$ cm　(2) $\sqrt{5}$ cm

5 (1) $\dfrac{1}{2}y$
(2) **△QRS は 30°，60°，90° の直角三角形だから，QS=$\dfrac{\sqrt{3}}{2}y$**
(1)より，PS=$z-\dfrac{1}{2}y$
△PQS において，三平方の定理より，
$x^2=\left(\dfrac{\sqrt{3}}{2}y\right)^2+\left(z-\dfrac{1}{2}y\right)^2$
$=\dfrac{3}{4}y^2+z^2-yz+\dfrac{1}{4}y^2$
$=y^2-yz+z^2$
よって，$x^2=y^2-yz+z^2$

6 (1) C(−4，8)　(2) $6\sqrt{2}$ cm　(3) 36 cm^2

7 $\dfrac{2\pi-3\sqrt{3}}{16}$ cm^2

8 $\dfrac{3+2\sqrt{3}}{3}$

9 (1) $r=4$　(2) $225-\dfrac{113}{2}\pi$ (cm^2)

10 $11+\sqrt{17}$ (cm)

11 $\dfrac{26}{3}\pi$ cm^3

12 (1) 288 cm^3　(2) $72\sqrt{3}$ cm^2　(3) $4\sqrt{3}$ cm

13 (1) 1：4　(2) $\dfrac{64}{3}$ cm^3
(3) CP=$\sqrt{2}$ cm，AG=$4\sqrt{3}$ cm
(4) $\dfrac{8\sqrt{3}}{5}$ cm

14 半径 $\dfrac{3}{2}$ cm，表面積 9π cm^2

15 (1) $4\sqrt{2}$ cm　(2) 7：2　(3) $\dfrac{56\sqrt{2}}{9}$ cm^3

解説

1 直角三角形の短いほうの辺の長さを x とすると，残りの 1 辺の長さは，$24-(x+10)=14-x$
三平方の定理より，$x^2+(14-x)^2=10^2$
$2x^2-28x+96=0$　$x^2-14x+48=0$

$(x-6)(x-8)=0$　$x=6,\ 8$

よって，短いほうの辺だから，6

2 (1) △ABD で，∠BAD=60° だから，

BA：AD=2：1 より，$AD=x=\frac{1}{2}BA=3$

また，△ACD で，∠CAD=45° だから，

CD=AD=3 より，$y=3\sqrt{3}-3$

(2) △BCD で，∠BDC=60° だから，

BD：DC=2：1 より，

$DC=x=\frac{1}{2}BD=6$ (cm)

DC：BC=1：$\sqrt{3}$ より，

$BC=\sqrt{3}DC=6\sqrt{3}$ (cm)

また，△ABC で，∠ACB=45° だから，

AB：BC=1：$\sqrt{2}$ より，

$AB=y=\frac{1}{\sqrt{2}}BC=\frac{1}{\sqrt{2}}\times6\sqrt{3}=\frac{6\sqrt{6}}{2}=3\sqrt{6}$ (cm)

3 (1) 右の図のように頂角の二等分線をひき，底辺 BC との交点を H とすると，

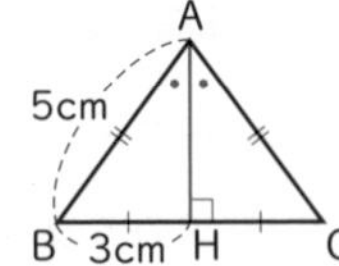

$BH=\frac{1}{2}BC=3$ (cm)

△ABH で，三平方の定理より，

$AH=\sqrt{5^2-3^2}=\sqrt{16}=4$ (cm)

よって，面積は $\frac{1}{2}\times6\times4=12$ (cm^2)

! ココに注意

等式 $a^2+b^2=c^2$ を満たす自然数の組 $(a,\ b,\ c)$ を**ピタゴラス数**という。3 辺の長さの比がピタゴラス数になる三角形は直角三角形である。(3, 4, 5) や (5, 12, 13) はよく使われるので覚えておこう。

(2) 右の図のように頂角の二等分線をひき，底辺 BC との交点を H とすると，

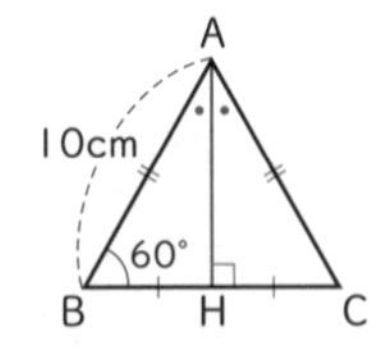

$AH=\frac{\sqrt{3}}{2}AB=5\sqrt{3}$ (cm)

よって，面積は $\frac{1}{2}\times10\times5\sqrt{3}=25\sqrt{3}$ (cm^2)

! ココに注意

1 辺が a cm の正三角形の面積は，$\frac{\sqrt{3}}{4}a^2$ cm^2 である。

これを覚えておくと，高さを求めずに，面積を求めることができる。

4 (1) A から BC に垂線をひき，BC との交点を H とすると，

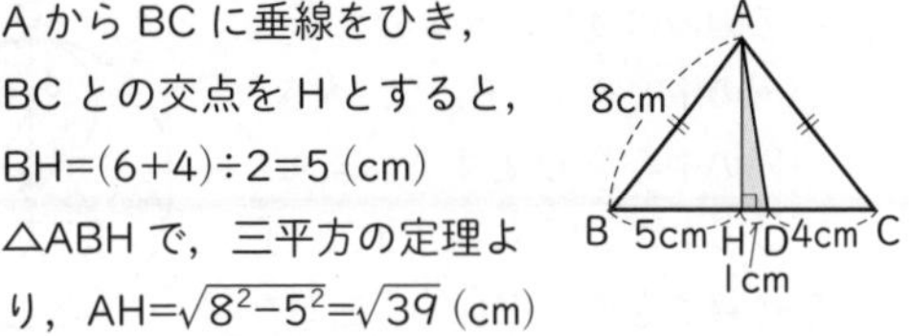

$BH=(6+4)\div2=5$ (cm)

△ABH で，三平方の定理より，$AH=\sqrt{8^2-5^2}=\sqrt{39}$ (cm)

HD=6−5=1 (cm) だから，

△AHD で，$AD=\sqrt{(\sqrt{39})^2+1^2}=\sqrt{40}=2\sqrt{10}$ (cm)

(2) CD=x cm とすると，

△ACD で，三平方の定理より，

$AD^2=3^2-x^2=-x^2+9$

同様に，△ABD で，

$AD^2=(\sqrt{41})^2-(4+x)^2=-x^2-8x+25$

よって，$-x^2+9=-x^2-8x+25$　$x=2$

したがって，△ACD で，

$AD=\sqrt{3^2-2^2}=\sqrt{5}$ (cm)

5 (1) △QRS は 30°，60°，90° の直角三角形だから，

QR=y より，$SR=\frac{1}{2}QR=\frac{1}{2}y$

6 (1) 点 A は放物線上にあるから，

$2=a\times2^2$　$a=\frac{1}{2}$

点 C は点 B と y 軸について対称な点だから，

点 C の x 座標は −4 で，y 座標は

$y=\frac{1}{2}\times(-4)^2=8$

よって，C(−4，8)

(2) B(4，8)，D(−2，2) より，

$BD=\sqrt{\{4-(-2)\}^2+(8-2)^2}=\sqrt{72}=6\sqrt{2}$ (cm)

(3) BC と y 軸との交点を E とすると，E(0，8)

四角形 OBCD=△BEO+△DEO+△CDE

$=\frac{1}{2}\times8\times4+\frac{1}{2}\times8\times2+\frac{1}{2}\times4\times(8-2)$

$=36$ (cm^2)

7 O から AB に垂線をひき，AB との交点を H とすると，おうぎ形 OCD の弧との接点も H となる。

$OH=\frac{\sqrt{3}}{2}OA=\frac{\sqrt{3}}{2}$ (cm) で，

$OC=OD=OH=\frac{\sqrt{3}}{2}$ cm

△OCD も正三角形となるから，その面積は，

$\frac{\sqrt{3}}{4}\times OC^2=\frac{\sqrt{3}}{4}\times\left(\frac{\sqrt{3}}{2}\right)^2=\frac{3\sqrt{3}}{16}$ (cm^2)

よって，求める面積は，

$\pi\times\left(\frac{\sqrt{3}}{2}\right)^2\times\frac{60}{360}-\frac{3\sqrt{3}}{16}$

$=\frac{1}{8}\pi-\frac{3\sqrt{3}}{16}=\frac{2\pi-3\sqrt{3}}{16}$ (cm^2)

8 右の図のように，3つの小さい円の中心をA，B，C，大きい円の中心をOとする。また，3つの小さい円A，B，Cと円Oの接点をそれぞれD，E，Fとする。

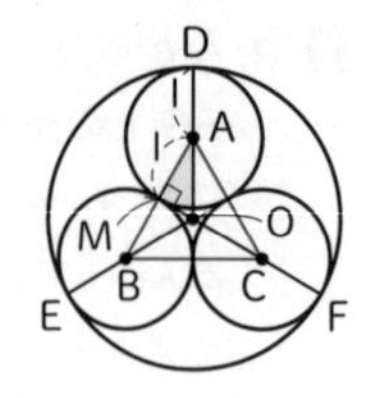

OD=OE=OF，AD=BE=CF=1

よって，OA=OB=OC より，点Oは正三角形ABCに外接する円の中心になり，OからABに垂線OMをひくと，点MはABの中点になる。

三角形AOMは，30°，60°，90°の直角三角形だから，

AM=1 より，$OA=\frac{2}{\sqrt{3}}AM=\frac{2\sqrt{3}}{3}$

したがって，大きい円の半径は，

$OD=AD+OA=1+\frac{2\sqrt{3}}{3}=\frac{3+2\sqrt{3}}{3}$

9 (1) 右の図のように，直角三角形FOO′をつくる。

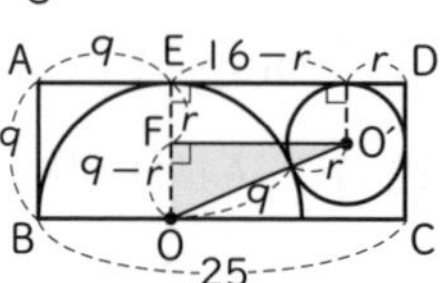

三平方の定理より，

$FO^2+FO'^2=OO'^2$ だから，

$(9-r)^2+(16-r)^2=(9+r)^2$

$81-18r+r^2+256-32r+r^2=81+18r+r^2$

$r^2-68r+256=0 \quad (r-4)(r-64)=0$

$0<r<9$ より，$r=4$

(2) 長方形ABCDの面積は，$9\times25=225$ (cm²)

色のついた部分の面積は，$r=4$ より，

長方形ABCDの面積−半円の面積

−小さい円の面積

$=225-\frac{\pi\times9^2}{2}-\pi\times4^2$

$=225-\frac{81}{2}\pi-16\pi=225-\frac{113}{2}\pi$ (cm²)

10 三平方の定理より，

△PFGで，$PG=\sqrt{3^2+4^2}=5$ (cm)

△QGHで，$GQ=\sqrt{1^2+4^2}=\sqrt{17}$ (cm)

PQは縦4 cm，横4 cm，高さ $4-1\times2=2$ (cm)の直方体の対角線と考えられるから，

$PQ=\sqrt{4^2+4^2+2^2}=6$ (cm)

よって，$5+\sqrt{17}+6=11+\sqrt{17}$ (cm)

11 右の図のように，BAとCDの延長線の交点をOとすると，△OADは45°，45°，90°の直角二等辺三角形だから，

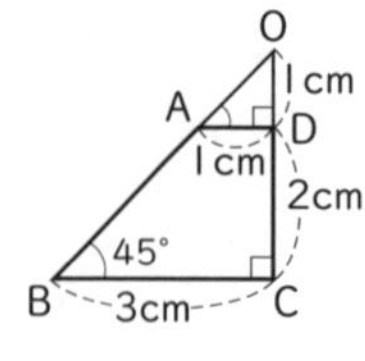

OD=AD=1 cm

AD//BC より，△OAD∽△OBC だから，

BC=OC=3 cm

よって，求める体積は，

$\frac{1}{3}\pi\times3^2\times3-\frac{1}{3}\pi\times1^2\times1=\frac{26}{3}\pi$ (cm³)

別解 △OAD∽△OBC で，相似比は 1：3 だから，それぞれの三角形を回転させてできる円錐の体積比は$1^3：3^3=1：27$

求める体積は，△OADを回転させてできる円錐の27−1=26(倍)だから，

$\frac{1}{3}\pi\times1^2\times1\times26=\frac{26}{3}\pi$ (cm³)

12 (1) 三角錐BCDGの底面を△BCD，高さをCGとすると，

$\frac{1}{3}\times\left(\frac{1}{2}\times12\times12\right)\times12=288$ (cm³)

(2) △BDGで，BG，GD，DBはそれぞれ1辺が12 cmの正方形の対角線だから，

$BG=GD=DB=12\sqrt{2}$ (cm)

よって，$\triangle BDG=\frac{\sqrt{3}}{4}\times(12\sqrt{2})^2=72\sqrt{3}$ (cm²)

(3) 求める長さh cmは，三角錐BCDGで，底面を△BDGとしたときの高さである。

よって，(1)，(2)より，$\frac{1}{3}\times72\sqrt{3}\times h=288$

$24\sqrt{3}h=288 \quad h=\frac{12}{\sqrt{3}}=4\sqrt{3}$

13 (1) NM//HF だから，△LNM∽△LHF

相似比は LM：LF=LC：LG=1：2

よって，△LNM：△LHF=$1^2：2^2$=1：4

(2) LG=4×2=8 (cm)

三角錐LFGHの体積は，

$\frac{1}{3}\times\left(\frac{1}{2}\times4\times4\right)\times8=\frac{64}{3}$ (cm³)

(3) $NM=\frac{1}{2}DB=\frac{1}{2}\times4\sqrt{2}=2\sqrt{2}$ (cm)

点PはNMの中点で，△CNPは直角二等辺三角形になるから，

$CP=NP=\frac{1}{2}NM=\frac{1}{2}\times2\sqrt{2}=\sqrt{2}$ (cm)

また，線分AGは立方体の対角線だから，

$AG=\sqrt{4^2+4^2+4^2}=4\sqrt{3}$ (cm)

(4) 右の図のように，点Rは対角線AGと線分PQの交点になっている。

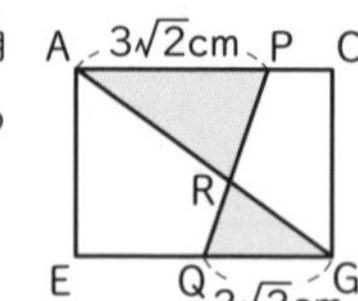

このとき，AP//QG，

$AP=4\sqrt{2}-\sqrt{2}=3\sqrt{2}$ (cm)

$QG=4\sqrt{2}\div2=2\sqrt{2}$ (cm) だから，

$AR:RG=AP:QG=3\sqrt{2}:2\sqrt{2}=3:2$

よって，$GR=4\sqrt{3}\times\frac{2}{3+2}=\frac{8\sqrt{3}}{5}$ (cm)

14 右のような断面図で考える。

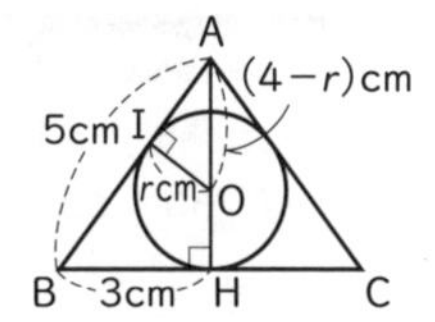

A から底面に垂線をひき，BC との交点を H とする。

BH=3 cm だから，直角三角形 ABH で，AH=4 cm

球の半径を r cm とすると，$AO=4-r$ (cm)

ここで，△ABH∽△AOI だから，

$AB:AO=BH:OI$

$5:(4-r)=3:r \quad r=\frac{3}{2}$

球の表面積は，$4\pi r^2=4\pi\times\left(\frac{3}{2}\right)^2=9\pi$ (cm²)

15 (1) 直角三角形 ABQ で，

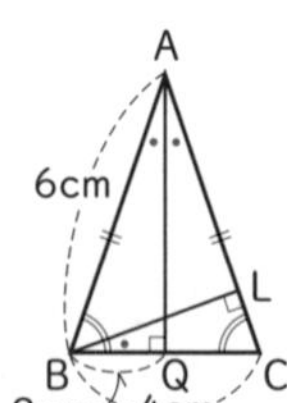

BQ=QC=2 cm，AB=6 cm

より，$AQ=\sqrt{6^2-2^2}$

$=4\sqrt{2}$ (cm)

(2) △ABC で，点 L は辺 AC 上に線分 BL の長さが最も短くなるようにとった点だから，AC⊥BL

∠ABQ=∠BCL，∠AQB=∠BLC=90° より，

2 組の角がそれぞれ等しいから，

△ABQ∽△BCL

よって，$BQ:CL=AB:BC$

$2:CL=6:4 \quad CL=\frac{4}{3}$ cm

$AL=6-\frac{4}{3}=\frac{14}{3}$ (cm)

次に，△PAL∽△PFM より，

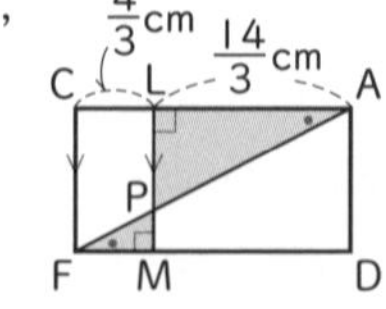

$LP:MP=AL:FM$

$=AL:CL=\frac{14}{3}:\frac{4}{3}=7:2$

(3) (2)より，

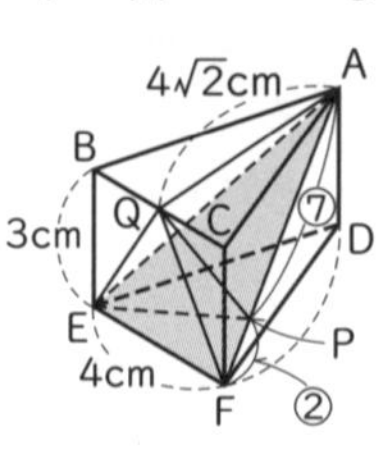

$AP:FP=AL:FM$

$=7:2$

高さの等しい三角錐の体積比は底面積の比に等しいから，

三角錐 Q-EFP の体積：三角錐 Q-EPA の体積

$=\triangle EFP:\triangle EPA=FP:PA=2:7$

△ABC が二等辺三角形で，Q が底辺 BC の中点だから，AQ⊥平面 BEFC

よって，三角錐 Q-AEF の体積

$=\frac{1}{3}\times\triangle QEF\times AQ=\frac{1}{3}\times\left(\frac{1}{2}\times4\times3\right)\times4\sqrt{2}$

$=8\sqrt{2}$ (cm³)

したがって，三角錐 Q-EPA の体積

$=$三角錐 Q-AEF の体積$\times\frac{7}{2+7}=8\sqrt{2}\times\frac{7}{9}$

$=\frac{56\sqrt{2}}{9}$ (cm³)

STEP 3 発展問題

本冊⇨pp.136 ～ 139

1 $\sqrt{7}$ cm

2 A′C の長さ…15 cm，面積…$\frac{75}{4}\pi$ cm²

3 $\frac{3\sqrt{5}}{5}$ cm

4 $\frac{12-3\sqrt{3}}{2}$

5 1 辺の長さ…$4\sqrt{3}-6$ (cm)，
面積…$72-36\sqrt{3}$ (cm²)

6 $6\sqrt{3}$ cm²

7 $9\sqrt{3}-3\pi$ (cm²)

8 (1) 2 cm　(2) $2\sqrt{7}$ cm　(3) $\frac{2\sqrt{21}}{3}$ cm
(4) $4\sqrt{3}$ cm²

9 (1) A(2，0)，E$\left(0,\ \frac{2\sqrt{3}}{3}\right)$　(2) 60°
(3) $3+\sqrt{3}$

10 $\frac{28\sqrt{2}}{3}\pi$

11 (1) $\frac{24}{5}$ cm　(2) ① $12\sqrt{19}$ cm²　② $\frac{9}{32}$

12 (1) $a=\sqrt{3}\ell$　(2) $r=\frac{\ell}{6}$　(3) $0<r<\frac{\ell}{2}$

13 (1) 4　(2) $\frac{4\sqrt{6}}{3}$　(3) $\frac{8\sqrt{2}}{3}$

14 (1) 5 cm　(2) 18π cm²　(3) $\frac{1440}{29}\pi$ cm²

15 (1) $\frac{64\sqrt{2}}{9}$　(2) $\frac{128}{27}$

解説

1 △ABC で，

三平方の定理より，

$AC=\sqrt{2^2-1^2}=\sqrt{3}$ (cm)

右の図のように A から PC に垂線をひき，PC との交点を H とすると，

$PH=\frac{1}{2}AP=\frac{1}{2}AC=\frac{\sqrt{3}}{2}$ (cm)，

$AH=\sqrt{3}PH=\frac{3}{2}$ (cm)

また，AQ=AB=1 cm

∠QAH=180° より，Q，A，H は一直線上にあるから，△PQH で，三平方の定理より，

$PQ=\sqrt{QH^2+PH^2}=\sqrt{\left(1+\frac{3}{2}\right)^2+\left(\frac{\sqrt{3}}{2}\right)^2}$

$=\sqrt{\frac{25}{4}+\frac{3}{4}}=\sqrt{7}$ (cm)

2 $A'C=AC=\sqrt{9^2+12^2}$

$=15$ (cm)

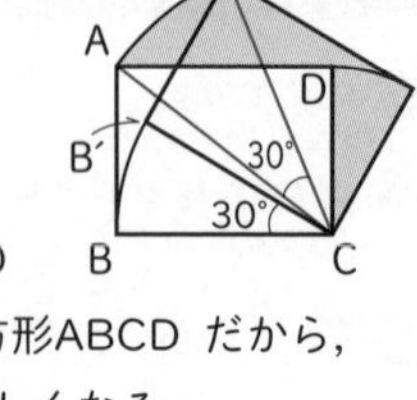

求める面積は，

△ABC+おうぎ形 A′CA

　+△A′CD′−長方形 ABCD

で，△ABC+△A′CD′=長方形ABCD だから，おうぎ形 A′CA の面積と等しくなる。

よって，$\pi\times15^2\times\frac{30}{360}=\frac{75}{4}\pi$ (cm²)

3 四角形 AEFD は長方形だから，△AEH は直角三角形である。

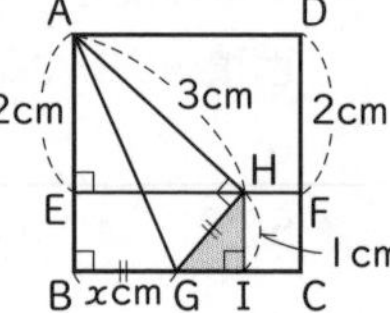

△ABG≡△AHG より，

AH=AB=3 cm

△AEH で，三平方の定理より，

$EH=\sqrt{3^2-2^2}=\sqrt{5}$ (cm)

上の図のように，点 H から辺 BC に垂線をひき，BC との交点を I とする。

ここで，BG=GH=x cm とすると，

$GI=\sqrt{5}-x$ (cm)

直角三角形 GHI で，三平方の定理より，

$x^2=1^2+(\sqrt{5}-x)^2$　$x^2=1+5-2\sqrt{5}x+x^2$

$2\sqrt{5}x=6$　$x=\frac{3}{\sqrt{5}}=\frac{3\sqrt{5}}{5}$

4 四角形 CDEF を折り返したとき，点 D に対応する点を D′，GD′ と AD の交点を H とする。

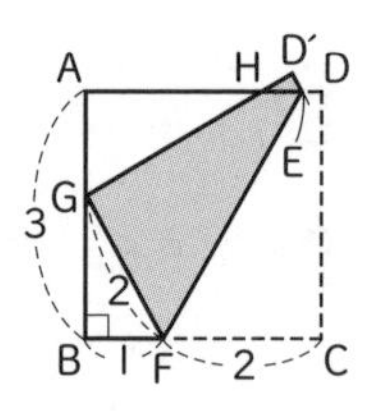

GF=FC=2 より，直角三角形 GBF で，

$GB=\sqrt{2^2-1^2}=\sqrt{3}$

よって，△GBF は 30°，60°，90° の直角三角形で，

△GBF∽△HAG だから，

$GH=2AG=2(3-\sqrt{3})=6-2\sqrt{3}$

さらに，△D′EH∽△BFG より，

$D'E=\frac{1}{\sqrt{3}}HD'=\frac{1}{\sqrt{3}}\{3-(6-2\sqrt{3})\}$

$=\frac{\sqrt{3}}{3}(2\sqrt{3}-3)=2-\sqrt{3}$

したがって，求める台形 D′GFE の面積は，

$\frac{(D'E+GF)\times GD'}{2}=\frac{(2-\sqrt{3}+2)\times3}{2}=\frac{12-3\sqrt{3}}{2}$

ココに注意

直角三角形の 3 辺の比が，$1:2:\sqrt{3}$ になるとき，30°，60°，90° の直角三角形である。

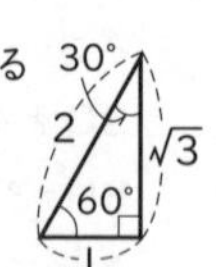

5 正六角形の 1 つの内角は，

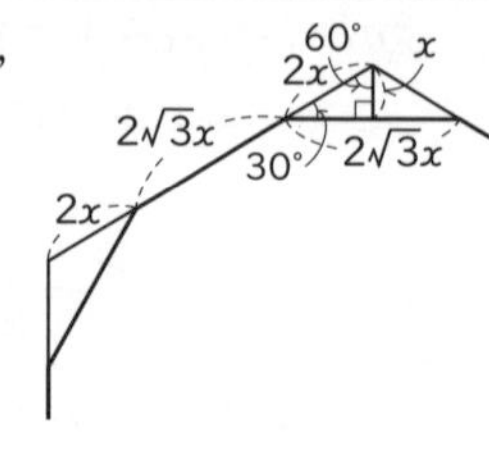

180°×(6−2)÷6=120°

ここで，右の図のように，正十二角形の 1 辺の長さを $2\sqrt{3}x$ cm とすると，正六角形の 1 辺の長さは，

$2x\times2+2\sqrt{3}x=(4+2\sqrt{3})x$ (cm) だから，

$(4+2\sqrt{3})x=2$　$(2+\sqrt{3})x=1$

$x=\frac{1}{2+\sqrt{3}}=\frac{1\times(2-\sqrt{3})}{(2+\sqrt{3})(2-\sqrt{3})}=2-\sqrt{3}$ (cm)

よって，正十二角形の 1 辺の長さは，

$2\sqrt{3}x=2\sqrt{3}(2-\sqrt{3})=4\sqrt{3}-6$ (cm)

正六角形を対角線で分けると，1 辺が 2 cmの正三角形が 6 つできるから，その面積は，

$\frac{\sqrt{3}}{4}\times2^2\times6=6\sqrt{3}$ (cm²)

正六角形から正十二角形をひいた部分の面積は，底辺 $2\sqrt{3}x$ cm，高さ x cmの三角形 6 つ分だから，

その面積は，$\left(\frac{1}{2}\times2\sqrt{3}x\times x\right)\times6=6\sqrt{3}x^2$

$=6\sqrt{3}(2-\sqrt{3})^2=6\sqrt{3}(4-4\sqrt{3}+3)$

$=6\sqrt{3}(7-4\sqrt{3})=42\sqrt{3}-72$ (cm²)

したがって，正十二角形の面積は，

$6\sqrt{3}-(42\sqrt{3}-72)=72-36\sqrt{3}$ (cm²)

6 右の図のように，△PQR は円に内接し，点 P は長いほうの弧 QR 上を動くことがわかる。PQ の長さが最大になるのは PQ が円の直径になるときであり，∠QRP=90° だから，

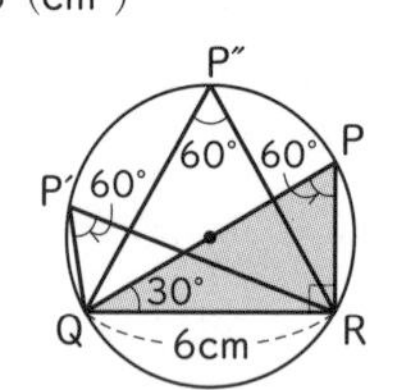

$PR=\frac{1}{\sqrt{3}}QR=\frac{6}{\sqrt{3}}=2\sqrt{3}$ (cm)

よって，求める面積は，

$\frac{1}{2}\times6\times2\sqrt{3}=6\sqrt{3}$ (cm²)

7 △OAP は PO=PA=AO $=3$ cm の正三角形である。
よって，$\angle POA=60°$ だから，
$\angle PQA=\dfrac{1}{2}\angle POA=30°$
同様に，$\angle PQB=30°$ より，
$\angle AQB=60°$ である。
また，$\angle QBA=\angle QPA=60°$，
$\angle QAB=\angle QPB=60°$ だから，△ABQ は正三角形となる。
このとき，AO=3 cm より，
$AH=\dfrac{\sqrt{3}}{2}AO=\dfrac{3\sqrt{3}}{2}$ (cm) だから，
$AB=2AH=3\sqrt{3}$ (cm)
よって，$\triangle ABQ=\dfrac{\sqrt{3}}{4}\times(3\sqrt{3})^2=\dfrac{27}{4}\sqrt{3}$ (cm^2)
また，上の図で黒くぬった部分の面積は，円の面積から正三角形 QAB の面積をひいたものを，3 等分したものだから，
$\left(\pi\times3^2-\dfrac{27}{4}\sqrt{3}\right)\times\dfrac{1}{3}=3\pi-\dfrac{9}{4}\sqrt{3}$ (cm^2)
したがって，色のついた部分の面積は，
$\dfrac{27}{4}\sqrt{3}-\left(3\pi-\dfrac{9}{4}\sqrt{3}\right)=9\sqrt{3}-3\pi$ (cm^2)

8 (1) 四角形 BCED は円 O に内接しているから，
$\angle ADE=\angle ECB=60°$
$\angle DAE=60°$ だから，
△ADE は正三角形である。
よって，DE=AD=2 cm

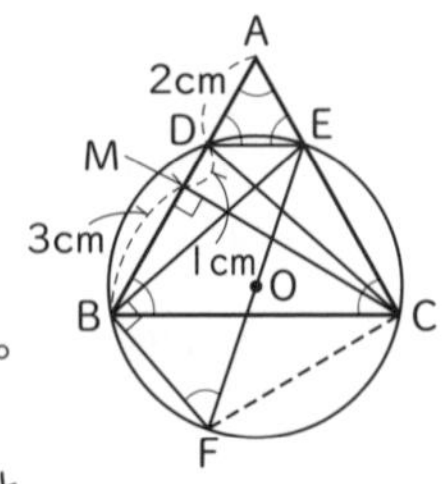

(2) 辺 AB の中点を M とすると，
△CBM は 30°，60°，90° の直角三角形だから，
BM=3 cm より，
$CM=\sqrt{3}BM=3\sqrt{3}$ cm
また，$DM=6-(3+2)=1$ (cm)
直角三角形 CDM で，三平方の定理より，
$CD=\sqrt{1^2+(3\sqrt{3})^2}=2\sqrt{7}$ (cm)

(3) (1)より，BE=CD で，(2)より，$BE=2\sqrt{7}$ cm
$\angle BFE=\angle BCE=60°$，$\angle EBF=90°$ より，
△EBF は 30°，60°，90° の直角三角形である。
よって，
$BF=\dfrac{1}{\sqrt{3}}BE=\dfrac{2\sqrt{7}}{\sqrt{3}}=\dfrac{2\sqrt{21}}{3}$ (cm) だから，半径は，$OF=\dfrac{1}{2}EF=BF=\dfrac{2\sqrt{21}}{3}$ (cm)

(4) $\triangle BCF=\triangle EBF+\triangle ECF-\triangle EBC$ …①
(3)より，$\triangle EBF=\dfrac{1}{2}\times BF\times BE=\dfrac{1}{2}\times\dfrac{2\sqrt{21}}{3}\times2\sqrt{7}$
$=\dfrac{\sqrt{7}\sqrt{3}\times2\sqrt{7}}{3}=\dfrac{14\sqrt{3}}{3}$ (cm^2) …②
次に △ECF で，$\angle ECF=90°$ だから，三平方の定理より，
$CF^2=EF^2-CE^2=(2OF)^2-CE^2$
$=\left(\dfrac{4\sqrt{21}}{3}\right)^2-4^2=\dfrac{16\times21}{9}-16=\dfrac{16\times12}{9}$
よって，
$CF=\sqrt{\dfrac{16\times12}{9}}=\dfrac{4}{3}\times2\sqrt{3}=\dfrac{8\sqrt{3}}{3}$ (cm) だから，
$\triangle ECF=\dfrac{1}{2}\times CE\times CF=\dfrac{1}{2}\times4\times\dfrac{8\sqrt{3}}{3}$
$=\dfrac{16\sqrt{3}}{3}$ (cm^2) …③
また，$\triangle ABC=\dfrac{\sqrt{3}}{4}\times6^2=9\sqrt{3}$ (cm^2) で，
$\triangle EBC:\triangle ABC=EC:AC=2:3$ だから，
$\triangle EBC=\dfrac{2}{3}\triangle ABC=\dfrac{2}{3}\times9\sqrt{3}$
$=6\sqrt{3}$ (cm^2) …④
したがって，①，②，③，④より，
$\triangle BCF=\dfrac{14\sqrt{3}}{3}+\dfrac{16\sqrt{3}}{3}-6\sqrt{3}$
$=10\sqrt{3}-6\sqrt{3}=4\sqrt{3}$ (cm^2)

9 (1) 円と放物線 $y=ax^2$ はともに y 軸について対称だから，$D(-1,\ \sqrt{3})$
$OA=OC=\sqrt{1^2+(\sqrt{3})^2}=2$ より，A(2, 0)
よって，直線 AD の傾きは，$\dfrac{0-\sqrt{3}}{2-(-1)}=-\dfrac{\sqrt{3}}{3}$
より，直線 AD の式を $y=-\dfrac{\sqrt{3}}{3}x+b$ として，
$x=2$，$y=0$ を代入すると，
$0=-\dfrac{\sqrt{3}}{3}\times2+b$　$b=\dfrac{2\sqrt{3}}{3}$
したがって，直線 AD の式は $y=-\dfrac{\sqrt{3}}{3}x+\dfrac{2\sqrt{3}}{3}$
だから，$E\left(0,\ \dfrac{2\sqrt{3}}{3}\right)$

(2) D から x 軸に垂線をひき，x 軸との交点を H とすると，△DOH で，$\angle DHO=90°$，DO=2，
OH=1 より，$\angle DOH=60°$
よって，$\angle AOD=120°$ だから，
$\angle ABD=\dfrac{1}{2}\angle AOD=60°$

(3) OB=OA=2 だから，B(0, −2)
$\triangle ABD=\triangle AOD+\triangle BOD+\triangle AOB$

$=\frac{1}{2}\times2\times\sqrt{3}+\frac{1}{2}\times2\times1+\frac{1}{2}\times2\times2$

$=\sqrt{3}+1+2=3+\sqrt{3}$

別解　右の図で，

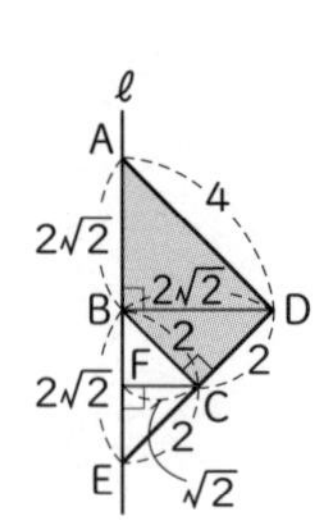

$\triangle ABD=\triangle A'ED'$

$=\frac{1}{2}\times A'D'\times EB$

$=\frac{1}{2}\times\{2-(-1)\}\times\left\{\frac{2\sqrt{3}}{3}-(-2)\right\}$

$=\frac{3}{2}\times\left(\frac{2\sqrt{3}}{3}+2\right)=3+\sqrt{3}$

10 右の図のように，DC の延長線と ℓ の交点を E とすると，求める体積は，△ADE を回転させてできる立体から △BCE を回転させてできる立体をひいたものである。

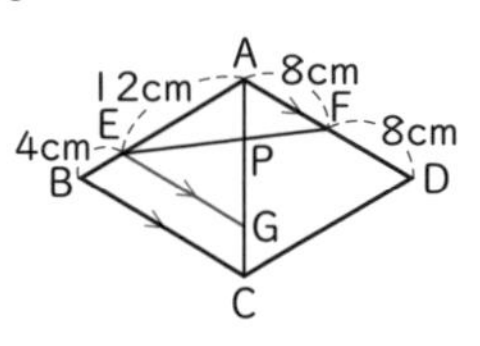

BC∥AD，∠BAD=45° より，

△AED，△BEC は直角二等辺三角形である。点 B は辺 AE の中点になるから，△ABD も直角二等辺三角形になる。

点 C から直線 ℓ に垂線をひき，ℓ との交点を F とすると，各辺の長さは図のようになる。

よって，求める体積は，

$\frac{1}{3}\pi\times BD^2\times AE-\frac{1}{3}\pi\times FC^2\times BE$

$=\frac{1}{3}\pi\times(2\sqrt{2})^2\times4\sqrt{2}-\frac{1}{3}\pi\times(\sqrt{2})^2\times2\sqrt{2}$

$=\frac{1}{3}\pi\times(32\sqrt{2}-4\sqrt{2})=\frac{28\sqrt{2}}{3}\pi$

11 (1) 右の図のような展開図をかいて考える。3 点 E，P，F が一直線上に並ぶとき，d の値が最も小さくなる。

ここで，E から BC と平行な直線をひき，AC との交点を G とすると，△AEG も正三角形になるから，

AG=EG=AE=12 cm

AF∥EG より，△PAF∽△PGE だから，

PA：PG=AF：GE=8：12=2：3

よって，$AP=\frac{2}{2+3}AG=\frac{2}{5}\times12=\frac{24}{5}$ (cm)

(2) ① △AEF で，E から AD に垂線をひき，AD との交点を H とする。

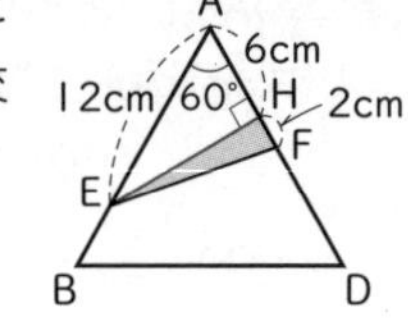

∠A=60° だから，

△AEH は，30°，60°，90° の直角三角形である。

AE=12 cm より，

$AH=\frac{1}{2}AE=6$ (cm)，$EH=\sqrt{3}\,AH=6\sqrt{3}$ (cm)

AF=8 cm より，HF=8−6=2 (cm) だから，

直角三角形 EFH で，三平方の定理より，

$EF=\sqrt{(6\sqrt{3})^2+2^2}=\sqrt{112}=4\sqrt{7}$ (cm)

EP∥BC より，△AEP は正三角形だから，

AP=EP=AE=12 cm

よって，△AEF≡△APF となるから，

FE=FP より，△FEP は二等辺三角形になる。

右の図のように，F から EP に垂線をひき，EP との交点を M とすると，

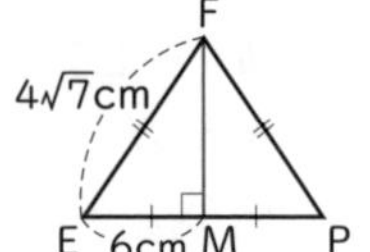

EM=6 cm

直角三角形 FEM で，

$FM=\sqrt{(4\sqrt{7})^2-6^2}=\sqrt{76}=2\sqrt{19}$ (cm)

したがって，

$\triangle EPF=\frac{1}{2}\times12\times2\sqrt{19}=12\sqrt{19}$ (cm²)

② 立体 A−EPF，立体 A−BCD の底面積をそれぞれ △AEP，△ABC とするとき，

底面積の比は $\frac{\triangle AEP}{\triangle ABC}=\frac{AE\times AP}{AB\times AC}$，

高さの比は $\frac{AF}{AD}$ だから，

$\frac{\text{立体 A−EPF}}{\text{立体 A−BCD}}=\frac{\triangle AEP}{\triangle ABC}\times\frac{AF}{AD}=\frac{AE\times AP}{AB\times AC}\times\frac{AF}{AD}$

$=\frac{AE}{AB}\times\frac{AP}{AC}\times\frac{AF}{AD}=\frac{12}{16}\times\frac{12}{16}\times\frac{8}{16}=\frac{3}{4}\times\frac{3}{4}\times\frac{1}{2}$

$=\frac{9}{32}$

! ココに注意

右の図のような，立体 O−PQR と立体 O−ABC の体積比は，(OP×OQ×OR)：(OA×OB×OC) である。

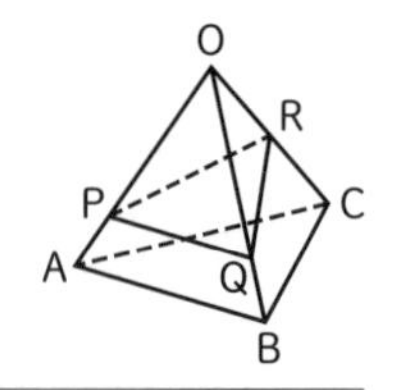

12 (1) 直角三角形 ABO で，三平方の定理より，

$r=BO=\sqrt{\ell^2-\left(\frac{2}{3}\sqrt{2}\,\ell\right)^2}=\sqrt{\ell^2-\frac{8}{9}\ell^2}=\frac{\ell}{3}$

右の図のような側面の展開図であるおうぎ形ABB′で，aは線分BB′の長さである。

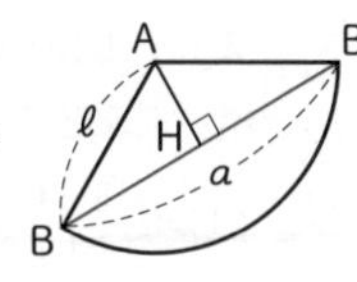

$\overset{\frown}{BB'}=2\pi r=2\pi\times\frac{\ell}{3}=\frac{2}{3}\pi\ell$

側面のおうぎ形の中心角をx°とすると，

$\overset{\frown}{BB'}=2\pi\ell\times\frac{x}{360}$ より，

$2\pi\ell\times\frac{x}{360}=\frac{2}{3}\pi\ell$　$x=120$

ここで，AからBB′に垂線をひき，BB′との交点をHとすると，△ABHは30°，60°，90°の直角三角形になるから，

$BH=\frac{\sqrt{3}}{2}AB=\frac{\sqrt{3}}{2}\ell$

したがって，$a=2BH=\sqrt{3}\ell$

(2) $a=\ell$ のとき，(1)の△ABB′は正三角形となるから，∠BAB′=60°

よって，$2\pi\ell\times\frac{60}{360}=2\pi r$ より，$r=\frac{\ell}{6}$

(3) 側面のおうぎ形の中心角が180°以上になると，BとB′が直線で結べなくなる。

中心角が180°のとき，

$2\pi\ell\times\frac{180}{360}=2\pi r$ より，$r=\frac{\ell}{2}$

また，中心角が0°のときも結べないから，

$0<r<\frac{\ell}{2}$ のとき，糸を巻き付けることができる。

13 (1) 右の図のように，対角線ACとBDの交点をI，EGとFHの交点をJとする。

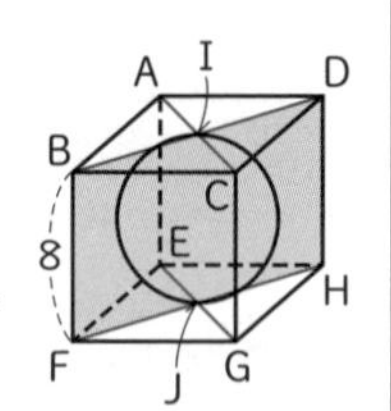

四角形BDHFは長方形で，I，Jを通るから，切断したときの円の直径はIJである。

よって，半径は，8÷2=4

(2) 正三角形ACFで切断したときの切り口の円の直径は右の図のIKである。

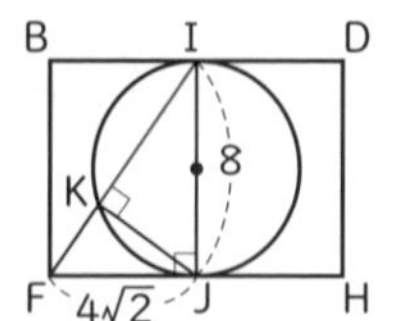

$FH=\sqrt{2}FG=8\sqrt{2}$ だから，

$FJ=\frac{1}{2}FH=4\sqrt{2}$

△IFJで，三平方の定理より，

$IF=\sqrt{(4\sqrt{2})^2+8^2}=4\sqrt{6}$

△IJF∽△IKJ より，IF：IJ=IJ：IK

$4\sqrt{6}:8=8:IK$　$IK=\frac{16}{\sqrt{6}}=\frac{8\sqrt{6}}{3}$

したがって，△ACFで切断したときの円の半径は，

$\frac{8\sqrt{6}}{3}\div2=\frac{4\sqrt{6}}{3}$

(3) 台形PQGEで切断したときの切り口の円の直径は右の図のJSである。PQと対角線BDとの交点をRとすると，

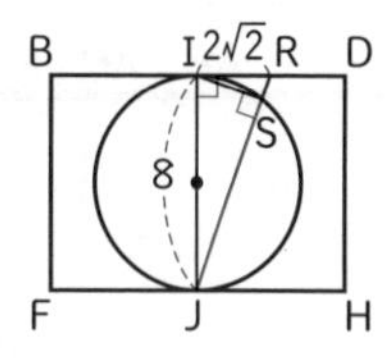

$IR=\frac{1}{2}ID=\frac{1}{2}\times4\sqrt{2}=2\sqrt{2}$

△JIRで，三平方の定理より，

$JR=\sqrt{8^2+(2\sqrt{2})^2}=6\sqrt{2}$

△JIR∽△JSI より，JR：JI=JI：JS

$6\sqrt{2}:8=8:JS$　$JS=\frac{8^2}{6\sqrt{2}}=\frac{16\sqrt{2}}{3}$

したがって，台形PQGEで切断したときの円の半径は，$\frac{16\sqrt{2}}{3}\div2=\frac{8\sqrt{2}}{3}$

14 (1) 右の図のような円柱の断面図で考える。

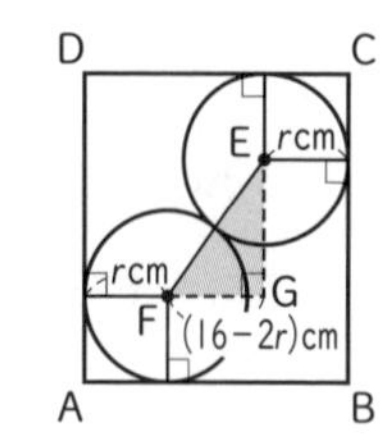

鉄球の半径をr cmとすると，

△EFGで，三平方の定理より，

$(2r)^2=(18-2r)^2+(16-2r)^2$

$4r^2=324-72r+4r^2+256-64r+4r^2$

$-4r^2+136r-580=0$

$r^2-34r+145=0$　$(r-5)(r-29)=0$

$0<r<8$ より，$r=5$

(2) 右の図より，境界としてできる2つの円の中心は，どちらも球の中心から 9−5=4 (cm) 離れている。

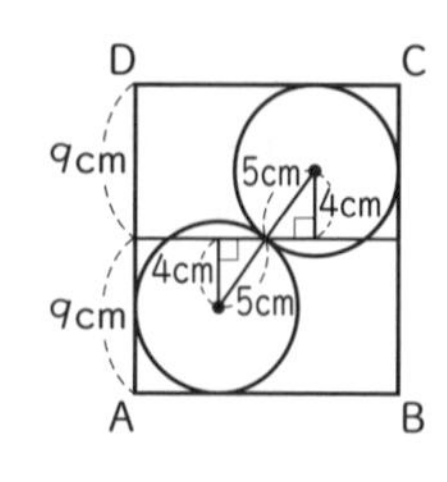

よって，三平方の定理より，

境界の円の半径は，$\sqrt{5^2-4^2}=3$ (cm)

したがって，求める面積は，

$\pi\times3^2\times2=18\pi$ (cm²)

(3) 右の図のように，長方形ABCDの対角線の中点をPとすると，Pは2円の接点になる。

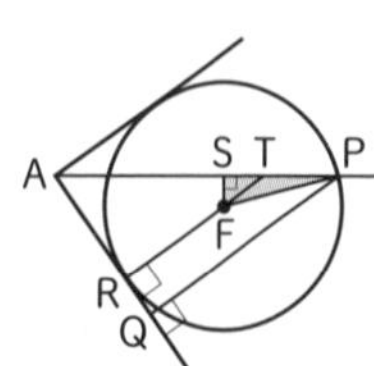

Pと円の中心FからABに垂線をひき，ABとの交点をそれぞれQ，Rとする。

また，中心FからAPに垂線をひき，APとの交点をS，FRとAPとの交点をTとする。

(2)より，PQ=9 cm，AQ=8 cm，AR=FR=5 cm で，△ART∽△AQP より，

AR：AQ=RT：QP

5：8=RT：9　$RT=\frac{45}{8}$ cm

△TAR で，三平方の定理より，

$AT=\sqrt{5^2+\left(\frac{45}{8}\right)^2}=\sqrt{\frac{8^2\times5^2}{8^2}+\frac{9^2\times5^2}{8^2}}$

$=\sqrt{\frac{(8^2+9^2)\times5^2}{8^2}}=\frac{5}{8}\sqrt{145}$ (cm)

また，△FST∽△ART より，

FS：AR=FT：AT

$FS:5=\left(\frac{45}{8}-5\right):\frac{5}{8}\sqrt{145}=\frac{5}{8}:\frac{5}{8}\sqrt{145}$

$=1:\sqrt{145}$

$\sqrt{145}FS=5$　$FS=\frac{5}{\sqrt{145}}$ cm

よって，直角三角形 FPS で，SP が求める2つの円の半径となるから，三平方の定理より，

$SP^2=FP^2-FS^2=5^2-\left(\frac{5}{\sqrt{145}}\right)^2=25-\frac{25}{145}$

$=\frac{3600}{145}=\frac{720}{29}$

したがって，求める面積は，

$\pi\times SP^2\times2=\pi\times\frac{720}{29}\times2=\frac{1440}{29}\pi$ (cm²)

15 (1) 点 O から辺 AB に垂線をひき，AB との交点を E とする。

直角三角形OAE で，三平方の定理より，

$OE=\sqrt{OA^2-AE^2}=\sqrt{(2\sqrt{6})^2-2^2}=2\sqrt{5}$

右の図のように，線分 EM を，点 M の方向に延長して，辺 QP との交点を F とする。また，正四角錐を点 O，EM を通る平面で切った切り口を △OES とする。

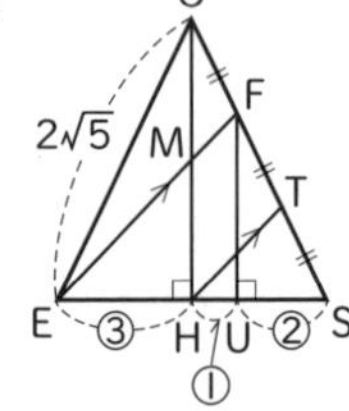

△OEH で，三平方の定理より，

$OH=\sqrt{(2\sqrt{5})^2-2^2}=4$

次に，点 H を通り EF に平行な直線をひき，OS との交点を T とする。

点 M は OH の中点で MF//HT より，F は OT の中点となる。また，点 H は ES の中点で，HT//EF より，T は SF の中点である。

よって，OF=FT=TS となるから，

OF：OS=1：3 より，QP：DC=OP：OC

=OF：OS=1：3　$QP=\frac{1}{3}DC=\frac{4}{3}$

また，図のように，点 F から辺 ES に垂線をひき，ES との交点を U とすると，

$EU=\frac{3+1}{3+1+2}ES=\frac{2}{3}\times4=\frac{8}{3}$，

$FU=\frac{2}{3}OH=\frac{2}{3}\times4=\frac{8}{3}$

よって，直角二等辺三角形 EFU で，

$FE=\sqrt{2}EU=\frac{8}{3}\sqrt{2}$

したがって，台形 $ABPQ=\frac{(QP+AB)\times EF}{2}$

$=\frac{1}{2}\times\left(\frac{4}{3}+4\right)\times\frac{8\sqrt{2}}{3}=\frac{64\sqrt{2}}{9}$

(2) O から EM に垂線をひき，EM との交点を R とする。

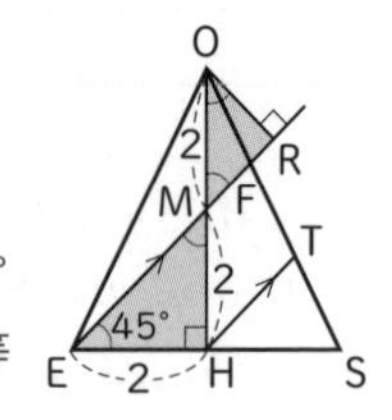

OH=ES=4 より，

MH=EH=2 で，∠EHM=90° だから，△EHM は直角二等辺三角形である。

また，∠OMR=∠HME=45° だから，△OMR も直角二等辺三角形になる。

よって，$OR=\frac{1}{\sqrt{2}}OM=\frac{2}{\sqrt{2}}=\sqrt{2}$

(1) より，四角錐 O-ABPQ の体積は，

$\frac{1}{3}\times$四角形 ABPQ×OR

$=\frac{1}{3}\times\frac{64\sqrt{2}}{9}\times\sqrt{2}=\frac{128}{27}$

理解度診断テスト ④

本冊⇨pp.140 ～ 141

理解度診断　A…80 点以上，B…60～79 点，C…59 点以下

1 (1)

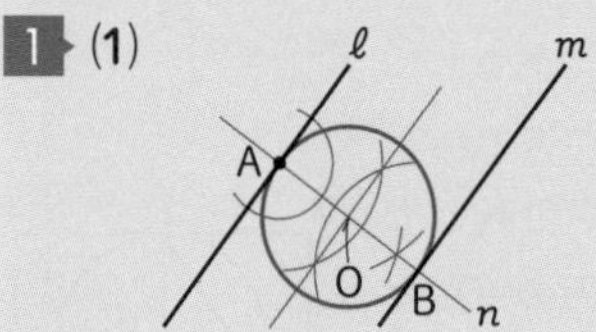

(2)

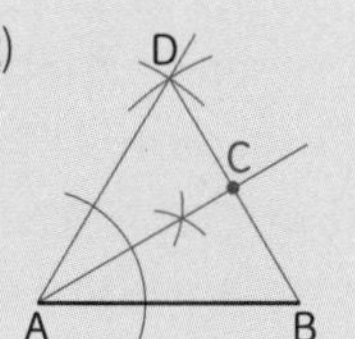

2 (1) 58°　(2) 42°　(3) 24°

3 (1) **△ADE と △EBF において，**

仮定より，∠ADE=∠EBF=60°　…①

$\overset{\frown}{CD}$ に対する円周角だから，

∠DAE=∠CBE　…②

BC//FE より，錯角は等しいから，

△CBE=△BEF　…③

②，③より，∠DAE=∠BEF　…④

①，④より，2 組の角がそれぞれ等しい

から，△ADE∽△EBF

(2) ① $\frac{15}{8}$ cm　② $\frac{150\sqrt{3}}{113}$ cm^2

4 (1) **△EBC と △EFD において，**

四角形 ABCD が正方形だから，

∠BCE=∠FDE=90°　…①

対頂角は等しいから，

∠BEC=∠FED　…②

①，②より，2 組の角がそれぞれ等しいから，△EBC∽△EFD

(2) $\frac{25}{8}$ cm

5 9 cm

6 5 cm

7 (1) 4 cm　(2) $12\sqrt{10}$ cm^2　(3) 36 cm^3

（解説）

1 (1) 点 A を通る直線 ℓ の垂線 n と m との交点を B とする。線分 AB の垂直二等分線をひき，n との交点を O とする。点 O を中心とした半径 OA の円が求める円である。

(2) 線分 AB を 1 辺とする正三角形 DAB を作図する。∠DAB の二等分線と辺 DB の交点を C とすればよい。

2 (1) $\angle x=38°+(180°-160°)=58°$

(2) △AED≡△CFD より，

∠ADE=∠CDF=180°−(90°+66°)=24°

よって，$\angle x=90°-24°\times2=42°$

(3) ∠ACB=∠ADB=49°

△ACE で，$\angle x=49°-25°=24°$

3 (2) ① A から BD に垂線をひき，BD との交点を H とする。

△ABD は正三角形だから，

BH=DH=4 cm,

AH=$4\sqrt{3}$ cm

直角三角形 AHE で，三平方の定理より，

$HE=\sqrt{AE^2-AH^2}=\sqrt{7^2-(4\sqrt{3})^2}=1$ (cm)

よって，BE=5 cm，DE=3 cm となる。

(1)より，△ADE∽△EBF だから，

AD：EB=DE：BF　8：5=3：BF

BF=$\frac{15}{8}$ cm

② BC//FE より，

EG：BG=EF：BC=AF：AB

$=\left(8-\frac{15}{8}\right)：8=49：64$　…㋐

また，$△ABD=\frac{1}{2}\times8\times4\sqrt{3}=16\sqrt{3}$ (cm^2)

高さの等しい三角形の面積比は，底辺の比に等しいから，

△ABE：△ABD=BE：BD より，

$△ABE=\frac{BE}{BD}\times△ABD=\frac{5}{8}\times16\sqrt{3}$

$=10\sqrt{3}$ (cm^2)

同様に，△FBE：△ABE=BF：AB より，

$△FBE=\frac{BF}{AB}\times△ABE$

$=\frac{15}{8}\times\frac{1}{8}\times10\sqrt{3}=\frac{75\sqrt{3}}{32}$ (cm^2)

△BFG：△FBE=BG：BE と㋐より，

$△BFG=\frac{BG}{BE}\times△FBE$

$=\frac{64}{64+49}\times\frac{75\sqrt{3}}{32}=\frac{150\sqrt{3}}{113}$ (cm^2)

4 (2) (1)より，DF：CB=DE：CE=1：3 で，

CB=3 cm より，DF=1 cm

また，∠GBF=∠CBE=∠GFB より，△GBF は二等辺三角形である。

BG=FG=x cm とすると，

GD=GF−DF=$x-1$ (cm)

AG=AD−GD=$3-(x-1)=4-x$ (cm)

よって，直角三角形 ABG で，三平方の定理より，

$x^2=3^2+(4-x)^2$

$x^2=9+16-8x+x^2$　$8x=25$　$x=\frac{25}{8}$

5 最短のひもは，展開図の線分 AB で表される。

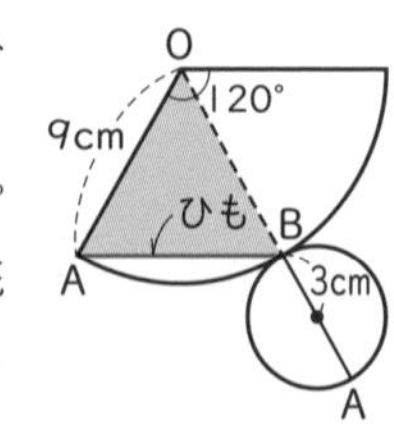

側面のおうぎ形の中心角を a° とすると，その弧の長さと底面の円周の長さが等しいことから，

$2\pi\times9\times\frac{a}{360}=2\pi\times3$　$a=120$

よって，展開図は右上の図のようになり，おうぎ形 OAB の中心角は 120°÷2=60°

△OAB は正三角形だから，最短のひもの長さは 9 cm

6 2 つの円 P，Q の半径をそれぞれ R cm，r cm とすると，右の図のようになる。

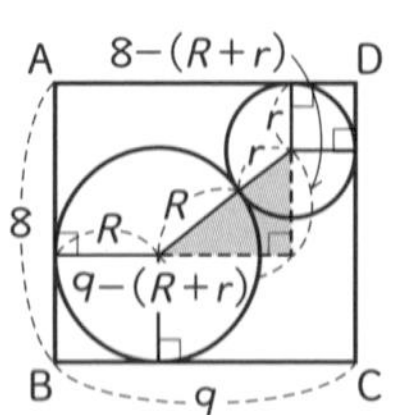

2 円の半径の和を $x=R+r$ とおくと，色のついた直角三

角形で，三平方の定理より，

$x^2=(8-x)^2+(9-x)^2$

$x^2=64-16x+x^2+81-18x+x^2$

$x^2-34x+145=0$　$(x-5)(x-29)=0$

$x=5$，$x=29$

$0<x<8$ より，$x=5$

よって，求める距離は，$R+r=x=5$

7 (1) △APQ は，AP=AQ=$2\sqrt{2}$ cm の直角二等辺三角形だから，PQ=$2\sqrt{2}\times\sqrt{2}=4$ (cm)

(2) 四角形 PFHQ は右の図のように等脚台形になる。点 P，Q から辺 FH に垂線 PM，QN をひくと，

FM=HN=$(8-4)\div 2=2$ (cm)

△BFP で，三平方の定理より，

PF=$\sqrt{6^2+(2\sqrt{2})^2}=2\sqrt{11}$ (cm)

△PFM で，三平方の定理より，

PM=$\sqrt{(2\sqrt{11})^2-2^2}=2\sqrt{10}$ (cm)

よって，四角形 PFHQ の面積は，

$\frac{1}{2}\times(4+8)\times 2\sqrt{10}=12\sqrt{10}$ (cm^2)

(3) 右の図のように，直方体の断面である長方形 AEGC で考える。点 R は線分 EG の中点となり，点 R から線分 AC に垂線 RL をひくと，

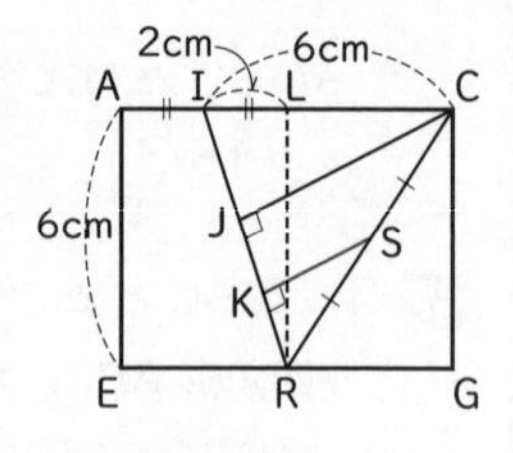

点 L は線分 AC の中点となる。また，AL の中点を I とする。点 C，S から線分 IR にそれぞれ垂線 CJ，SK をひくと，線分 SK が求める立体の高さとなる。

△IRC の面積より，

$\text{IC}\times\text{LR}\times\frac{1}{2}=\text{IR}\times\text{CJ}\times\frac{1}{2}$

$6\times6\times\frac{1}{2}=2\sqrt{10}\times\text{CJ}\times\frac{1}{2}$　$\sqrt{10}\text{CJ}=18$

$\text{CJ}=\frac{9\sqrt{10}}{5}$ cm

点 S は線分 RC の中点であり，SK//CJ より，

$\text{SK}=\frac{1}{2}\text{CJ}=\frac{9\sqrt{10}}{10}$ (cm)

よって，求める体積は，

$\frac{1}{3}\times$四角形 PFHQ$\times$SK$=\frac{1}{3}\times12\sqrt{10}\times\frac{9\sqrt{10}}{10}$

$=36$ (cm^3)

1 資料の整理

STEP 1 まとめノート

本冊⇨p.142

例題1 ①度数 ②0.14 ③0.14 ④7
⑤50 ⑥7 ⑦12 ⑧12
⑨0.24

例題2 (1)①8 ②22 ③11 ④12
⑤4 ⑥4
(2)⑦度数 ⑧4
(3)⑨4 ⑩5 ⑪22 ⑫3.5

STEP 2 実力問題

本冊⇨pp.143～144

1 (1) ア…18，イ…5
(2) ウ…0.20，エ…0.10
(3) オ…13，カ…45
(4)

2 エ

3 64.7 m

4 (1) 1組…4冊，
2組…3冊
(2)

(3) (例) 1組は中央値のまわりに集中しているが，2組は分布の山が両端にあり，全体的に分散している。

5 (1) 第1四分位数…13.5 m
第2四分位数…16.5 m
第3四分位数…19 m
四分位範囲…5.5 m
(2) 第1四分位数…14 m
第2四分位数…17 m
第3四分位数…18.5 m
四分位範囲…4.5 m

(3) A

解説

1 (1) 55回以上60回未満は5人だから，イは5
アは 50−(3+10+14+5)=18
(2) 度数の合計は50人で，
ウの階級の度数は10人より，ウ$=\frac{10}{50}=0.20$
エの階級の度数は5人より，エ$=\frac{5}{50}=0.10$
(3) オ=3+10=13，カ=31+14=45
(4) はじめの階級の最小値35の度数を0として点をとり，以降は各階級の最大値とその階級の累積度数を示す点を順に線で結ぶ。

! ココに注意

累積度数折れ線…各階級の累積度数をその階級の最大値の点で結ぶ
度数折れ線…各階級の度数をその階級の階級値の点で結ぶ
結ぶ点の違いに注意しよう。

2 ア…範囲は5冊，イ…最頻値は1冊，ウ…中央値は小さいほうから8番目で2冊 よって，正しくない。
エ…平均値は，(0×1+1×5+2×3+3×1+4×3+5×2)÷15=36÷15=2.4(冊) よって，正しい。

3 それぞれの階級の階級値にその度数をかけて，合計を求めると，
62×5+66×6+70×1=776 (m)
よって，平均値は，776÷12=64.66… より，
64.7 m

4 (1) 3年1組，2組とも40人だから，中央値は小さいほうから20番目と21番目の平均値を求める。3年1組はどちらも4冊，2組はどちらも3冊だから，1組は4冊，2組は3冊である。

5 (1) A班の記録を小さい順に並べると，
10, 12, 15, 16, 17, 19, 19, 22
第2四分位数は，$\frac{16+17}{2}=16.5$ (m)
第1四分位数は，$\frac{12+15}{2}=13.5$ (m)
第3四分位数は，19 m
四分位範囲は，19−13.5=5.5 (m)
(2) B班の記録を小さい順に並べると，
11, 13, 15, 17, ⑰, 18, 18, 19, 20
第2四分位数は，17 m

第 1 四分位数は，$\frac{13+15}{2}=14$ (m)

第 3 四分位数は，$\frac{18+19}{2}=18.5$ (m)

四分位範囲は，$18.5-14=4.5$ (m)

(3) A 班の範囲は，$22-10=12$ (m)

B 班の範囲は，$20-11=9$ (m)

これらと(1)，(2)より，範囲，四分位範囲とも B より A のほうが大きいことがわかる。

ココに注意

四分位範囲=第 3 四分位数−第 1 四分位数
範囲=最大の値−最小の値
の違いに注意しよう。

STEP 3 発展問題

本冊⇨p.145

1 平均値…2.3 冊，中央値…2 冊，最頻値…3 冊

2 ウ

3 (1) 4　(2) 81　(3) 32

解説

1 平均値は，

$(0\times2+1\times8+2\times9+3\times10+4\times4+5\times2)\div35$
$=82\div35=2.34\cdots$ (冊) より，2.3 冊

中央値は，小さいほうから 18 番目で 2 冊

最頻値は，度数が最も多い 3 冊

2 最頻値が 8 点より，**エ**を除く。また，中央値が 8 点より，**オ**，**カ**を除く。**ア**の平均値は 8 点，**イ**の平均値は 8 点以上だから，最も適切なのは**ウ**

3 (1) 評価 A の生徒の平均点は，

$(80\times5+90\times4+100\times1)\div10=86$ (点)

よって，**ア**より，評価 C の生徒の平均点は，

$86-70=16$ (点)

ここで，30 点の生徒の人数を x 人とすると，

$(0\times4+10\times2+20\times5+30x)\div(11+x)=16$

$20+100+30x=16(11+x)$

$30x+120=16x+176$

$14x=56$　$x=4$

(2) 得点が 40 点，50 点，70 点の生徒の人数の合計を y 人とすると，合格者の人数は，

$y+7+5+4+1=y+17$ (人) だから，合格者の得点の合計は，$65(y+17)$ 点

また，30 点以上の生徒の人数は，

$4+y+17=y+21$ (人) だから，30 点以上の生徒の得点の合計は，$63(y+21)$ 点

よって，$65(y+17)+30\times4=63(y+21)$

$65y+1105+120=63y+1323$　$2y=98$

$y=49$

したがって，生徒の総数は，

$4+2+5+(y+21)=11+70=81$ (人)

(3) 得点が 70 点，50 点の生徒の人数をそれぞれ z 人，w 人とすると，40 点の生徒の人数は $(49-z-w)$ 人である。

ウより，$z>7$，$w>7$ だから，$z+w>14$

また，$49-z-w>7$ より，$z+w<42$

よって，$14<z+w<42$ …①

合格者の生徒の得点の合計は，

$70z+50w+40(49-z-w)+60\times7+86\times10$
$=65\times(49+17)$

$70z+50w+1960-40z-40w+420+860$
$=4290$

$30z+10w=1050$　$3z+w=105$

$w=105-3z>7$ より，$-3z>-98$　$3z<98$

$z<\frac{98}{3}=32.6\cdots$

$z=32$ のとき，$w=105-96=9$

このとき，$z+w=41$ となり①を満たす。

$z\leqq31$ のとき，$z+w=z+105-3z=105-2z\geqq43$ となるから，①を満たさない。

したがって，$z=32$ より，70 点の生徒は 32 人

2 確　率

STEP 1 まとめノート

本冊⇨p.146

例題1　① 樹形図　② 2　③ 8　④ 3　⑤ $\frac{3}{8}$

例題2　① 4　② 10　③ 3　④ 6　⑤ $\frac{3}{5}$

例題3　① 6　② 36　③ 8　④ 11　⑤ 3　⑥ 1　⑦ 5　⑧ 4　⑨ 6　⑩ 11　⑪ $\frac{11}{36}$

STEP 2 実力問題

本冊⇨pp.147 ～ 148

1 (1) 9 通り　(2) $\frac{1}{6}$

2 (1) $\frac{7}{18}$　(2) $\frac{1}{4}$

3 (1) $\frac{8}{15}$ (2) $\frac{16}{25}$

4 (1) $\frac{2}{15}$ (2) $\frac{3}{10}$

5 (1) 6通り (2) $\frac{5}{18}$

6 (1) $x=3$ (2) $\frac{5}{9}$

解説

1 (1) Aはb, c, dを受け取ることができる。Aがbを受け取るとき、その受け取り方は右の表のように3通りある。Aがc, dを受け取るときも同様に3通りずつあるから、全部で、3×3=9(通り)

A	B	C	D
b	a	d	c
b	c	d	a
b	d	a	c

(2) A, B, C, Dの4人から2人を選ぶ選び方は、(A, B), (A, C), (A, D), (B, C), (B, D), (C, D)の6通り
AとBが同時に選ばれるのは(A, B)の1通り
よって、求める確率は $\frac{1}{6}$

2 目の出方は全部で、6×6=36(通り)
(1) 2つのさいころの出る目の積が6以下になるのは、(1, 1), (1, 2), (1, 3), (1, 4), (1, 5), (1, 6), (2, 1), (2, 2), (2, 3), (3, 1), (3, 2), (4, 1), (5, 1), (6, 1)の14通り
よって、求める確率は $\frac{14}{36}=\frac{7}{18}$

(2) $a=1$ のとき $2^1=2$ で、$2^a\times3^b$ の値が100以下になるbの値は、$b=1$, 2, 3 の3通り
同様に、$a=2$ のとき、$b=1$, 2 の2通り
$a=3$ のとき、$b=1$, 2 の2通り
$a=4$ のとき、$b=1$ の1通り
$a=5$ のとき、$b=1$ の1通り
$a=6$ のとき、これを満たすbはない。
以上から、3+2×2+1×2=9(通り)
よって、求める確率は $\frac{9}{36}=\frac{1}{4}$

3 (1) 赤玉を❶, ❷, 白玉を③, ④, ⑤, ⑥とする。
玉2個の取り出し方の樹形図をかくと、

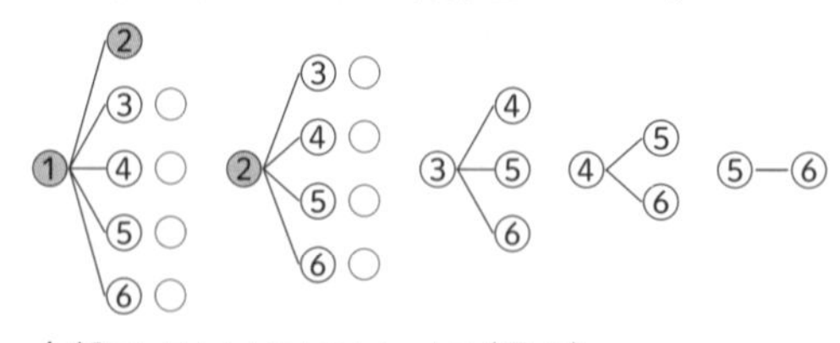

全部で 5+4+3+2+1=15(通り)
赤玉と白玉が1個ずつであるのは、上の図で○印のついた8通り
よって、求める確率は $\frac{8}{15}$

(2) 赤玉を❶, ❷, 白玉を③, ④, 青玉を⑤とする。
1個取り出した後、もどしてからまた取り出すから、玉の取り出し方は全部で、5×5=25(通り)
2回とも同色になるのは、(❶, ❶), (❶, ❷), (❷, ❶), (❷, ❷), (③, ③), (③, ④), (④, ③), (④, ④), (⑤, ⑤)の9通り
よって、求める確率は $1-\frac{9}{25}=\frac{16}{25}$

4 (1) カードのひき方は全部で、6×5=30(通り)
9の倍数になる場合は36, 45, 54, 63の4通り
よって、求める確率は $\frac{4}{30}=\frac{2}{15}$

(2) 2枚のカードの取り出し方は全部で、5×4÷2=10(通り)
ともに奇数であるのは、([1], [3]), ([1], [5]), ([3], [5])の3通り
よって、求める確率は $\frac{3}{10}$

5 目の出方は全部で、6×6=36(通り)
(1) 大小2つのさいころが同じ目になるときで、(1, 1), (2, 2), …, (6, 6)の6通り
(2) 移動後の点Pの位置に対応する数が2以上になるのは、大の目−小の目≧2 だから、(大, 小)とすると、
(3, 1), (4, 1), (4, 2), (5, 1), (5, 2), (5, 3), (6, 1), (6, 2), (6, 3), (6, 4)の10通り
よって、求める確率は $\frac{10}{36}=\frac{5}{18}$

ココに注意
点が移動するときは、どのような移動をすれば条件に合うのかを考えよう。

6 (1) AB=13 cm, BC=10 cm, AP=x cm だから、PB=BC より、$13-x=10$ $x=3$
(2) 大小2つのさいころの目の出方は全部で、6×6=36(通り)
点Pを中心として、点Aが点Bに回転移動したとすれば、AP=PB より、$x=13-x$ $x=\frac{13}{2}$
また、点Aが点Cに回転移動したとすれば、

5章 データの活用 2 確率

AP=PC より，$x=23-x$　$x=\frac{23}{2}$

よって，$\frac{13}{2} \leqq x \leqq \frac{23}{2}$ で，x は自然数だから，

$x=7,\ 8,\ 9,\ 10,\ 11$

$x=7$ のとき，(大，小)=(1，6)，(2，5)，(3，4)，(4，3)，(5，2)，(6，1) の 6 通り

$x=8$ のとき，(大，小)=(2，6)，(3，5)，(4，4)，(5，3)，(6，2) の 5 通り

$x=9$ のとき，(大，小)=(3，6)，(4，5)，(5，4)，(6，3) の 4 通り

$x=10$ のとき，(大，小)=(4，6)，(5，5)，(6，4) の 3 通り

$x=11$ のとき，(大，小)=(5，6)，(6，5) の 2 通り

以上から，線分 BC 上にある場合は，

6+5+4+3+2=20 (通り)

よって，求める確率は $\frac{20}{36}=\frac{5}{9}$

STEP 3 発展問題

本冊⇨pp.149 ～ 150

1 (1) $\frac{2}{15}$　(2) $\frac{7}{15}$

2 $\frac{1}{5}$

3 $\frac{11}{12}$

4 (1) $\frac{1}{18}$　(2) $\frac{1}{3}$　(3) $\frac{4}{9}$

5 $\frac{2}{5}$

6 (順に) $\frac{7}{8}$，$\frac{169}{512}$

7 (1) 360 通り　(2) $\frac{1}{15}$　(3) $\frac{1}{5}$

8 (1) $\frac{1}{3}$　(2) $\frac{1}{6}$　(3) A，C，F，H　(4) $\frac{49}{162}$

解説

1 6 枚のカードから同時に 2 枚を取り出す場合は，

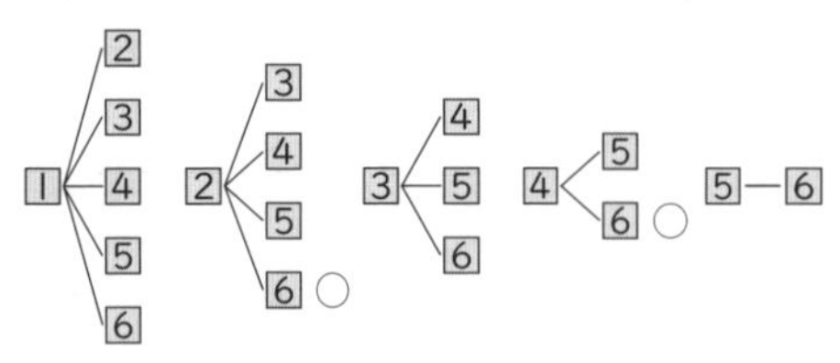

全部で，5+4+3+2+1=15 (通り)

(1) 2 枚とも偶数で，1 枚だけ 5 以上の整数が記入してあるのは，上の樹形図で○印のついた ([2]，[6])，([4]，[6]) の 2 通り

よって，求める確率は $\frac{2}{15}$

(2) ㋐ 2 枚とも偶数のとき，$m=2$，$m>n$ より，

$n=0$ のとき，([2]，[4]) の 1 通り

$n=1$ のとき，([2]，[6])，([4]，[6]) の 2 通り

㋑ 1 枚が偶数のとき，$m=1$，$m>n$ より，

$n=0$ のとき，([2]，[1])，([2]，[3])，([4]，[1])，([4]，[3]) の 4 通り

以上から，全部で 1+2+4=7 (通り)

よって，求める確率は $\frac{7}{15}$

2 カードの取り出し方は全部で，5×5=25 (通り)

取り出したカードに書かれている数の積を 3 でわった余りが 1 となるのは，

(A，B)=([2]，[2])，([2]，[5])，([4]，[4])，([5]，[2])，([5]，[5]) の 5 通り

よって，求める確率は $\frac{5}{25}=\frac{1}{5}$

3 $(a,\ b)$ の組み合わせは，6×6=36 (通り)

$\frac{b}{a}=2$ のとき，2 直線は平行になるから，交わらない。$\frac{b}{a}=2$ となるのは，

$(a,\ b)=(1,\ 2),\ (2,\ 4),\ (3,\ 6)$ の 3 通り

よって，平行でない 2 直線は交わるから，求める確率は $1-\frac{3}{36}=\frac{33}{36}=\frac{11}{12}$

4 目の出方は全部で，6×6=36 (通り)

(1) △APQ が正三角形となる場合は，右の図のように，点 P，Q が C，E に移動した場合で，(1 回目，2 回目)=(2，4)，(4，2) の 2 通り

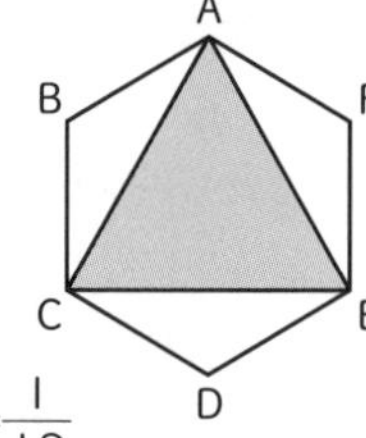

よって，求める確率は $\frac{2}{36}=\frac{1}{18}$

(2) △APQ が直角三角形となる場合は，右の図のように，△ABD，△ABE，△ACD，△ACF，△ADE，△ADF の 6 つの直角三角形で，(1，3)，(3，1)，(1，4)，(4，1)，(2，3)，(3，2)，(2，5)，(5，2)，(3，4)，(4，3)，(3，5)，(5，3) の 12 通り

よって，求める確率は $\frac{12}{36}=\frac{1}{3}$

(3) 三角形ができない場合は,

㋐ 点Pと点Qが重なる場合で, (1, 1), (2, 2), (3, 3), (4, 4), (5, 5) の5通り

㋑ 点Pが点Aと重なる場合で, (6, 1), (6, 2), (6, 3), (6, 4), (6, 5) の5通り

㋒ 点Qが点Aと重なる場合で, (1, 6), (2, 6), (3, 6), (4, 6), (5, 6) の5通り

㋓ 3点A, P, Qが重なる場合で, (6, 6) の1通り

以上から, $5\times3+1=16$ (通り)

よって, 求める確率は $\frac{16}{36}=\frac{4}{9}$

5 組の分け方は全部で, $5\times4\div2=10$ (通り)

A, Bが同じ組になるのは, 2人の組のときの1通り, 3人の組のときの3通りだから, $1+3=4$ (通り)

よって, 求める確率は $\frac{4}{10}=\frac{2}{5}$

6 3枚のコインがすべて表となる確率は, $\frac{1}{2^3}=\frac{1}{8}$

よって, 少なくとも1枚が裏となる確率は,

$1-\frac{1}{8}=\frac{7}{8}$

また, 3回とも少なくとも1枚が裏となる確率は,

$\frac{7^3}{8^3}=\frac{343}{512}$

よって, 少なくとも1回はすべてのコインが表となる確率は,

$1-\frac{343}{512}=\frac{169}{512}$

7 (1) $6\times5\times4\times3=360$ (通り)

(2) 両端の並べ方は, 2通り

残りの4枚から取り出す2枚の並べ方は,

$4\times3=12$ (通り)

よって, $2\times12=24$ (通り) だから,

求める確率は $\frac{24}{360}=\frac{1}{15}$

(3) Oがいちばん左にあるとき, Eの並べ方は3通り

Oが左から2番目にあるとき, Eの並べ方は2通り

Oが左から3番目にあるとき, Eの並べ方は1通り

以上から, OとEの並べ方は $3+2+1=6$ (通り)

残り2枚の並べ方は $4\times3=12$ (通り) だから,

OがEよりも左側にあるのは, $6\times12=72$ (通り)

よって, 求める確率は $\frac{72}{360}=\frac{1}{5}$

8 さいころの目が「3以下である」ことを a, 「4または5である」ことを b, 「6である」ことを c とする。1回のさいころを投げたとき, a, b, c の起こり方はそれぞれ, 3通り, 2通り, 1通り

(1) 目の出方は全部で, $6^2=36$ (通り)

点PがAからCに移動するのは a と b がそれぞれ1回ずつ起こるときで, ab, ba の2通りの進み方があるから, 全部で $(3\times2)\times2=12$ (通り)

よって, 求める確率は $\frac{12}{36}=\frac{1}{3}$

(2) 目の出方は全部で, $6^3=216$ (通り)

点PがAからGに移動するのは a と b と c がそれぞれ1回ずつ起こるときで, abc, acb, bac, bca, cab, cba の6通りの進み方があるから, 全部で $(3\times2\times1)\times6=36$ (通り)

よって, 求める確率は $\frac{36}{216}=\frac{1}{6}$

(3) 点Pはさいころを奇数回投げた後にはB, D, E, Gのどれかにいる。偶数回投げた後にはA, C, F, Hのどれかにいる。

よって, 点Pがいる確率が0である頂点はA, C, F, H

(4) 目の出方は全部で, $6^4=1296$ (通り)

点PがAにいるのは,

㋐ a が4回起こるときの $3^4=81$ (通り)

㋑ b が4回起こるときの $2^4=16$ (通り)

㋒ c が4回起こるときの $1^4=1$ (通り)

㋓ a と b がそれぞれ2回ずつ起こるときで, $aabb$, $abab$, $abba$, $baab$, $baba$, $bbaa$ の6通りの進み方があるから, 全部で,

$(3^2\times2^2)\times6=216$ (通り)

同様に,

㋔ a と c がそれぞれ2回ずつ起こるときの $(3^2\times1^2)\times6=54$ (通り)

㋕ b と c がそれぞれ2回ずつ起こるときの $(2^2\times1^2)\times6=24$ (通り)

以上から, 点PがAにいるのは,

$81+16+1+216+54+24=392$ (通り)

よって, 求める確率は $\frac{392}{1296}=\frac{49}{162}$

3 標本調査

STEP 1 まとめノート

本冊⇨p.151

例題1 ① 全数 ② ウ ③ 標本 ④ エ

例題2 (1) ① 100 ② 10 ③ 4000 ④ 400 ⑤ 400

(2) ① 50000　② 4　③ 200000
④ 1000　⑤ 1000

STEP 2 実力問題

本冊⇨p.152

1 ウ
2 およそ 200 個
3 およそ 500 個
4 (1) およそ 375 個　(2) およそ 4000 個
5 およそ 44.3 kg

解説

1 ア，イ，エは全員に対して行わなければ意味がないため，全数調査が適切である。ウは時間・費用などの面で標本調査が適切である。

2 袋の中の赤玉の個数を x 個とすると，
$1000 : x = 30 : 6$　$1000 : x = 5 : 1$
$5x = 1000 \times 1$　$x = 200$
よって，およそ 200 個

3 箱の中のビー玉の個数を x 個とすると，
$x : 100 = 40 : 8$　$x : 100 = 5 : 1$　$x = 500$
よって，およそ 500 個

4 (1) 発生した不良品の個数を x 個とすると，
$80 : 3 = 10000 : x$　$80x = 3 \times 10000$
$x = \frac{3 \times 10000}{80} = 375$
よって，およそ 375 個
(2) 生産した製品の個数を y 個とすると，
$80 : 3 = y : 150$　$3y = 80 \times 150$
$y = \frac{80 \times 150}{3} = 4000$
よって，およそ 4000 個

5 $(43.0 \times 1 + 43.5 \times 3 + 44.0 \times 5 + 44.5 \times 7 + 45.0 \times 3 + 45.5 \times 1) \div 20 = 885.5 \div 20 = 44.275$ (kg)
よって，全体の平均はおよそ 44.3 kg

! ココに注意
標本での平均 m を標本平均といい，母集団での平均 M を母平均という。標本平均を多数回求め，その平均をとれば，それは母平均 M にほぼ等しい。

理解度診断テスト ⑤

本冊⇨pp.153 ～ 154

理解度診断　A…80 点以上，B…60～79 点，C…59 点以下

1 (1) ア…8，イ…60，最頻値…22.5 分
(2) (例) 1 日あたり 30 分以上読書している 3 年生の割合は，
A 中学校：$(10+8+3+3) \div 50 = 0.48$
B 中学校：$(12+8+4+3) \div 60 = 0.45$
$0.48 > 0.45$ だから，1 日あたり 30 分以上読書している 3 年生の割合が大きいのは，A 中学校である。

2 (1) 2.3 冊　(2) 36.5分
3 (1) $\frac{1}{3}$　(2) $\frac{1}{4}$　(3) $\frac{5}{21}$
4 (1) $\frac{3}{5}$　(2) $\frac{13}{25}$
5 およそ 80 個
6 およそ 100 人
7 $\frac{1}{3}$
8 およそ 440 個

解説

1 (1) ア $= 50 - (9+17+10+3+3) = 8$
イ $= 12+21+12+8+4+3 = 60$
最も度数の多い階級は 15～30 だから，最頻値は，$(15+30) \div 2 = 22.5$ (分)

2 (1) $(0 \times 1 + 1 \times 3 + 2 \times 1 + 3 \times 2 + 4 \times 3) \div (1+3+1+2+3) = 23 \div 10 = 2.3$ (冊)
(2) 通学時間を短い順に並べると，
23，28，28，㉟，㊳，39，40，41
資料の個数が 8 で偶数だから，4 番目と 5 番目の値の平均を求めて，$\frac{35+38}{2} = 36.5$ (分)

3 (1) A さんがひいたくじは箱にもどさないから，2 人のくじのひき方は，$3 \times 2 = 6$ (通り)
このうち，2 人がともに当たりくじをひく場合の数は，$2 \times 1 = 2$ (通り)
よって，求める確率は $\frac{2}{6} = \frac{1}{3}$
(2) 目の出方は全部で，$6 \times 6 = 36$ (通り)
$a + 2b$ の値が 14 以上となるのは，
$(a, b) = (2, 6), (3, 6), (4, 5), (4, 6), (5, 5), (5, 6), (6, 4), (6, 5), (6, 6)$ の 9 通り

よって，求める確率は $\frac{9}{36}=\frac{1}{4}$

(3) 7 個の玉に番号をつけて，❶，❷，❸を赤玉，④，⑤を白玉，⑥，⑦を青玉とする。樹形図をかくと，

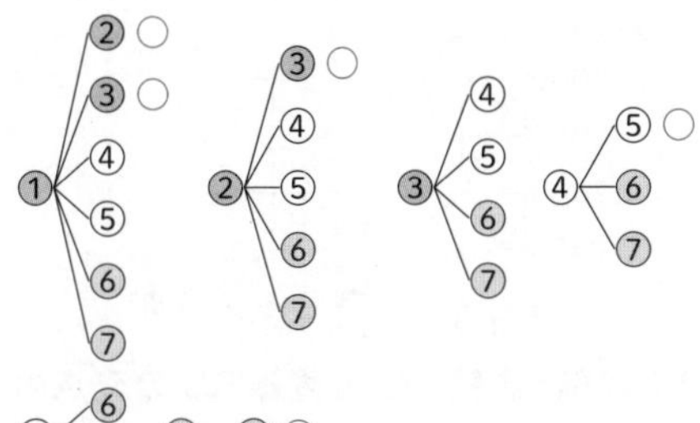

⑤—⑥，⑤—⑦　⑥—⑦ ○

玉の取り出し方は全部で，
6+5+4+3+2+1=21 (通り)
玉の色が同じになるのは○印のついた5 通り

よって，求める確率は $\frac{5}{21}$

別解　玉をすべて区別すると，7 個から 2 個の玉の取り出し方は全部で，7×6÷2=21 (通り)
2 個とも赤玉が出る場合は 3×2÷2=3 (通り)，
2 個とも白玉，青玉が出る場合はどちらも 1 通りだから，合わせて，3+1+1=5 (通り)

よって，求める確率は $\frac{5}{21}$

4 (1) 樹形図をかくと，

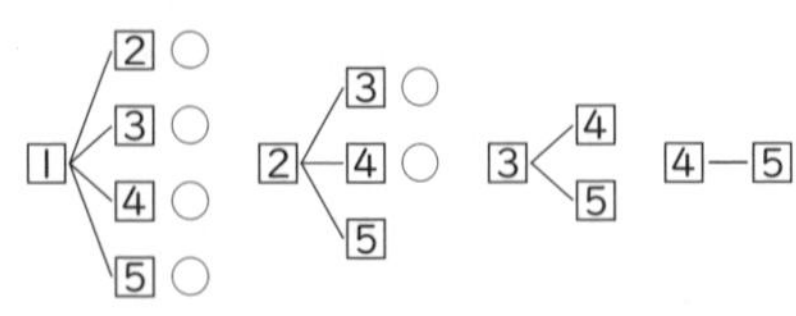

2 枚のカードの取り出し方は全部で，
4+3+2+1=10 (通り)
2 枚のカードに書いてある数の積が 10 未満になる場合は，○印のついた 6 通り

よって，求める確率は $\frac{6}{10}=\frac{3}{5}$

(2) 白玉 2 個，黒玉 3 個をそれぞれ区別して考えると，取り出した玉を袋の中にもどすから，玉の取り出し方は全部で，5×5=25 (通り)
2 回とも白玉が出る場合は 2×2=4 (通り)，
2 回とも黒玉が出る場合は 3×3=9 (通り) だから，合わせて，4+9=13 (通り)

よって，求める確率は $\frac{13}{25}$

5 箱の中にある白玉の個数を x 個とすると，
200 : x=10 : 4　10x=200×4
$x=\frac{200\times4}{10}=80$

よって，白玉は およそ 80 個

6 1 日あたり 30 分以上読書をしている人数を x 人とすると，
250 : x=40 : 16　40x=250×16
$x=\frac{250\times16}{40}=100$

よって，およそ 100 人

7 数字 3 が書かれている 2 つの玉を区別して考えると，玉の入れ方は全部で，4×3×2=24 (通り)
2 つの 3 の玉を，3_A，3_Bとして，箱の数字と中に入れた玉の数字が 3 つとも異なる場合の樹形図をかくと，全部で，2+3×2=8 (通り)

箱1　箱2　箱3

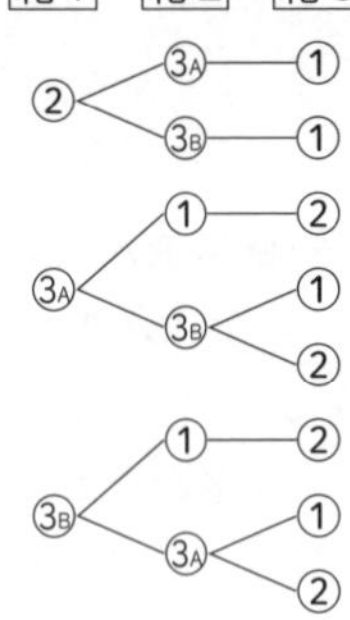

よって，求める確率は $\frac{8}{24}=\frac{1}{3}$

別解　箱 3 にまず玉を入れると考える。
箱の数字と中に入れた玉の数字が 3 つとも異なる場合の樹形図をかくと，全部で，4×2=8 (通り)

箱3　箱2　箱1　　箱3　箱2　箱1

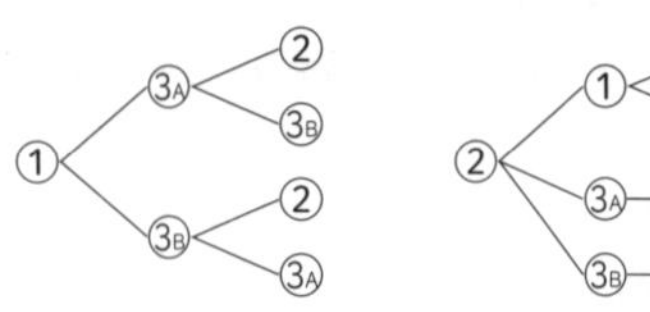

よって，求める確率は $\frac{8}{24}=\frac{1}{3}$

8 箱の中にある白の卓球の球の個数を x 個とすると，
x : 60=(50−6) : 6　x : 60=44 : 6
6x=60×44　$x=\frac{60\times44}{6}=440$

よって，およそ 440 個

！ココに注意

母集団での (白の卓球の球の個数) : (オレンジの卓球の球の個数) が，標本での (白の卓球の球の個数=50−6) : (オレンジの卓球の球の個数=6) に等しくなる。

思考力・記述問題対策（規則性）

本冊⇨pp.156〜157

1 (1) ① ア…8，イ…36　② 49個

③ $2n+1$（個）

(2) ① 15個

② (例) x番目の箱の合計個数は x^2 個，見えない箱の個数は $(x-1)$ 個だから，見えている箱の個数は，$x^2-(x-1)$（個）これが 111 個だから，$x^2-(x-1)=111$

$x^2-x-110=0$　$x=-10,\ 11$

x は自然数だから，$x=-10$ は適さない。よって，$x=11$

2 (1) 13行目の3列目

(2) 式…$12m-n+1$

説明 (例) 偶数行目の5列目に並んでいるから，$12m-n+1$ に $n=5$ を代入すると，$12m-5+1=12m-4=4(3m-1)$

m は自然数より，$3m-1$ は整数だから，$4(3m-1)$ は4の倍数となり，Bさんの整理券の番号は4の倍数である。

解説

1 (1) ① ア $0=2\times0$，$2=2\times1$，$4=2\times2$，$6=2\times3$，… より，ア$=2\times4=8$（個）

イ $1=1^2$，$4=2^2$，$9=3^2$，$16=4^2$，… より，イ$=6^2=36$（個）

② n 番目の1面が見える箱の数は，$(n-1)^2$ 個だから，$(8-1)^2=49$（個）

③ $(n+1)$ 番目の箱の合計個数は $(n+1)^2$ 個，n 番目の箱の合計個数は n^2 個だから，$(n+1)^2-n^2=2n+1$（個）

(2) ① 2番目は1個，3番目は $(1+2)$ 個，4番目は $(1+2+3)$ 個移動したので，6番目は $1+2+3+4+5=15$（個）

2 (1) $75\div6=12$ あまり3 より，75番は13行目。さらに13行目は奇数行目だから，左から順に並んでいく。よって，13行目の3列目

(2) $2m$ 行目の1列目の番号は，$2m\times6=12m$

偶数行目は右から並んでいるので，n 列目の番号は1列目の番号より $(n-1)$ 小さい。

よって，$12m-(n-1)=12m-n+1$

思考力・記述問題対策（関数）

本冊⇨pp.158〜159

1 (1) ① 1000

②

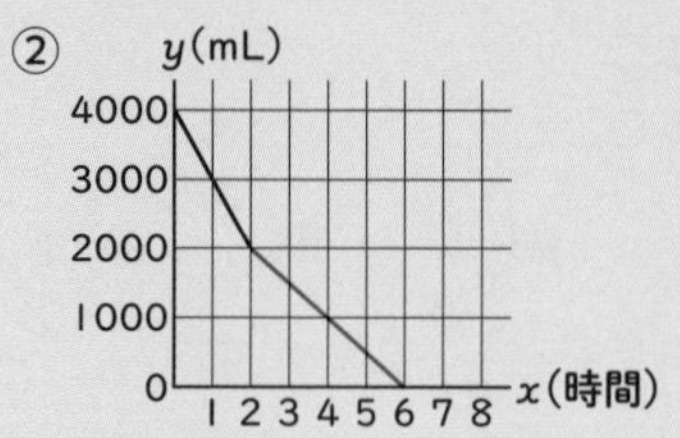

(2) ① (例) 直線PQと直線RSの交点の x 座標

② ⓒ $-800x+4000$　ⓓ $-500x+3500$

ⓔ 1　ⓕ 40

解説

1 (1) ① $4000\div4=1000$（mL/時）

② 使いはじめて6時間後になくなるから，(2，2000) と (6，0) を結ぶ。

(2) ② ⓒ 直線の傾きは $\dfrac{4000-0}{0-5}=-800$ で，切片は4000だから，$y=-800x+4000$ …㋐

ⓓ 直線の傾きは $\dfrac{1000-0}{5-7}=-500$ だから，$y=-500x+b$ として，$x=7$，$y=0$ を代入すると，$0=-3500+b$　$b=3500$

よって，$y=-500x+3500$ …㋑

ⓔⓕ ㋐，㋑より，

$-800x+4000=-500x+3500$

$x=\dfrac{5}{3}$（時間）

よって，1時間40分

思考力・記述問題対策（図形）

本冊⇨pp.160～161

1 (1) ① イ　② 2 cm　(2) イ　(3) ウ

(4)

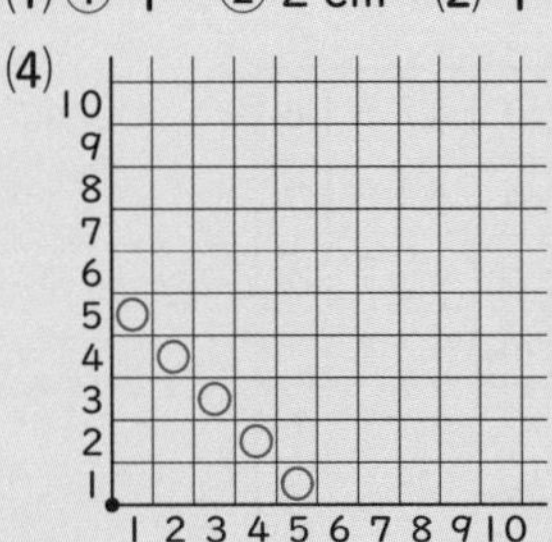

2 (1) $4\sqrt{3}$ cm

(2) (例) 3 点 A，P，Q を通る円の周上

(3) △BGP と △EGH において，

仮定より，∠B=∠E …①

点 P は辺 AB の中点だから，

$BP=\frac{1}{2}AB=8$ (cm)

よって，BP=EH …②

対頂角は等しいから，

∠BGP=∠EGH …③

①，③と三角形の内角の和は 180° であることから，∠BPG=∠EHG …④

①，②，④より，

1 組の辺とその両端の角がそれぞれ等しいから，△BGP≡△EGH

(4) $\frac{52\sqrt{3}}{3}$ cm²

解説

1 (1) ① 光源から点 D へは，下に 1，横に 2，縦に 1 移動しているから，D からも同じように移動させると，イ

② 光源を P とすると，PD=DD′，PA=AA′ だから，中点連結定理より，D′A′=2DA=2 (cm)

(2) (1)①と同様に A，B，C，D を移動させ，真上から見ると，右の図のようになる。

よって，イ

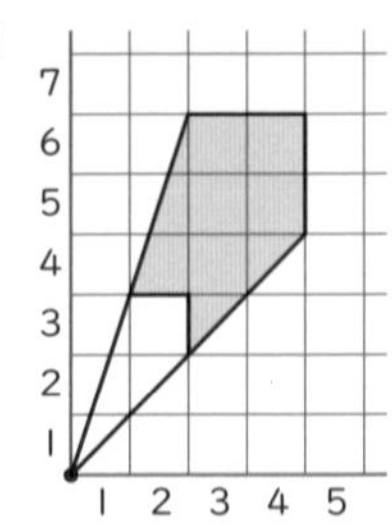

(3) [a，1] のとき，

影の部分の面積は右の図から，

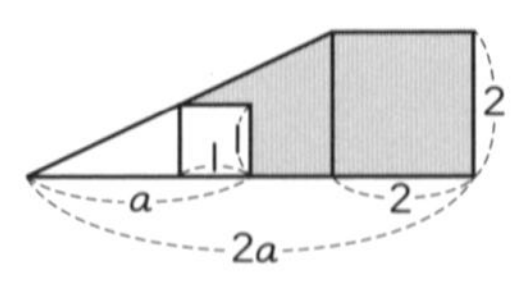

$\frac{1}{2}\times(2+2a)\times2-\frac{1}{2}\times(1+a)\times1$

$=\frac{3}{2}a+\frac{3}{2}$

[1，b] についても同様だから，ウ

(4) [a，b] のとき，

影の部分の面積は

右の図から，

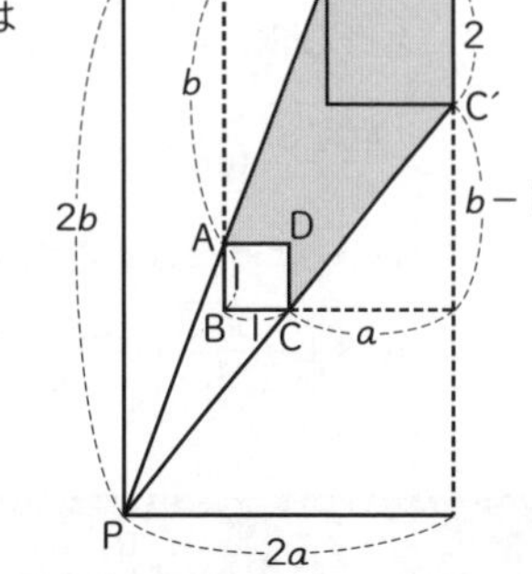

$(a+1)(b+1)-1$

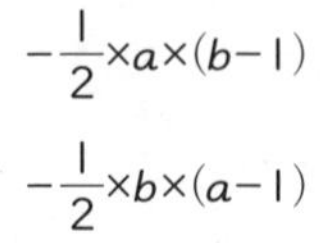

$-\frac{1}{2}\times a\times(b-1)$

$-\frac{1}{2}\times b\times(a-1)$

$=\frac{3}{2}a+\frac{3}{2}b$ (cm²)

(これは，a=1，b=1 のときもふくむ。)

よって，影の面積が 9 cm² となるのは

$\frac{3}{2}a+\frac{3}{2}b=9$

$a+b=6$ (a，b は自然数) より，

(a，b)=(1，5)，(2，4)，(3，3)，(4，2)，(5，1)

2 (1) ∠A=60°，∠C=90° より，

$BC=\frac{\sqrt{3}}{2}AB=8\sqrt{3}$

△ABC で，中点連結定理より，

$PQ=\frac{1}{2}BC=4\sqrt{3}$ (cm)

(2) A，D は直線 PQ の同じ側にあり，∠PAQ=∠PDQ=60° だから，円周角の定理の逆より，4 点 P，Q，A，D は同じ円周上にある。

(4) △DEF で，点 F から DE に垂線 FH をひくと，

DF：FH=2：$\sqrt{3}$

より，

FH=$4\sqrt{3}$ cm

(1)より，FH=PQ

となるから，点 H は点 Q と重なるので，△ABC と △DEF は上の図のようになる。

ここで，AB と FD の交点を I，BC と DE の交点を J，BC と EF の交点を K とし，点 I から PQ に垂線 IL をひく。

∠IQP=∠IPQ=30° より，QL=PL で，

QL：IL=$\sqrt{3}$：1 より，IL=2 cm

よって，$\triangle IQP=\frac{1}{2}\times4\sqrt{3}\times2=4\sqrt{3}$ (cm²) …①

また，JK//QP より，EJ : EQ=JK : QP

$8:12=JK:4\sqrt{3}$　$JK=\frac{8\sqrt{3}}{3}$ cm

よって，

台形 QJKP$=\frac{1}{2}\times\left(4\sqrt{3}+\frac{8\sqrt{3}}{3}\right)\times4$

$=\frac{40\sqrt{3}}{3}$ (cm²) …②

①，②より，求める面積は，

$4\sqrt{3}+\frac{40\sqrt{3}}{3}=\frac{52\sqrt{3}}{3}$ (cm²)

思考力・記述問題対策（データの活用）

本冊⇨pp.162～163

1 (A を選んだ場合)
理由…(例)・中央値が大きいから。
・9 m 以上の階級の度数の合計が多いから。
(B を選んだ場合)
理由…(例)・最頻値が大きいから。
・4 m 未満の階級の度数の合計が少ないから。

2 (1) $28.65 \leqq a < 28.75$　(2) 32.5℃
(3) (例) 表 1 において，35.0℃以上 40.0℃未満の日が 1 日あり，表 2 において，36.0℃以上の日がないから。

3 (1)〔3，5〕，〔4，4〕，〔5，3〕，〔6，2〕
(2) いえない
理由…(例) 条件が追加される前の確率は $\frac{5}{36}$，条件が追加された後の確率は $\frac{5}{18}$ なので，条件が追加される前の確率より後の確率の方が大きいから。

4 (例) さいころを 2 回投げて出る目は全部で 36 通り。
2 次式 x^2+mx+n が $(x+a)(x+b)$ または $(x+c)^2$ の形に因数分解できるのは，
$(m, n)=(2, 1), (3, 2), (4, 3), (4, 4), (5, 4), (5, 6), (6, 5)$ の 7 通り
よって，求める確率は $\frac{7}{36}$

（解説）

2 (2) 度数分布表での最頻値は，度数の最も多い階級の階級値だから，$\frac{30.0+35.0}{2}=32.5$ (℃)

3 (2) 条件を追加する前と後で，コマが 1 回目，2 回目と進んだ後のマスの位置を表にすると次のようになる。

追加前

1回目＼2回目	1	2	3	4	5	6
1	2	3	4	5	6	7
2	3	4	5	6	7	⑧
3	4	5	6	7	⑧	7
4	5	6	7	⑧	7	6
5	6	7	⑧	7	6	5
6	7	⑧	7	6	5	4

ゴールする確率は，$\frac{5}{36}$

追加後

1回目＼2回目	1	2	3	4	5	6
1	0	3	4	5	6	⑧
2	1	0	3	4	5	6
3	4	5	6	⑧	⑧	⑧
4	4	4	4	4	4	4
5	6	⑧	⑧	⑧	6	5
6	⑧	⑧	⑧	6	5	4

ゴールする確率は，$\frac{10}{36}=\frac{5}{18}$

高校入試予想問題 第1回

本冊⇨pp.164～165

1 (1) ① -3　② $\frac{1}{2}x+9y$

(2) ① $x=-\frac{10}{7}$　② $x=3,\ \frac{5}{2}$

配点：(1)・(2)各6点=24点

解説

1 (1) ① $\frac{4^2\times(-3)^2}{11^2-(-13)^2}=\frac{16\times9}{121-169}=\frac{16\times9}{-48}=-3$

② $2(x+4y)-3\left(\frac{1}{2}x-\frac{1}{3}y\right)=2x+8y-\frac{3}{2}x+y$

$=2x-\frac{3}{2}x+8y+y=\frac{1}{2}x+9y$

(2) ① $\frac{x+1}{3}+\frac{2}{5}x=\frac{1}{2}x$　両辺に30をかけて,

$10(x+1)+12x=15x$

$10x+10+12x=15x$　$7x=-10$　$x=-\frac{10}{7}$

② $2(x-2)^2-3(x-2)+1=0$

$x-2=A$ とおくと, $2A^2-3A+1=0$

解の公式より,

$A=\frac{-(-3)\pm\sqrt{(-3)^2-4\times2\times1}}{2\times2}$

$=\frac{3\pm\sqrt{1}}{4}=\frac{3\pm1}{4}$

$A=\frac{3+1}{4}=1$　$A=\frac{3-1}{4}=\frac{1}{2}$

$x-2=1$ より $x=3$

$x-2=\frac{1}{2}$ より $x=\frac{5}{2}$

2 (1) $53-4\sqrt{7}$　(2) 200 g　(3) 3往復

(4) およそ230個

配点：(1)～(4)各6点=24点

解説

2 (1) $x^2+2xy+y^2+4x-4y=(x+y)^2+4(x-y)$ より,

$x+y=\frac{5-4\sqrt{7}}{2}+\frac{5+8\sqrt{7}}{2}$

$=\frac{10+4\sqrt{7}}{2}=5+2\sqrt{7}$

$x-y=\frac{5-4\sqrt{7}}{2}-\frac{5+8\sqrt{7}}{2}$

$=\frac{-12\sqrt{7}}{2}=-6\sqrt{7}$

よって, $(5+2\sqrt{7})^2+4\times(-6\sqrt{7})$

$=25+20\sqrt{7}+28-24\sqrt{7}=53-4\sqrt{7}$

(2) 5%の食塩水が x gあったとすると, 3%の食塩水400 gを混ぜてから水を50 g蒸発させたときの食塩水の重さは $(x+400-50)$ gだから, ふくまれる食塩の重さから,

$\frac{5}{100}x+\frac{3}{100}\times400=\frac{4}{100}(x+400-50)$

$\frac{5}{100}x+12=\frac{4}{100}(x+350)$

両辺に100をかけて, $5x+1200=4x+1400$

$x=200$

よって, 200 g

(3) 1往復するのにかかる時間について,

長さ1 mの振り子は, $y=\frac{1}{4}x^2$ に $y=1$ を代入して, $1=\frac{1}{4}x^2$　$x^2=1\times4=4$

$x>0$ より, $x=2$

長さ9 mの振り子は, $y=\frac{1}{4}x^2$ に $y=9$ を代入して, $9=\frac{1}{4}x^2$　$x^2=9\times4=36$

$x>0$ より, $x=6$

よって, $6\div2=3$ (往復)

(4) 10000個の製品の中にふくまれる不良品の個数を x 個とすると,

$300:7=10000:x$　$300x=7\times10000$

$x=\frac{700}{3}=23\dot{3}.3\cdots\fallingdotseq230$

よって, およそ230個

3 (1) $a=\frac{1}{4}$　(2) $0\leqq y\leqq\frac{9}{4}$

(3) ① (4, 3)　② $y=\frac{5}{2}x$

配点：(1)・(2)各6点=12点, (3)各8点=16点

解説

3 (1) 点Aの x 座標は -2 だから, ④のグラフの式に $x=-2$ を代入して, $y=3\times(-2)+7=1$

A$(-2,\ 1)$

点Aは㋐のグラフ上の点だから, $1=a\times(-2)^2$

よって, $a=\frac{1}{4}$

(2) ㋐のグラフは上に開いているから,

$x=0$ のとき y は最小で, $y=0$

$x=3$ のとき y は最大で, $y=\frac{1}{4}\times3^2=\frac{9}{4}$

よって, $0\leqq y\leqq\frac{9}{4}$

(3) ① 点Bは㋑とy軸の交点だから，B(0, 7)
点Cのx座標は6だから，$y=\frac{1}{4}\times6^2=9$
C(6, 9)
AD//BC で，点Cは点Bから右へ6，上へ2進んだ点だから，点Dも点Aから右へ6，上へ2進む。
よって，D(−2+6, 1+2) より，D(4, 3)

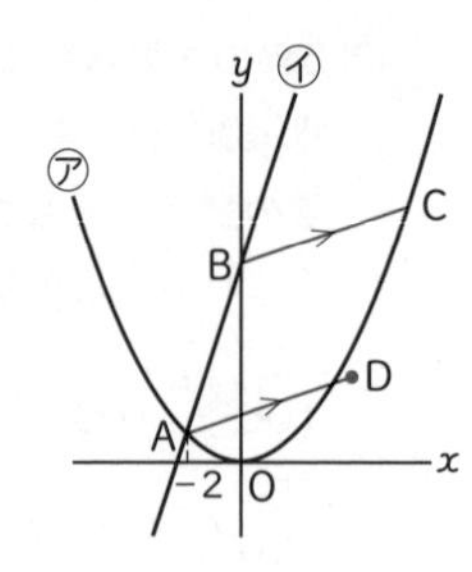

② 求める直線は，平行四辺形の対角線の交点，すなわち線分BDの中点を通る。線分BDの中点は，$\left(\frac{0+4}{2}, \frac{7+3}{2}\right)$ より，(2, 5)
よって，$y=\frac{5}{2}x$

別解 ① 線分ACの中点は，$\left(\frac{-2+6}{2}, \frac{1+9}{2}\right)$ より，(2, 5)
B(0, 7) だから，D(t, u) とすると，
$\frac{0+t}{2}=2$，$\frac{7+u}{2}=5$ より，$t=4$，$u=3$
よって，D(4, 3)

4 (1) **△ABD と △O′BP において，**
共通な角だから，∠ABD=∠O′BP …㋐
線分ABは円Oの直径だから，
∠ADB=90° …㋑
線分PBは円O′の接線で点Pは接点だから，∠O′PB=90° …㋒
㋑，㋒より，∠ADB=∠O′PB …㋓
㋐，㋓より，2組の角がそれぞれ等しいから，△ABD∽△O′BP

(2) ① $\sqrt{21}$ cm ② $2\sqrt{3}$ cm^2

配点：(1)・(2)①②各8点＝24点

解説

4 (2) ①

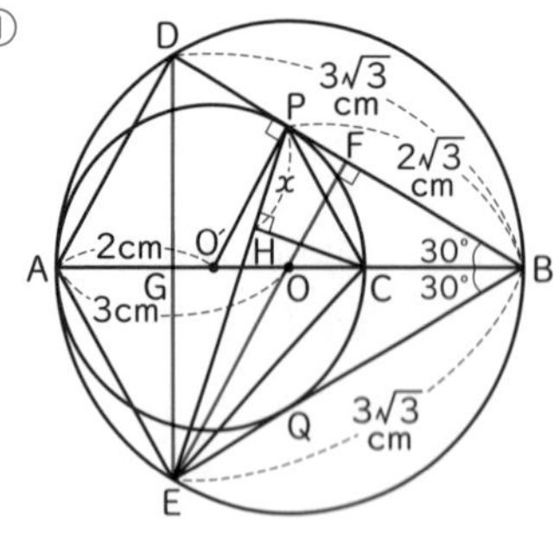

PO′=2 cm，OO′=3−2=1 (cm)
BO′=BO+OO′=3+1=4 (cm)
よって，△PO′Bは，30°，60°の直角三角形だから，BP=$2\sqrt{3}$ cm
(1)より，△ABD∽△O′BP だから，
BD : BP=BA : BO′=6 : 4=3 : 2
よって，BD=$\frac{3}{2}$×BP=$\frac{3}{2}\times2\sqrt{3}=3\sqrt{3}$ (cm)
点EからBDに垂線をひき，BDとの交点をFとすると，直角三角形EBFで，
∠FBE=∠FBO+∠EBO=30°+30°=60°
BE=BD=$3\sqrt{3}$ cm より，△DEBは正三角形で，
EF=$3\sqrt{3}\times\frac{\sqrt{3}}{2}=\frac{9}{2}$ (cm)　BF=$\frac{3\sqrt{3}}{2}$ cm
△PEF で，三平方の定理より，
PE=$\sqrt{EF^2+PF^2}=\sqrt{EF^2+(PB-BF)^2}$
$=\sqrt{\left(\frac{9}{2}\right)^2+\left(2\sqrt{3}-\frac{3\sqrt{3}}{2}\right)^2}$
$=\sqrt{\left(\frac{9}{2}\right)^2+\left(\frac{\sqrt{3}}{2}\right)^2}=\sqrt{\frac{81}{4}+\frac{3}{4}}=\sqrt{21}$ (cm)

② △O′CP は ∠PO′C=60° だから正三角形で，
O′P=O′C=2 cm より，CP=2 cm
線分ABと線分DEの交点をGとすると，
∠EGC=90° で，△BEG は60°，30°の直角三角形だから，BE=$3\sqrt{3}$ cm より，
EG=$3\sqrt{3}\times\frac{1}{2}=\frac{3\sqrt{3}}{2}$ (cm)
同様に，△AEG も60°，30°の直角三角形だから，EG=$\frac{3\sqrt{3}}{2}$ cm より，
AG=$\frac{3\sqrt{3}}{2}\times\frac{1}{\sqrt{3}}=\frac{3}{2}$ (cm)
よって，CG=AC−AG=$4-\frac{3}{2}=\frac{5}{2}$ (cm)
△ECG で，三平方の定理より，
EC=$\sqrt{EG^2+CG^2}=\sqrt{\left(\frac{3\sqrt{3}}{2}\right)^2+\left(\frac{5}{2}\right)^2}$
$=\sqrt{\frac{27}{4}+\frac{25}{4}}=\sqrt{13}$ (cm)
△CPE の頂点Cから辺PEに垂線をひき，辺PEとの交点をH，PH=x cm とすると，
△CPH で，三平方の定理より，
CH$^2=2^2-x^2=4-x^2$ …㋐
△CEH で，三平方の定理より，
CH$^2=(\sqrt{13})^2-(\sqrt{21}-x)^2$
$=13-21+2\sqrt{21}x-x^2$
$=-8+2\sqrt{21}x-x^2$ …㋑
㋐，㋑より，$4-x^2=-8+2\sqrt{21}x-x^2$

$\sqrt{21}x=6$　よって，$x=\frac{6}{\sqrt{21}}$

これを㋐に代入して，

$CH^2=4-\left(\frac{6}{\sqrt{21}}\right)^2=\frac{16}{7}$

$CH>0$ より，$CH=\sqrt{\frac{16}{7}}=\frac{4}{\sqrt{7}}$ (cm)

$\triangle CPE=\frac{1}{2}\times PE\times CH=\frac{1}{2}\times\sqrt{21}\times\frac{4}{\sqrt{7}}$

$=2\sqrt{3}$ (cm^2)

高校入試予想問題 第2回

本冊⇨pp.166 ～ 168

1 (1) ① $8+2\sqrt{3}$　② $\frac{3}{2}ab$

(2) ① $x=\frac{3}{2}$，$y=-4$　② $x=\frac{5\pm\sqrt{13}}{6}$

配点：(1)各 3 点＝6 点，(2)各 4 点＝8 点

解説

1 (1) ① $(\sqrt{3}+1)(\sqrt{3}+5)-\sqrt{48}$

$=(3+5\sqrt{3}+\sqrt{3}+5)-4\sqrt{3}$

$=3+5+5\sqrt{3}+\sqrt{3}-4\sqrt{3}$

$=8+2\sqrt{3}$

② $\frac{3}{8}a^2b\div\frac{9}{4}ab^2\times(-3b)^2$

$=\frac{3}{8}a^2b\times\frac{4}{9ab^2}\times9b^2=\frac{3a^2b\times4\times9b^2}{8\times9ab^2}=\frac{3}{2}ab$

(2) ① $\frac{4x+y-5}{2}=x+0.25y-2$

両辺に 4 をかけて，

$\left(\frac{4x+y-5}{2}\right)\times4=(x+0.25y-2)\times4$

$(4x+y-5)\times2=4x+y-8$

$8x+2y-10=4x+y-8$

$4x+y=2$ …㋐

$4x+3y=-6$ …㋑

㋐－㋑ より，$-2y=8$　$y=-4$

これを㋐に代入して，$4x-4=2$　$x=\frac{3}{2}$

② $3x^2-5x+1=0$　解の公式を用いて，

$x=\frac{-(-5)\pm\sqrt{(-5)^2-4\times3\times1}}{2\times3}=\frac{5\pm\sqrt{25-12}}{6}$

$=\frac{5\pm\sqrt{13}}{6}$

2 (1) 811　(2) $a=3$　(3) $4\sqrt{3}-\frac{4}{3}\pi$ (cm^2)

(4) $\frac{5}{18}$

配点：(1)～(4)各 4 点＝16 点

解説

2 (1) $2020-n$ の値は 93 の倍数だから，

$2020-n=93m$ (m は自然数) より，

$n=2020-93m$

$n-780=(2020-93m)-780=1240-93m$

$=31(40-3m)$

$n-780$ の値は素数であり，31 が素数だから，

$40-3m=1$

よって，$n-780=31$ より，$n=811$

ここで，$40-3m=1$ より，$m=13$

$n=2020-93\times13=2020-1209=811$

より適する。

(2) 2 直線の交点は，$\begin{cases} y=-x+a+3 & \cdots① \\ y=4x+a-7 & \cdots② \end{cases}$ より，

$-x+a+3=4x+a-7$

$-5x=-10$　$x=2$　これを①に代入して，

$y=-2+a+3=a+1$

よって，交点は，$(2, a+1)$

これを $y=x^2$ に代入して，$a+1=2^2$　$a=3$

(3) $\angle DAB=90°$

$\angle ADB=30°$ より，

$\angle ABD=60°$ で，

$AB=4$ cm だから，

$AD=4\sqrt{3}$ cm

右の図のように，A と

E を結ぶと，

$\triangle ABE$ は正三角形だから，

$\angle CAE=90°-60°=30°$

よって，色のついた部分の面積は，

$\triangle ABD-\triangle ABE-$おうぎ形 AEC

$=\frac{1}{2}\times4\times4\sqrt{3}-\frac{\sqrt{3}}{4}\times4^2-\pi\times4^2\times\frac{30}{360}$

$=8\sqrt{3}-4\sqrt{3}-\frac{4}{3}\pi=4\sqrt{3}-\frac{4}{3}\pi$ (cm^2)

(4)目の出方は全部で，$6\times6=36$ (通り)

$(a+b)$ を a でわったときの余りが 1 となるのは，

$(a, b)=(2, 1), (2, 3), (2, 5), (3, 1),$
$(3, 4), (4, 1), (4, 5), (5, 1), (5, 6),$
$(6, 1)$ の 10 通り

よって，求める確率は $\frac{10}{36}=\frac{5}{18}$

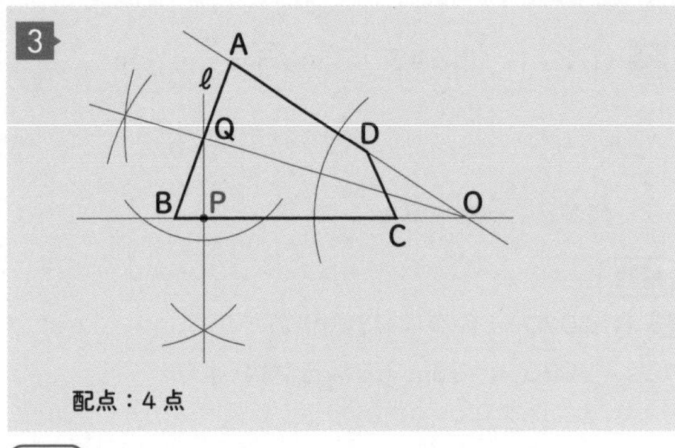

配点：4点

(解説)

3 直線BCと直線ADの交点をOとする。
∠AOBの二等分線と辺ABの交点をQとすると，点Qが求める円の中心である。点Qを通り辺BCに垂直な直線ℓと辺BCとの交点が点Pである。

4 (1) 22.5分 (2) 0.3 (3) イ，エ

配点：(1)・(2)・(3)完答 各4点＝12点

(解説)

4 (1) A中学校の度数が最も多いのは9人の20〜25分だから，最頻値は22.5分

(2) B中学校の通学時間が15分未満の生徒の度数は 4+10+16=30（人）だから，30÷100=0.3

(3) **ア** A中学校の最頻値は(1)より，22.5分
B中学校の度数が最も多いのは21人の15〜20分だから，最頻値は17.5分
よって，×
イ A中学校の中央値は小さい方から20番目で15〜20分だから，17.5分
B中学校の中央値は小さい方から50番目と51番目の平均で15〜20分だから，17.5分
よって，○
ウ A中学校の15分未満の生徒の相対度数は，
$\frac{0+6+7}{39}=0.33\cdots$
B中学校の15分未満の生徒の相対度数は，(2)より，0.3
よって，×
エ A中学校の範囲は 32.5−7.5=25（分）
B中学校の範囲は 37.5−2.5=35（分）
よって，○

5 (1) 63本 (2) 45個 (3) 12番目

配点：(1) 4点，(2)・(3)各5点＝10点

(解説)

5 (1) 1番目の図形の3本の棒でできる正三角形を△として，1〜6番目の△の個数と棒の本数の関係を表に表す。

番目	△の個数(個)	本数(本)
1	1	3
2	3	9
3	6	18
4	10	30
5	15	45
6	21	63

表より，6番目は63本

(2) 10番目の図形にふくまれる2番目の図形の個数は，2番目の図形の1番上の頂点(以下㋐とする)の個数と等しい。1〜5番目の㋐の個数を表に表す。

番目	㋐の個数(個)	
1	0	+1
2	1	+2
3	3	+3
4	6	+4
5	10	+5
⋮	⋮	⋮
10	45	+9

表より，10番目の図形に㋐は，
1+2+3+4+5+6+7+8+9=45（個）

(3) n番目の△の個数をmとすると，
$m=1+2+3+4+\cdots+n$ …①
①と，①の右辺の式のたす順を入れかえた式を次のようにたすと，

$$\begin{array}{rl} m= & 1+2+3+4+\cdots+n \\ +)\ m= & n+(n-1)+(n-2)+(n-3)+\cdots+1 \\ \hline 2m= & (1+n)\times n \end{array}$$

$m=\frac{n(1+n)}{2}=\frac{n(n+1)}{2}$

よって，n番目の棒の本数は，
$3m=3\times\frac{n(n+1)}{2}=\frac{3n(n+1)}{2}$（本）

$\frac{3n(n+1)}{2}=234$　$n(n+1)=156$
$n^2+n-156=0$　$(n+13)(n-12)=0$
$n=-13$，12　nは自然数だから，$n=12$
よって，12番目

別解　(1)と同様に7番目以降についても△の個数と棒の本数の具体的な関係を表に表す。

番目	△の個数(個)	本数(本)
1	1	3
2	3	9
3	6	18
4	10	30
5	15	45
6	21	63
7	28	84
8	36	108
9	45	135
10	55	165
11	66	198
12	78	234

表より，棒の総数が234本になるのは，12番目

6 (1) $y=-2x+4$　(2) ア，変化の割合…6
(3) 4π　(4) $3+\sqrt{3}$
配点：(1)・(2)完答 各4点＝8点，(3)・(4)各5点＝10点

解説

6 (1) A(1, 2)，C(−2, 8) は関数 $y=2x^2$ のグラフ上の点だから，放物線と交わる直線の公式より，直線ACの式は，
$y=2\times(1-2)x-2\times1\times(-2)=-2x+4$

(2) ア $2\times(1+2)=6$　イ $2\times(-2+0)=-4$
ウ $2\times(0+2)=4$　エ $2\times(-2+2)=0$
よって，ア

(3) D(1, 0) とすると，$\angle ADP=90°$
$\angle OPA=45°$ だから，△ADPは直角二等辺三角形より，DP＝AD＝2　よって，P(3, 0)
求める立体は，底面の半径が2で高さが1の三角錐と，底面の半径が2で高さが2の三角錐を合わせたものだから，その体積は，
$\frac{1}{3}\times\pi\times2^2\times(1+2)=4\pi$

(4) 右の図のように，
P(p, 0)，Q(q, $2q^2$)
($p>0$, $q>0$) とし，点Aからx軸に垂線をひき，x軸との交点をE，点Qから$x=-2$の直線に垂線をひき，$x=-2$の直線との交点をFとする。四角形APQCが平行四辺形となるとき，△CFQ≡△AEP だから，

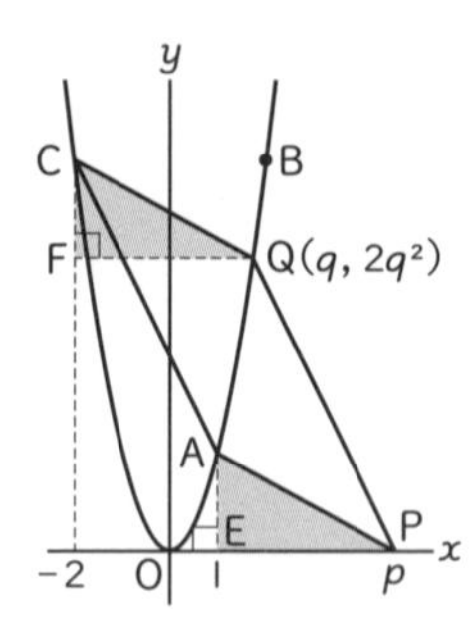

CF＝AE より，$8-2q^2=2$　$q^2=3$
$q>0$ より，$q=\sqrt{3}$
FQ＝EP より，$\sqrt{3}-(-2)=p-1$　$p=3+\sqrt{3}$

7 (1) ① $\frac{64}{7}$ cm²　② $2a°+b°$　③ $\frac{15}{4}$ cm
(2) ① 11 cm　② $\frac{8\sqrt{21}}{11}$ cm
配点：(1)各4点＝12点，(2)各5点＝10点

解説

7 (1) ① 右の図のように四角柱の一部の展開図をかくと，線分EJ+JIの長さが最も小さくなるのは，3点E，J，Iが一直線上に並ぶときである。

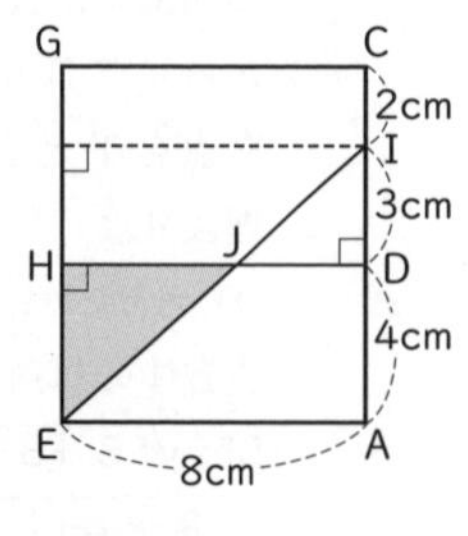

四角形EADH，HGCDは長方形，AD＝4 cm，DI＝3 cm なので，EH//DI より，
HJ：DJ＝EH：ID＝4：3
よって，$JH=\frac{4}{7}DH=\frac{4}{7}\times8=\frac{32}{7}$ (cm) より，
$\triangle EJH=\frac{1}{2}\times4\times\frac{32}{7}=\frac{64}{7}$ (cm²)

② 四角形EFGH≡四角形ABCD で，HK//IB だから，右の図のように，AB上に ∠APD＝∠EKH＝$b°$ となる点をPとする。

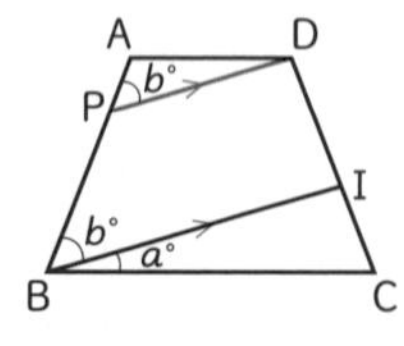

PD//BI で，平行線の同位角は等しいから，
∠ABI＝∠APD＝$b°$
よって，∠ABC＝∠ABI＋∠IBC＝$a°+b°$
四角形ABCDは等脚台形だから，
∠DCB＝∠ABC＝$a°+b°$
∠BIDは△BCIの外角より，
∠BID＝∠IBC＋∠DCB＝$a°+(a°+b°)=2a°+b°$

③ ②より，KF＝PB だから，線分PBの長さを求める。BCの中点をQ，AQとPDの交点をR，AQとBIの交点をSとすると，AD//QC，AD＝QC より，四角形AQCDは平行四辺形。

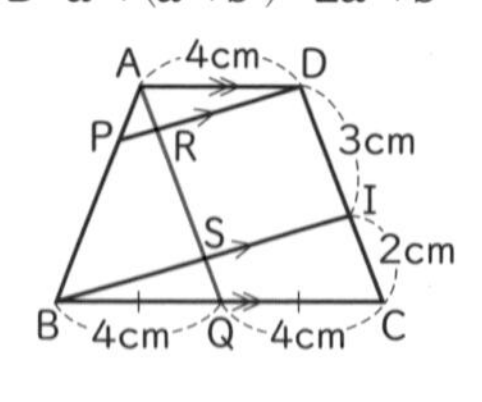

よって，AQ＝DC＝5 cm …㋐
RS//DI，RD//SI より，四角形RSIDは平行四辺形。よって，RS＝DI＝3 cm …㋑
QS//CI，BQ＝QC より，
$QS=\frac{1}{2}CI=\frac{1}{2}\times2=1$ (cm) …㋒
㋐，㋑，㋒より，AR＝AQ−(RS＋QS)

$=5-(3+1)=1$ (cm)

PD//BI だから，AP : PB=AR : RS=1 : 3

よって，$KF=PB=\frac{3}{1+3}AB=\frac{3}{4}\times5=\frac{15}{4}$ (cm)

(2) ① EF//AB//DL より，四角形 ABLD は平行四辺形。よって，BL=LC=4 cm

△DLC は DL=DC=5 cm の二等辺三角形だから，点 D から LC に垂線をひき，LC との交点を T とすると，△DLT で，三平方の定理より，

$DT=\sqrt{DL^2-LT^2}=\sqrt{5^2-2^2}=\sqrt{21}$ (cm)

直方体の対角線の長さと考えて，

$DF=\sqrt{FB^2+BT^2+DT^2}=\sqrt{FB^2+(BL+LT)^2+DT^2}$

$=\sqrt{8^2+(4+2)^2+(\sqrt{21})^2}=\sqrt{121}=11$ (cm)

ココに注意

立体の中に直方体を見つけると，直方体の対角線の長さの公式を利用できる。

② ①より，三角錐 D-FBL の体積は，

$\frac{1}{3}\times\triangle FBL\times DT=\frac{1}{3}\times\left(\frac{1}{2}\times8\times4\right)\times\sqrt{21}$

$=\frac{16\sqrt{21}}{3}$ (cm³)

右の図のように，△DFLの点 L から FD に垂線をひき，FD との交点を U，DU=x cm とすると，△DLU で，三平方の定理より，

$x$cm
D
11cm
U
5cm
F
$4\sqrt{5}$cm
L

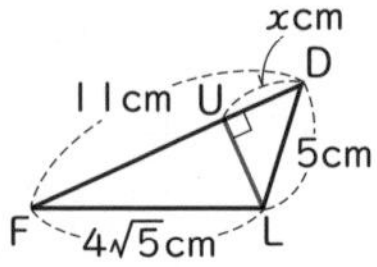

$LU^2=5^2-x^2=25-x^2$ …㋐

△FBL で，三平方の定理より，

$FL=\sqrt{FB^2+BL^2}=\sqrt{8^2+4^2}=\sqrt{80}=4\sqrt{5}$ (cm)

△FLU で，三平方の定理より，

$LU^2=(4\sqrt{5})^2-(11-x)^2$

$=80-(121-22x+x^2)=-x^2+22x-41$ …㋑

㋐，㋑より，$25-x^2=-x^2+22x-41$　$22x=66$

$x=3$　これを㋐に代入して，

$LU^2=25-3^2=16$　LU>0 より，LU=4 cm

よって △DFL の面積は，

$\frac{1}{2}\times DF\times LU=\frac{1}{2}\times11\times4=22$ (cm²)

点 B から △DFL に垂線をひき，△DFL との交点を N とすると，

三角錐 D-FBL の体積は，

$\frac{1}{3}\times\triangle DFL\times BN=\frac{1}{3}\times22\times BN=\frac{16\sqrt{21}}{3}$

$BN=\frac{16\sqrt{21}}{22}=\frac{8\sqrt{21}}{11}$ (cm)

AB//平面 DFL だから，$AM=BN=\frac{8\sqrt{21}}{11}$ (cm)

中学 自由自在問題集 数学